Houghton Mifflin Mathématique 6

Julie Boucher
Irvin K. Burbank
Richard Holmes

Houghton Mifflin Canada Limited
150 Steelcase Road West • Markham, Ontario • L3R 1B2

Houghton Mifflin Mathématique

Auteurs
Julie Boucher
Irvin K. Burbank
Florine Koko Carlson
Richard Holmes
Heather J. Kelleher
Carol Poce
Doug super

Conseillers
Jean Brugniau
Normand Gosselin
Gary Hatcher
Bill Hoppins
Judith A. Threadgill
George F. Williams
M.E. Williamson

Rédaction
Michel Gontard

Houghton Mifflin Mathématique 6

Traduction et adaptation de la première édition anglaise de:
Houghton Mifflin Mathematics 6

ISBN 0-395 34654-1

Imprimé au Canada

1 2 3 4 5 BP 98 97 96 95 94

Cet ouvrage a été examiné par le Service de contrôle métrique du Conseil canadien des normes et trouvé conforme aux normes du système métrique. La Commission du système métrique a accordé à l'éditeur le droit d'utiliser le symbole national de conversion métrique.

Table des matières

CHAPITRE 1
LA VALEUR DE POSITION

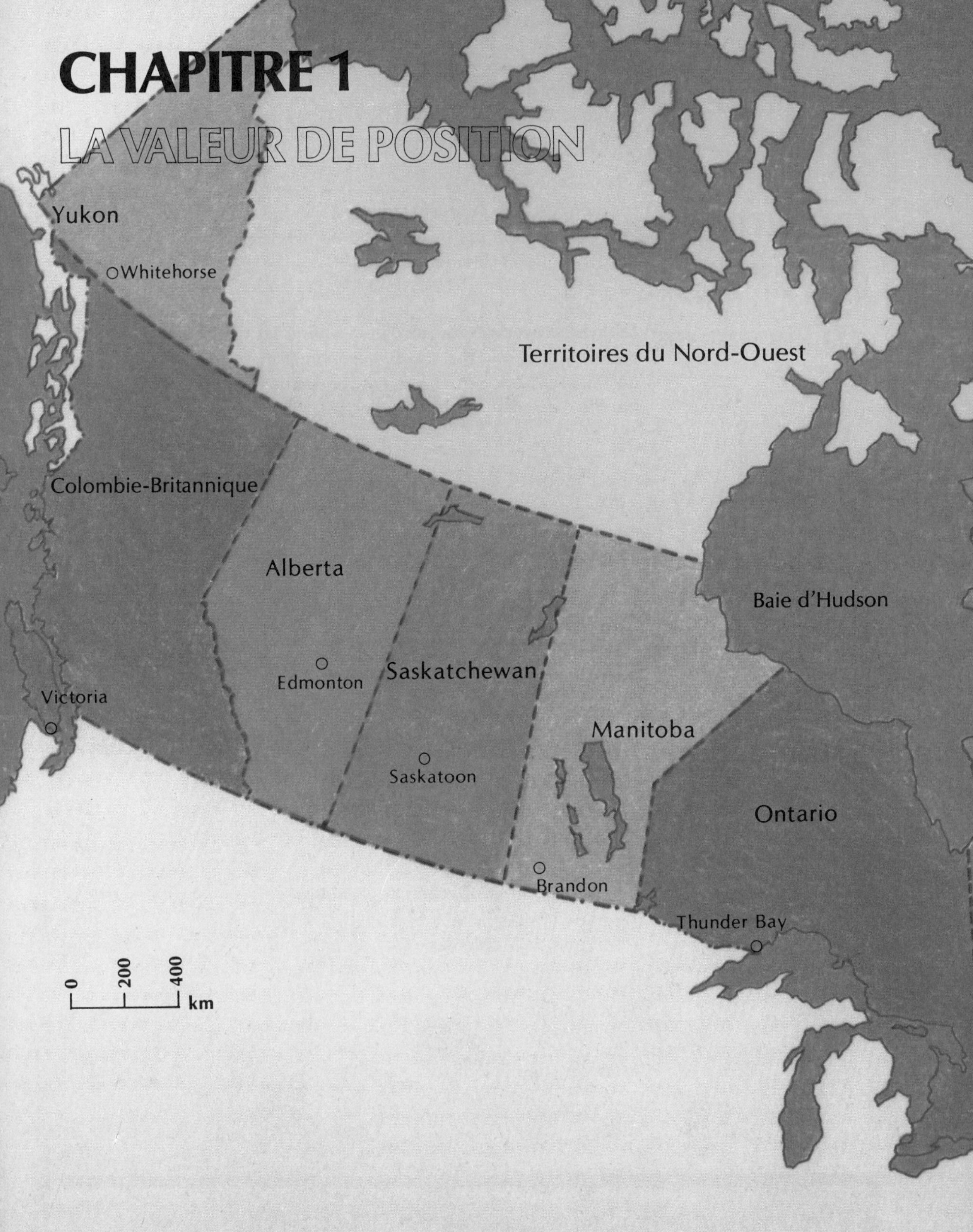

En route

Ces nombres représentent les distances (en kilomètres) qui séparent Fredericton (Nouveau-Brunswick) des villes dont le nom est inscrit sur les panneaux routiers.

Établis les correspondances.

1. 6674 **2.** 5739 **3.** 4598

4. 4000 + 70

5. 3000 + 400 + 40 + 7

6. 500 + 7 + 2000 + 20

7. 6 + 500 + 80

8. deux cent quatre-vingts

9. trois cent soixante-treize

10. mille sept cent soixante-dix-sept

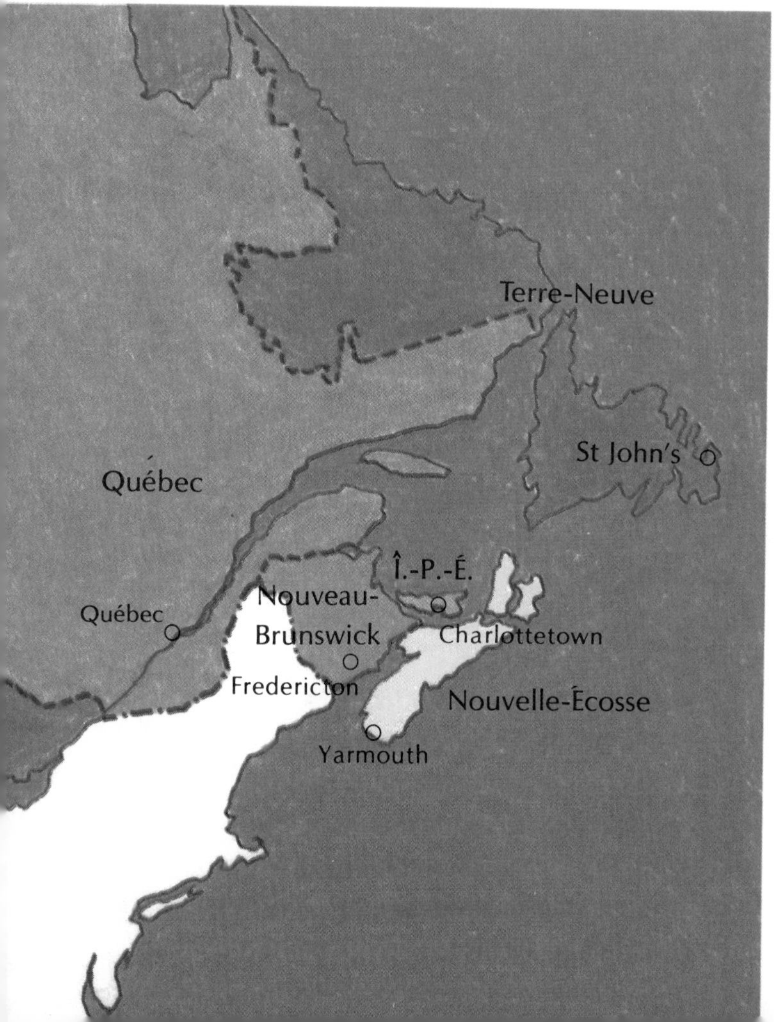

Terre-Neuve
St John's
Québec
Î.-P.-É.
Québec
Nouveau-Brunswick
Charlottetown
Fredericton
Nouvelle-Écosse
Yarmouth

Whitehorse
Brandon
Charlottetown
Edmonton
Québec
St John's
Victoria
Saskatoon
Yarmouth
Thunder Bay

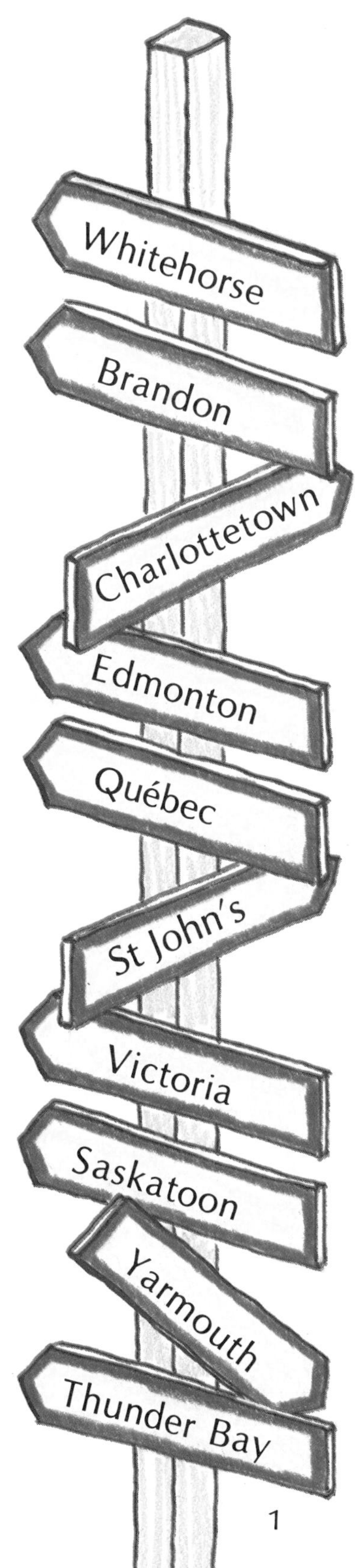

Les milliers et les millions

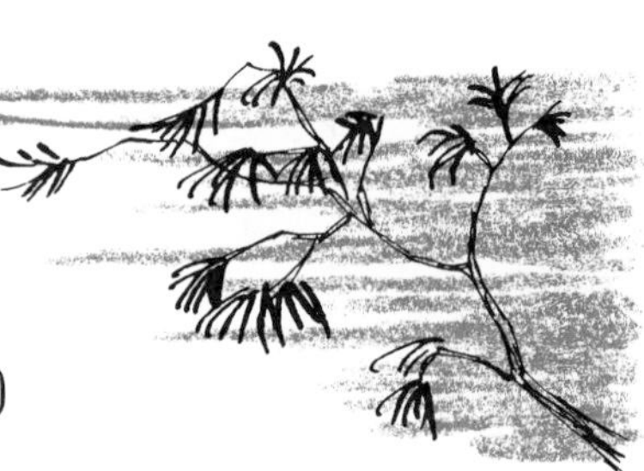

Superficie des
forêts canadiennes
323 296 000 ha (hectares)

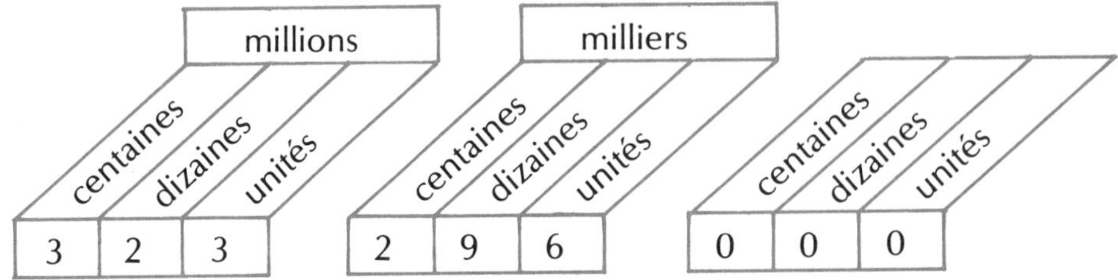

Forme développée: 300 000 000 + 20 000 000 + 3 000 000
+ 200 000 + 90 000 + 6000

Écriture normale: 323 296 000

En lettres: trois cent vingt-trois millions
deux cent quatre-vingt-seize mille.

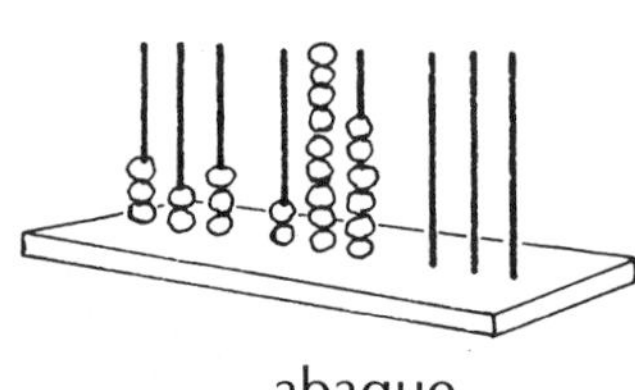

abaque

EXERCICES

Écris sous forme développée.

1. 7062 **2.** 3 075 021 **3.** 417 120 000

Écris sous forme normale.

4. 600 000 + 70 000 + 3000 + 500 + 20 + 8

5.

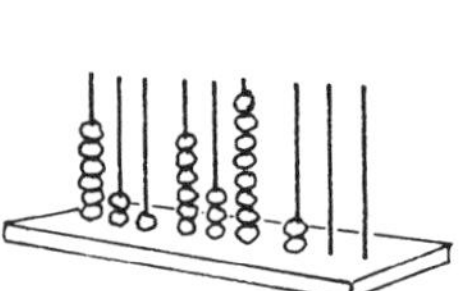

6. 7 000 000 + 70 000 + 4

7. 800 000 000 + 90 000 000 + 200

8. trois cent millions trente-trois

9. quatre-vingt-cinq millions six mille sept

Écris les cinq nombres entiers qui suivent.

10. 1 000 000 **11.** 22 287 562 **12.** 5 409 389

13. 99 999 **14.** 99 999 999 **15.** 281 999

Indique la valeur de position du 7.

16. <u>7</u>03 125 **17.** <u>7</u>2 125 000 **18.** <u>7</u>09 586 214

EXERCICES

Indique la valeur de position des chiffres soulignés.

1. 72 056
2. 6 328 429
3. 48 964 307
4. 500 000 000
5. 795 162 004
6. 202 569 328

Écris en chiffres.

7. deux millions deux mille vingt-deux

8. 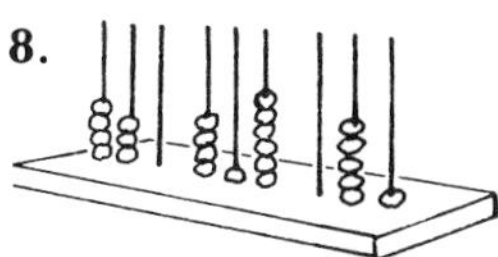

9. cinquante-six millions cinquante-six
10. trente-neuf millions trois cents

11. Le littoral du Canada mesure plus de deux cent quarante et un mille quatre cent deux kilomètres de long.

12. La frontière qui sépare le Canada et les États-Unis mesure huit mille huit cent quatre-vingt-douze kilomètres.

Écris les quatre nombres qui suivent.

13. 116 000 000, 118 000 000, 120 000 000, ■, ■, ■, ■
14. 28 400 000, 28 600 000, 28 800 000, ■, ■, ■, ■
15. 99 850, 99 900, 99 950, ■, ■, ■, ■

Nos forêts

Superficie (en hectares)					
Alb.	27 678 000	T.-N.	12 759 000	Qc	69 659 000
C.-B.	54 534 000	N.-É.	4 448 000	Sask.	12 829 000
Man.	13 558 000	Ont.	43 256 000	T. N.-O.	23 254 000
N.-B.	6 316 000	Î.P.-É.	251 000	Yuk.	54 754 000

Divise par 100 pour transformer les hectares (ha) en kilomètres carrés (km^2).

100 ha = 1 km^2

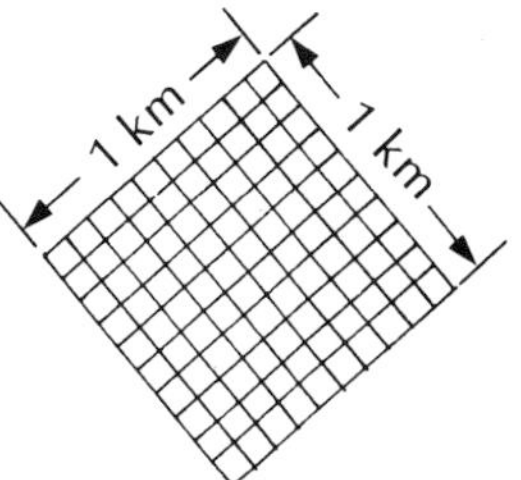

Alb. 27 678 000 ha = 276 780 km^2
C.-B. 54 534 000 ha = 545 340 km^2
Man. ____________ = ____________

Les milliards

Population du Canada:	26 300 000
Population de l'Amérique du Nord:	363 000 000
Population mondiale:	5 234 000 000

La population mondiale est exprimée en **milliards** ou milliers de millions.

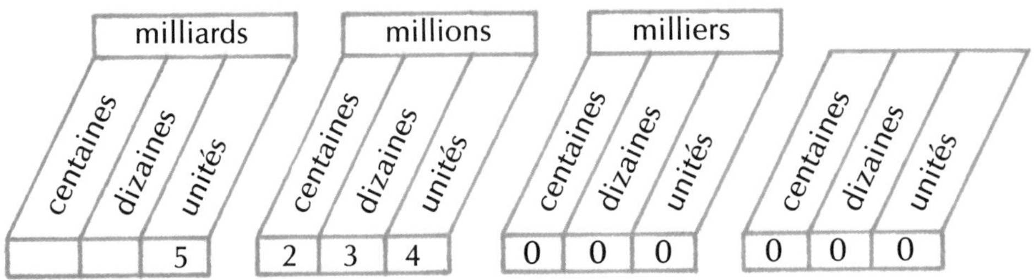

Forme développée: 5 000 000 000 + 200 000 000 + 30 000 000 + 4 000 000
Écriture normale: 5 234 000 000
En lettres: cinq milliards deux cent trente-quatre millions

EXERCICES

Écris normalement.

1. 3 000 000 + 472 000 + 134
2.
3. 4 000 000 000 + 378 000 000 + 250
4. 75 000 000 000 + 600 000
5. 32 000 000 000 + 568
6. quarante-trois milliards trois cent cinquante et un mille
7. cinq milliards cinq millions cinq mille cinq
8. trois cent milliards trois cent mille trois

Écris sous forme développée.

9. 5 235 387 000
10. 121 234 428 000
11. 74 345 658 571
12. 9 980 000 000

EXERCICES

Indique la valeur de position du 4.

1. 3 743 625 000
2. 142 796 030 000
3. 473 562 000 000
4. 64 109 357 000

Écris normalement.

5. 577 000 000 000 + 235 000 000
6.
7. 878 000 000 000 + 55 000
8. 22 000 000 000 + 101 000 000 + 404
9. 999 000 000 000 + 99 000 000 + 99
10. quarante-six milliards trois cent millions
11. soixante-quinze milliards soixante-quinze mille soixante-quinze
12. trois cent quarante et un milliards neuf mille douze

Écris les trois nombres qui suivent.

13. 41 500 000 000, 42 000 000 000, 42 500 000 000, ■, ■, ■.
14. 243 190, 245 190, 247 190, ■, ■, ■.
15. 8 175 260, 8 475 260, 8 775 260, ■, ■, ■.
16. 8 999 999 997, 8 999 999 998, 8 999 999 999, ■, ■, ■.

Multiplication magique

Recopie et complète *sans* multiplier.

999 × 2 = 1998	999 × 11 = 10 989	999 × 21 = ■
999 × 3 = 2997	999 × 12 = 11 988	999 × 22 = ■
999 × 4 = 3996	999 × 13 = ■	999 × 23 = ■
999 × 5 = ■	999 × 14 = ■	999 × 24 = ■
999 × 6 = ■	999 × 15 = ■	999 × 25 = ■
999 × 7 = ■	999 × 16 = ■	999 × 26 = ■
999 × 8 = ■	999 × 17 = ■	999 × 27 = ■
999 × 9 = ■	999 × 18 = ■	999 × 28 = ■
999 × 10 = ■	999 × 19 = ■	999 × 29 = ■
	999 × 20 = ■	999 × 30 = ■

Peux-tu continuer?

La comparaison de nombres

Lequel de ces deux nombres est le plus grand: 75 186 ou 74 986?

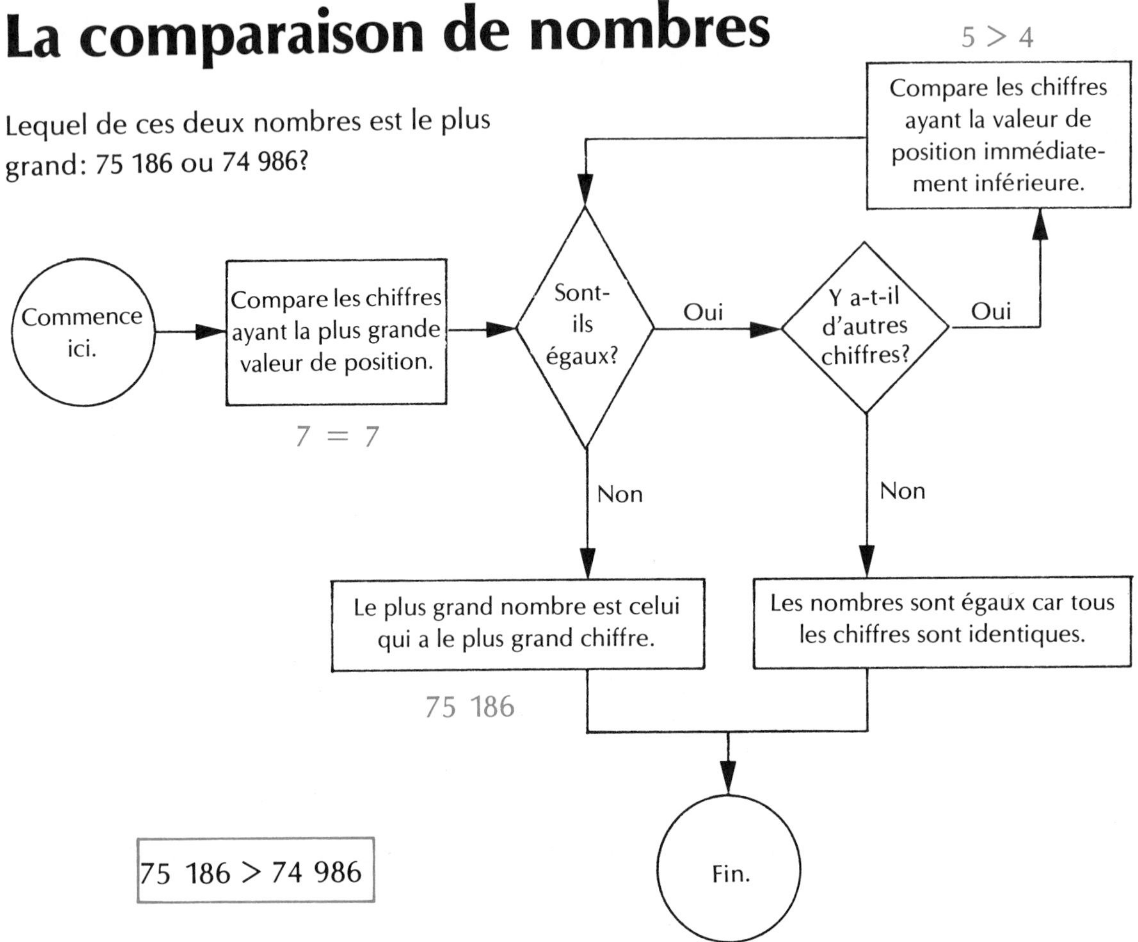

EXERCICES

Recopie et complète par $<$, $=$, ou $>$.

1. 82 195 ■ 82 195
2. 93 007 ■ 91 989
3. 581 296 ■ 581 301
4. 156 384 ■ 156 384
5. 6 158 720 ■ 6 158 721
6. 142 803 ■ 143 308
7. 89 098 211 ■ 89 089 422
8. 1 690 238 ■ 997 678
9. 444 318 956 ■ 444 318 996
10. 7 403 265 ■ 7 304 265

Classe les nombres par ordre croissant.

11. 76 195, 67 195, 17 695, 71 695, 61 795
12. 8 231 052, 8 321 052, 8 123 052, 8 312 052, 8 132 052

EXERCICES

Remplace ■ par <, =, ou >.

1. 62 905 ■ 62 950
2. 4 058 243 ■ 4 058 234
3. 387 000 + 241 ■ 387 241
4. 1089 ■ 1089
5. 921 453 760 ■ 921 453 706
6. 60 000 + 600 + 6 ■ 60 606
7. 84 111 ■ 83 999
8. 987 321 ■ 987 123

9. Classe ces dates en commençant par la plus ancienne.

   1837 Rébellion du Haut Canada
   1608 Champlain fonde la ville de Québec.
   1885 On achève de construire la voie ferrée du Canadien Pacifique.
   1812 Guerre de 1812
   1750 Construction de Fort Toronto
   1949 Terre-Neuve devient une province.
   1534 Cartier explore le golfe du Saint-Laurent.
   1000 Des Vikings découvrent le Canada.
   1759 Bataille des Plaines d'Abraham
   1858 On trouve de l'or dans le Fraser.
   1867 Année de la Confédération

10. Indique ces dates sur une droite numérique.

À la découverte des nombres

Forme un nombre de 9 chiffres en employant les chiffres de 1 à 9 une fois seulement. Il doit exprimer successivement:

a) le plus petit nombre possible

b) le plus grand nombre possible

c) le plus petit nombre pair

d) le plus petit nombre impair

e) le dixième nombre pair, à partir du plus grand

La valeur approchée

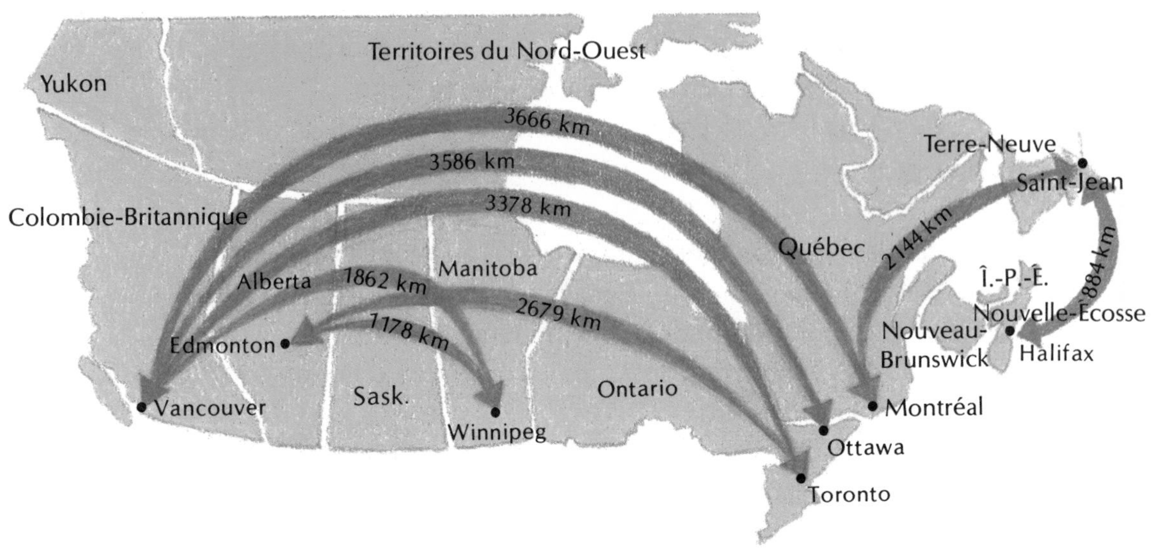

Toronto — Vancouver: 3378 km

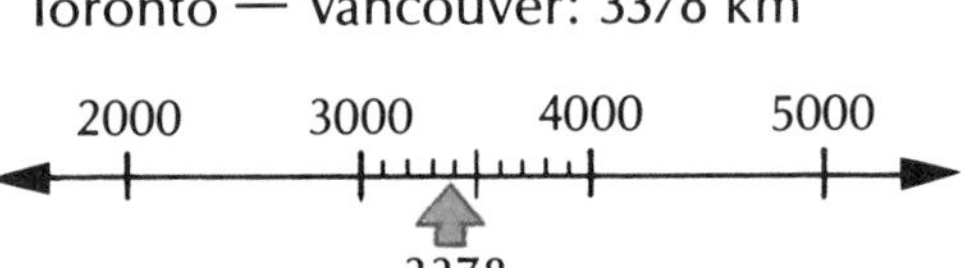

3378 arrondi à mille près donne **3**000.

Ottawa — Vancouver: 3586 km

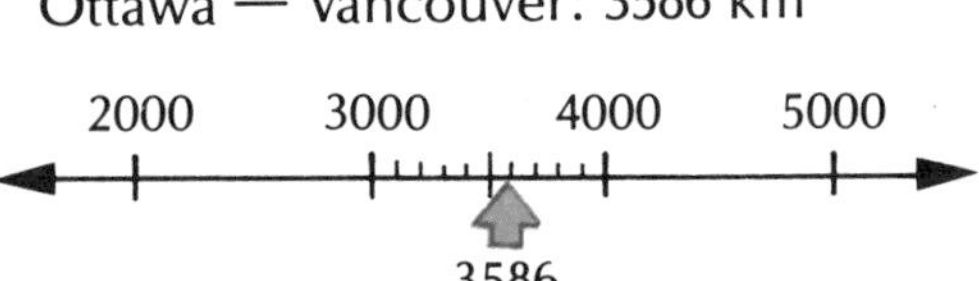

3586 arrondi à mille près donne **4**000.

EXERCICES

Arrondis à 100 près.

1. **1**36 **2.** **2**71 **3.** **3**85 **4.** **4**50 **5.** **5**55

6. **2**091 **7.** 6781 **8.** 7402 **9.** 59 753 **10.** 66 738

Arrondis à 1000 près.

11. **1**856 **12.** **3**919 **13.** **4**432 **14.** **2**776 **15.** **6**571

16. 6**2** 248 **17.** 44 218 **18.** 982 **19.** 47 819 **20.** 12 553

Arrondis à un million près.

21. **5** 417 243 **22.** **3** 875 792 **23.** 7**0** 516 374

24. 57**8** 476 108 **25.** 9**1** 549 163 **26.** 36**9** 857 113

EXERCICES

Arrondis à 100 près.

1. 752 **2.** 6831 **3.** 1075 **4.** 42 908 **5.** 99

6. la distance entre Winnipeg et Edmonton

Arrondis à 1000 près.

7. 4172 **8.** 3690 **9.** 5521 **10.** 9999 **11.** 48 400

12. la distance de Montréal à Vancouver

Arrondis à dix mille près.

13. 35 416 **14.** 23 779 **15.** 155 604 **16.** 8 976 358

Arrondis à cent mille près.

17. 408 172 **18.** 457 190 **19.** 5 362 147 **20.** 32 169 487

Arrondis à un million près.

21. 8 752 167 **22.** 6 179 598 **23.** 83 946 101 **24.** 987 412 659

RÉVISION

Écris normalement.

1. 300 000 + 700 + 40 **2.** 8 000 000 + 90 000 + 2

3. quarante-quatre millions trois cent six mille

Indique la valeur de position du chiffre souligné.

4. 267 $\underline{1}$08 412 306 **5.** $\underline{4}$42 868 106 540

6. 18$\underline{5}$ 426 070 135 **7.** 321 1$\underline{7}$5 246 800

Recopie et complète par $<$, $=$ ou $>$.

8. 7085 ■ 7093 **9.** 65 197 ■ 64 197

10. 3294 ■ 3294 **11.** 10 070 000 ■ 9 999 999

12. Arrondis 94 372 à 100 près.

13. Arrondis 23 387 à 1000 près.

14. Arrondis 456 409 à dix-mille près.

15. Arrondis 507 748 152 à un million près.

Les dixièmes et les centièmes

$\frac{3}{10}$

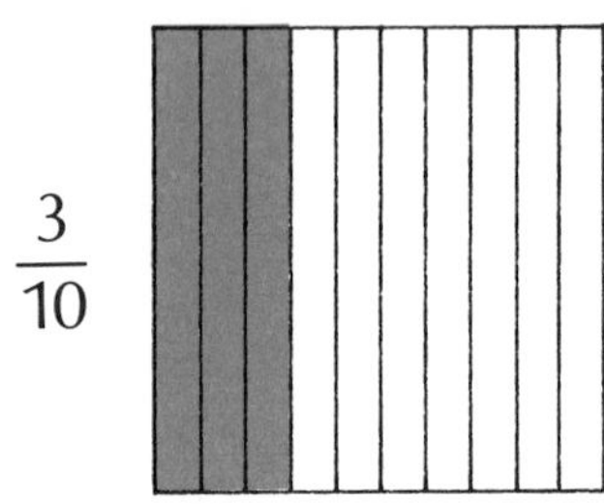

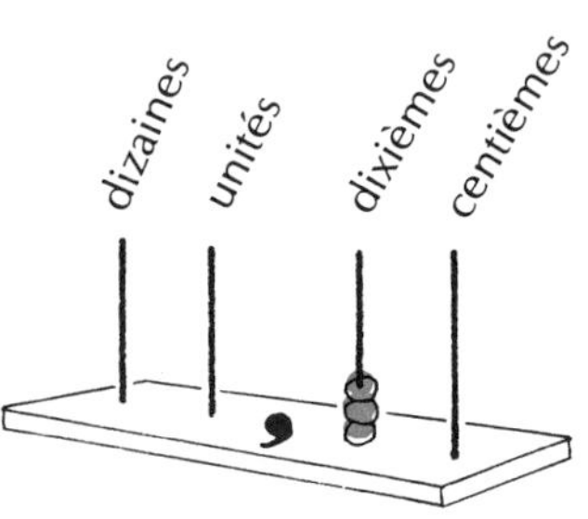

Écriture normale: 0,3
En lettres: trois dixièmes

$\frac{54}{100}$

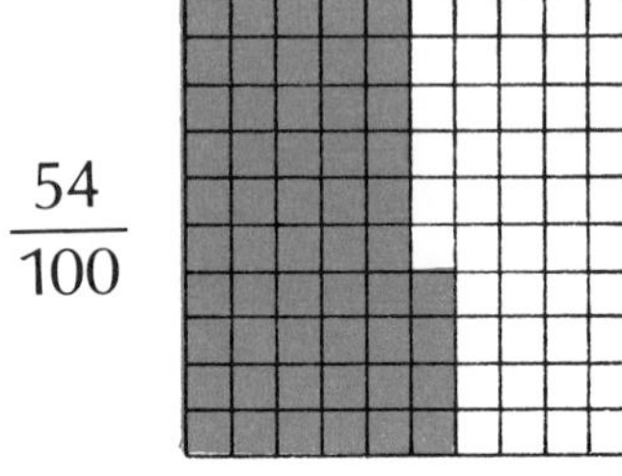

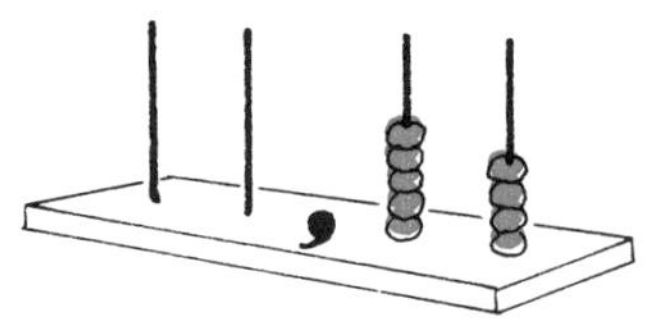

Écriture normale: 0,54
Forme développée: 0,5 + 0,04
En lettres: cinquante-quatre centièmes

EXERCICES

Écris sous forme de nombre décimal.

1. deux dixièmes **2.** douze centièmes **3.**

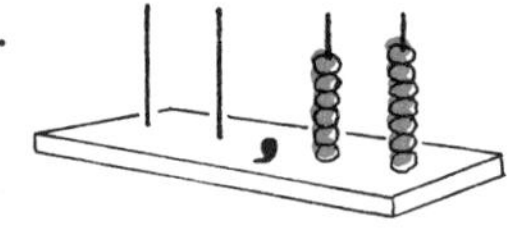

4. huit dixièmes **5.** soixante et un centièmes

6. neuf dixièmes **7.** neuf centièmes

8. $\frac{7}{10}$ **9.** $\frac{1}{10}$ **10.** $\frac{59}{100}$ **11.** $\frac{3}{100}$ **12.** $\frac{63}{100}$

Écris en lettres.

13. 0,8 **14.** 0,6 **15.** 0,1 **16.** 0,95 **17.** 0,09

Écris sous forme développée.

18. 0,59 **19.** 0,68 **20.** 0,39 **21.** 0,75 **22.** 0,14

EXERCICES

Écris sous forme de nombre décimal.

1. 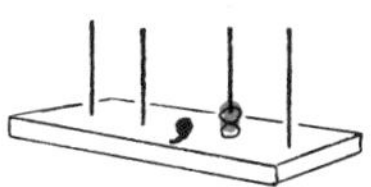

2. 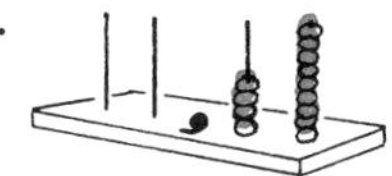

3. 

4. six dixièmes
5. trois dixièmes
6. onze centièmes
7. quatre-vingt-dix-huit centièmes
8. dix-huit centièmes
9. cinq centièmes
10. trente-deux centièmes
11. quatre dixièmes
12. quatre centièmes

13. $\frac{6}{10}$ 14. $\frac{6}{100}$ 15. $\frac{29}{100}$ 16. $\frac{8}{10}$ 17. $\frac{8}{100}$

Écris en lettres.

18. 0,4 19. 0,9 20. 0,7 21. 0,02 22. 0,16

Écris sous forme développée.

23. 0,35 24. 0,78 25. 0,66 26. 0,11 27. 0,94

AVEC LA CALCULATRICE

Divise. Que remarques-tu?

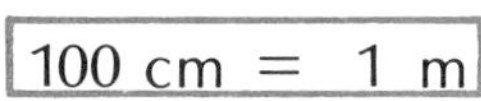

a. 42 cm = ■ m
b. 19 cm = ■ m
c. 70 cm = ■ m
d. 7 cm = ■ m
e. 3 cm = ■ m
f. 2 cm = ■ m

10 dm = 1 m

g. 8 dm = ■ m
h. 3 dm = ■ m

10 cm = 1 dm

i. 5 cm = ■ dm
j. 9 cm = ■ dm
k. 1 cm = ■ dm

un mètre

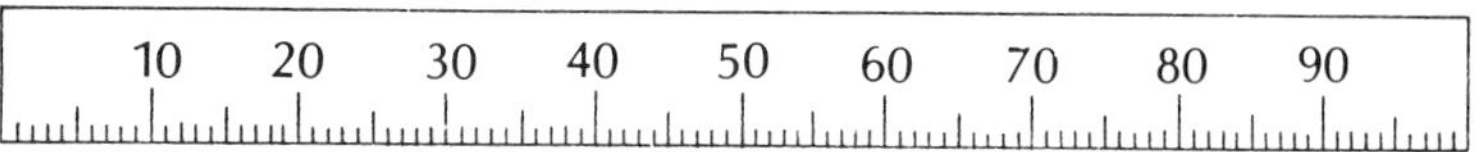

Les nombres décimaux supérieurs à l'unité

Quelle est la distance entre Ottawa et Québec?

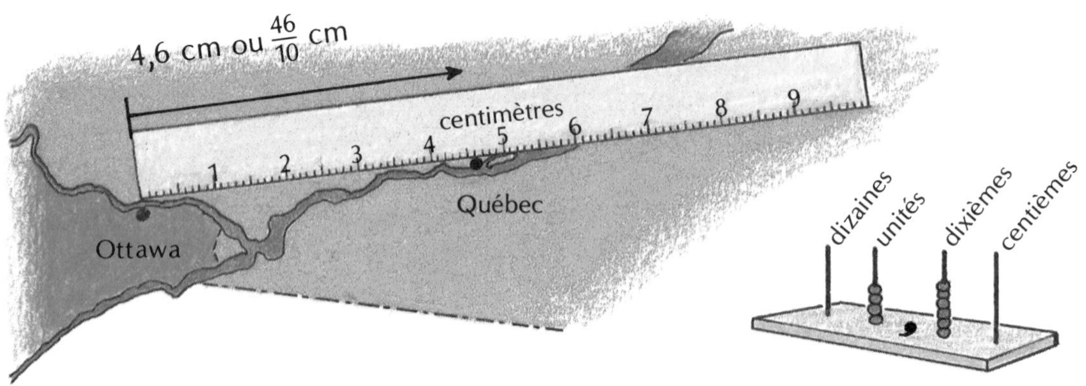

Échelle: 1 cm = 100 km

0 100 200 300

Écriture normale: 4,6
Forme développée: 4 + 0,6
En lettres: quatre **et** six dixièmes

La distance entre Ottawa et Québec est de 460 km.

EXERCICES

Écris le nombre décimal normalement.

1. 5 + 0,7
2. 30 + 8 + 0,4
3. 700 + 60 + 5 + 0,9
4. 8 + 0,3 + 0,05
5. 9 + 0,1 + 0,01
6. 40 + 9 + 0,3 + 0,05
7. trois **et** deux dixièmes
8. quinze **et** quatre dixièmes
9. quatre-vingts **et** douze centièmes
10. trente-huit **et** quarante-sept centièmes

Écris sous forme développée.

11. 7,8
12. 12,5
13. 6,17
14. 42,75
15. 376,32

Écris sous forme de nombre décimal.

16. $\frac{23}{10}$
17. $\frac{35}{10}$
18. $\frac{71}{10}$
19. $\frac{429}{100}$
20. $\frac{335}{100}$

Exprime en chiffres, avec le symbole $ et la virgule.

21. quatre dollars **et** douze cents
22. un dollar **et** un cent

EXERCICES

Écris sous forme normale.

1. 6 + 0,5
2. 10 + 3 + 0,8
3. 500 + 60 + 2 + 0,3
4. 3 + 0,2 + 0,08
5. 9 + 0,5 + 0,06
6. 20 + 9 + 0,4 + 0,07
7. soixante-huit et trois dixièmes
8. cinq cent neuf et cinq dixièmes
9. deux et soixante-dix-neuf centièmes
10. huit cent quatorze et cinq centièmes

Écris sous forme développée.

11. 2,1
12. 32,9
13. 156,8
14. 3,07
15. 403,17

Écris sous forme de nombre décimal.

16. $\frac{14}{10}$
17. $\frac{25}{10}$
18. $\frac{32}{10}$
19. $\frac{126}{100}$
20. $\frac{238}{100}$

Exprime en chiffres, avec le symbole $ et la virgule.

21. onze dollars et cinquante cents
22. onze dollars et cinq cents

À vol d'oiseau

Calcule les distances qui séparent ces villes, puis inscris les données dans un tableau.

Kilomètres	Gaspé	Fredericton	Charlottetown	Sydney	Halifax
Gaspé	■				
Fredericton		■			
Charlottetown			■		
Sydney				■	
Halifax					■

Échelle: 1 cm = 100 km
0 100 200 300

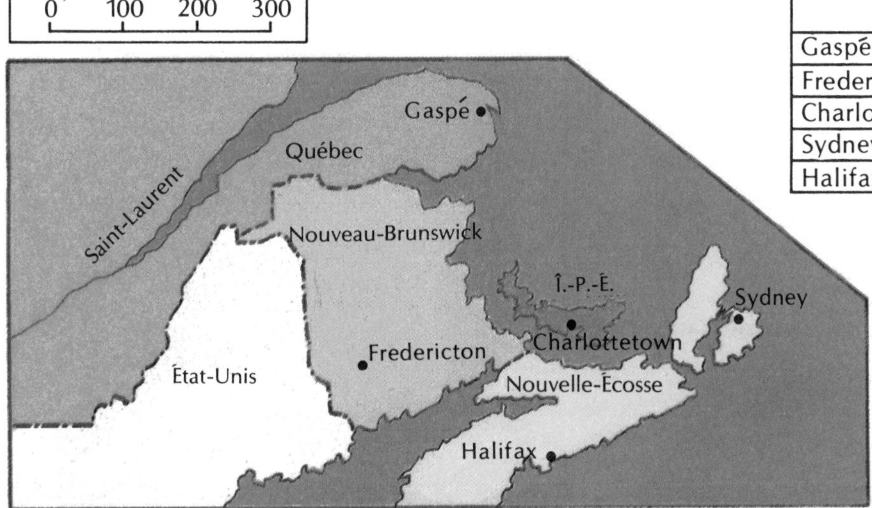

Les millièmes et les dix-millièmes

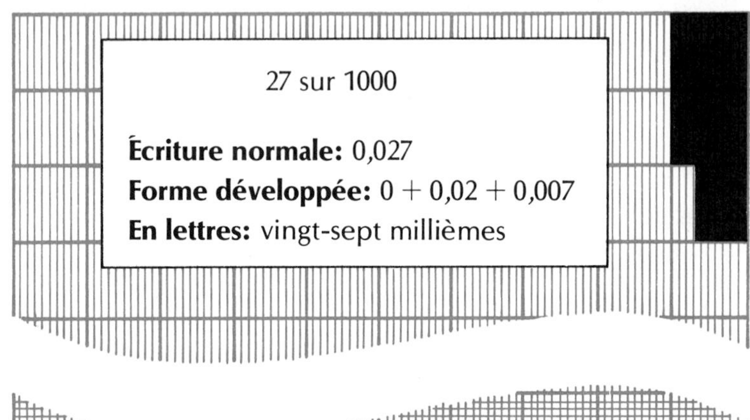

$\frac{27}{1000}$

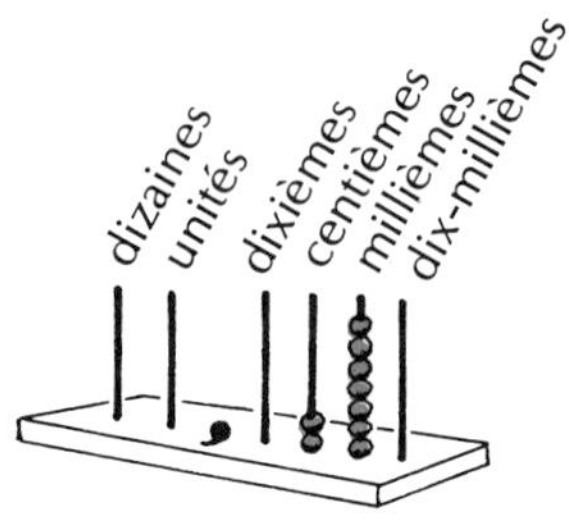

27 sur 10 000

Écriture normale: 0,0027
Forme développée: 0 + 0,002 + 0,0007
En lettres: vingt-sept dix-millièmes

$\frac{27}{10\ 000}$

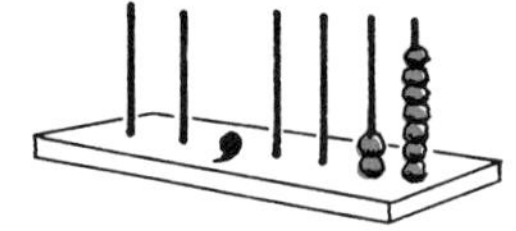

EXERCICES

Écris normalement.

1. 5 + 0,2 + 0,03 + 0,009

2. 10 + 4 + 0,3 + 0,08 + 0,002

3. 1 + 0,06 + 0,005

4. 300 + 20 + 5 + 0,6 + 0,009

5. 3 + 0,1 + 0,03 + 0,001 + 0,0004

6. 6 + 0,7 + 0,07 + 0,003 + 0,0002

7. 10 + 0,5 + 0,006 + 0,0009

8. 400 + 5 + 0,02 + 0,008 + 0,0006

9. six millièmes

10. cent un millièmes

11. quatre dix-millièmes

12. treize dix-millièmes

13. cinquante **et** trois cent soixante-douze millièmes

14. deux **et** quatre mille six cent six dix-millièmes

15. $\frac{175}{1000}$ **16.** $\frac{648}{1000}$ **17.** $\frac{465}{1000}$ **18.** $\frac{4265}{10\ 000}$ **19.** $\frac{9103}{10\ 000}$

EXERCICES

Indique la valeur de position du chiffre souligné.

1. $25{,}1\underline{2}6$ **2.** $34{,}\underline{9}17$ **3.** $6{,}07\underline{2}$ **4.** $40{,}175\underline{9}$

Écris normalement.

5. 3 + 0,2 + 0.09 + 0,001
6. 40 + 5 + 0,3 + 0,08 + 0,004
7. 400 + 8 + 0,008
8. 7000 + 20 + 5 + 0,1 + 0,006
9. 0,7 + 0,08 + 0,007 + 0,0008
10. 100 + 0,2 + 0,09 + 0,007 + 0,0005
11. 900 + 8 + 0,005 + 0,0006
12. 5000 + 100 + 2 + 0,5 + 0,0004
13. quatre mille
14. douze millièmes
15. dix-neuf mille
16. seize dix-millièmes
17. trente **et** quatre cent deux millièmes
18. six et trente-neuf dix-millièmes.

19. $\frac{642}{1000}$ **20.** $\frac{8}{1000}$ **21.** $\frac{52}{1000}$ **22.** $\frac{1752}{10\ 000}$ **23.** $\frac{26}{10\ 000}$

Écris sous forme développée.

24. 5,872 **25.** 35,184 **26.** 9,4278 **27.** 67,0079

Régularités décimales

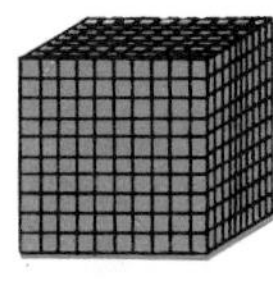
1,0

0,1

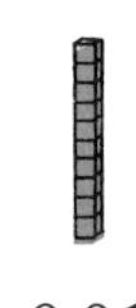
0,01

0,001

Écris les quatre nombres qui suivent.

a. 0,2 0,4 0,6 ■ ■ ■ ■.
b. 0,20 0,17 0,14 ■ ■ ■ ■.
c. 0,001 0,005 0,009 ■ ■ ■ ■.
d. 0,0001 0,0003 0,0005 ■ ■ ■ ■.
e. 0,0039 0,0033 0,0027 ■ ■ ■ ■.
f. 62,0106 62,0207 62,0308 ■ ■ ■ ■.
g. 147,053 146,043 145,033 ■ ■ ■ ■.

Le zéro dans les nombres décimaux

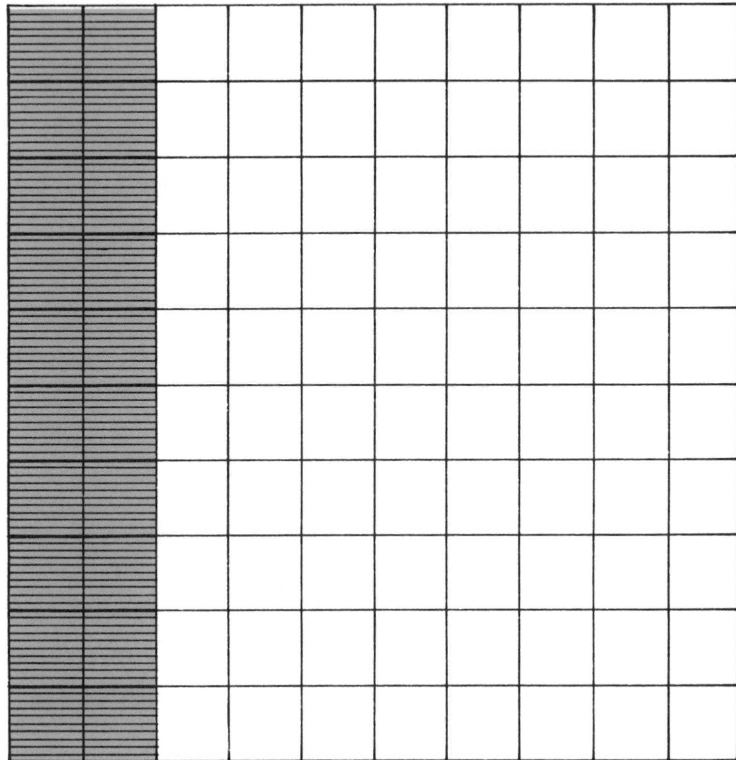

$$\frac{2}{10} = \frac{20}{100} = \frac{200}{1000}$$

0,2 est l'équivalent de 0,20 et de 0,200.

Les zéros placés après le dernier chiffre d'un nombre décimal ne changent pas la valeur de ce nombre.

EXERCICES

Exprime au dixième près.

1. 0,60 = 0,■ **2.** 1,700 = 1,■ **3.** 5 = 5,■
4. 0,400 = ■ **5.** 3,200 = ■ **6.** 30,80 = ■

Exprime au centième près.

7. 0,4 = 0,■■ **8.** 3,600 = 3,■■ **9.** 2 = 2,■■
10. 0,030 = ■ **11.** 12 = ■ **12.** 6,1 = ■

Exprime au millième près.

13. 3,40 = 3,■■■ **14.** 27,3 = 27,■■■ **15.** 9 = 9,■■■
16. 0,3 = ■ **17.** 2,55 = ■ **18.** 62 = ■

Vrai ou faux?

19. 0,9 = 0,90 **20.** 1,7 = 1,070 **21.** 83 = 83,00

EXERCICES

Recopie et complète.

1. 0,01 = 0,■■■	**2.** 98,6 = 98,■■	**3.** 4 = 4,■
4. 0,700 = 0,■	**5.** 43,20 = 43,■	**6.** 69,000 = 69,■
7. 2,9 = 2,■■■	**8.** 125,900 = 125,■	**9.** 8 = 8,■■

Exprime au dixième près.

10. 7,300 **11.** 6,10 **12.** 15 **13.** 11,8 **14.** 42,60

Exprime au centième près.

15. 0,030 **16.** 17,2 **17.** 39 **18.** 3,040 **19.** 53,1

Exprime au millième près.

20. 421,1 **21.** 15,44 **22.** 9 **23.** 4,56 **24.** 0,86

À la queue leu leu

Reproduis et complète les droites numériques.

a.

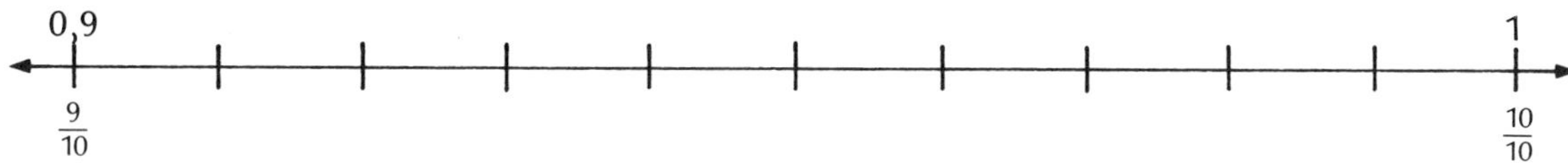

b.

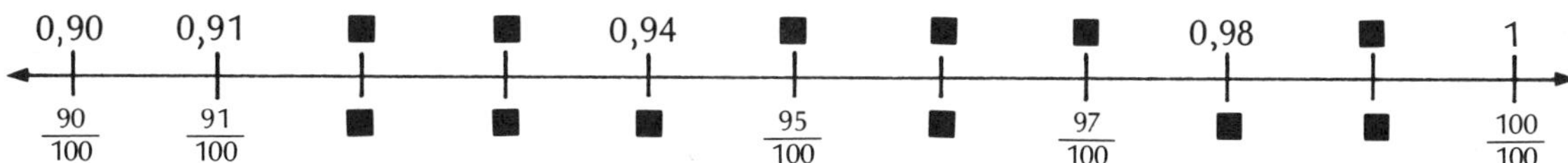

c.

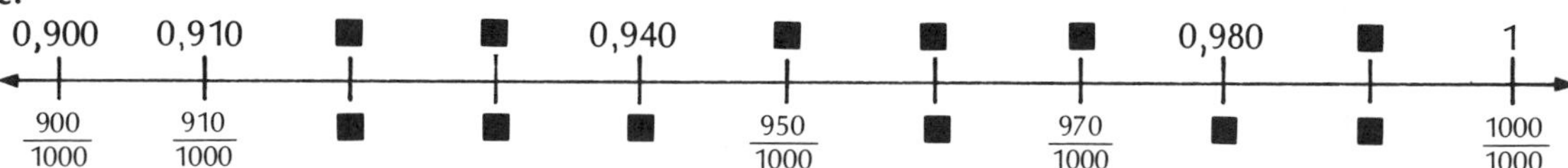

d.

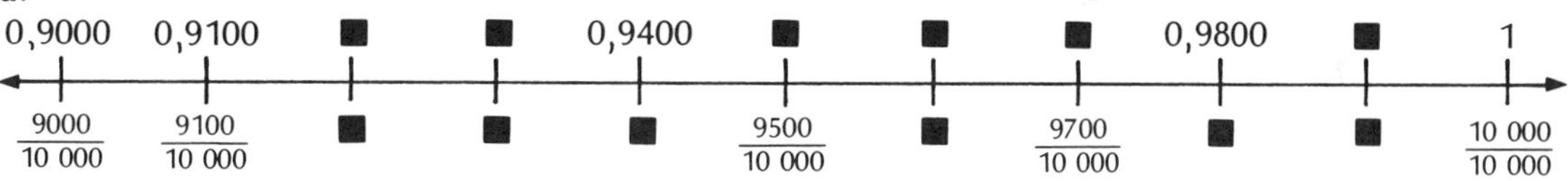

La comparaison de nombres décimaux

Lequel est le plus grand: 0,29 ou 0,3?

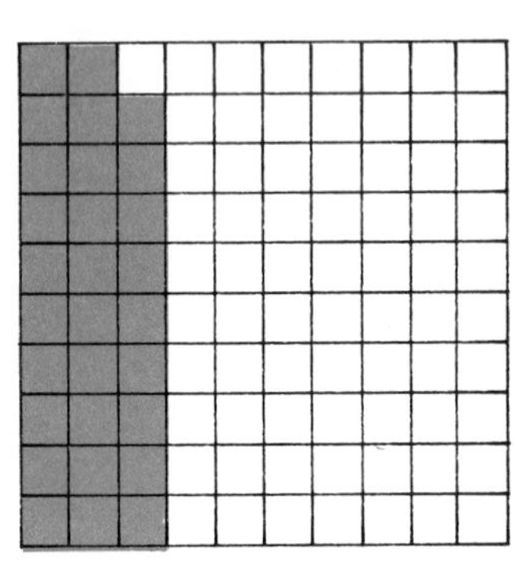

0,29

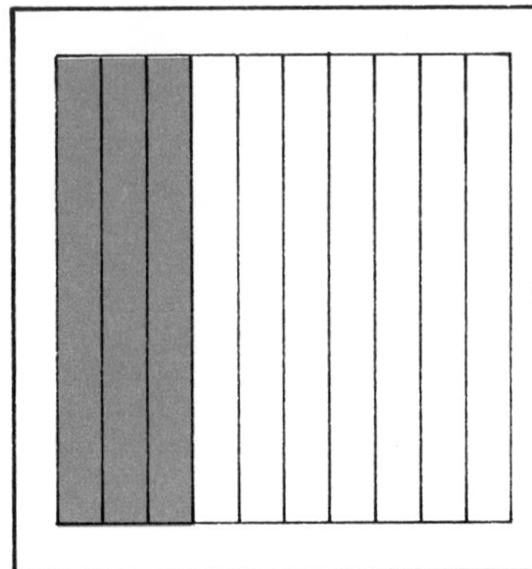

0,3

ou

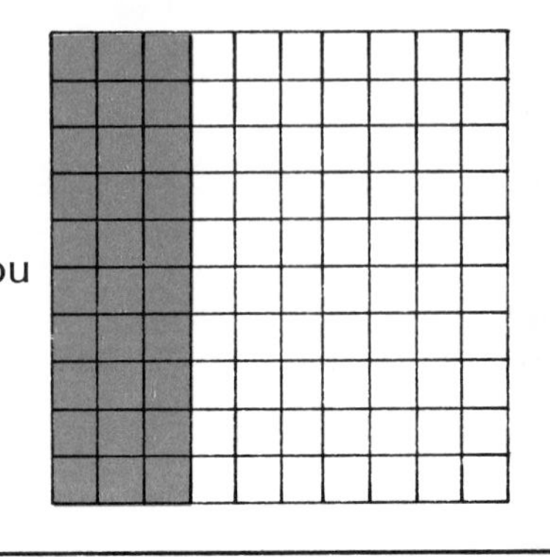

0,30

Tu sais que: $0{,}29 < 0{,}30$

Donc: $0{,}29 < 0{,}3$

EXERCICES

Recopie et complète par < ou >.

1. 2,70 > 2,58
2,7 ■ 2,58

2. 4,059 < 4,060
4,059 ■ 4,06

3. 5,10 > 5,09
5,1 ■ 5,09

4. 17,08 < 17,10
17,08 ■ 17,1

5. 0,054 > 0,040
0,054 ■ 0,04

6. 7,9 < 8,0
7,9 ■ 8

7. 5,24 ■ 5,3
8. 4,005 ■ 4,02
9. 2,30 ■ 2,314
10. 0,3 ■ 0,28
11. 1,449 ■ 1,5
12. 22,99 ■ 23,0
13. 42 ■ 41,16
14. 0,478 ■ 1
15. 7 ■ 0,9

Écris le plus petit nombre.

16. 3 0,03 0,3
17. 4,001 0,41 1,004
18. 39,4 39,399 39
19. 15,217 15,271 15,712

EXERCICES

Recopie et complète par < ou >.

1.	4,9 ■ 4,827	**2.**	16,108 ■ 16,018	**3.**	9,8 ■ 97
4.	0,13 ■ 0,31	**5.**	1,0 ■ 0,1	**6.**	29,02 ■ 29,007
7.	5,261 ■ 5,612	**8.**	25,060 ■ 26,060	**9.**	72,6 ■ 72,56
10.	42,4 ■ 42	**11.**	15,4 ■ 15,399	**12.**	0,003 ■ 0,030

Classe les nombres par ordre croissant.

13.	0,03	0,30	0,003	**14.**	2,22	2,02	2,21
15.	0,11	0,011	0,10	**16.**	0,311	0,113	0,131
17.	1,077	1,7	1,777	**18.**	4,222	4,202	4,232
19.	52,1	52,01	51	**20.**	15,057	15	15,507

Le secret des montagnes rocheuses

Classe les nombres par ordre croissant pour décoder le message.

4,0	0,150	2,8	0,49	0,44	5	0,51	0,67
E	Y	D	E	G	N	C	A

1,74	0,43	0,149	3,9	0,208	0,147	0,74
A	A	A	I	S	P	N

La valeur approchée

	Canada	Chine
Population	26 300 000	1 104 000 000
Aire (km²)	9 979 000 km²	9 563 000 km²
Densité de la population au kilomètre carré	2,6355	115,445

2,**6**355 arrondi
au dixième près donne 2,**6**.

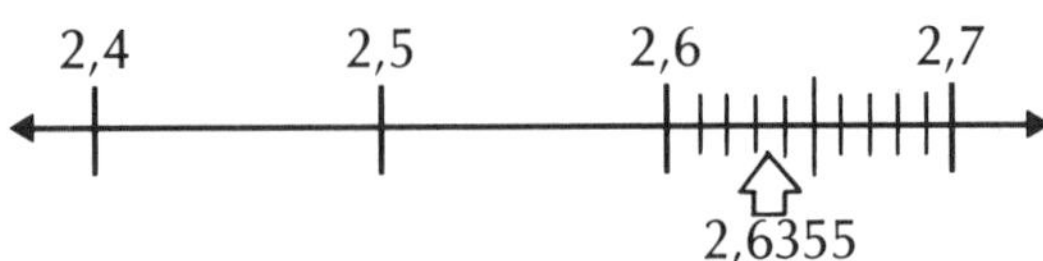

2,6**3**55 arrondi
au centième près donne 2,6**4**.

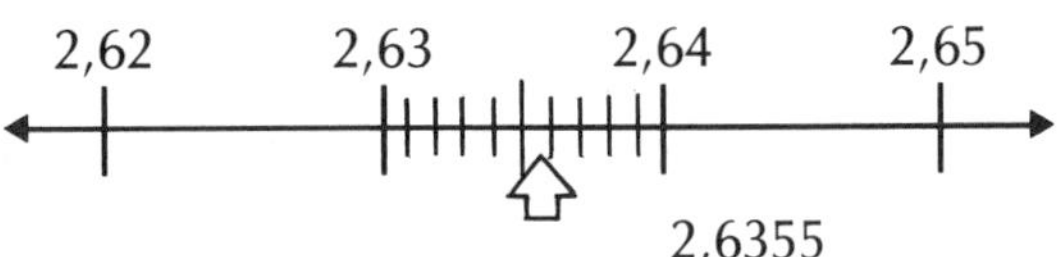

2,63**5**5 arrondi
au millième près donne 2,63**6**.

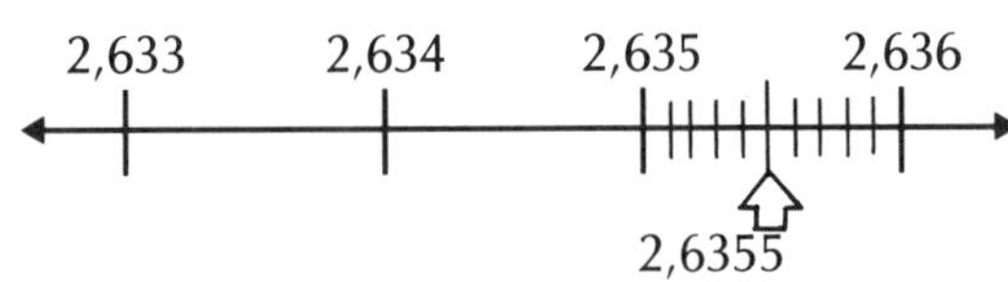

2,6355 arrondi
l'unité près donne **3**.

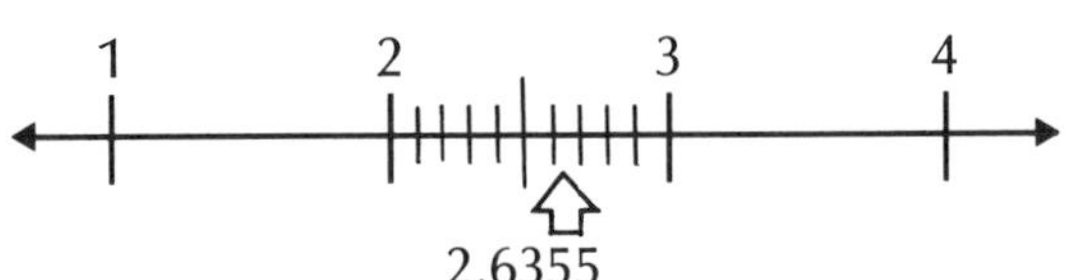

EXERCICES

Arrondis au dixième près.

1. 0,71 **2.** 3,**0**8 **3.** 0,**1**5 **4.** 3,666 **5.** 5,24

Arrondis au centième près.

6. 0,1**4**3 **7.** 4,1**5**8 **8.** 0,6**5**5 **9.** 6,121 **10.** 9,889

Arrondis au millième près.

11. 0,11**7**2 **12.** 1,57**8**9 **13.** 0,01**5**5 **14.** 3,4213 **15.** 2,6796

Arrondis à l'unité près.

16. **8**,4 **17.** **3**,68 **18.** 1**2**,531 **19.** 0,286 **20.** 4,71

EXERCICES

Reproduis et complète le tableau.

Nombres à arrondir	à $\frac{1}{10}$ près	à $\frac{1}{100}$ près	à $\frac{1}{1000}$ près	à 1 près
1. 0,9572				
2. 4,0971				
3. 3,8465				
4. 10,7059				
5. 15,1584				
6. 16,7815				

RÉVISION

Écris normalement, sous forme décimale.

1. neuf dixièmes **2.** trente-sept centièmes **3.** six centièmes

4. 6 + 0,5 **5.** 400 + 3 + 0,5 + 0,08 **6.** 90 + 0,1 + 0,02

7. 3 + 0,5 + 0,02 + 0,003 + 0,0006

8. 10 + 2 + 0,9 + 0,005 + 0,0008

Exprime au centième près.

9. 6,3 **10.** 15 **11.** 98,930 **12.** 26,700

Recopie et complète par < ou >.

13. 5,2 ■ 5,02 **14.** 36,91 ■ 36,917 **15.** 42 ■ 41,9

16. Arrondis 4,62 à l'unité près.

17. Arrondis 306,15 au dixième près.

18. Arrondis 7,5062 au centième près.

19. Arrondis 35,1784 au millième près.

Lecture d'un tableau

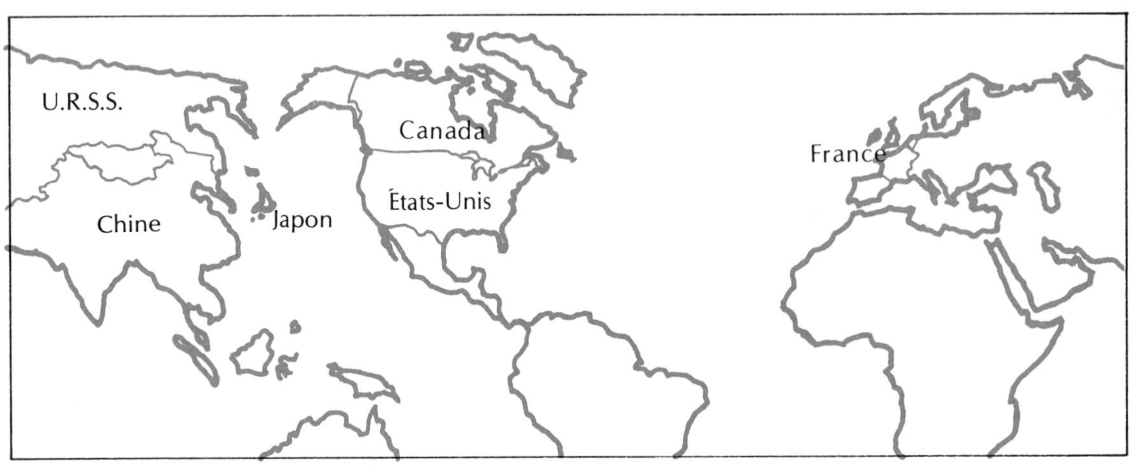

Pays	Population	Aire (km²)	Densité de la population au kilomètre carré
Canada	26 300 000	9 979 000	2,6
Chine	1 104 000 000	9 563 000	115,4
France	56 100 000	547 000	102,6
Japon	123 200 000	372 000	331,2
U.R.S.S.	289 000 000	22 402 000	12,9
États-Unis	248 800 000	9 366 000	26,6

EXERCICES

1. Classe, par ordre croissant, les nombres exprimant:
a) la population **b**) l'aire.

2. Quel pays a moins d'habitants au kilomètre carré que le Canada?

3. Quel pays a le plus grand nombre d'habitants au kilomètre carré?

4. Les États-Unis ont plus d'habitants au kilomètre carré que la France. Vrai ou faux?

5. Arrondis les densités de population à l'unité près. Classe ces densités par ordre croissant.

CHAPITRE 1 — TEST

Écris sous forme développée.

1. 24 109 **2.** 6 251 374 **3.** 59 482 400

Écris normalement.

4. quarante-trois millions soixante-deux mille

5. cinq milliards cinq mille cinq

6. cent soixante et un milliards deux cent six millions

Indique la valeur de position du chiffre souligné.

7. 7 $\underline{3}$46 108 925 **8.** $\underline{6}$2 759 162 448

9. $\underline{6}$ 425 679 048 **10.** $\underline{9}$02 000 402 000

Recopie et complète par $<$, $=$, ou $>$.

11. 39 486 ■ 39 386 **12.** 999 999 ■ 8 000 000

13. Arrondis 65 275 à mille près.

14. Arrondis 4 098 695 à cent mille près.

15. Arrondis 57 314 602 à un million près.

Écris normalement, sous forme décimale.

16. 0,5 + 0,09 **17.** 40 + 6 + 0,2 + 0,06

18. 3 + 0,4 + 0,05 + 0,002 **19.** 0,09 + 0,008 + 0,0004

20. cinq et vingt et un centièmes

21. cinq et soixante-quinze centièmes

22. onze et quatre dixièmes

23. $\frac{7}{10}$ **24.** $\frac{27}{10}$ **25.** $\frac{16}{100}$ **26.** $\frac{5}{1000}$ **27.** $\frac{8}{10\,000}$

Recopie et complète.

28. 0,4 = 0,■■ **29.** 7,■■■ = 7,3 **30.** 42,09 = 42,■■■

Recopie et complète par $<$ ou $>$.

31. 5,04 ■ 5,4 **32.** 4,2 ■ 4,199 **33.** 28,006 ■ 28,01

34. Arrondis 16,5731 au dixième près.

35. Arrondis 5,7431 au centième près.

36. Arrondis 0,8685 au millième près.

CHAPITRE 2
L'ADDITION ET LA SOUSTRACTION

Destination inconnue

Complète les équations, puis décode le message pour découvrir ta destination.

■	■	■	■	■	■		■	■		■	■	■	■	■	■
16	15	9	14	5	8		14	13		17	14	6	14	7	14

L'addition de nombres de 2 ou 3 chiffres

L'été dernier, les grands-parents de Solange sont allés admirer les prouesses des cow-boys au Stampede de Calgary. Le premier jour, ils ont parcouru 776 km pour aller de Kenora (Ontario) à Regina (Saskatchewan). Le deuxième jour, ils ont parcouru 764 km pour aller de Regina à Calgary.

Quelle distance ont-ils parcourue en tout?

$776 + 764 = \blacksquare$

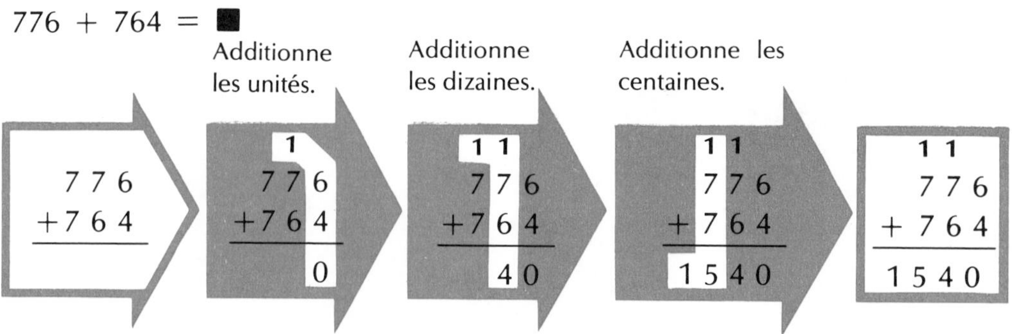

Ils ont parcouru 1540 km.

EXERCICES

Calcule la somme.

1. $\begin{array}{r} 53 \\ +44 \\ \hline \end{array}$

2. $\begin{array}{r} \blacksquare \\ 635 \\ +\ 19 \\ \hline \end{array}$

3. $\begin{array}{r} \blacksquare \\ 795 \\ +\ 23 \\ \hline \end{array}$

4. $\begin{array}{r} \blacksquare\blacksquare \\ 856 \\ +\ 64 \\ \hline \end{array}$

5. $\begin{array}{r} \blacksquare \\ 534 \\ +646 \\ \hline \end{array}$

6. $\begin{array}{r} \blacksquare \\ 381 \\ +175 \\ \hline \end{array}$

7. $\begin{array}{r} 264 \\ 13 \\ +122 \\ \hline \end{array}$

8. $\begin{array}{r} \blacksquare\blacksquare \\ 35 \\ 132 \\ +463 \\ \hline \end{array}$

Calcule la somme.

9. 943 + 72
10. 657 + 195
11. 750 + 250 + 29
12. 540 + 360 + 96
13. 625 + 38 + 175
14. 397 + 103 + 45

Recopie et complète les équations.

15. $24 + \blacksquare = 69 + 24$
16. $\blacksquare + 98 = 98 + 87$
17. $231 + 69 = \blacksquare + 231$
18. $564 + 918 = 918 + \blacksquare$

EXERCICES

Calcule la somme.

1. 76 + 43	**2.** 319 + 42	**3.** 753 + 56	**4.** 477 + 33	**5.** 39 + 982
6. 752 + 839	**7.** 979 + 868	**8.** 575 + 12 + 431	**9.** 864 + 783 + 596	**10.** 777 + 889 + 999

Calcule la somme.

11. 42 + 138 **12.** 837 + 906

13. 570 + 30 + 962 **14.** 12 + 188 + 35

15. 110 + 605 + 190 **16.** 495 + 387 + 13

Recopie et complète les équations.

17. 64 + 123 = ■ + 64 **18.** 148 + ■ = 25 + 148

Recopie et complète par $<$, $=$, ou $>$.

19. 617 + 38 ● 334 + 321 **20.** 576 + 97 ● 217 + 468

Problème.

21. Écris le plus grand nombre possible avec les chiffres 4, 2 et 6. Additionne ce nombre au plus grand nombre que tu peux écrire avec 5, 7 et 3.

Calcul rapide

Étudie les exemples. Effectue les autres opérations mentalement. N'écris que les réponses.

196 + 157	308 + 176
+ 4 − 4	− 8 + 8
200 + 153 = 353	300 + 184 = 484

a. 297 + 654 = ■ **b.** 591 + 472 = ■

c. 675 + 341 = ■ **d.** 785 + 622 = ■

e. 481 + 511 = ■ **f.** 497 + 435 = ■

L'addition de nombres de 4 ou 5 chiffres

Les Perrins, de Winnipeg, ont passé leurs vacances à Zurich, en Suisse. Ils ont parcouru 1796 km en avion pour aller jusqu'à Montréal, puis 5959 km pour aller de Montréal à Zurich.

Combien de km ont-ils parcourus en tout?

1796 + 5959 = ■

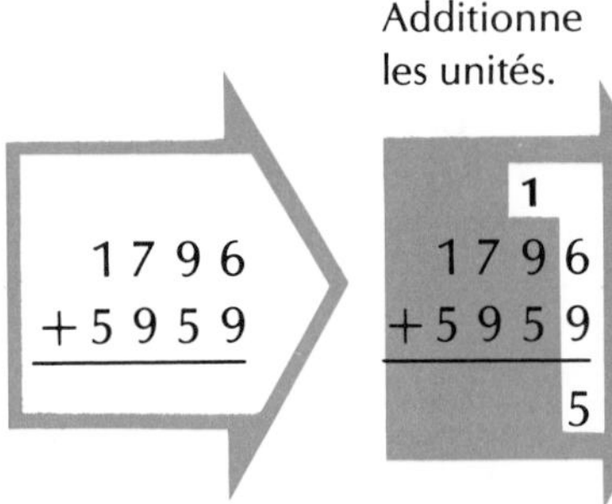

	Additionne les unités.	Additionne les dizaines.	Additionne les centaines.	Additionne les milliers.
	1	1 1	1 1 1	1 1 1
1 7 9 6	1 7 9 6	1 7 9 6	1 7 9 6	1 7 9 6
+ 5 9 5 9	+ 5 9 5 9	+ 5 9 5 9	+ 5 9 5 9	+ 5 9 5 9
	5	5 5	7 5 5	7 7 5 5

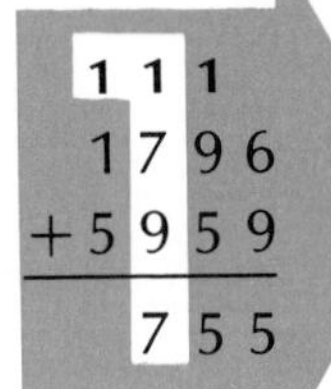

Ils ont parcouru 7755 km.

EXERCICES

Calcule la somme.

1. ■ 1346 + 5722	**2.** ■ 7124 + 556	**3.** ■■ 8792 + 261	**4.** ■ 6642 + 5193
5. ■ ■■ 79 174 + 6 346	**6.** ■ ■■ 65 124 + 86 487	**7.** ■ 23 351; 4 218; + 224	**8.** ■ ■■ 572; 68 438; + 17 006

Calcule la somme.

9. 20 113 + 4652

10. 86 650 + 1937

11. 58 150 + 69 950

12. 72 126 + 48 388

13. 45 000 + 25 000 + 145

14. 97 500 + 32 500 + 486

Recopie et complète les équations.

15. 64 125 + 3468 = ■ + 64 125

16. 91 125 + 68 475 = 68 475 + ■

17. ■ + 79 354 = 79 354 + 82 167

18. 43 502 + ■ = 57 782 + 43 502

EXERCICES

Calcule la somme.

1. 7968 + 8031

2. 6527 + 318

3. 9843 + 926

4. 8734 + 9091

5. 64 243 + 9 268

6. 93 424 + 67 088

7. 42 123 + 5 319 + 1 046

8. 71 238 + 12 679 + 846

Calcule la somme.

9. 12 394 + 7602

10. 58 655 + 1092

11. 45 620 + 37 880

12. 97 164 + 83 978

13. 41 000 + 69 000 + 356

14. 21 500 + 34 500 + 1132

Recopie et complète les équations.

15. 65 986 + ■ = 38 449 + 65 986

16. 59 264 + 78 602 = ■ + 59 264

Les sommes sont-elles inférieures à 50 000? Estime.

17. 5714 + 48 019

18. 23 525 + 25 206

Problème.

19. La distance qui sépare Winnipeg de Zurich est de 7755 km. Combien de km les Perrins ont-ils parcourus en effectuant le voyage aller et retour?

La preuve par 9

Tu peux **vérifier** une addition en **barrant les 9** ou une combinaison de chiffres représentant un total de 9.

2 ~~9~~ ~~4~~ ~~5~~ 2	→	4 (reste)
+ ~~9~~ ~~6~~ ~~1~~ ~~2~~	→	+0 (reste)
~~3~~ ~~9~~ 0 ~~6~~ 4	→	4 (reste)

Observe l'exemple, puis effectue et vérifie les opérations.

a. 7295 + 623 + 8416

b. 543 + 225 + 702

c. 645 + 3376 + 2781

d. 2789 + 623 + 5584

L'addition de montants d'argent

Jacques habite à Thunder Bay, en Ontario. Pendant ses vacances, il est allé faire du ski au Mont Tremblant, dans la province de Québec. Il a dépensé 229,00 $ pour se rendre à Montréal en avion, 18,35 $ pour aller jusqu'au chalet en autobus et 375,95 $ pour la nourriture, le logement et le remonte-pente.

Combien a-t-il dépensé en tout?

229,00 $ + 18,35 $ + 375,95 $ = ■

Aligne les virgules.

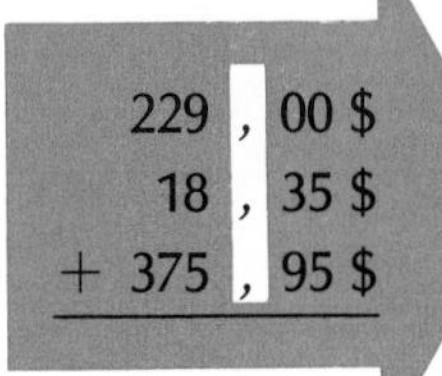

```
  229 , 00 $
   18 , 35 $
+ 375 , 95 $
```

Additionne.

```
   121 1
  229,00 $
   18,35 $
+ 375,95 $
----------
  623,30 $
```

Il a dépensé 623,30 $.

EXERCICES

Calcule la somme.

```
1.    3,54 $    2.    3,72 $    3.   26,38 $    4.   35,64 $
    + 2,35 $        + 6,65 $        + 7,91 $        + 68,54 $

5.    2,48 $    6.   43,72 $    7.  365,34 $    8.  564,32 $
      0,16 $          1,84 $         65,12 $          6,91 $
    + 1,32 $       + 70,63 $      +   9,30 $      + 713,74 $
```

Calcule la somme.

9. 16,75 $ + 9,25 $
10. 397,62 $ + 3,48 $
11. 325,40 $ + 585,60 $
12. 1465,15 $ + 23,85 $
13. 15,80 $ + 2,10 $ + 6,10 $
14. 42,50 $ + 6,25 $ + 2,25 $
15. 125,30 $ + 475,40 $ + 3,30 $
16. 510,85 $ + 210,05 $ + 8,10 $

EXERCICES

Calcule la somme.

1. 6,85 $ + 3,14 $ (en colonne)

1.	**2.**	**3.**	**4.**
6,85 $	4,56 $	35,95 $	26,72 $
+ 3,14 $	+ 6,72 $	+ 7,83 $	+ 98,76 $

5.	**6.**	**7.**	**8.**
1,25 $	63,91 $	298,20 $	913,50 $
4,36 $	0,33 $	77,45 $	47,85 $
+ 2,17 $	+ 92,75 $	+ 3,11 $	+ 806,31 $

Calcule la somme.

9. 45,13 $ + 55,10 $

10. 108,46 $ + 2,04 $

11. 520,67 $ + 480,13 $

12. 1552,26 $ + 13,14 $

13. 58,70 $ + 4,05 $ + 3,25 $

14. 26,95 $ + 3,05 $ + 1,18 $

15. 650,40 $ + 12,20 $ + 12,40 $

16. 755,35 $ + 10,15 $ + 10,50 $

Recopie et complète par $<$, $=$ ou $>$.

17. 23,56 $ + 78,25 $ ● 61,48 $ + 40,33 $

18. 44,97 $ + 658,66 $ ● 314,96 $ + 384,86 $

Problème.

19. Un touriste se rend de Victoria à Vancouver en empruntant successivement l'autobus (coût: 2,50 $), le traversier (coût: 3,75 $) et le taxi (coût: 15,35 $). Quel est le montant total de la dépense?

AVEC LA CALCULATRICE

Vérifie les calculs. (La somme n'est pas toujours exacte.)

a.	**b.**	**c.**
5 473,98 $	659,39 $	7,36 $
6 952,36 $	5764,50 $	246,87 $
4 279,83 $	426,78 $	5987,95 $
+ 9 726,38 $	+ 657,95 $	+ 476,32 $
27 533,55 $	7508,62 $	6950,17 $

L'addition de nombres décimaux

Pour faire le tour de l'île de Vancouver, les Bergson ont fait le plein d'essence trois fois. À chaque station-service, le réservoir était presque vide. Quelle addition pourrait exprimer la quantité totale d'essence achetée?

Aligne les virgules. Additionne comme s'il s'agissait de nombres entiers.

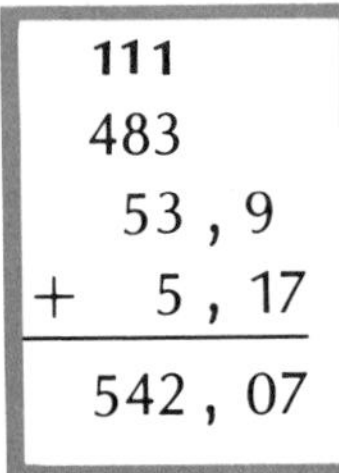

```
   111
   483
    53 , 9
+    5 , 17
----------
   542 , 07
```

```
    11
    48 , 3
    53 , 9
+   51 , 7
----------
   153 , 9
```

```
    11  1
    48 , 3
     5 , 39
+    0 , 517
-----------
    54 , 207
```

Quel résultat te paraît vraisemblable?

EXERCICES

Calcule la somme.

1. 6,7 + 2,0

2. 6,7 + 2

3. 54,00 + 9,78

4. 54,0 + 9,78

5. 6,197 + 4,200

6. 6,197 + 4,2

7. 8,20 + 7,03 + 5,00

8. 8,2 + 7,03 + 5,0

9. 12,987 + 6,000 + 9,95

10. 12,987 + 6,0 + 9,95

11. 5,9 + 8,0

12. 7,03 + 9,4

13. 6,9 + 8,465

14. 0,567 + 0,9 + 0,68

15. 2,6 + 38,347 + 8,75

Calcule la somme.

16. 3,2 + 0,59

17. 7,26 + 13,9 + 4,177

18. 28 + 0,95

19. 4,2 + 95 + 8,85

EXERCICES

Calcule la somme.

1. $\begin{array}{r} 62{,}5 \\ +\ 5{,}9 \\ \hline \end{array}$

2. $\begin{array}{r} 15{,}73 \\ +\ 9{,}62 \\ \hline \end{array}$

3. $\begin{array}{r} 20{,}165 \\ +\ 4{,}913 \\ \hline \end{array}$

4. $\begin{array}{r} 8{,}76 \\ +40{,}91 \\ \hline \end{array}$

5. $\begin{array}{r} 3{,}552 \\ +27{,}989 \\ \hline \end{array}$

6. $\begin{array}{r} 5{,}74 \\ +6{,}8 \\ \hline \end{array}$

7. $\begin{array}{r} 9{,}6 \\ +4{,}89 \\ \hline \end{array}$

8. $\begin{array}{r} 32{,}6 \\ +\ 5{,}86 \\ \hline \end{array}$

9. $\begin{array}{r} 4{,}295 \\ +3{,}18 \\ \hline \end{array}$

10. $\begin{array}{r} 5{,}63 \\ +8{,}473 \\ \hline \end{array}$

11. $\begin{array}{r} 32{,}6 \\ +576{,}09 \\ \hline \end{array}$

12. $\begin{array}{r} 5{,}778 \\ +42{,}5 \\ \hline \end{array}$

13. $\begin{array}{r} 6{,}137 \\ 5{,}72 \\ +1{,}8 \\ \hline \end{array}$

14. $\begin{array}{r} 52{,}6 \\ 7{,}953 \\ +\ 8{,}43 \\ \hline \end{array}$

15. $\begin{array}{r} 35{,}0 \\ 7{,}689 \\ +428{,}7 \\ \hline \end{array}$

Calcule la somme.

16. 6,3 + 45,59
17. 5,147 + 8,2 + 63,49
18. 26 + 0,421
19. 0,2 + 195 + 6,88

Recopie et complète les équations.

20. 8,2 + 4,6 = 8 + ■
21. 5,7 + 3,1 = 5 + ■
22. 11,4 + 9,5 = 11 + ■
23. 4,12 + 6,52 = 4 + ■

Les palindromes

Un **palindrome** est un nombre qui se lit aussi bien de gauche à droite que de droite à gauche. 12 321 est un palindrome. Tu peux obtenir un palindrome en ajoutant à un nombre donné un nombre formé des mêmes chiffres, mais placés dans l'ordre inverse.

Exemple: 763

763 + 367	Écris les chiffres dans l'ordre inverse, puis additionne.
1130 +0311	Écris les chiffres dans l'ordre inverse, puis additionne.
1441	est un palindrome.

Trouve le palindrome.

a. 234
b. 514
c. 637
d. 168

L'addition à plus de deux termes

Claude explore la côte de la Nouvelle-Écosse à bicyclette. Il parcourt 43 km la première journée, 35 km la deuxième, 39 km la troisième, 45 km la quatrième et 37 km la cinquième. Quelle distance parcourt-il en tout?

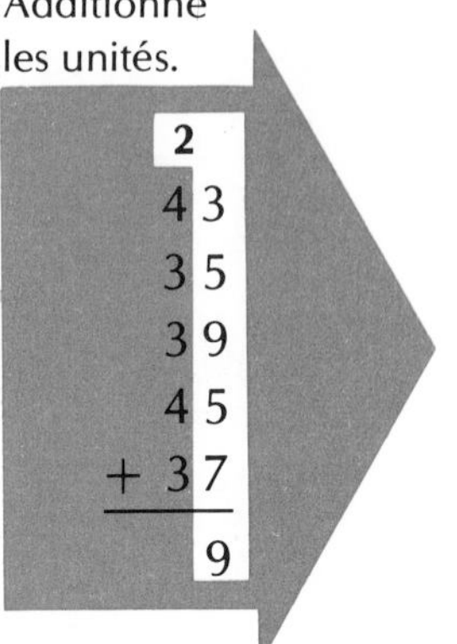

Additionne
les dizaines.

2
43
35
39
45
+ 37
199

43 + 35 + 39 + 45 + 37 = ■ Il parcourt 199 km.

EXERCICES

Calcule la somme.

1.	2.	3.	4.	5.
24	72	413	46	248
83	98	624	5	22
+ 62	45	352	3	63
	+ 35	+ 712	24	8
			+ 62	+ 135

6.	7.	8.	9.	10.
4,3	7,8	5,32	6,12	4,62
2,1	6,0	2,43	5,0	7,2
6,5	5,2	1,78	3,7	31,0
+ 8,2	+ 8,0	+ 4,21	8,3	5,4
			+ 9,18	+ 8,11

Calcule la somme.

11. 27 + 43 + 9 **12.** 75 + 8 + 6 + 32

13. 5,3 + 2,4 + 6,1 + 7,2 **14.** 8,7 + 6 + 3,5 + 5

Recopie et complète.

15. (13 + 8) + 2 = 13 + (8 + ■) **16.** (16 + 11) + 9 = 16 + (■ + 9)

EXERCICES

Calcule la somme.

1.
```
  97
  34
  65
+ 73
```

2.
```
 6,5
 3,9
 4,2
+7,7
```

3.
```
 5,6
 8,0
 3,4
+5,0
```

4.
```
  157
   28
   35
    9
+ 248
```

5.
```
  19
   2,5
  13
  14,2
+  6,1
```

Calcule la somme.

6. $163 + 4 + 29 + 75$

7. $3,5 + 6 + 12,2 + 4,8 + 9,5$

Recopie et complète les équations.

8. $(6 + 8) + 2 = 6 + (■ + 2)$

9. $(13 + 91) + 9 = 13 + (91 + ■)$

10. $55 + (45 + 79) = (55 + ■) + 79$

11. $15 + (85 + 78) = (■ + 85) + 78$

Place des parenthèses autour des additions les plus faciles, puis calcule les sommes.

12. $75 + 25 + 89$

13. $39 + 84 + 16$

14. $49 + 51 + 75$

15. $76 + 65 + 35$

RÉVISION

Additionne.

1. $342 + 75$

2. $958 + 713$

3. $495 + 116$

4. 61 305 + 9742

5. 1124 + 3576 + 27 592

6. 45,25$ + 16,89$

7. 6,39$ + 4,15$ + 12,95$

8. $4,3 + 6,93$

9. $5,2 + 6,75 + 4,837$

10. $9 + 48 + 216 + 4275$

11. $8,5 + 0,9 + 62,37 + 0,174$

La soustraction de nombres de 2 ou 3 chiffres

Noëlle a passé ses vacances à Rouyn, au Québec. Elle a parcouru 914 km en voiture pour aller de la ville de Québec à Rouyn. Son amie Maria, elle, préfère l'océan. Elle a parcouru 866 km pour aller de Québec à Yarmouth, en Nouvelle-Écosse. Quelle différence y a-t-il entre les distances parcourues par chacune des deux amies?

914 − 866 = ■

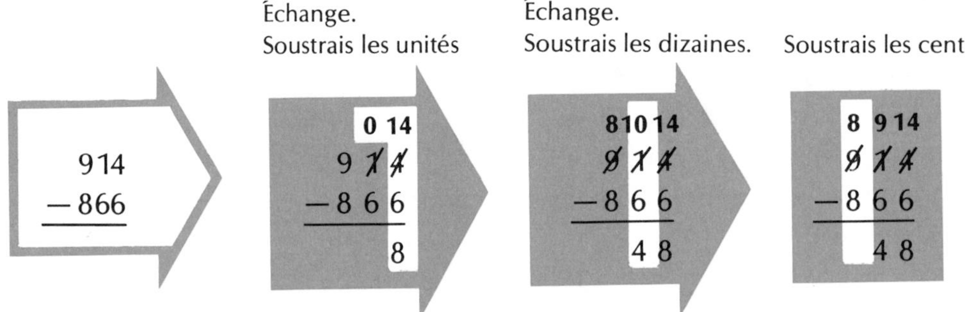

Noëlle a parcouru 48 km de plus que Maria. *Vérifie*: 48 + 866 = 914

EXERCICES

Calcule la différence.

1. 67 − 28 **2.** 467 − 128 **3.** 51 − 37 **4.** 651 − 37 **5.** 951 − 537

6. 40 − 23 **7.** 740 − 423 **8.** 80 − 57 **9.** 800 − 657 **10.** 800 − 257

11. 546 − 95 **12.** 257 − 88 **13.** 654 − 428 **14.** 502 − 245

Soustrais. Vérifie par une addition.

15. 514 − 65 **16.** 321 − 186 **17.** 902 − 788 **18.** 300 − 187

EXERCICES

Soustrais.

1. $\begin{array}{r} 429 \\ -\ 87 \\ \hline \end{array}$
2. $\begin{array}{r} 574 \\ -\ 38 \\ \hline \end{array}$
3. $\begin{array}{r} 475 \\ -\ 29 \\ \hline \end{array}$
4. $\begin{array}{r} 531 \\ -\ 170 \\ \hline \end{array}$
5. $\begin{array}{r} 352 \\ -\ 109 \\ \hline \end{array}$
6. $\begin{array}{r} 641 \\ -\ 374 \\ \hline \end{array}$
7. $\begin{array}{r} 831 \\ -\ 448 \\ \hline \end{array}$
8. $\begin{array}{r} 905 \\ -\ 166 \\ \hline \end{array}$
9. $\begin{array}{r} 600 \\ -\ 395 \\ \hline \end{array}$
10. $\begin{array}{r} 700 \\ -\ 249 \\ \hline \end{array}$
11. 321 — 68
12. 409 — 82
13. 654 — 188
14. 227 — 166

Soustrais. Vérifie par une addition.

15. $\begin{array}{r} 573 \\ -\ 96 \\ \hline \end{array}$
16. $\begin{array}{r} 400 \\ -\ 233 \\ \hline \end{array}$
17. $\begin{array}{r} 907 \\ -\ 568 \\ \hline \end{array}$
18. $\begin{array}{r} 401 \\ -\ 209 \\ \hline \end{array}$

Problèmes.

19. Un restaurant peut accueillir 84 personnes. 48 places sont réservées à ceux qui ne fument pas. Combien y a-t-il de places pour les fumeurs?

20. En une soirée, un restaurant sert du poulet à 141 clients et du boeuf à 98 clients de moins. Combien ont demandé du boeuf?

Soustractions surprises

Choisis un nombre de 3 chiffres.

297

Inverse les chiffres.

792

Soustrais.

$\begin{array}{r} 792 \\ -\ 297 \\ \hline \mathbf{495} \end{array}$

Continue.

495

594

$\begin{array}{r} 594 \\ -\ 495 \\ \hline \mathbf{99} \end{array}$

Essaie avec d'autres nombres. Que remarques-tu?

La soustraction de nombres de 4 ou 5 chiffres

Mont Saint-Elias
5489 m

Pendant ses vacances, Nicolas a eu l'occasion d'admirer le mont Saint-Elias, dans le Yukon. Il a une altitude de 5489 m. Le mont Logan, qui est le sommet le plus élevé du Canada, culmine à 6060 m.

Quelle est la différence d'altitude?

6060 — 5489 = ■

Échange. Soustrais les unités.	Échange. Soustrais les dizaines.	Soustrais les centaines.	Soustrais les milliers.
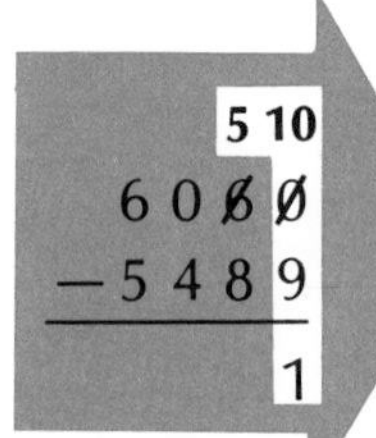 5 10	5 9 15 10	5 9 15 10	5 9 15 10
6 0 6 0	6 0 6 0	6 0 6 0	6 0 6 0
− 5 4 8 9	− 5 4 8 9	− 5 4 8 9	− 5 4 8 9
1	7 1	5 7 1	5 7 1

La différence est de 571 m. *Vérifie:* 571 + 5489 = 6060

EXERCICES

Calcule la différence.

1. 7152 − 3024	**2.** 5843 − 1271	**3.** 4037 − 3216	**4.** 56 176 − 2 843
5. 3117 − 1425	**6.** 5831 − 2658	**7.** 27 314 − 5 186	**8.** 56 253 − 45 782

Soustrais. Vérifie par une addition.

9. 3674 − 968	**10.** 72 956 − 8 388	**11.** 57 102 − 8 435	**12.** 90 040 − 57 617

Arrondis à mille ou à dix mille près.
Estime la différence.

13. 6180 − 3987	**14.** 2117 − 1969	**15.** 50 004 − 32 765	**16.** 80 101 − 51 212

EXERCICES

Calcule la différence.

1. 3172 − 1845
2. 6907 − 4899
3. 5315 − 2828
4. 60 124 − 8 033
5. 9000 − 3154
6. 54 003 − 22 014
7. 74 044 − 23 675
8. 57 876 − 23 478

Soustrais. Vérifie par une addition.

9. 4040 − 2342
10. 4004 − 2342
11. 40 400 − 2 342
12. 40 004 − 2 342

Arrondis à 1000 près.
Estime la différence.

13. 5213 − 957
14. 40 126 − 3995
15. 79 206 − 5002

Problèmes.

16. Le mont Everest, le plus haut sommet du monde, a une altitude de 8848 m. De combien dépasse-t-il le mont Saint-Elias?

17. Le mont McKinley, le plus haut sommet d'Amérique du Nord, culmine à 6194 m. De combien dépasse-t-il le mont Logan?

Courants mathématiques

Complète. Sers-toi d'une calculatrice.

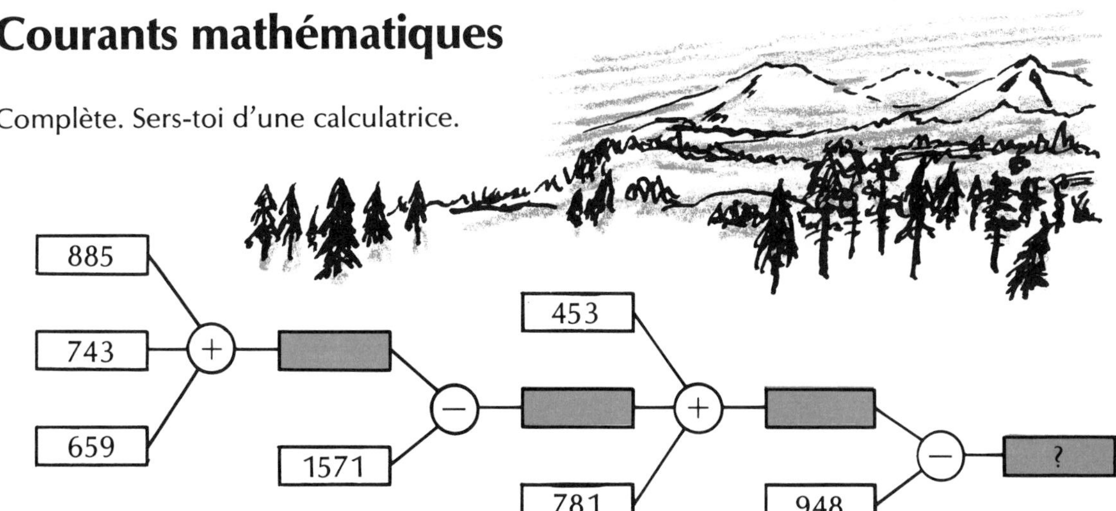

Rendre la monnaie

Bernard achète un T-shirt de 8,65 $ comme souvenir de ses vacances à Toronto. Combien de monnaie reçoit-il en payant avec un billet de dix dollars?

```
    9  9 10
    1̶0̶ , 0̶ 0̶
 −    8 , 6 5
 ___________
      1 , 3 5
```

Le vendeur lui rend:

8,65 $
8,75 $ — 10 cents 
9,00 $ — 25 cents 
10,00 $ — un dollar

Total: 1,35 $

EXERCICES

Rends la monnaie sur 1,00 $ avec un nombre minimum de pièces.

1.	97¢	**2.**	95¢	**3.**	90¢	**4.**	75¢	**5.**	86¢
6.	71¢	**7.**	39¢	**8.**	29¢	**9.**	64¢	**10.**	45¢

Rends la monnaie sur 5,00 $ avec un nombre minimum de pièces et de billets.

11.	4,00 $	**12.**	4,25 $	**13.**	3,50 $	**14.**	3,75 $	**15.**	1,25 $
16.	3,98 $	**17.**	3,47 $	**18.**	2,60 $	**19.**	1,63 $	**20.**	95 ¢

Soustrais.

21. 5,00 $ − 2,35 $

22. 5,75 $ − 2,35 $

23. 7,75 $ − 2,89 $

24. 8,53 $ − 2,65 $

25. 25,50 $ − 9,95 $

26. 16,95 $ − 7,48 $

27. 20,00 $ − 18,67 $

28. 23,40 $ − 11,27 $

29. 18,95 $ − 9,23 $

30. 22,63 $ − 14,89 $

EXERCICES

Soustrais.

1. 4,25 \$ − 3,98 \$
2. 6,05 \$ − 4,35 \$
3. 12,50 \$ − 6,79 \$
4. 18,10 \$ − 12,56 \$
5. 5,00 \$ − 2,88 \$
6. 2,00 \$ − 0,56 \$
7. 10,00 \$ − 6,25 \$
8. 20,00 \$ − 15,99 \$

Indique la monnaie à rendre sur 2,00 \$.

9.	1,25 \$	**10.**	1,08 \$	**11.**	0,95 \$	**12.**	65 ¢
13.	1,52 \$	**14.**	0,69 \$	**15.**	35 ¢	**16.**	78 ¢

Indique la monnaie à rendre sur 20,00 \$.

17.	13,75 \$	**18.**	19,25 \$	**19.**	8,56 \$	**20.**	4,39 \$
21.	0,85 \$	**22.**	92 ¢	**23.**	57 ¢	**24.**	5 ¢

Pendant ses vacances à Toronto, Bernard a dépensé son argent de différentes façons, mais il a toujours payé avec un billet de 10,00 \$. Combien lui a-t-on rendu?

25. Une séance de cinéma coûtait 4,50 \$.
26. Une partie de baseball coûtait 8,95 \$.
27. Un billet d'autobus coûtait 65 ¢.
28. La location de patins à roulettes coûtait 3,75 \$.

Question d'argent

Représente la valeur d'un dollar avec 50 pièces exactement.

La soustraction de nombres décimaux

M. Reimer a fait une randonnée en moto dans la région du Grand lac des Esclaves. Le premier jour, il a emprunté une route accidentée, mais le deuxième jour il a choisi un parcours plus facile. Il a fait le plein d'essence chaque soir.

Quelle soustraction représente le mieux la différence entre les quantités d'essence consommées chaque jour?

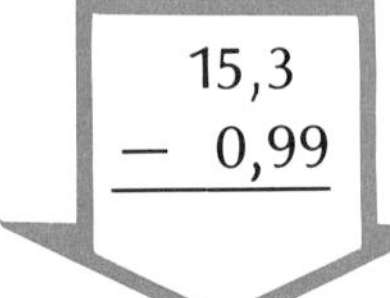

$15{,}3 - 0{,}99$	$15{,}3 - 9{,}9$	$9{,}9 - 0{,}153$
1 4 12 10	1 4 13	8 9 10
$\not{1}\not{5},\not{3}$	$\not{1}\not{5},\not{3}$	$9,\not{9}$
$-\ 0,9\ 9$	$-\ 9,9$	$-0,1\ 5\ 3$
$1\ 4,3\ 1$	$5,4$	$9,7\ 4\ 7$

EXERCICES

Soustrais.

1. $3{,}0 - 1{,}9$

2. $3{,}1 - 1{,}9$

3. $5{,}70 - 2{,}63$

4. $5{,}7 - 2{,}63$

5. $4{,}20 - 1{,}75$

6. $4{,}2 - 1{,}73$

7. $2{,}600 - 1{,}895$

8. $2{,}6 - 1{,}899$

Soustrais. Vérifie par une addition.

9. $7{,}6 - 2{,}7$

10. $5{,}0 - 3{,}18$

11. $12{,}3 - 9{,}176$

12. $0{,}3 - 0{,}018$

EXERCICES

Calcule la différence.

1. $\begin{array}{r} 6,5 \\ -3,8 \\ \hline \end{array}$
2. $\begin{array}{r} 4,11 \\ -2,5 \\ \hline \end{array}$
3. $\begin{array}{r} 6,5 \\ -5,18 \\ \hline \end{array}$
4. $\begin{array}{r} 8,9 \\ -1,931 \\ \hline \end{array}$
5. $\begin{array}{r} 0,045 \\ -0,019 \\ \hline \end{array}$
6. $\begin{array}{r} 7,3 \\ -4,126 \\ \hline \end{array}$
7. $\begin{array}{r} 0,5 \\ -0,113 \\ \hline \end{array}$
8. $\begin{array}{r} 46,0 \\ -\ \ 0,737 \\ \hline \end{array}$

Soustrais. Vérifie par une addition.

9. $\begin{array}{r} 5,7 \\ -1,99 \\ \hline \end{array}$
10. $\begin{array}{r} 8,0 \\ -0,432 \\ \hline \end{array}$
11. $\begin{array}{r} 0,9 \\ -0,063 \\ \hline \end{array}$
12. $\begin{array}{r} 0,072 \\ -0,0019 \\ \hline \end{array}$

Recopie et complète par <, = ou >.

13. 8,4 + 9,2 ● 25 − 7,09
14. 6,7 + 5,39 ● 19,67 − 7,58
15. 43,1 − 0,017 ● 32,59 + 11,01
16. 56,9 − 23,45 ● 26,115 + 7,33

Problèmes.

17. 0,6 > 0,17 De combien?
18. Quelle est la différence entre 7,9 et 7,886?
19. 1,43 < 2 De combien?
20. Est-ce que 4,33 est plus près de 6,42 ou de 2,67?

Un nouveau signe

= veut dire que les deux parties de l'équation sont **égales**.
≠ veut dire que les deux parties de l'équation sont **inégales.**

Recopie et complète par = ou ≠.

a. (27 + 16) + 8 ● 27 + (16 + 8)
b. (27 − 16) − 8 ● 27 − (16 − 8)
c. (35 − 12) − 4 ● 35 − (12 − 4)
d. (95 + 23) + 18 ● 95 + (23 + 18)
e. (7,2 + 1,5) + 3 ● 7,2 + (1,5 + 3)
f. (9 − 4,01) − 1,5 ● 9 − (4,01 − 1,5)

Résolution de problèmes

En vacances, Paulette achète une tasse souvenir pour sa grand-mère et un livre pour sa soeur. La dépense s'élève à 7,45 $. Combien lui rend-on sur le billet de 10,00 $ qu'elle tend?

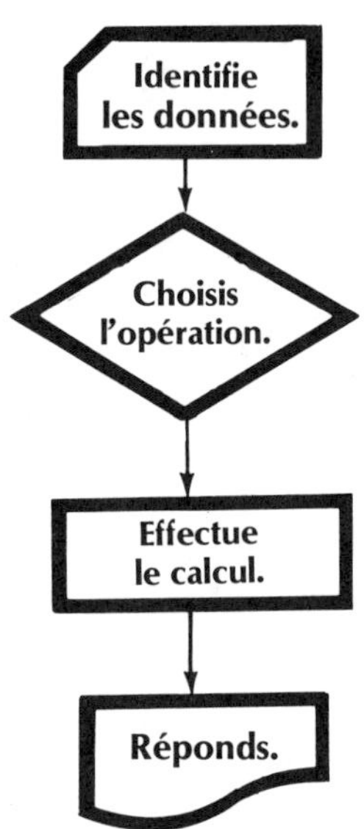

7,45 $ → montant à payer

10,00 $ → montant donné

Soustrais.

$$\begin{array}{r} \scriptstyle 9\ \ 9\ 10 \\ \not{1}0,\not{0}\not{0}\ \$ \\ -\ 7,45\ \$ \\ \hline 2,55\ \$ \end{array}$$

On lui rend 2,55 $.

EXERCICES

Quelle opération choisis-tu?

1. Une chambre d'hôtel coûte 48 $ par jour et les repas 25 $ par jour. Quel est le coût total d'une journée à hôtel?

2. Quelle différence de prix y a-t-il entre deux voyages organisés qui coûtent respectivement 679,36 $ et 582,87 $?

3. Combien de temps gagnes-tu en prenant un vol de 6 h au lieu d'un vol de 8,5 h avec escale?

4. L'heure de Toronto avance de 3 h sur l'heure de Vancouver. Quelle heure est-il à Toronto lorsqu'il est 18:00 à Vancouver?

5. François voyage pendant 4 jours, se repose pendant 2 jours et fait des achats pendant 2 jours. Quelle est la durée totale de ses vacances?

EXERCICES

1. Une famille en vacances dépense 785,75 $ pour son hébergement et 398,64 $ pour sa nourriture. Combien dépense-t-elle de plus pour son hébergement?
2. L'heure de Londres (Angleterre) avance de 7 h sur l'heure de Winnipeg. Quelle heure est-il à Winnipeg lorsqu'il est midi à Londres?
3. Maxime et Paul on fait l'ascension d'un pic qui culmine à 5689 m. Ils sont partis d'un village situé à 2764 m d'altitude. De combien de mètres se sont-ils élevés?
4. Jacques et Simon partiront en vacances le 15 juillet et reviendront le 5 septembre. Combien de temps dureront leurs vacances?
5. Pendant leurs vacances, les parents d'André ont dépensé 568,43 $ pour leur hébergement, 327,65 $ en nourriture et 359,52 $ en essence. À combien reviennent les vacances?

RÉVISION

Soustrais.

1. $325 - 88$ **2.** $940 - 56$ **3.** $500 - 372$ **4.** $101 - 29$

5. $3145 - 288$ **6.** $5673 - 4189$ **7.** $40\,012 - 9\,531$ **8.** $51\,009 - 23\,716$

Indique la monnaie à rendre sur 30,00 $.

9. 6,95 $ **10.** 12,50 $ **11.** 26,99 $ **12.** 89 ¢

Soustrais. Vérifie par une addition.

13. $3{,}2 - 1{,}78$ **14.** $5{,}31 - 0{,}499$ **15.** $27{,}0 - 1{,}56$ **16.** $2{,}0 - 0{,}018$

TEST CHAPITRE 2

Calcule la somme

1. $\begin{array}{r} 345 \\ +\ 62 \\ \hline \end{array}$

2. $\begin{array}{r} 647 \\ +938 \\ \hline \end{array}$

3. $\begin{array}{r} 264 \\ +359 \\ \hline \end{array}$

4. $\begin{array}{r} 317 \\ 25 \\ +811 \\ \hline \end{array}$

5. $\begin{array}{r} 2613 \\ +\ 891 \\ \hline \end{array}$

6. $\begin{array}{r} 20\ 516 \\ +\ 7\ 824 \\ \hline \end{array}$

7. $\begin{array}{r} 53\ 172 \\ +81\ 568 \\ \hline \end{array}$

8. $\begin{array}{r} 50\ 183 \\ 29 \\ +\ 5\ 164 \\ \hline \end{array}$

9. $\begin{array}{r} 5{,}18\ \$ \\ +0{,}95\ \$ \\ \hline \end{array}$

10. $\begin{array}{r} 48{,}37\ \$ \\ +51{,}29\ \$ \\ \hline \end{array}$

11. $\begin{array}{r} 40{,}32\ \$ \\ 6{,}52\ \$ \\ +12{,}75\ \$ \\ \hline \end{array}$

12. $\begin{array}{r} 19{,}63\ \$ \\ 6{,}75\ \$ \\ +25{,}62\ \$ \\ \hline \end{array}$

13. $\begin{array}{r} 3{,}75 \\ +5{,}2 \\ \hline \end{array}$

14. $\begin{array}{r} 49{,}7 \\ +\ 6{,}845 \\ \hline \end{array}$

15. $\begin{array}{r} 2{,}3 \\ 15{,}49 \\ +\ 8{,}635 \\ \hline \end{array}$

16. $\begin{array}{r} 0{,}74 \\ 0{,}2 \\ +0{,}965 \\ \hline \end{array}$

17. $82 + 6 + 49 + 157$

18. $5{,}3 + 28 + 6{,}25 + 4{,}126 + 6$

Calcule la différence.

19. $\begin{array}{r} 516 \\ -\ 77 \\ \hline \end{array}$

20. $\begin{array}{r} 302 \\ -195 \\ \hline \end{array}$

21. $\begin{array}{r} 7013 \\ -\ 569 \\ \hline \end{array}$

22. $\begin{array}{r} 6412 \\ -3795 \\ \hline \end{array}$

23. $\begin{array}{r} 40\ 101 \\ -\ 8\ 973 \\ \hline \end{array}$

24. $\begin{array}{r} 60\ 002 \\ -52\ 117 \\ \hline \end{array}$

25. $\begin{array}{r} 6{,}45\ \$ \\ -1{,}99\ \$ \\ \hline \end{array}$

26. $\begin{array}{r} 50{,}00\ \$ \\ -27{,}25\ \$ \\ \hline \end{array}$

Soustrais. Vérifie par une addition.

27. $\begin{array}{r} 5{,}1 \\ -3{,}9 \\ \hline \end{array}$

28. $\begin{array}{r} 6{,}4 \\ -0{,}17 \\ \hline \end{array}$

29. $\begin{array}{r} 26{,}0 \\ -\ 0{,}423 \\ \hline \end{array}$

30. $\begin{array}{r} 5{,}0 \\ -0{,}19 \\ \hline \end{array}$

Problème.

31. Dans une agence de voyage de Toronto, les ventes de billets d'avion ont représenté un total de 8765 $ en octobre et 7995 $ en septembre. De combien ont-elles augmenté?

REPRISE — LA VALEUR DE POSITION

Écris sous forme développée.

1. 36 524 **2.** 7 543 245 **3.** 62 114 209

Écris normalement.

4. trois millions cent douze mille
5. neuf milliards neuf cent soixante-cinq millions
6. trois cent quarante-huit milliards

Indique la valeur de position du chiffre souligné.

7. 3 $\underline{7}$42 165 909 **8.** $\underline{9}$9 488 625 173
9. $\underline{8}$ 547 581 307 **10.** $\underline{5}$48 329 116 702

Recopie et complète par $<$, $=$ ou $>$.

11. 56 194 ● 56 281 **12.** 9 999 999 ● 10 000 001

13. Arrondis 38134 à 1000 près.
14. Arrondis 5 185 602 à cent mille près.
15. Arrondis 57 314 685 à un million près.

Écris normalement.

16. 0,7 + 0,08 **17.** 30 + 9 + 0,1 + 0,04
18. 6 + 0,5 + 0,09 + 0,008 **19.** 0,05 + 0,009 + 0,0008
20. trois et quarante-huit centièmes
21. cinq et soixante-quinze millièmes
22. onze et quatre dix-millièmes

23. $\frac{5}{10}$ **24.** $\frac{31}{10}$ **25.** $\frac{23}{100}$ **26.** $\frac{6}{1000}$ **27.** $\frac{4}{10\,000}$

Recopie et complète.

28. 0,2 = 0,■■ **29.** 4,3 = 4,■■■ **30.** 58,■■■ = 58,21

Recopie et complète par $<$ ou $>$.

31. 3,7 ● 3,07 **32.** 6,5 ● 6,499 **33.** 5,01 ● 5,009

34. Arrondis 1,5756 au dixième près.
35. Arrondis 4,8097 au centième près.
36. Arrondis 7,3434 au millième près.

CHAPITRE 3
LA MULTIPLICATION

Des produits de qualité

Le panneau publicitaire contient un message que les produits des multiplications te permettront de décoder.

Les multiplicateurs d'un chiffre

Une chaise coûte 189 $.
Combien coûtent 3 chaises?

Coût d'une chaise $= 189\ \$$
Coût de 3 chaises $= 189\ \$ \times 3$
$= (100 + 80 + 9)\ \$ \times 3$

Multiplie
3 × 9 unités.

2
189
× 3
7

Multiplie
3 × 8 dizaines.

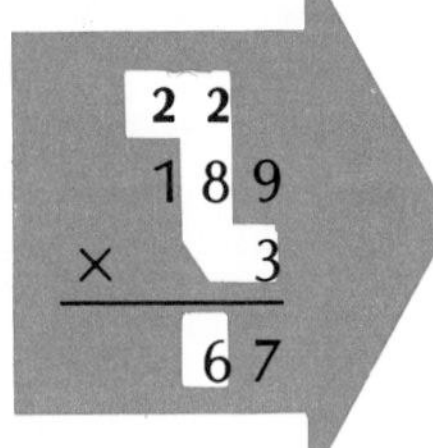

Multiplie
3 × 1 centaine.

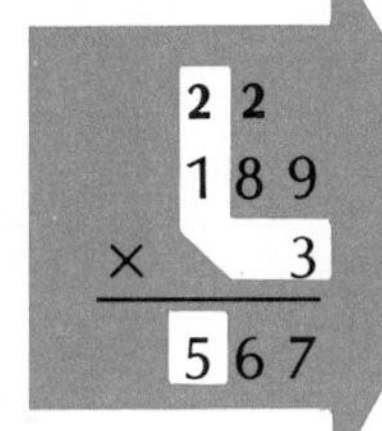

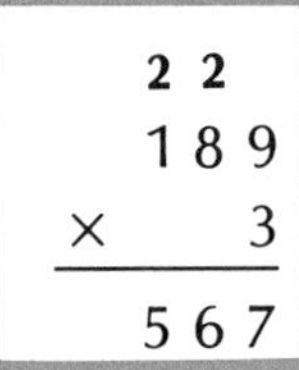

Trois chaises coûtent 567 $.

EXERCICES

Calcule le produit.

1. 5×3
2. 40×3
3. 700×3
4. 745×3
5. 9×8
6. 70×8
7. 600×8
8. 679×8
9. 26×4
10. 37×5
11. 693×6
12. 588×3
13. 706×9
14. 508×6
15. 7123×5
16. 6041×7

Recopie et complète.

17. $6 \times 28 = ■ \times 6$
18. $4172 \times 3 = 3 \times ■$
19. $(7 \times 6) \times 2 = 7 \times (6 \times ■)$
20. $5 \times (8 \times 3) = (5 \times ■) \times 3$

EXERCICES

Calcule le produit.

1. 24×2
2. 37×3
3. 58×9
4. 631×3
5. 517×4
6. 658×5
7. 926×8
8. 304×2
9. 709×6
10. 408×7
11. 6143×2
12. 9542×3
13. 8614×5
14. 7095×8
15. 6004×9

Recopie et complète.

16. $9 \times 358 = ■ \times 9$
17. $■ \times 4 = 4 \times 5716$
18. $(8 \times 3) \times ■ = 8 \times (3 \times 5)$
19. $(7 \times 6) \times 5 = 7 \times (■ \times 5)$

Problèmes.

20. Des Scouts se sont portés volontaires pour nettoyer une plage polluée. Ils achètent 5 paquets de sacs à ordures. Chaque paquet contient 75 sacs. Combien de sacs achètent-ils en tout?

21. Mme Panico se procure 3 rouleaux de grillage pour installer une clôture autour de sa propriété. Chaque rouleau mesure 2 m de haut et 35 m de long. Quelle peut être la longueur maximum de sa clôture?

Somme de produits

Recopie et complète les équations.
Classe tes réponses par ordre croissant.

a. $(5 \times 1000) + (4 \times 100) + (7 \times 10) + (2 \times 1) = ■$

b. $(5 \times 100\,000) + (4 \times 1000) + (7 \times 100) + (2 \times 10) = ■$

c. $(5 \times 10\,000) + (4 \times 1000) + (7 \times 100) + (2 \times 1) = ■$

d. $(5 \times 1\,000\,000) + (4 \times 10\,000) + (7 \times 1000) + (2 \times 10) = ■$

Les multiplicateurs de deux chiffres

Un marchand vend 35 paires de ski à 205 $ la paire. Quelle somme d'argent encaisse-t-il?

205 × 35 = ■
205 × (30 + 5) = ■

Multiplie
5 unités × 205.

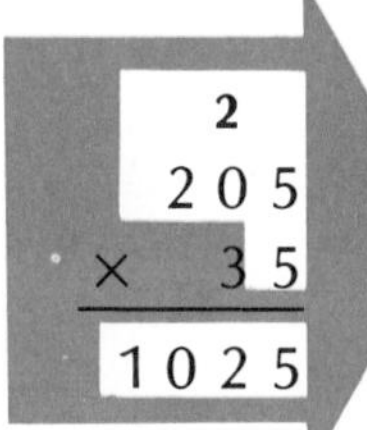

Multiplie
3 dizaines × 205.

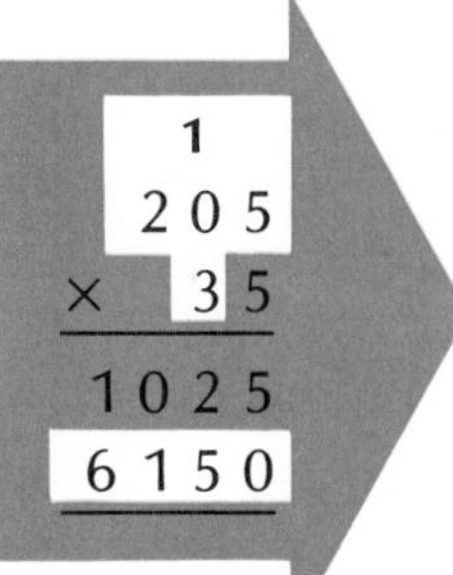

Additionne.

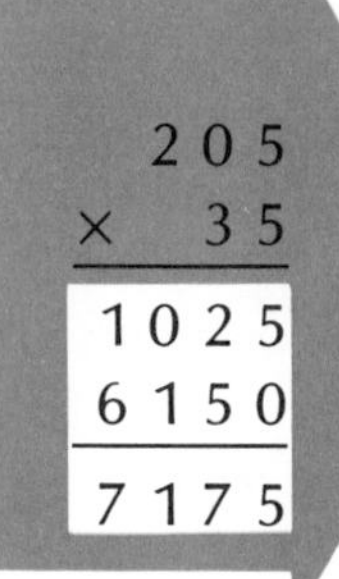


```
   205
 ×  35
  1025
  6150
  7175
```

Il encaisse 7175 $.

EXERCICES

Calcule le produit.

1. 24 × 2
2. 24 × 10
3. 24 × 12
4. 38 × 7
5. 38 × 90
6. 38 × 97
7. 56 × 5
8. 56 × 70
9. 56 × 75
10. 256 × 75
11. 43 × 25
12. 97 × 68
13. 343 × 21
14. 702 × 43
15. 655 × 79

Recopie et complète.

16. 95 × 56 = 56 × ■
17. ■ × 83 = 83 × 416
18. (63 × ■) × 25 = 63 × (2 × 25)
19. (8 × 50) × 33 = 8 × (50 × ■)

EXERCICES

Calcule le produit

1. 13×12 2. 41×14 3. 72×15 4. 68×27 5. 45×66

6. 39×28 7. 64×97 8. 88×49 9. 36×78 10. 47×47

11. 213×13 12. 402×28 13. 576×45 14. 809×27 15. 562×33

Recopie et complète.

16. $55 \times 79 = (5 \times ■) \times 79$
17. $27 \times 267 = 801 \times ■$
18. $25 \times (898 \times 4) = 100 \times ■$
19. $(18 \times 23) \times (47 \times 13) = (13 \times 23) \times (9 \times ■)$

Problèmes.

20. Un magasin achète 115 ensembles de ski à un grossiste pour 85 $ l'unité. Quel est le montant de la facture?

21. Durant la saison d'hiver, on vend 35 paires d'un nouveau modèle de chaussures de ski à 145 $ la paire. Combien a-t-on encaissé?

Une question de logique

Chaque lettre représente un chiffre différent.
Lequel?

$$\begin{array}{r} VZVZ \\ \times \quad 2 \\ \hline X2X2Z \end{array} \qquad \begin{array}{r} YZ \\ \times\ 2 \\ \hline XZZ \end{array} \qquad \begin{array}{r} YVZ \\ \times \quad V \\ \hline TTVZ \end{array}$$

Les multiplicateurs de trois chiffres

Un grand magasin situé au centre de la ville reçoit en moyenne 948 clients par jour. Combien de clients accueille-t-il dans l'année s'il est ouvert 296 jours?

$$948 \times 296 = \blacksquare$$

$$948 \times (200 + 90 + 6) = \blacksquare$$

Multiplie
6 unités × 948.

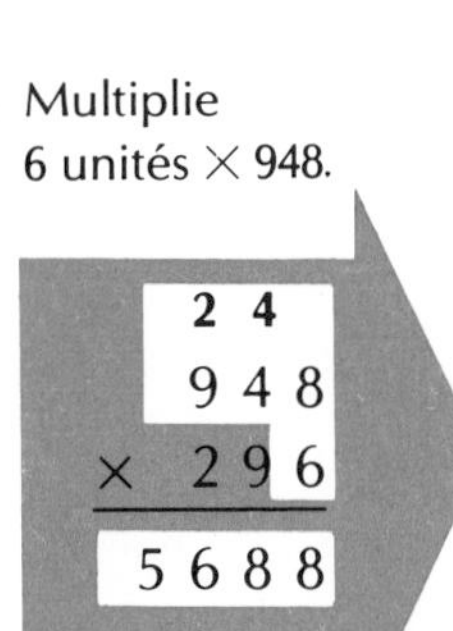

Multiplie
9 dizaines × 948.

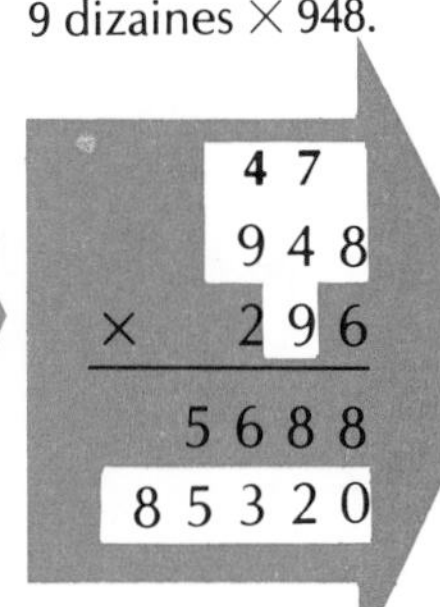

Multiplie
2 centaines × 948.

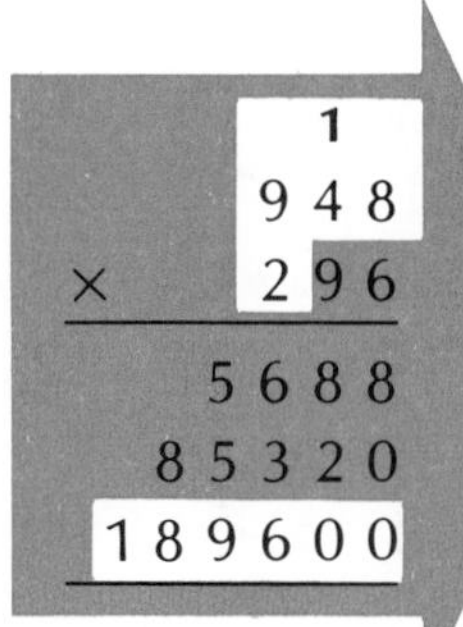

Additionne.

	948
×	296
	5 688
	85 320
	189 600
	280 608

Il accueille 280 608 clients.

EXERCICES

Calcule le produit.

1. 538×4
2. 538×20
3. 538×100
4. 538×124
5. 957×2
6. 957×30
7. 957×600
8. 957×632
9. 605×243
10. 702×657
11. 908×876
12. 407×587
13. 653×231
14. 584×234
15. 885×734
16. 986×528

EXERCICES

Calcule le produit.

1.	432 × 21	**2.**	569 × 32	**3.**	768 × 45	**4.**	586 × 132	**5.**	976 × 121
6.	304 × 123	**7.**	708 × 457	**8.**	605 × 621	**9.**	209 × 897	**10.**	707 × 238
11.	421 × 322	**12.**	653 × 433	**13.**	857 × 555	**14.**	987 × 658	**15.**	394 × 869

Problèmes.

16. Un stade couvert a 125 rangées de 110 sièges chacune. Combien de spectateurs peut-il accueillir?

17. Un kiosque à journaux reçoit 33 journaux et 52 revues par semaine. Combien reçoit-il de périodiques en un an?

18. Quel nombre est 111 fois plus grand que 345?

Produits prévisibles

Utilise une calculatrice pour trouver les produits. Commence par les opérations entre parenthèses.

a. 46 × (117 + 83) ⟶ (46 × 117) + (46 × 83)
b. 95 × (252 + 48) ⟶ (95 × 252) + (95 × 48)
c. 150 × (459 + 41) ⟶ (150 × 459) + (150 × 41)
d. 265 × (324 + 676) ⟶ (265 × 324) + (265 × 676)

Que remarques-tu?

Zéro dans le multiplicateur

Un grand magasin verse un salaire hebdomadaire de 298 $ à chacun de ses 105 employés. De quelle somme doit-il disposer à la fin de chaque semaine pour les payer?

002761 GRANDS MAGASINS À LA BONNE AUBAINE
Payez à l'ordre de: Luc Weiss 11 Nov
La somme de: 298 Dollars 00 Cents 298$
BANQUE DES PETITS PROFITS
Nicole Prodigue, présidente

$$298 \times 105 = \blacksquare$$
$$298 \times (100 + 5) = \blacksquare$$

Multiplie
5 unités × 298.

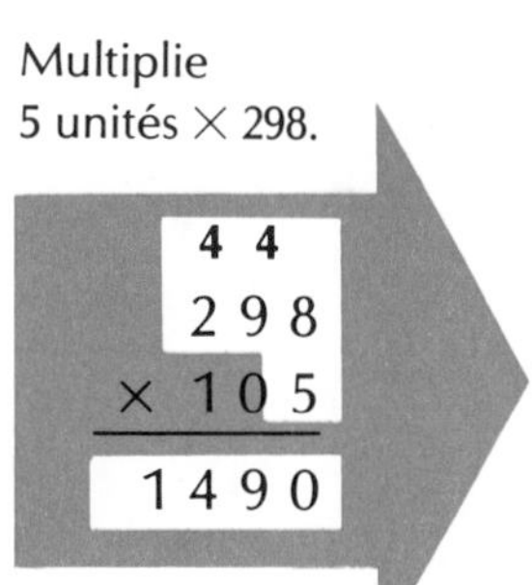

Multiplie
1 centaine × 298.

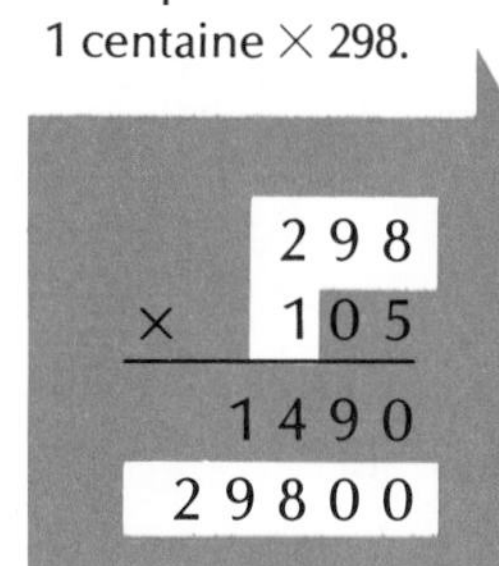

Additionne.

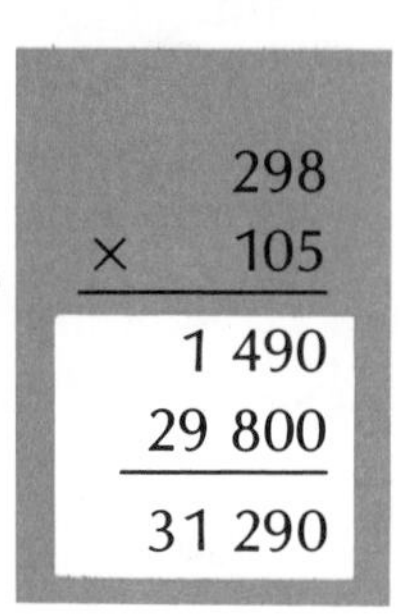

Il doit disposer de 31 290 $ par semaine.

EXERCICES

Calcule le produit.

1. 256 × 100
2. 256 × 106
3. 475 × 100
4. 475 × 107
5. 342 × 200
6. 342 × 204
7. 123 × 200
8. 123 × 202
9. 758 × 400
10. 758 × 403
11. 841 × 600
12. 841 × 607

13. Reproduis et complète le tableau.

×	10	100	1000	10 000	100 000
9					
58					
317					

EXERCICES

Calcule le produit.

1. 317×202
2. 653×303
3. 948×440
4. 726×550
5. 645×205
6. 673×800
7. 486×780
8. 965×806
9. 573×670
10. 834×960
11. 275×700
12. 589×902

13. Reproduis et complète le tableau.

×	10	100	1000	10 000	100 000
24					
282					
845					

Place d'abord les parenthèses autour de la multiplication la plus facile, puis calcule le produit.

14. $41 \times 50 \times 2$
15. $79 \times 25 \times 4$
16. $6 \times 50 \times 12$
17. $50 \times 4 \times 27$
18. $22 \times 5 \times 80$
19. $40 \times 8 \times 5$

Problème.

20. Durant une vague de chaleur, un grand magasin vend 324 climatiseurs, à 306 $ pièce. Quelle somme totale d'argent cette vente représente-t-elle?

AVEC LA CALCULATRICE

Remplace ● par $<$, $>$ ou $=$.

a. $10 \times 10 \times 10$ ● $4 \times 4 \times 4 \times 4 \times 4$

b. $5 \times 5 \times 5 \times 5 \times 5$ ● $10 \times 10 \times 10 \times 10$

c. $2 \times 2 \times 2 \times 2 \times 2 \times 2 \times 2 \times 2 \times 2$ ● $8 \times 8 \times 8$

d. $1 \times 1 \times 1 \times 1 \times 1 \times 1 \times 1 \times 1 \times 1 \times 1 \times 1$ ● 2×2

e. $10 \times 10 \times 10 \times 10 \times 10$ ● $7 \times 7 \times 7 \times 7 \times 7 \times 7$

f. $9 \times 9 \times 9$ ● $3 \times 3 \times 3 \times 3 \times 3 \times 3$

Les exposants

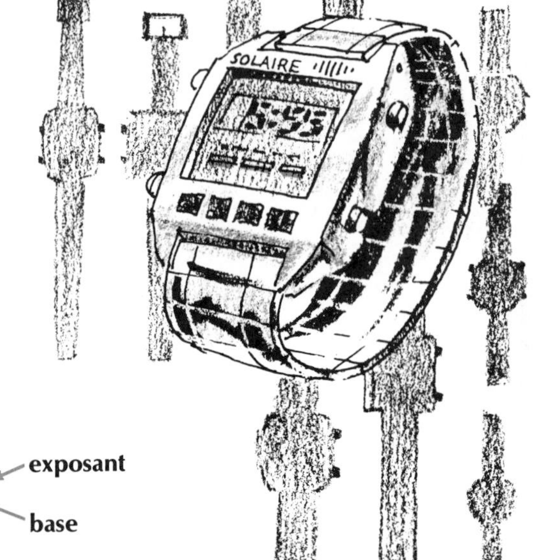

Une campagne publicitaire efficace a fait progresser régulièrement les ventes de montres à affichage numérique dans un grand magasin. Les résultats sont les suivants:

1er jour : 5 unités vendues
2e jour : 5 fois plus que le 1er
3e jour : 5 fois plus que le 2e
4e jour : 5 fois plus que le 3e

Combien en a-t-on vendu le 4e jour?

$5 \times 5 \times 5 \times 5 = 625$ ou 5^4 (4 : **exposant** ; 5 : **base**)

cinq à la puissance quatre

EXERCICES

1. Identifie les nombres de base: 6^2, 10^5, 5^4, 8^9
2. Identifie les exposants: 5^8, 4^3, 3^7, 6^1

Recopie et complète

3. $\blacksquare^3 = 3 \times 3 \times 3 = 27$
   $\blacksquare^2 = 3 \times 3 = 9$
   $\blacksquare^1 = 3$
4. $6^3 = \blacksquare \times \blacksquare \times \blacksquare = 216$
   $6^2 = \blacksquare \times \blacksquare = 36$
   $6^1 = \blacksquare$
5. $5^3 = \blacksquare \times \blacksquare \times \blacksquare = 125$
   $5^2 = \blacksquare \times \blacksquare = 25$
   $5^1 = \blacksquare$
6. $9^3 = \blacksquare \times \blacksquare \times \blacksquare = 729$
   $9^2 = \blacksquare \times \blacksquare = 81$
   $9^1 = \blacksquare$
7. $4^3 = 4 \times 4 \times 4 = \blacksquare$
8. $1^5 = 1 \times 1 \times 1 \times 1 \times 1 = \blacksquare$
9. $2^3 = \blacksquare \times \blacksquare \times \blacksquare = \blacksquare$
10. $7^2 = \blacksquare \times \blacksquare = \blacksquare$
11. $10^3 = \blacksquare \times \blacksquare \times \blacksquare = \blacksquare$
12. $8^2 = \blacksquare \times \blacksquare = \blacksquare$
13. $11^2 = \blacksquare \times \blacksquare = \blacksquare$
14. $10^1 = \blacksquare$
15. $4^1 = \blacksquare$, $4^2 = \blacksquare$, $4^3 = \blacksquare$
16. $2^1 = \blacksquare$, $2^2 = \blacksquare$, $2^3 = \blacksquare$
17. $10^1 = \blacksquare$, $10^2 = \blacksquare$, $10^3 = \blacksquare$, $10^4 = \blacksquare$, $10^5 = \blacksquare$, $10^6 = \blacksquare$

Indique l'exposant.

18. $500 = 5 \times 100$
    $500 = 5 \times 10^{\blacksquare}$
19. $3000 = 3 \times 1000$
    $3000 = 3 \times 10^{\blacksquare}$
20. $90\,000 = 9 \times 10\,000$
    $90\,000 = 9 \times 10^{\blacksquare}$

EXERCICES

1. Identifie la base: 3^7, 5^5, 8^1, 10^{10}
2. Identifie les exposants: 2^3, 5^1, 12^8, 6^{12}

Calcule.

3. 5^2	4. 10^3	5. 5^4	6. 9^2
7. 2^4	8. 20^2	9. 3^3	10. 1^4
11. 12^2	12. 6^4	13. 3^2	14. 6^3
15. 1^7	16. 7^3	17. 40^2	18. 10^2
19. 16^4	20. 10^1	21. 10^6	22. 10^3

Indique l'exposant.

23. $600 = 6 \times 100$
    $600 = 6 \times 10^{■}$

24. $9000 = 9 \times 1000$
    $9000 = 9 \times 10^{■}$

25. $20\,000 = 2 \times 10\,000$
    $20\,000 = 2 \times 10^{■}$

26. $400 = 4 \times 10^{■}$

27. $7000 = 7 \times 10^{■}$

28. $50\,000 = 5 \times 10^{■}$

RÉVISION

Calcule le produit.

1. 36×4	2. 517×6	3. 308×7	4. 9561×8
5. 65×21	6. 46×34	7. 76×28	8. 517×49
9. 435×212	10. 605×247	11. 508×777	12. 649×785
13. 635×200	14. 498×350	15. 217×309	16. 986×709
17. 4^2	18. 10^5	19. 2^4	20. 8^3

L'estimation de produits

Les Fisher comptent utiliser 18 boîtes de carreaux pour recouvrir le sol de leur cuisine. Une boîte coûte 7,89 $. Peuvent-ils couvrir leurs frais avec des économies se montant à 175,00 $?

Fais d'abord une estimation du coût.

Arrondis chaque nombre à l'unité ou à la dizaine près.

7,89 $	8,00 $
× 18	× 20

Multiplie.

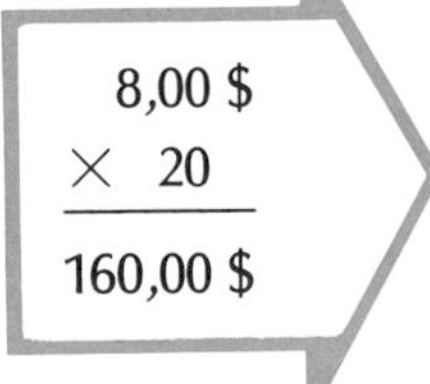

Estimation:
160,00 $

Argent disponible:
175,00 $

Oui, ils ont économisé assez d'argent.

EXERCICES

Estime le produit.

1. 317 → 300
× 25 → × 30
■

2. 895 → ■
× 12 → × ■
■

3. 422 → ■
× 689 → × ■
■

4. 56 × 3,4 → 60 × 3 = ■

5. 21 × 1,9 → ■ × ■ = ■

6. 43,8 × 72 → ■ × ■ = ■

7. 5,12 $ × 58 → 5,00 $ × 60 = ■

8. 4,95 $ × 31 → ■ × ■ = ■

9. 62,24 $ × 9 → ■ × ■ = ■

10. 935 × 11

11. 7,8 × 69

12. 2,99 $ × 27

13. 5,01 $ × 21

14. 7,9 × 4,1

EXERCICES

Estime le produit.

1. 523×67
2. 986×99
3. 355×13
4. 779×25
5. $32 \times 1{,}8$
6. $9{,}8 \times 7{,}9$
7. $1{,}4 \times 16$
8. $67{,}3 \times 29$
9. $3{,}55\ \$ \times 41$
10. $6{,}25\ \$ \times 76$
11. $4{,}09\ \$ \times 62$
12. $76{,}77\ \$ \times 89$

Problèmes.

13. Estime le coût de 3 chaises de jardin à 12,95 $ pièce.
14. Estime la longueur de planche qu'il faut pour construire un meuble de 9 étagères mesurant chacune 0,75 m.
15. Un paquet de farine a une masse de 2,5 kg. Estime la masse de 24 paquets.
16. Estime le coût de 18 T-shirts valant 7,95 $ pièce.
17. Estime le nombre de jours vécus par un homme fêtant son 82e anniversaire.

Calcul mental

a. $3^2 - 8 = ■$

b. $(4^3 - 4^2) \times 0 = ■$

c. $5^3 \times (47 - 47) = ■$

d. $(9867 - 9867) + 1^3 = ■$

e. $7694 \times (10^4 \times 0) = ■$

f. $(6^2 \times 0) + 1^9 = ■$

La multiplication de montants d'argent

Quel est le prix de 4 paires de patins à 59,95 $ la paire?

Estime.

$$\begin{array}{r} 60\ \$ \\ \times\ 4 \\ \hline 240\ \$ \end{array}$$

Montant exact

$$\begin{array}{r} 59{,}95\ \$ \\ \times\quad 4 \\ \hline 239{,}80\ \$ \end{array}$$

Quel est le prix de 17 maillots à 19,99 $ pièce?

Estime.

$$\begin{array}{r} 20\ \$ \\ \times\ 17 \\ \hline 340\ \$ \end{array}$$

Montant exact

$$\begin{array}{r} 19{,}99\ \$ \\ \times\quad 17 \\ \hline 139\ 93 \\ 199\ 90 \\ \hline 339{,}83\ \$ \end{array}$$

EXERCICES

Multiplie.

1. 9 ¢ × 5
2. 0,09 $ × 5
3. 8 ¢ × 6
4. 0,08 $ × 6
5. 0,80 $ × 6
6. 28 ¢ × 7
7. 0,28 $ × 7
8. 2,80 $ × 7
9. 20,80 $ × 7
10. 20 $ × 7
11. 85 $ × 56
12. 8,50 $ × 56
13. 80,50 $ × 56
14. 80,05 $ × 56
15. 800,50 $ × 56

Estime, puis calcule le montant exact.

16. 3,59 $ → 4 $; × 12 → × 10; ■ ■
17. 16,27 $ → 16 $; × 22 → × ■; ■ ■
18. 186,50 $ → ■; × 95 → × ■; ■ ■

EXERCICES

Multiplie.

1.	0,08 $ × 9	**2.**	0,04 $ × 7	**3.**	0,75 $ × 6	**4.**	3,64 $ × 7	**5.**	13,64 $ × 4
6.	55 $ × 20	**7.**	38 $ × 15	**8.**	2,95 $ × 34	**9.**	6,79 $ × 14	**10.**	8,25 × 75
11.	435 $ × 12	**12.**	685 $ × 200	**13.**	23,68 $ × 18	**14.**	46,79 $ × 45	**15.**	367,52 $ × 75

Estime, puis calcule le montant exact.

16. Une luge à quatre places coûte 32,98 $. Combien coûtent 3 luges?

17. Un bâton de hockey coûte 12,95 $. Combien coûtent 36 bâtons?

18. Une paire d'espadrilles coûte 29,45 $. Combien coûtent 5 paires?

19. Un ballon de soccer coûte 42,85 $. Combien coûtent 9 ballons?

Travaille à ton compte

Tu dois tondre le gazon 12 fois. Tu as le choix entre deux plans de paiement:

A. On te donne 1,00 $ chaque fois que tu effectues le travail.

B. On te donne 1 ¢ la 1ère fois, le double de 1 ¢ la 2e fois, le double de ce montant la 3e fois, et ainsi de suite.

Quel est le plan le plus avantageux? Pour le savoir, recopie le tableau et complète-le en t'aidant d'une calculatrice.

	Plan A		Plan B	
	Gains	Total	Gains	Total
1	1,00	1,00	0,01	0,01
2	1,00	2,00	0,02	0,03
3	1,00	3,00	0,04	0,07
4	1,00	4,00	0,08	0,15
5	1,00		0,16	
6				
10				
11				
12 fois			12 fois	

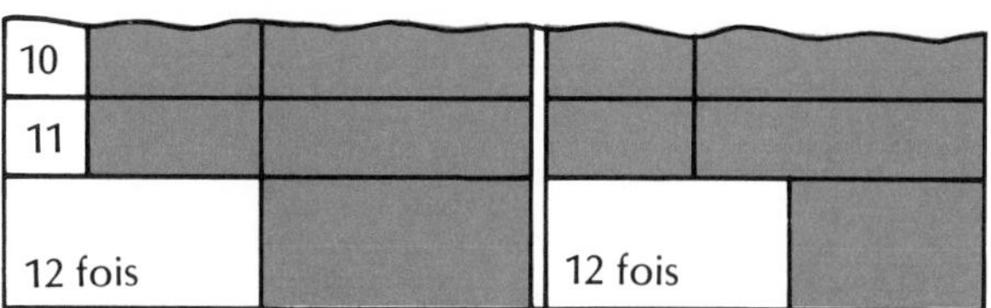

La multiplication de nombres à une décimale

M. Wolsky achète 24,5 m de tissu pour faire des rideaux. Le tissu coûte 12 $ le mètre. Combien dépense-t-il en tout?

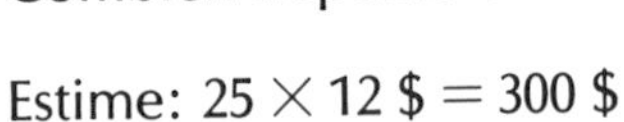

Estime: 25 × 12 $ = 300 $

Multiplie 2 unités × 24, 5.

```
   1
  24,5
×   12
------
   490
```

Multiplie 1 dizaine × 24, 5.

```
  24,5
×   12
------
   490
  2450
```

Additionne.

```
  24,5
×   12
------
   490
  2450
------
  2940
```

N'oublie pas la virgule!

```
  24,5
×   12
------
   490
  2450
------
  294,0
```

M. Wolsky dépense 294,00 $.

EXERCICES

Estime, puis multiplie.

1. 2,3 × 6 ⟶ 2 × 6
2. 68,9 × 9 ⟶ 70 × 9
3. 7,9 × 4 ⟶ ■ × 4
4. 3,6 × 23 ⟶ ■ × ■
5. 9,5 × 77 ⟶ ■ × ■
6. 3,2 × 98 ⟶ ■ × ■

Multiplie.

7. 20,4 × 323
8. 323 × 20,4
9. 60,5 × 415
10. 415 × 60,5
11. 789 × 60,5

Reproduis et complète les tableaux.

12.

×	0,4	3,8	42,6	184,5
10				

13.

×	6	35	89	679
0,1				

EXERCICES

Calcule le produit.

1. $5{,}7 \times 9$
2. $3{,}8 \times 6$
3. $4{,}2 \times 5$
4. $59{,}6 \times 2$
5. $38{,}7 \times 6$
6. $5{,}9 \times 68$
7. $68 \times 5{,}9$
8. $3{,}5 \times 26$
9. $45 \times 5{,}7$
10. $9{,}2 \times 65$
11. $13{,}4 \times 202$
12. $202 \times 13{,}4$
13. $472 \times 35{,}8$
14. $38{,}9 \times 252$
15. $753 \times 94{,}7$

Recopie et complète.

16. 5,3 × 46 = ■ × 5,3
17. ■ × 245 = 245 × 13,8
18. (1,5 × 3) × 5 = ■ × (3 × 5)
19. 4 × (2,5 × 8) = (4 × ■) × 8

Reproduis et complète.

20.

×	0,5	2,9	87,3	655,9
10				

21.

×	7	94	19	806
0,1				

Estime d'abord la réponse.

22. Quel est le prix de 0, 7 m de ruban à 3 $ le mètre?
23. Combien coûtent 3,5 m de tissu à 3,5 $ le mètre?

Ruban mathématique

Complète.

La multiplication de nombres à 2 décimales

Mlle Bédard achète 15 pots de peinture pour repeindre l'extérieur de sa maison. Un pot contient 4,55 L de peinture. Combien achète-t-elle de litres de peinture en tout?

Estime: $15 \times 5 = 75$ L

Multiplie 5 unités × 4,55.

```
   2 2
   4,5 5
 ×   1 5
 -------
 2 2 7 5
```

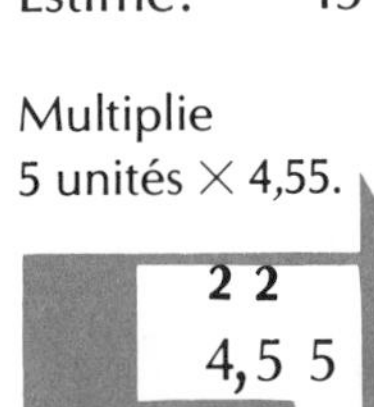

Multiplie 1 dizaine × 4,55.

```
   4,5 5
 ×   1 5
 -------
 2 2 7 5
 4 5 5 0
```

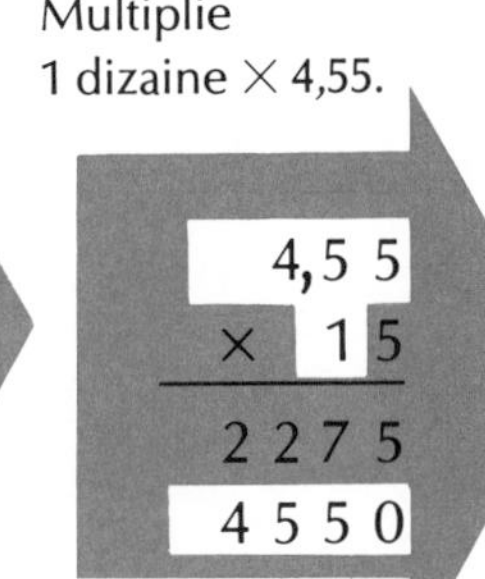

Additionne.

```
   4,5 5
 ×   1 5
 -------
 2 2 7 5
 4 5 5 0
 -------
 6 8 2 5
```

N'oublie pas la virgule!

```
   4,5 5
 ×   1 5
 -------
 2 2 7 5
 4 5 5 0
 -------
 6 8,2 5
```

Mlle Bédard achète 68,25 L de peinture.

EXERCICES

Estime, puis multiplie.

1. 4,22 × 3 → 4 × 3
2. 0,75 × 9 → ■ × ■
3. 47,08 × 8 → ■ × ■
4. 0,83 × 28 → 1 × 30
5. 0,94 × 67 → ■ × ■
6. 5,99 × 12 → ■ × ■

Multiplie.

7. 4,06 × 132
8. 132 × 4,06
9. 3,42 × 971
10. 971 × 3,42
11. 645 × 2,63

Reproduis et complète les tableaux.

12.

×	0,6	4,76	81,38
100			

13.

×	5	72	90	532
0,01				

EXERCICES

Calcule le produit.

1. $3{,}46 \times 2$
2. $9{,}03 \times 8$
3. $0{,}58 \times 5$
4. $1{,}17 \times 9$
5. $54{,}63 \times 7$
6. $0{,}59 \times 32$
7. $32 \times 0{,}59$
8. $23 \times 0{,}46$
9. $0{,}79 \times 38$
10. $66 \times 0{,}73$
11. $7{,}05 \times 231$
12. $567 \times 2{,}04$
13. $2{,}16 \times 276$
14. $597 \times 4{,}83$
15. $868 \times 4{,}09$

16. $5{,}17 \times 24$

17. $35 \times 6{,}82$

18. $(1{,}25 \times 4) \times 6$

19. $(3 \times 3{,}05) \times 7$

Reproduis et complète les tableaux.

20.

×	0,2	4,23	74,29
100			
10			

21.

×	8	43	13	507
0,01				
0,1				

Estime d'abord la réponse.

22. Un pot de teinture à bois contient 4,19 L de ce liquide. Combien y en a-t-il dans 4 pots?

Ordinateur en panne

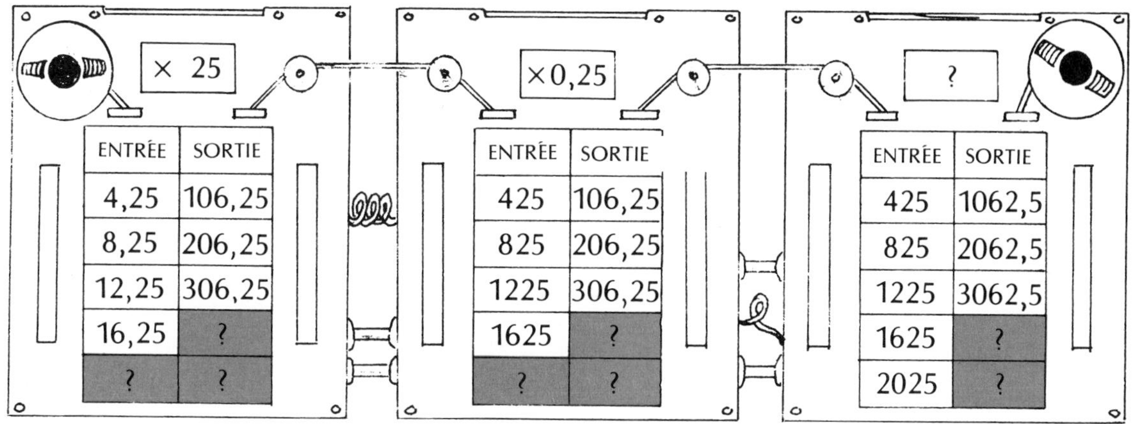

× 25

ENTRÉE	SORTIE
4,25	106,25
8,25	206,25
12,25	306,25
16,25	?
?	?

×0,25

ENTRÉE	SORTIE
425	106,25
825	206,25
1225	306,25
1625	?
?	?

?

ENTRÉE	SORTIE
425	1062,5
825	2062,5
1225	3062,5
1625	?
2025	?

Calcul mental

1. Judith a 25 $; combien de livres de 5 $ peut-elle acheter?
   a. 125 b. 30 c. 20 d. 5

2. Jean achète une pièce de monnaie ancienne 3 $ et la revend 6 $. Combien fait-il de profit?
   a. 18 b. 9 c. 3 d. 2

3. Odile reçoit 20 $ sous forme de salaire et 5 $ sous forme de pourboires. Combien gagne-t-elle?
   a. 4 b. 15 c. 25 d. 100

4. Marie achète 4 jupes à 8 $ chacune. Combien dépense-t-elle?
   a. 2 b. 4 c. 12 d. 32

5. Guillaume a une masse de 60 kg. Jeannette pèse 30 kg de moins que lui. Quelle est la masse de Jeannette?
   a. 20 kg b. 30 kg c. 60 kg d. 90 kg

6. Jean a 40 ans. Céline a 10 ans de plus. Quelle âge a-t-elle?
   a. 30 b. 40 c. 50 d. 60

7. Quel est le périmètre d'un jardin rectangulaire qui mesure 5 m sur 6 m?
   a. 11 m b. 30 m c. 22 m d. 60 m

8. Il est maintenant 10:00. Quelle heure sera-t-il dans 10 h?
   a. 15:00 b. 18:00 c. 22:00 d. 20:00

9. Combien faut-il de billets de 20 $ pour rembourser une dette de 500 $?
   a. 25 b. 20 c. 15 d. 30

10. Quel est l'aire d'une chambre rectangulaire de 3 m sur 4 m?
    a. 7 m² b. 12 m² c. 15 m² d. 24 m²

EXERCICES

Calcule mentalement.

1. Combien peut-on accueillir de spectateurs dans un auditorium qui contient 25 rangées de 10 sièges chacune?

2. À combien revient une chambre d'hôtel de 40 $ avec un coupon-rabais de 15 $?

3. Combien faut-il de tables de 4 pour recevoir 200 personnes?

4. C'est aujourd'hui mercredi. Dans 10 jours, ce sera ■.

5. Il est maintenant 09:00. Quelle heure sera-t-il dans 50 heures?

6. Quel est le volume d'une chambre mesurant 2 m sur 3 m sur 4 m?

7. On te donne un billet de 5,00 $ pour régler un achat de 3,80 $. Compte la monnaie à rendre.

8. Un billet coûte 25 ¢. Combien coûtent 99 billets?

RÉVISION

Recopie la multiplication et estime son produit.

1.	2.	3.	4.
895 × 12	3,1 × 2,8	5,05 $ × 78	41,95 $ × 41

Multiplie.

5.	6.	7.	8.
6 ¢ × 8	0,07 $ × 3	40 $ × 19	40,06 $ × 32

9.	10.	11.	12.
5,7 × 3	7,9 × 8	4,6 × 85	312 × 12,5

13.	14.	15.	16.
5,25 × 6	0,96 × 7	2,78 × 93	383 × 1,95

TEST CHAPITRE 3

Calcule le produit.

1. 142×2
2. 638×3
3. 509×6
4. 4123×5
5. 23×12
6. 65×13
7. 66×77
8. 135×28
9. 204×121
10. 703×436
11. 995×415
12. 897×638
13. 172×500
14. 963×150
15. 486×204
16. 713×809
17. 5^2
18. 10^4
19. 2^5
20. 7^1
21. 5^3
22. 10^2
23. 3^3
24. 4^2

Recopie et complète.

25. $9000 = 9 \times 10^{\blacksquare}$
26. $20\ 000 = 2 \times 10^{\blacksquare}$

Estime le produit.

27. 621×39
28. $79 \times 2{,}8$
29. $137 \times 5{,}19$

Multiplie.

30. 6 ¢ × 9
31. 0,08 $ × 7
32. 3,05 $ × 25
33. 14,95 $ × 68
34. $4{,}2 \times 3$
35. $46 \times 2{,}5$
36. $62{,}3 \times 405$
37. $737 \times 30{,}6$
38. $6{,}75 \times 3$
39. $93 \times 0{,}27$
40. $5{,}08 \times 123$
41. $697 \times 8{,}05$

REPRISE

LE CALCUL : +, −

Calcule la somme.

1. $268 + 21$
2. $7,25\ \$ + 0,38\ \$$
3. $648 + 727$
4. $135 + 679$
5. $3124 + 652$
6. $25,36\ \$ + 55,84\ \$$
7. $31\ 252 + 8\ 392$
8. $79\ 286 + 97\ 695$
9. $215 + 69 + 512$
10. $50,27\ \$ + 5,36\ \$ + 14,98\ \$$
11. $61\ 249 + 87 + 5\ 765$
12. $75,23\ \$ + 1,12\ \$ + 88,39\ \$$
13. $79 + 2 + 34 + 123$
14. $6,4 + 32 + 1,12 + 5,119$

Calcule la différence.

15. $394 - 26$
16. $408 - 129$
17. $7,13\ \$ - 4,50\ \$$
18. $4025 - 673$
19. $6352 - 2814$
20. $20,00\ \$ - 14,95\ \$$
21. $30\ 110 - 7\ 862$
22. $80\ 008 - 39\ 119$

Soustrais. Vérifie par une addition.

23. $2,3 - 1,7$
24. $8,3 - 0,15$
25. $88,0 - 0,579$
26. $3,0 - 0,75$

Problème.

27. Christophe est allé faire du ski dans les Montagnes Rocheuses. Il a dépensé 250 $ pour le billet d'avion, 399 $ pour le logement et les remonte-pentes ainsi que 125 $ pour la nourriture et des dépenses diverses.
    a) Quelle a été la dépense totale?
    b) Combien lui reste-t-il sur les 800 $ qu'il avait emportés?

CHAPITRE 4
LA DIVISION

Au marché

Recopie et complète les divisions. Compare les réponses du haut de la page à celles du bas.

Correspondent-elles toujours?

1. 49 ÷ 7 = ■
2. 8 ÷ ■ = 8
3. 36 ÷ 6 = ■
4. 21 ÷ ■ = 7

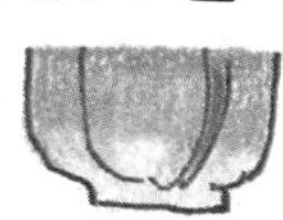

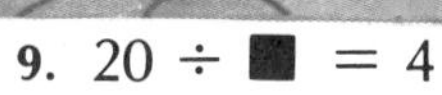

5. 5 ÷ ■ = 1
6. 45 ÷ 9 = ■
7. 64 ÷ ■ = 8
8. 24 ÷ 8 = ■
9. 20 ÷ ■ = 4
10. 4 ÷ 1 = ■
11. 12 ÷ ■ = 6
12. 6 ÷ 6 = ■

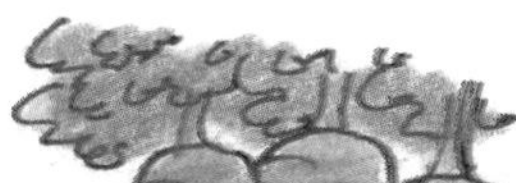

13. 32 ÷ 4 = ■
14. 54 ÷ ■ = 9
15. 81 ÷ 9 = ■
16. 63 ÷ ■ = 9

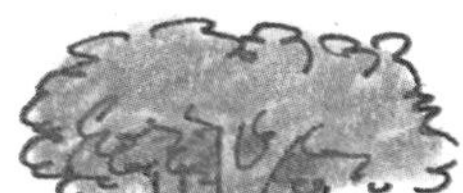

1. 56 ÷ ■ = 8
2. 9 ÷ 9 = ■
3. 56 ÷ ■ = 7
4. 12 ÷ 4 = ■

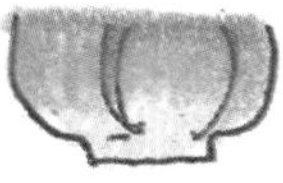

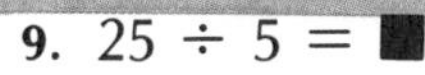

5. 1 ÷ ■ = 1
6. 15 ÷ 3 = ■
7. 72 ÷ ■ = 9
8. 27 ÷ 9 = ■
9. 25 ÷ 5 = ■
10. 28 ÷ ■ = 7
11. 9 ÷ 3 = ■
12. 2 ÷ 2 = ■

13. 48 ÷ ■ = 6
14. 42 ÷ 7 = ■
15. 36 ÷ ■ = 4
16. 7 ÷ 7 = ■

Les dividendes de deux chiffres

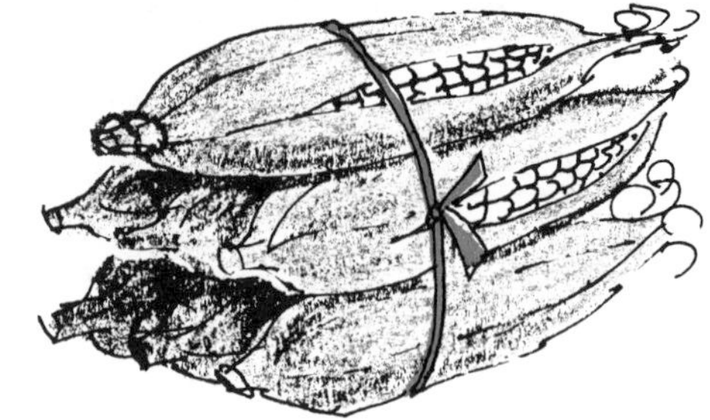

Nathalie a cueilli 60 épis de maïs dans son champ pour les vendre au marché. Elle a préparé des paquets de 7 épis. Combien a-t-elle pu en faire?

$60 \div 7 = \blacksquare$

Estime.

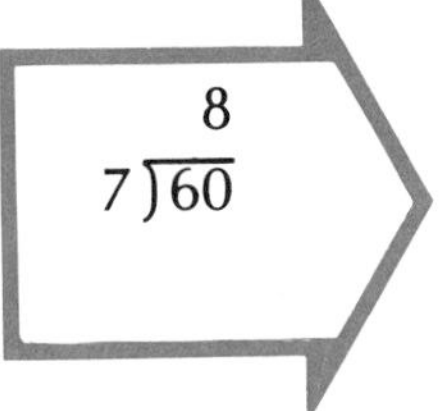

Multiplie et soustrais.

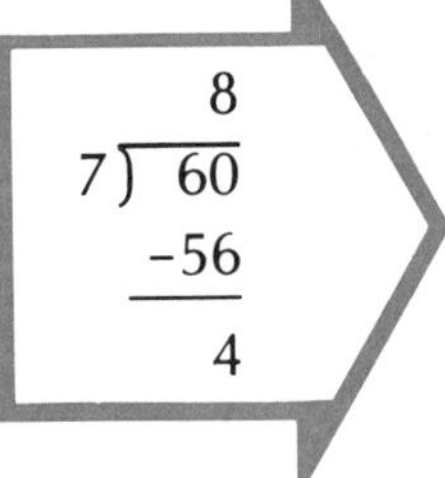

Écris le reste.

8R4
7) 60
-56
4

Nathalie a préparé 8 paquets. Il lui restait 4 épis.

Vérifie:

Quotient × diviseur: $8 \times 7 = 56$

Ajoute le reste: $56 + 4 = 60$

Dividende: 60

EXERCICES

Calcule le quotient. Vérifie ta réponse.

1. 5)14 **2.** 4)23 **3.** 7)46 **4.** 9)65 **5.** 8)47

6. 6)27 **7.** 3)15 **8.** 8)60 **9.** 3)23 **10.** 9)75

11. $11 \div 2$ **12.** $19 \div 5$ **13.** $64 \div 8$ **14.** $39 \div 7$ **15.** $33 \div 4$

16. $65 \div 7$ **17.** $80 \div 9$ **18.** $27 \div 6$ **19.** $40 \div 5$ **20.** $52 \div 8$

21. $47 \div 5$ **22.** $70 \div 8$ **23.** $31 \div 6$ **24.** $19 \div 3$ **25.** $56 \div 6$

Reproduis et complète les tableaux.

26.

÷	6	8	7
42			
27			

27.

÷	9	7	8
56			
49			

EXERCICES

Calcule le quotient. Vérifie ta réponse.

1. $4\overline{)35}$	**2.** $5\overline{)49}$	**3.** $6\overline{)54}$	**4.** $7\overline{)64}$	**5.** $7\overline{)33}$
6. $7\overline{)51}$	**7.** $6\overline{)30}$	**8.** $5\overline{)29}$	**9.** $4\overline{)23}$	**10.** $8\overline{)77}$
11. $6\overline{)50}$	**12.** $8\overline{)70}$	**13.** $4\overline{)36}$	**14.** $2\overline{)17}$	**15.** $7\overline{)60}$
16. $9\overline{)86}$	**17.** $7\overline{)50}$	**18.** $5\overline{)49}$	**19.** $4\overline{)33}$	**20.** $8\overline{)55}$
21. $42 \div 9$	**22.** $23 \div 3$	**23.** $47 \div 5$	**24.** $19 \div 4$	**25.** $67 \div 7$

Écris les divisions correspondant aux équations suivantes.

26. $2 \times 3 + 2 = 8$ **27.** $7 \times 5 + 4 = 39$

28. $8 \times 7 + 3 = 59$ **29.** $8 \times 8 + 0 = 64$

30. $9 \times 8 + 7 = 79$ **31.** $6 \times 9 + 8 = 62$

Reproduis et complète les tableaux.

32.

÷	9	6	7
31			
45			

33.

÷	5	8	7
24			
36			

Problèmes.

34. 5 biscuits coûtent 40 ¢. Combien coûte un biscuit?

35. 8 marguerites coûtent 80 ¢. Combien coûte une marguerite?

Une question de logique

Chaque lettre représente un chiffre différent.
Lequel?

$\begin{array}{r} G \\ B\overline{)AZ} \end{array}$ $\begin{array}{r} G \\ C\overline{)AG} \end{array}$ $\begin{array}{r} AA \\ B\overline{)BC} \end{array}$ reste A

$A + A = B$ $B + A = C$ $A - A = Z$ $\begin{array}{r} A \\ A\overline{)A} \end{array}$ $A \times A = A$

Les dividendes de trois chiffres

Le gérant du marché disposait de 175 chaises pliantes. Il en a placé 2 dans chaque éventaire. Dans combien d'éventaires a-t-il pu en placer?

$175 \div 2 = \blacksquare$

Division longue

Divise les dizaines.

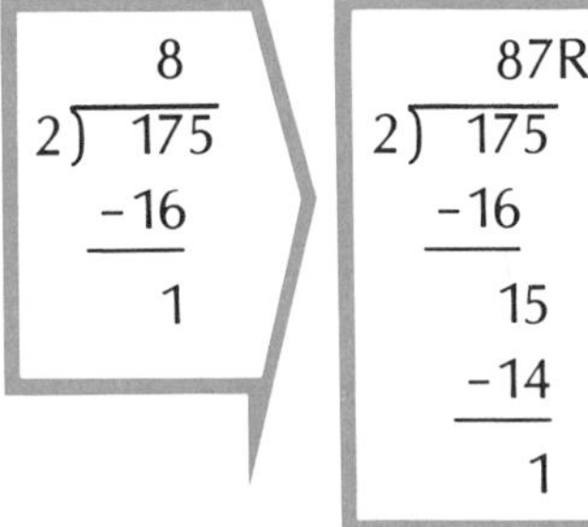

Divise les unités.

$$\begin{array}{r} 87R1 \\ 2\overline{)\,175} \\ -16 \\ \hline 15 \\ -14 \\ \hline 1 \end{array}$$

Division simplifiée

Divise les dizaines.

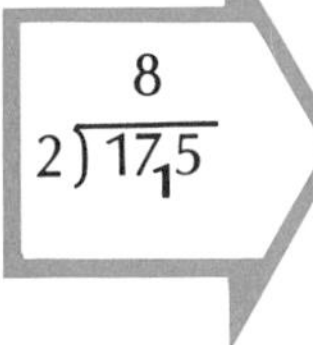

Divise les unités. Écris le reste.

$$\begin{array}{r} 8\,7R1 \\ 2\overline{)\,17_{1}5} \end{array}$$

Vérifie:

$$\begin{array}{rl} 87 & \text{quotient} \\ \times\ 2 & \text{diviseur} \\ \hline 174 & \\ +\ 1 & \text{reste} \\ \hline 175 & \text{dividende} \end{array}$$

Il a pu placer 2 chaises dans 87 éventaires. Il en restait une.

EXERCICES

Calcule le quotient. Vérifie ta réponse.

1.	$3\overline{)47}$	**2.**	$2\overline{)29}$	**3.**	$5\overline{)64}$	**4.**	$7\overline{)92}$	**5.**	$4\overline{)57}$
6.	$6\overline{)71}$	**7.**	$8\overline{)89}$	**8.**	$2\overline{)77}$	**9.**	$5\overline{)86}$	**10.**	$3\overline{)44}$
11.	$85 \div 3$	**12.**	$69 \div 5$	**13.**	$35 \div 2$	**14.**	$57 \div 3$	**15.**	$71 \div 4$
16.	$124 \div 7$	**17.**	$409 \div 6$	**18.**	$376 \div 5$	**19.**	$214 \div 9$	**20.**	$500 \div 8$
21.	$457 \div 8$	**22.**	$532 \div 7$	**23.**	$495 \div 6$	**24.**	$713 \div 8$	**25.**	$702 \div 9$

Divise les nombres suivants par 5.

26. 63 **27.** 55 **28.** 87 **29.** 19 **30.** 44

EXERCICES

Calcule le quotient. Vérifie ta réponse.

1. $2\overline{)28}$ **2.** $3\overline{)68}$ **3.** $4\overline{)95}$ **4.** $5\overline{)90}$ **5.** $6\overline{)87}$

6. $6\overline{)96}$ **7.** $8\overline{)91}$ **8.** $7\overline{)80}$ **9.** $5\overline{)73}$ **10.** $4\overline{)59}$

11. $291 \div 3$ **12.** $173 \div 2$ **13.** $355 \div 4$ **14.** $564 \div 6$ **15.** $397 \div 5$

16. $517 \div 6$ **17.** $498 \div 5$ **18.** $300 \div 4$ **19.** $408 \div 9$ **20.** $777 \div 8$

Complète par $<$ ou $>$.

21. $27 \div 5$ ● $58 \div 7$ **22.** $78 \div 9$ ● $62 \div 7$

23. $57 \div 4$ ● $83 \div 6$ **24.** $287 \div 8$ ● $191 \div 8$

25. $200 \div 9$ ● $134 \div 6$ **26.** $235 \div 9$ ● $80 \div 3$

Problèmes.

27. Deux garçons ont reçu 38 $ de pourboires en aidant des clients à transporter leurs achats. Quelle a été la part de chacun?

28. 3 pieds de céleri coûtent 99 ¢. Combien coûte 1 pied?

Chronique du consommateur

Quelle est la meilleure aubaine?

a. un morceau de savon pour 49 ¢ **ou** trois morceaux de savon pour 1,29 $

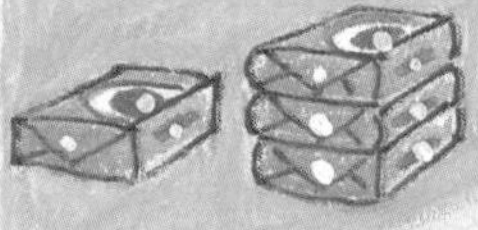

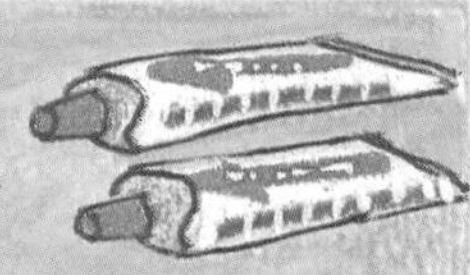

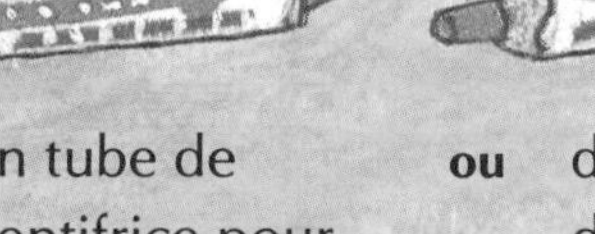

b. un tube de dentifrice pour 1,19 $ **ou** deux tubes de dentifrice pour 2,29 $.

c. trois boîtes de mouchoirs pour 1,39 $ **ou** cinq boîtes de mouchoirs pour 2,44 $

Les dividendes de quatre chiffres

Un fermier a vendu pour 3150 $ de produits laitiers frais et de viandes fumées en septembre. Ses ventes ont diminué de moitié en octobre. À combien s'élevaient-elles?

3150 $ ÷ 2 = ■

Division longue

```
    1575
2) 3150
  -2
   11
  -10
    15
   -14
     10
    -10
```

Division simplifiée

$$2\overline{)3_1 1_1 5_1 0}$$ quotient 1 5 7 5

Vérifie:

1575	quotient
× 2	diviseur
3150	dividende

En octobre, ses ventes s'élevaient à 1575 $.

EXERCICES

Calcule le quotient. Vérifie ta réponse.

1. 2)317	**2.** 4)756	**3.** 5)730	**4.** 3)675
5. 6)829	**6.** 7)945	**7.** 8)917	**8.** 5)984
9. 7)1592	**10.** 6)4182	**11.** 5)1815	**12.** 9)7538
13. 2)5162	**14.** 3)4791	**15.** 5)6469	**16.** 4)7517
17. 6873 ÷ 3	**18.** 9786 ÷ 6	**19.** 7597 ÷ 4	**20.** 8995 ÷ 7

EXERCICES

Calcule le quotient.

1. $3\overline{)509}$	2. $4\overline{)948}$	3. $5\overline{)868}$	4. $4\overline{)885}$
5. $4\overline{)575}$	6. $5\overline{)603}$	7. $6\overline{)792}$	8. $7\overline{)806}$
9. $9\overline{)1647}$	10. $7\overline{)1092}$	11. $8\overline{)1080}$	12. $5\overline{)1245}$
13. $6\overline{)2740}$	14. $8\overline{)4482}$	15. $4\overline{)2351}$	16. $9\overline{)4693}$
17. $1983 \div 2$	18. $2795 \div 8$	19. $3455 \div 7$	20. $2195 \div 5$
21. $4693 \div 4$	22. $5830 \div 3$	23. $8976 \div 6$	24. $9590 \div 8$

Divise les nombres suivants par 9.

25. 6219　　26. 7362　　27. 5499　　28. 8073

Reproduis et complète les tableaux.

29.

÷	5	4
6230		
7955		
4090		

30.

÷	3	7
6147		
2865		
9294		

Problème.

31. Quatre familles vendent leurs vieux meubles à un marché aux puces, pour une somme de 476 $. Les familles partagent équitablement le montant de la vente. Quelle sera la part de chacune?

Marelle mathématique

Complète.

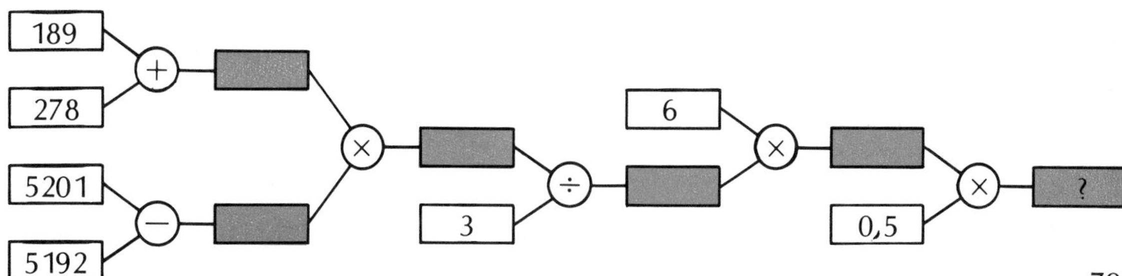

Zéro dans le quotient

Chaque samedi, durant tout l'été, Mme Chartrand a vendu des légumes frais au marché. Elle a partagé le total des ventes, 6129 $, avec ses deux associés. Quelle a été sa part?

6 129 $ ÷ 3 = ■

Division longue

Estime, multiplie et soustrais.

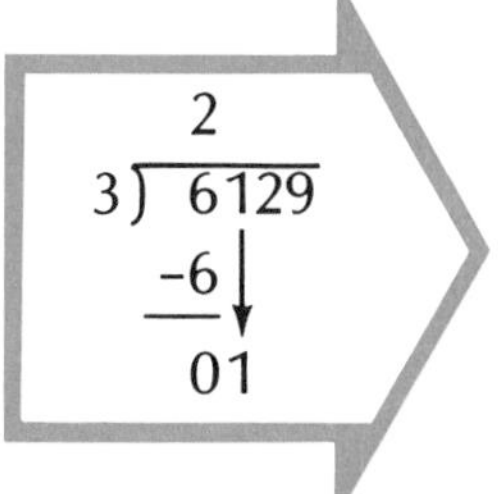

Tu ne peux pas diviser. Écris zéro et essaie avec le chiffre suivant.

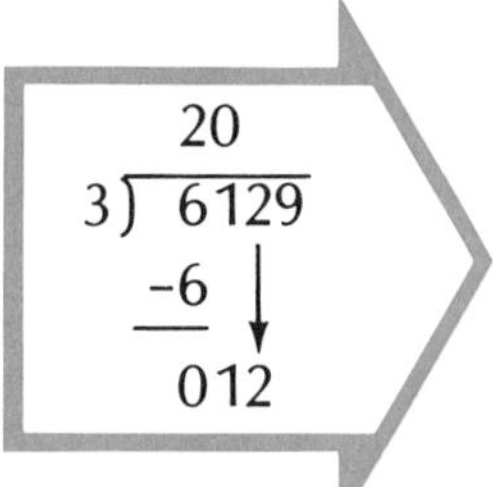

Estime, multiplie et soustrais.

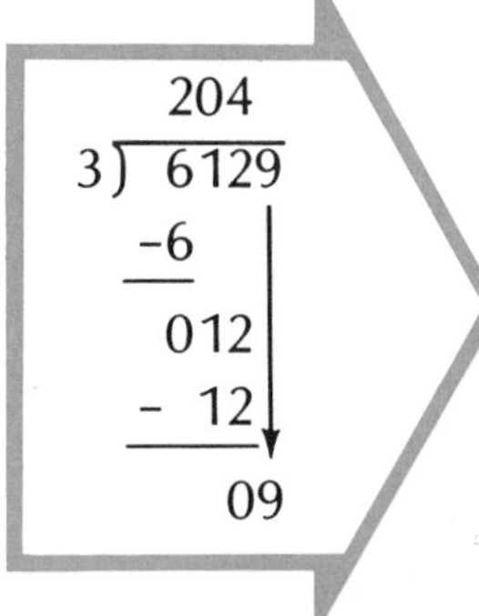


```
   2043
3) 6129
  -6
   012
  - 12
     09
   -  9
      0
```

Division simplifiée

```
  2 0 4 3
3)6 1¹2 9
```

Elle a gardé 2043 $.

Vérifie:

2043	quotient
× 3	diviseur
6129	dividende

EXERCICES

Calcule le quotient. Vérifie ta réponse.

1. 2)614	**2.** 5)508	**3.** 7)751	**4.** 4)805
5. 7)1435	**6.** 2)2802	**7.** 9)8116	**8.** 8)5614
9. 3)9275	**10.** 6)6465	**11.** 5)5298	**12.** 4)8136
13. 3)27 183	**14.** 7)49 648	**15.** 8)23 175	**16.** 4)12 392
17. 4)8009	**18.** 3)9018	**19.** 6)6058	**20.** 8)8073

EXERCICES

Calcule le quotient.

1. $2\overline{)4165}$	**2.** $3\overline{)6924}$	**3.** $4\overline{)7803}$	**4.** $5\overline{)9005}$
5. $8\overline{)8073}$	**6.** $6\overline{)6547}$	**7.** $9\overline{)3152}$	**8.** $7\overline{)2801}$
9. $2\overline{)12\ 001}$	**10.** $7\overline{)49\ 004}$	**11.** $3\overline{)27\ 011}$	**12.** $6\overline{)40\ 020}$
13. $8\overline{)65\ 324}$	**14.** $9\overline{)81\ 819}$	**15.** $3\overline{)25\ 503}$	**16.** $7\overline{)61\ 982}$
17. $4\overline{)36\ 327}$	**18.** $5\overline{)11\ 225}$	**19.** $8\overline{)10\ 628}$	**20.** $9\overline{)45\ 657}$
21. $3\overline{)29\ 125}$	**22.** $6\overline{)35\ 460}$	**23.** $2\overline{)18\ 096}$	**24.** $5\overline{)25\ 434}$
25. $9\overline{)18\ 291}$	**26.** $8\overline{)17\ 513}$	**27.** $6\overline{)55\ 315}$	**28.** $4\overline{)25\ 632}$

Divise. Vérifie ta réponse.

29. 15 012 ÷ 3 **30.** 49 002 ÷ 7 **31.** 32 016 ÷ 4 **32.** 80 008 ÷ 9

Problème.

33. Mme Chartrand a vendu ses pommes de terre en sacs de 4 kg.
Elle en a vendu 8036 kg, à 5 $ le sac.
Combien de sacs y avait-il?
Combien d'argent la vente a-t-elle rapporté?

RÉVISION

1. 17 ÷ 4	**2.** 39 ÷ 4	**3.** 67 ÷ 8	**4.** 89 ÷ 9
5. 53 ÷ 3	**6.** 37 ÷ 2	**7.** 480 ÷ 7	**8.** 355 ÷ 8
9. $8\overline{)976}$	**10.** $9\overline{)7064}$	**11.** $4\overline{)8472}$	**12.** $5\overline{)6773}$
13. $3\overline{)602}$	**14.** $5\overline{)5112}$	**15.** $4\overline{)4036}$	**16.** $3\overline{)12\ 007}$

La division par des multiples de dix

À la fin d'une journée de marché, Fréda a apporté 375 $ en chèques à la banque. Elle a demandé qu'on lui donne en échange le plus grand nombre possible de billets de 20 $. Combien lui en a-t-on remis?

375 $ ÷ 20 $ = ■

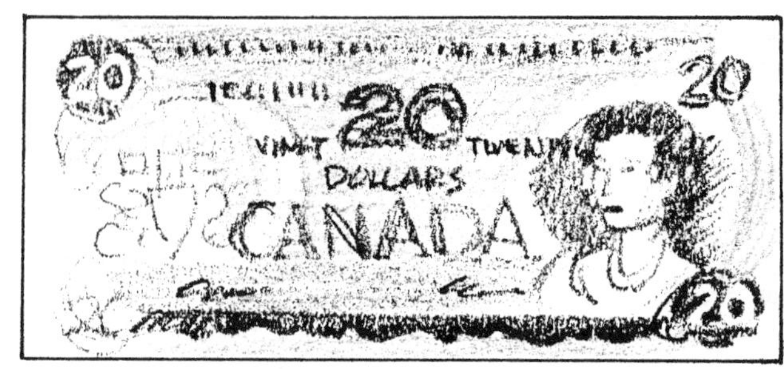

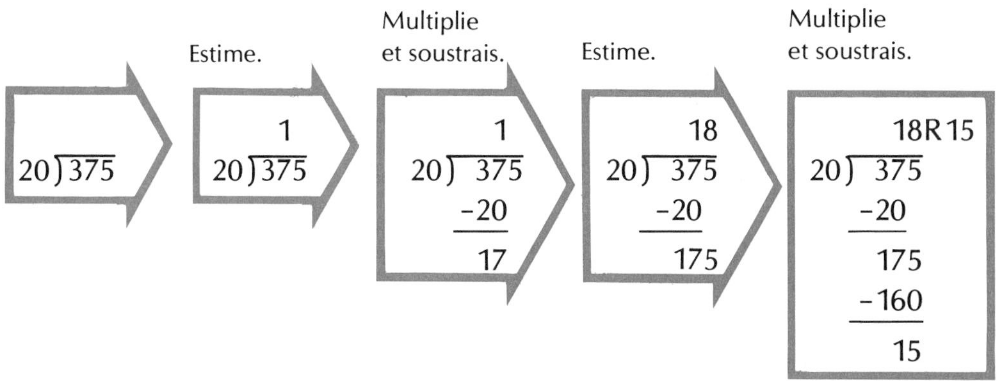

On lui a remis dix-huit billets de 20 $ (et 15 $ en billets de moindre valeur).
Vérifie: 18 × 20 + 15 = 375

EXERCICES

Divise.

1. $10\overline{)430}$ **2.** $20\overline{)560}$ **3.** $50\overline{)750}$ **4.** $30\overline{)930}$

5. $40\overline{)938}$ **6.** $30\overline{)684}$ **7.** $60\overline{)795}$ **8.** $50\overline{)538}$

9. $50\overline{)220}$ **10.** $40\overline{)138}$ **11.** $80\overline{)172}$ **12.** $70\overline{)561}$

13. $40\overline{)1608}$ **14.** $50\overline{)3592}$ **15.** $70\overline{)6543}$ **16.** $20\overline{)1267}$

Calcule le quotient. Vérifie ta réponse.

17. 3672 ÷ 80 **18.** 1446 ÷ 70 **19.** 2005 ÷ 30 **20.** 3004 ÷ 50

EXERCICES

Calcule le quotient. Vérifie ta réponse.

1. $10\overline{)530}$	**2.** $20\overline{)640}$	**3.** $30\overline{)690}$	**4.** $50\overline{)950}$
5. $20\overline{)362}$	**6.** $80\overline{)573}$	**7.** $70\overline{)224}$	**8.** $40\overline{)885}$
9. $90\overline{)813}$	**10.** $60\overline{)479}$	**11.** $50\overline{)945}$	**12.** $80\overline{)605}$
13. $30\overline{)1102}$	**14.** $50\overline{)4319}$	**15.** $70\overline{)1029}$	**16.** $90\overline{)4506}$
17. $1758 \div 30$	**18.** $6486 \div 70$	**19.** $4347 \div 60$	**20.** $7956 \div 90$
21. $1130 \div 50$	**22.** $2872 \div 40$	**23.** $2865 \div 80$	**24.** $1345 \div 70$

Recopie et complète par $<$, $=$ ou $>$.

25. $1440 \div 30$ ● $3840 \div 80$ **26.** $6160 \div 80$ ● $7020 \div 90$

27. $1850 \div 50$ ● $1360 \div 40$ **28.** $3640 \div 70$ ● $3120 \div 60$

Problèmes.

29. Combien de billets de 20 $ reçois-tu en échange d'un chèque de 1780 $?

30. Combien de billets de 10 $ reçois-tu en échange d'un chèque de 1000 $?

31. Combien de billets de 50 $ reçois-tu en échange d'un chèque de 3150 $?

Ordinateur en panne

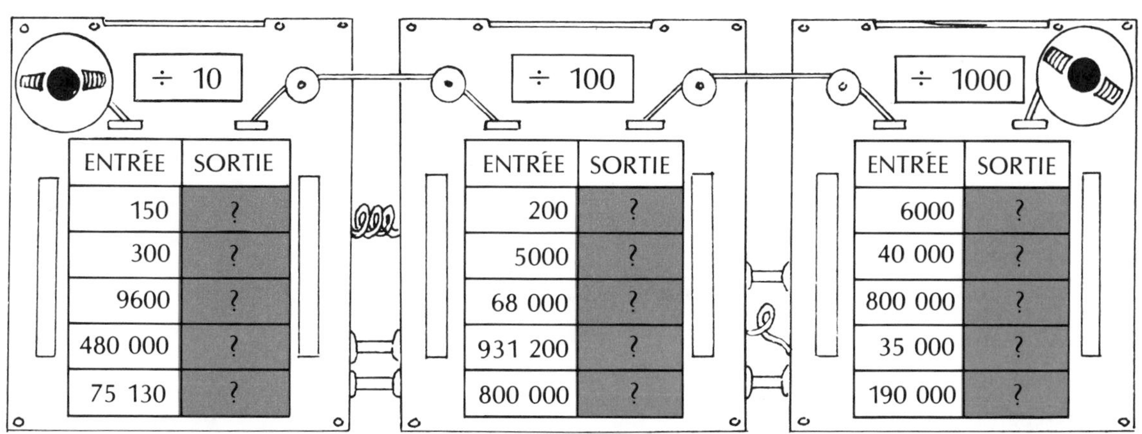

÷ 10

ENTRÉE	SORTIE
150	?
300	?
9600	?
480 000	?
75 130	?

÷ 100

ENTRÉE	SORTIE
200	?
5000	?
68 000	?
931 200	?
800 000	?

÷ 1000

ENTRÉE	SORTIE
6000	?
40 000	?
800 000	?
35 000	?
190 000	?

Les diviseurs de deux chiffres

Combien de boîtes peux-tu remplir avec 110 oeufs?

$110 \div 12 = \blacksquare$

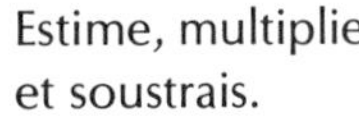

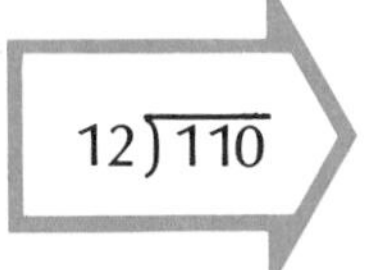

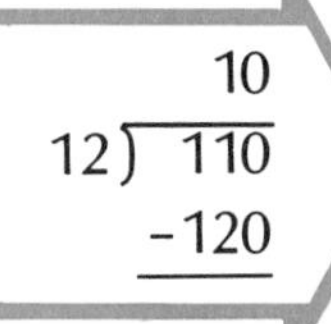

ARRÊTE-TOI
Le quotient est trop grand.
Essaie 9.

Multiplie et soustrais.

$$\begin{array}{r} 9 \\ 12\overline{)\ 110} \\ -108 \\ \hline 2 \end{array}$$

$$\begin{array}{r} 9R2 \\ 12\overline{)\ 110} \\ -108 \\ \hline 2 \end{array}$$

Vérifie:

$$\begin{array}{r} 12 \\ \times\ \ 9 \\ \hline 108 \\ +\ \ 2 \\ \hline 110 \end{array}$$

Tu peux remplir 9 boîtes.

EXERCICES

Divise.

1. $30\overline{)147}$	**2.** $31\overline{)147}$	**3.** $50\overline{)268}$	**4.** $49\overline{)268}$
5. $70\overline{)324}$	**6.** $72\overline{)324}$	**7.** $60\overline{)538}$	**8.** $55\overline{)538}$
9. $20\overline{)147}$	**10.** $19\overline{)147}$	**11.** $90\overline{)532}$	**12.** $93\overline{)532}$
13. $80\overline{)245}$	**14.** $77\overline{)245}$	**15.** $50\overline{)151}$	**16.** $54\overline{)151}$
17. $11\overline{)106}$	**18.** $63\overline{)528}$	**19.** $45\overline{)300}$	**20.** $59\overline{)472}$

EXERCICES

Calcule le quotient. Vérifie ta réponse.

1. $60\overline{)153}$ **2.** $62\overline{)153}$ **3.** $20\overline{)135}$ **4.** $18\overline{)135}$

5. $32\overline{)265}$ **6.** $79\overline{)463}$ **7.** $91\overline{)147}$ **8.** $39\overline{)316}$

9. $75\overline{)412}$ **10.** $68\overline{)507}$ **11.** $28\overline{)129}$ **12.** $59\overline{)432}$

13. $78\overline{)551}$ **14.** $19\overline{)107}$ **15.** $86\overline{)752}$ **16.** $35\overline{)225}$

17. $786 \div 92$ **18.** $531 \div 78$ **19.** $403 \div 51$ **20.** $238 \div 42$

21. $156 \div 25$ **22.** $374 \div 86$ **23.** $419 \div 75$ **24.** $539 \div 94$

Écris les divisions correspondant aux équations suivantes.

25. $4 \times 22 + 6 = 94$ **26.** $2 \times 46 + 0 = 92$

27. $8 \times 55 + 43 = 483$ **28.** $9 \times 78 + 65 = 767$

Problèmes.

29. Combien de pièces de 25 cents obtiens-tu en échange de 195 ¢?

30. Un boucher vend 45 kg de biftecks au marché pour la somme de 405 $. Quel est le prix d'un kilogramme de viande?

31. Le produit est 511. L'un des facteurs est 73. L'autre a pour valeur ■.

Divisions équivalentes

Peux-tu écrire 10 divisions dont le quotient est 20, 90 et 50?
Observe les exemples.

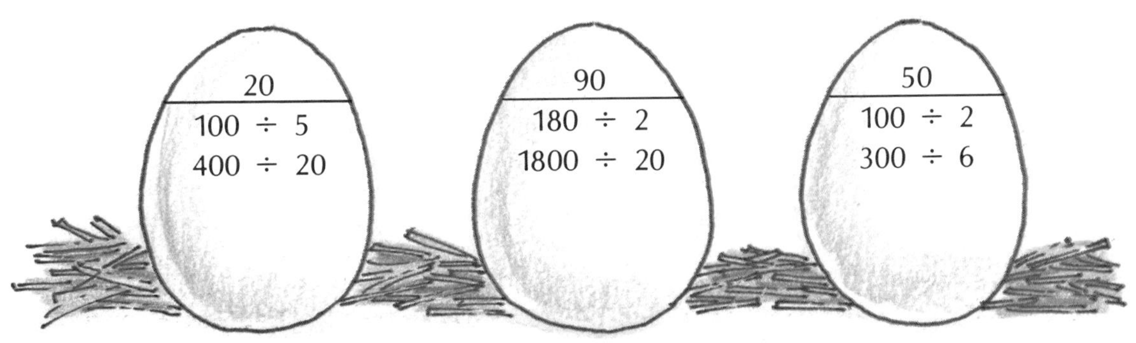

Les diviseurs de deux chiffres

L'Association des fermiers a organisé une soirée dansante qui a rapporté 1008 $. Les billets coûtaient 18 $ par couple. Combien de couples étaient présents?

18) 1008

Estime, multiplie et soustrais.

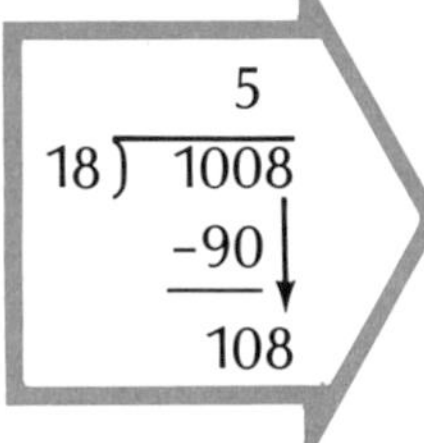

Estime, multiplie et soustrais.

```
       56
18 ) 1008
     -90
      108
     -108
```

Vérifie:

```
   56
 × 18
  448
   56
 1008
```

Il y en avait 56.

EXERCICES

Pourquoi la première division n'est-elle pas correcte?
Complète la deuxième.

```
1.        7                      2.        7
    34 ) 2210    34 ) 2210           23 ) 1518    23 ) 1518
         -238                             -161

3.        6                      4.        6
    54 ) 3024    54 ) 3024           85 ) 6290    85 ) 6290
         -324                             -510
```

Divise.

5. 43) 502 6. 55) 785 7. 32) 697 8. 29) 986

9. 44) 3456 10. 57) 3363 11. 68) 6778 12. 79) 6636

EXERCICES

Calcule le quotient. Vérifie ta réponse.

1. $12\overline{)625}$	**2.** $24\overline{)696}$	**3.** $37\overline{)721}$	**4.** $43\overline{)817}$
5. $15\overline{)1003}$	**6.** $27\overline{)2134}$	**7.** $34\overline{)3000}$	**8.** $46\overline{)4321}$
9. $95\overline{)8900}$	**10.** $69\overline{)5238}$	**11.** $16\overline{)1425}$	**12.** $23\overline{)2003}$
13. $78\overline{)6325}$	**14.** $49\overline{)3149}$	**15.** $67\overline{)2245}$	**16.** $83\overline{)7061}$
17. $99\overline{)4532}$	**18.** $75\overline{)6009}$	**19.** $24\overline{)1326}$	**20.** $35\overline{)2605}$
21. $5678 \div 64$	**22.** $5000 \div 51$	**23.** $936 \div 78$	**24.** $2832 \div 59$

Recopie et complète par $=$ ou $\neq$.

25. $416 \div 32$ ● $975 \div 75$ **26.** $289 \div 17$ ● $666 \div 37$

27. $1246 \div 89$ ● $336 \div 24$ **28.** $583 \div 53$ ● $552 \div 46$

Problèmes.

29. 75 personnes se partagent 6000 $. Quelle est la part de chacune?

30. On répartit 675 kg de pommes de terre dans 45 sacs. Combien pèse un sac?

Partage

Découpe la tarte en un nombre maximum de morceaux avec 3 traits de couteau droits.

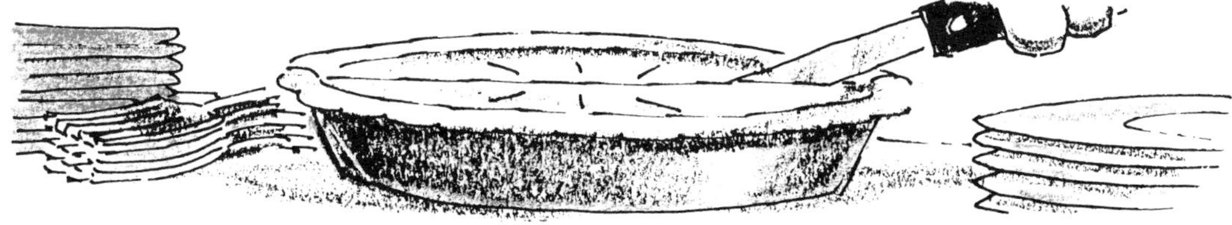

Trace quelques cercles et essaie plusieurs solutions.

Essaie de découper une tarte en 11 morceaux avec 4 traits de couteau droits.

Les diviseurs de deux chiffres

Un éleveur vend 38 porcs pour 4674 $. Quel est le prix d'un porc?

4674 $ ÷ 38 = ■

	Estime, multiplie et soustrais.	Estime, multiplie et soustrais.	Estime, multiplie et soustrais.
38)4674	1 38) 4674 −38 8	12 38) 4674 −38 87 −76 11	123 38) 4674 −38 87 −76 114 −114

Un porc coûte 123 $.

EXERCICES

Recopie et termine les divisions.

1. 2 13) 2879 −26 27	**2.** 3 24) 8544 −72 134	**3.** 2 33) 7891 −66 12	**4.** 1 57) 9000 −57 33
5. 7 13) 10 058 − 9 1 95	**6.** 8 34) 29 376 −27 2 2 17	**7.** 9 47) 43 215 −42 3 9	**8.** 8 58) 52 026 −46 4 5 6

Divise.

9. 2 21)4471	**10.** 53)8692	**11.** 26)8947	**12.** 76)9576
13. 2 43)11 094	**14.** 55)40 000	**15.** 67)55 439	**16.** 78)53 586

EXERCICES

Calcule le quotient. Vérifie ta réponse.

1. $15\overline{)1875}$ **2.** $23\overline{)3082}$ **3.** $34\overline{)7324}$ **4.** $46\overline{)9123}$

5. $16\overline{)3744}$ **6.** $24\overline{)9825}$ **7.** $36\overline{)8317}$ **8.** $59\overline{)9617}$

9. $54\overline{)36\ 612}$ **10.** $63\overline{)42\ 777}$ **11.** $78\overline{)75\ 579}$ **12.** $88\overline{)45\ 678}$

13. $65\overline{)8715}$ **14.** $77\overline{)75\ 000}$ **15.** $53\overline{)8639}$ **16.** $91\overline{)81\ 354}$

Écris les divisions qui correspondent aux équations suivantes.

17. $37 \times 17 + 7 = 636$ **18.** $268 \times 34 + 0 = 9112$
19. $768 \times 45 + 8 = 34\ 568$ **20.** $874 \times 69 + 53 = 60\ 359$

Arrondis le diviseur et le dividende.
Estime le quotient.

21. $28\overline{)6194}$ **22.** $62\overline{)7578}$ **23.** $49\overline{)9957}$ **24.** $19\overline{)8564}$

Problèmes.

25. Le dividende est 3400 et le diviseur 25. Quel est le quotient?

26. Le produit de 21 par un autre nombre est 19845. Quel est ce deuxième facteur?

Réfléchis

Résous ces équations sans papier ni crayon.

a. $(852 \div 1) \times 1 = ■$

b. $(97 \div 97) \times 145 = ■$

c. $(7643 \div 1) \times 0 = ■$

d. $(348 - 348) \times 1 = ■$

e. $(150 + 150) \div 1 = ■$

f. $(573 - 573) \times 573 = ■$

Les diviseurs de deux chiffres

Un fermier gagne 22 500 $ en une année.

Quel est son revenu mensuel?

22 500 $ ÷ 12 = ■

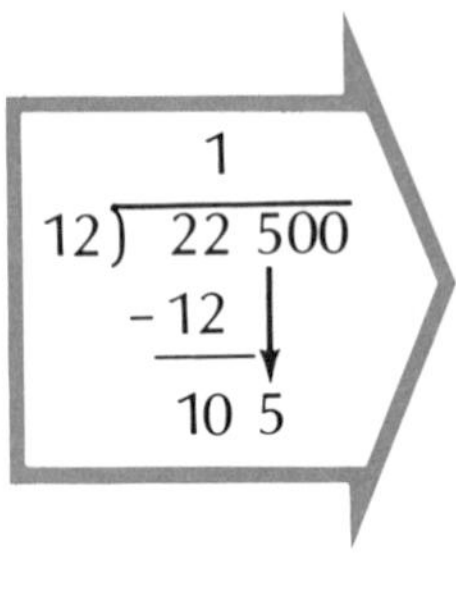

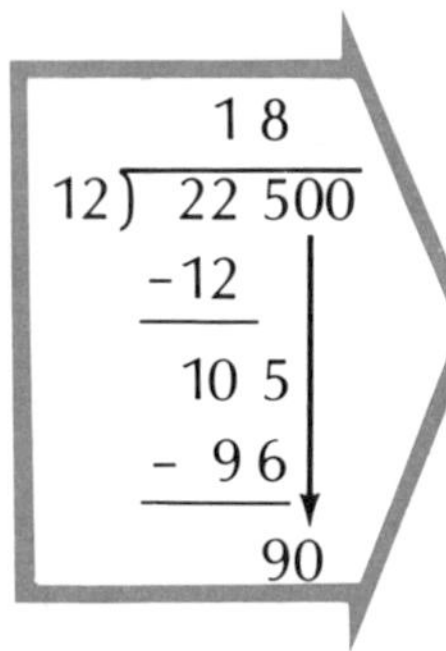


```
      1 87
12) 22 500
    -12
     10 5
    - 9 6
       90
      -84
       60
```

```
      1 875
12) 22 500
    -12
     10 5
    - 9 6
       90
      -84
       60
      -60
```

Vérifie:

```
   1875
 ×   12
  3 750
  18 75
 22 500
```

Le fermier gagne 1875 $ par mois.

EXERCICES

Recopie et termine les divisions.

```
1.       2 4           2.       1 6           3.       2 5           4.       1 4
   19) 46 125            58) 97 482            31) 79 453            66) 94 000
       -38                   -58                   -62                   -66
         8 1                  39 4                  17 4                  28 0
        -7 6                 -34 8                 -15 5                 -26 4
          52                   4 68                  1 95                  1 60
```

```
5.        1            6.        1            7.        3            8.        4
   45) 51 234            53) 64 583            28) 94 640            18) 80 000
       -45                   -53                   -84                   -72
         6 2                  11 5                  10 6                   8 0
```

9. 38) 85 172 **10.** 37) 96 132 **11.** 14) 38 657 **12.** 21) 67 430

13. 79)79 657 **14.** 38)76 867 **15.** 55)55 103 **16.** 82)82 147

EXERCICES

Calcule le quotient. Vérifie ta réponse.

1. $13\overline{)16\,042}$ 2. $24\overline{)56\,544}$ 3. $32\overline{)82\,048}$ 4. $46\overline{)89\,976}$

5. $58\overline{)93\,032}$ 6. $91\overline{)99\,736}$ 7. $47\overline{)94\,094}$ 8. $56\overline{)80\,136}$

9. $16\overline{)20\,521}$ 10. $25\overline{)44\,365}$ 11. $33\overline{)75\,319}$ 12. $47\overline{)63\,918}$

Écris la division correspondante.

13. $2036 \times 15 + 0 = 30\,540$
14. $3456 \times 28 + 6 = 96\,774$
15. $2012 \times 46 + 3 = 92\,555$
16. $1309 \times 69 + 9 = 90\,330$

Arrondis le diviseur et le dividende.
Estime le quotient.

17. $51\overline{)57\,214}$ 18. $71\overline{)23\,576}$ 19. $21\overline{)83\,465}$ 20. $98\overline{)40\,621}$

21. Reproduis et complète le tableau.

Salaire annuel	Salaire mensuel	Salaire hebdomadaire
50 000 $		
100 000 $		
18 000 $		

AVEC LA CALCULATRICE

Divise.
Arrondis à l'unité près.

a. $2\,347\,108 \div 576$

b. $58\,104\,379 \div 4792$

c. $546\,374 \div 43$

d. $975\,198 \div 113$

Résolution de problèmes

Choisis l'opération correcte.

   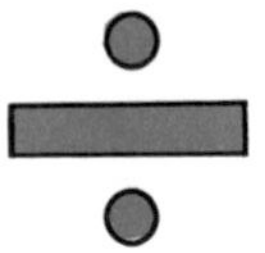

1. Ursule achète 12 paniers de pommes pour 54 $. Combien coûte un panier?
   a. 54 + 12 **b.** 54 − 12 **c.** 54 × 12 **d.** 54 ÷ 12

2. Joël achète 5 pots de sirop d'érable à 6 $ le pot. Combien paie-t-il en tout?
   a. 6 + 5 **b.** 6 − 5 **c.** 6 × 5 **d.** 6 ÷ 5

3. Bernadette a 49 $ dans son porte-monnaie, après avoir dépensé 15 $ pour acheter de la viande. Combien avait-elle au départ?
   a. 49 + 15 **b.** 49 − 15 **c.** 49 × 15 **d.** 49 ÷ 15

4. Au marché, les fermiers ont vendu 6350 kg de pommes de terre, en sacs de 10 kg. Combien de sacs ont-ils vendus en tout?
   a. 6350 + 10 **b.** 6350 − 10 **c.** 6350 × 10 **d.** 6350 ÷ 10

5. Pierre avait 32 $ dans son portefeuille. Il a dépensé 25 $ à l'épicerie. Combien lui reste-t-il?
   a. 32 + 25 **b.** 32 − 25 **c.** 32 × 25 **d.** 32 ÷ 25

6. Le parc de stationnement du centre d'achat se compose de 52 rangées de 25 places chacune. Combien y a-t-il de places en tout?
   a. 52 + 25 **b.** 52 − 25 **c.** 52 × 25 **d.** 52 ÷ 25

7. En juillet, on a vendu 3007 épis de maïs au marché. Quelle a été la moyenne journalière des ventes?
   a. 3007 + 31 **b.** 3007 − 31 **c.** 3007 × 31 **d.** 3007 ÷ 31

8. Samedi dernier, Mme Lorenz a vendu 243 sacs de radis. Aujourd'hui, elle en a vendu 178. Combien en a-t-elle vendu en tout?
   a. 243 + 178 **b.** 243 − 178 **c.** 243 × 178 **d.** 243 ÷ 178

EXERCICES

1. Marie gagne 12 $ par semaine en gardant des enfants. Combien gagne-t-elle en 15 semaines?

2. 72 journées se sont écoulées depuis le début de l'année scolaire. Il reste 128 journées. Combien y a-t-il de journées d'école dans l'année tout entière?

3. Il y a 50 000 places dans un stade de football. Le stade est partagé en 25 sections égales. Combien y a-t-il de sièges par section?

4. M. Thomas a emprunté 60 000 $ à la banque. Il a déjà remboursé 25 275 $. Combien doit-il encore?

5. Le produit de 26 par un second facteur est 17 628. Quel est ce facteur?

6. Laura Mishko a vendu ses tomates 48 $ les 100 kg. La vente lui a rapporté 14 640 $. Quelle était la masse des tomates récoltées?

RÉVISION

Divise.

1. 30)147	2. 20)972	3. 50)3000	4. 60)1754
5. 31)147	6. 62)452	7. 29)113	8. 91)516
9. 21)436	10. 57)894	11. 33)2612	12. 25)1950
13. 41)9651	14. 69)7524	15. 52)47 034	16. 89)30 705
17. 32)32 032	18. 15)45 150	19. 78)86 424	20. 54)86 921

TEST CHAPITRE 4

Calcule le quotient.

1. $48 \div 5$
2. $37 \div 8$
3. $74 \div 9$
4. $16 \div 3$
5. $73 \div 4$
6. $87 \div 3$
7. $191 \div 5$
8. $603 \div 9$
9. $456 \div 2$
10. $750 \div 5$
11. $3429 \div 9$
12. $6412 \div 3$

13. $2\overline{)4016}$
14. $7\overline{)2803}$
15. $9\overline{)80\ 010}$
16. $20\overline{)163}$
17. $30\overline{)920}$
18. $80\overline{)6015}$
19. $18\overline{)102}$
20. $39\overline{)145}$
21. $63\overline{)378}$
22. $51\overline{)956}$
23. $78\overline{)1170}$
24. $45\overline{)1062}$
25. $63\overline{)7875}$
26. $38\overline{)4332}$
27. $82\overline{)9549}$
28. $19\overline{)19\ 076}$
29. $18\overline{)36\ 576}$
30. $31\overline{)33\ 449}$

Problèmes.

31. Le dividende est 1139 et le diviseur 68. Quel est le quotient?

32. Patrick et ses deux amis vendent leurs vieux jouets et livres pour 57 $. Quelle est la part de Patrick si les amis partagent équitablement cette somme?

33. Neuf avions transportent chacun le même nombre de passagers vers Toronto. Il y en a 1350 au total. Combien y en a-t-il par avion?

34. On embauche 6 adolescents pour effectuer un sondage auprès de 2250 clients du marché. Combien de personnes chaque adolescent doit-il questionner?

REPRISE LA MULTIPLICATION

Calcule le produit.

1. 213×3
2. 237×4
3. 609×8
4. 2171×6
5. 34×13
6. 17×25
7. 39×81
8. 146×25
9. 298×152
10. 605×556
11. 891×317
12. 899×485
13. 275×800
14. 973×260
15. 594×306
16. 208×905

Calcule.

17. 6^2
18. 10^3
19. 2^4
20. 8^1
21. 2^5
22. 3^2
23. 5^3
24. 10^4
25. $1000 = 10^{■}$
26. $200 = 2 \times 10^{■}$
27. $80\,000 = ■ \times 10^{■}$

Multiplie.

28. 8 ¢ × 3
29. 0,16 $ × 8
30. 1,07 $ × 32
31. 3,95 $ × 78
32. $5,6 \times 2$
33. $22 \times 3,5$
34. $25,3 \times 641$
35. $384 \times 20,9$
36. $3,45 \times 4$
37. $83 \times 0,49$
38. $4,05 \times 256$
39. $154 \times 9,08$

Estime le produit.

40. 709×58
41. $87 \times 3,2$
42. 6,25 $ × 75

CHAPITRE 5

LA MESURE

Les symboles du système métrique

Préfixe	Symbole	Signification
kilo	k	1000
hecto	h	100
déca	da	10
déci	d	0,1
centi	c	0,01
milli	m	0,001

Unité de longueur	Symbole
kilomètre	km
hectomètre	hm
décamètre	dam
mètre	m
décimètre	dm
centimètre	cm
millimètre	mm

Recopie et complète.

1. 1 m = ■ cm
2. 1 m = ■ mm
3. 1 m = ■ dm
4. 1 km = ■ m
5. 1 km = ■ cm
6. 1 km = ■ mm
7. 10 mm = ■ cm
8. 20 mm = ■ cm
9. 50 mm = ■ cm
10. 1 cm = ■ mm
11. 4 cm = ■ mm
12. 1 mm = ■ cm
13. 100 cm = ■ m
14. 200 cm = ■ m
15. 600 cm = ■ m
16. 1000 m = ■ km
17. 3000 m = ■ km
18. 4000 m = ■ km
19. 1 m = ■ km
20. 5 m = ■ km
21. 500 m = ■ km

Additionne.

22. 1 m + 10 cm = ■ cm
23. 1 km + 5 m = ■ m
24. 2 m + 500 cm = ■ m
25. 5 m + 60 cm + 3 mm = ■ mm
26. 0,5 km + 6 m + 20 cm = ■ cm

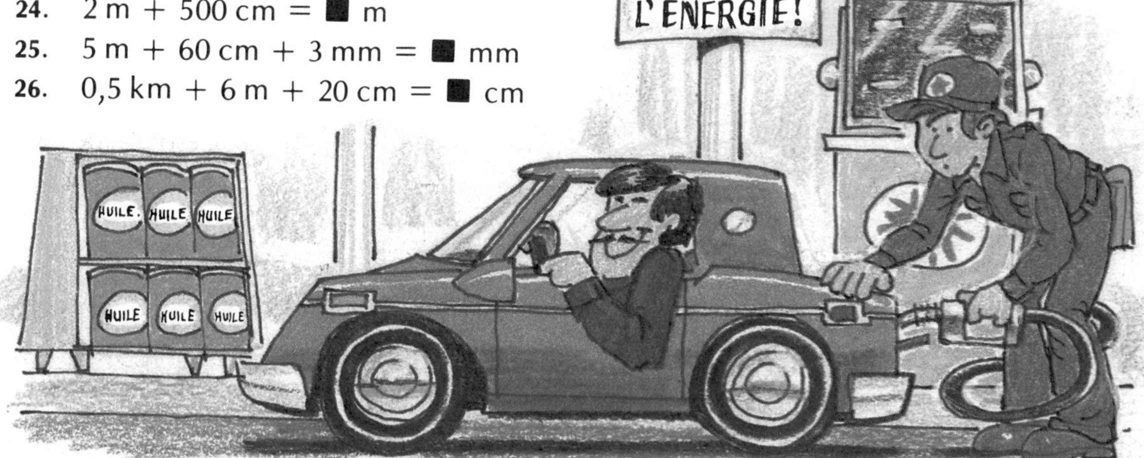

L'unité de longueur appropriée

Un **millimètre** représente à peu près l'épaisseur de l'ongle de ton pouce.

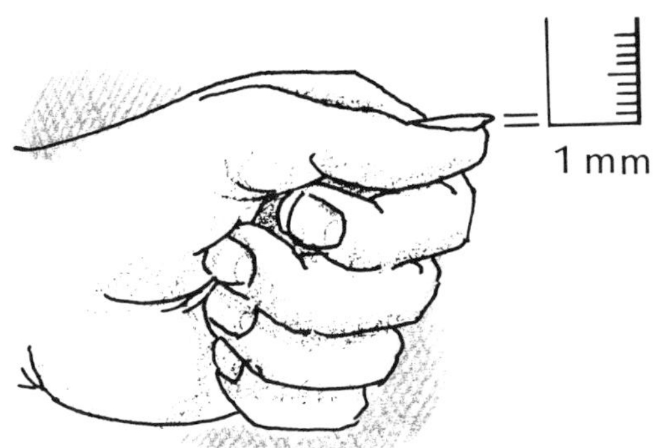

Un **centimètre** représente à peu près la largeur de ton doigt.

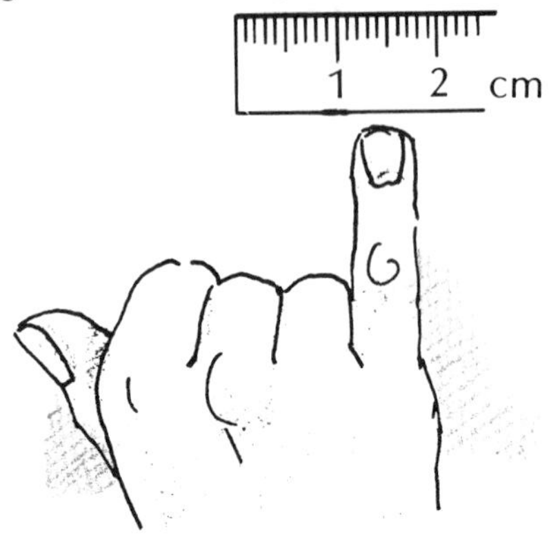

Un **mètre** représente à peu près la hauteur d'une poignée de porte.

Un **kilomètre** représente à peu près la distance parcourue pendant une marche de 8 minutes.

EXERCICES

Indique l'unité de longueur (exprimée sous forme de symbole) qui convient le mieux pour mesurer:

1. La longueur de ton bras
2. La largeur d'un timbre
3. Un terrain de football
4. La distance entre 2 villes
5. La longueur d'un crayon
6. Le diamètre d'une pièce de 5 cents
7. L'épaisseur d'une pièce de dix cents
8. La largeur d'une rue
9. La longueur d'une rivière
10. La largeur d'une rivière
11. La hauteur d'un poteau
12. L'épaisseur d'une ficelle

EXERCICES

Trouve la mesure appropriée.

1. La hauteur d'un grand édifice
2. L'épaisseur d'une couverture de livre
3. Le Canada, d'un océan à l'autre
4. La longueur d'une voiture
5. La hauteur d'un poteau téléphonique
6. La hauteur d'une boîte de conserve
7. L'épaisseur d'une carte de crédit
8. La hauteur d'une cuisinière
9. La largeur d'une petite ville
10. La hauteur d'une pompe à essence

a. 5 km
b. 15 cm
c. 150 m
d. 1 m
e. 1 mm
f. 10 m
g. 5000 km
h. 2 mm
i. 1,5 m
j. 4 m

Estime, en centimètres, puis mesure:

11. La largeur de ton pied
12. Les dimensions de ce livre
13. La longueur de ton pouce
14. La longueur de ton stylo

Estimation

1 cm

Estime, puis mesure.

1.

2.

3.

4.

5.

6.

Le périmètre

Le **périmètre** d'un polygone est la somme des mesures de ses côtés.

100 m
40 m
80 m
60 m

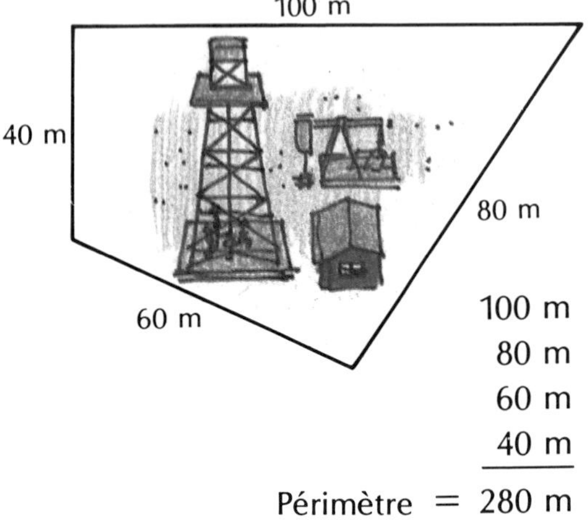

100 m
80 m
60 m
40 m

Périmètre = 280 m

C
10 cm
A
8 cm
15 cm
B

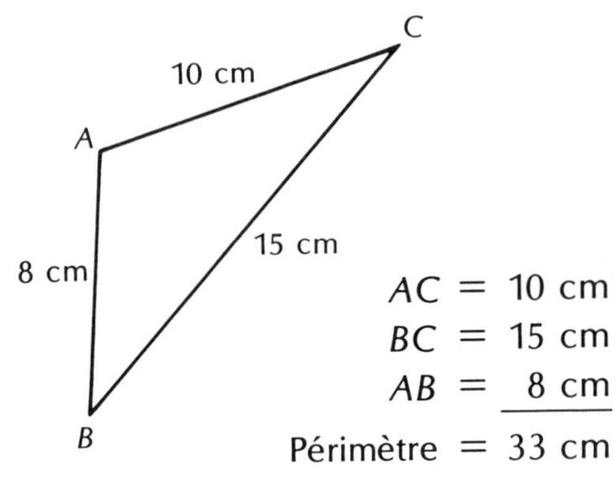

AC = 10 cm
BC = 15 cm
AB = 8 cm

Périmètre = 33 cm

EXERCICES

Calcule le périmètre des figures suivantes.

1.

3 cm
5 cm
5 cm

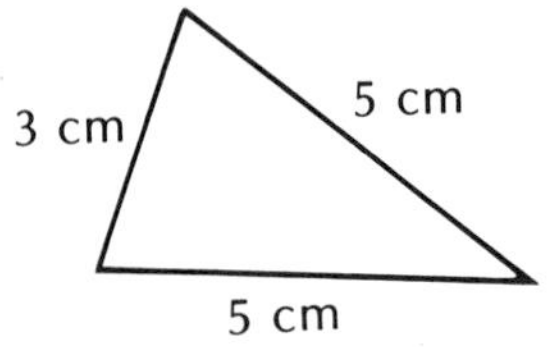

2.

4 cm
2 cm
Rectangle

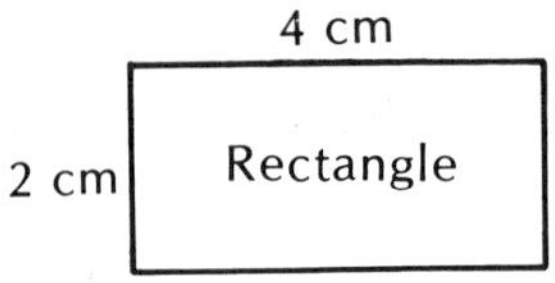

3.

4 cm
5 cm
2 cm
3 cm

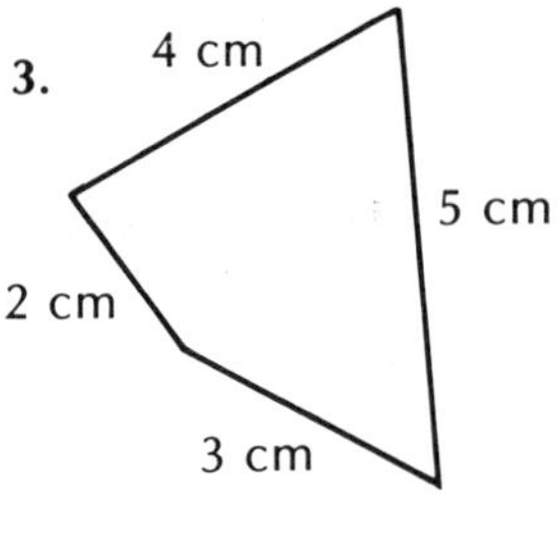

4.

8 cm
7 cm
4 cm
5 cm

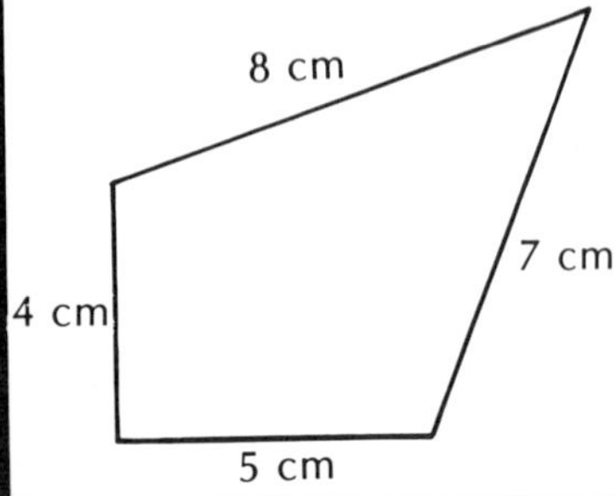

5.

5 cm
5 cm
5 cm
5 cm
2 cm
4 cm
4 cm

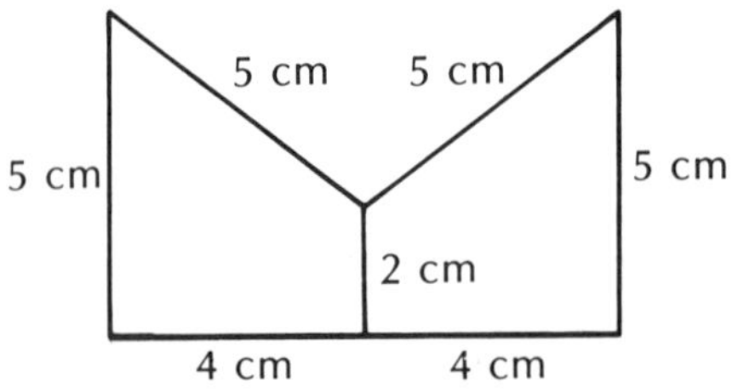

6.

5 cm
5 cm
6 cm
Carré

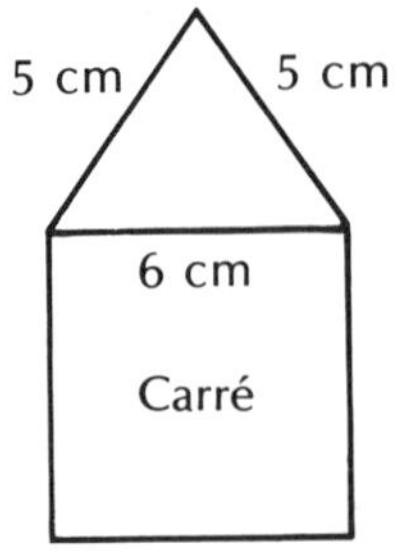

EXERCICES

Calcule le périmètre du triangle *XYZ*.

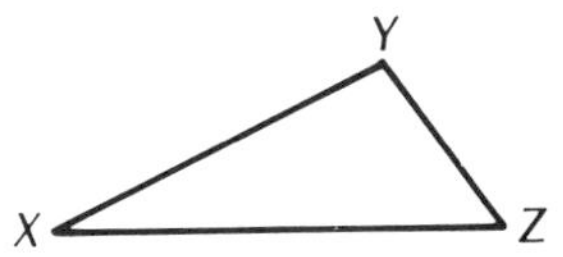

1. $YZ = 6$ cm
   $XZ = 5$ cm
   $XY = 3$ cm

2. $YZ = 31$ km
   $XZ = 27$ km
   $XY = 17$ km

3. $YZ = 11$ m
   $XZ = 9$ m
   $XY = 5$ m

4. $YZ = 60$ mm
   $XZ = 48$ mm
   $XY = 31$ mm

5. $YZ = 1{,}6$ m
   $XZ = 1{,}1$ m
   $XY = 0{,}8$ m

Quel est le périmètre de polygones dont les côtés mesurent:

6. 4 cm 6 cm 3 cm 1 cm
7. 4,5 m 3,4 m 5,6 m
8. 3 m 2 m 75 cm
9. 4 cm 9 mm 4 cm

Problèmes.

10. Quel est le périmètre du triangle situé au sommet du pylône?
11. Quel est le périmètre du pentagone qui forme la base du pylône?

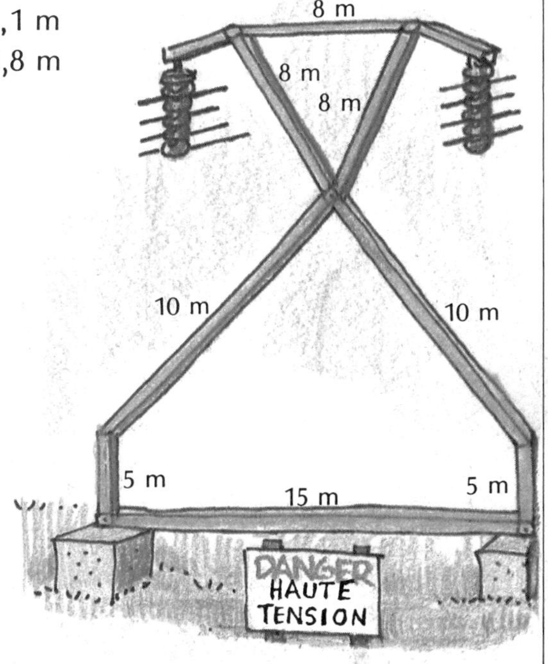

Danger!

Une centrale nucléaire mesure 120 m sur 140 m.

La clôture qui l'entoure est située à 100 m de ses murs.

Trouve sa mesure.

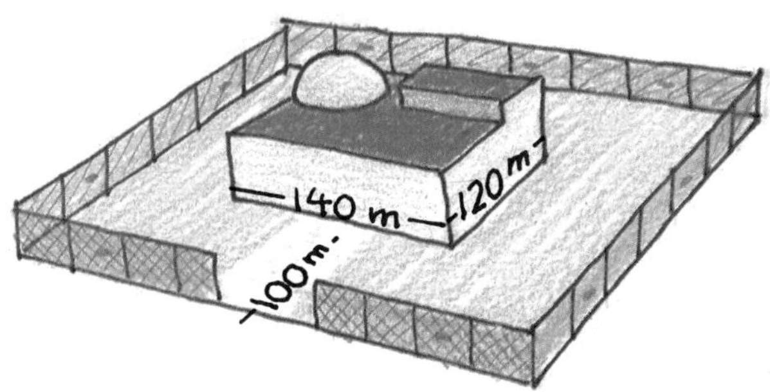

L'aire

L'aire d'une figure est la mesure de sa surface.

L'aire se mesure en **mètres carrés** (**m**²) ou en **centimètres carrés (cm**²**)**.

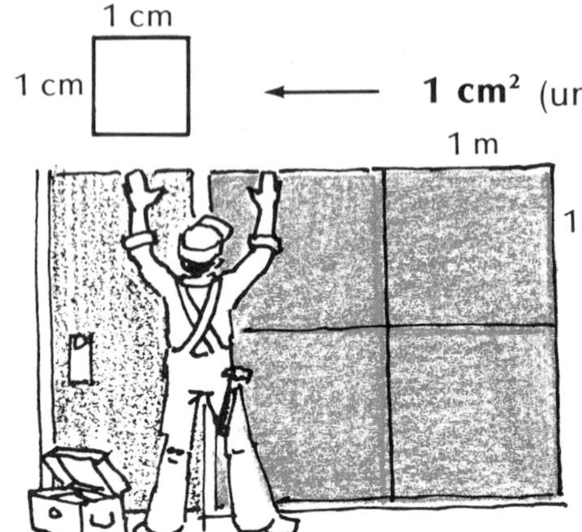

← **1 cm²** (un centimètre carré)

Chaque panneau d'isolant a une aire de **1 m**² (un mètre carré).

De grandes aires, comme celles des champs, se mesurent en **hectares (ha)**. On les appelle aussi **superficies**.

$$1 \text{ ha} = 10\,000 \text{ m}^2$$

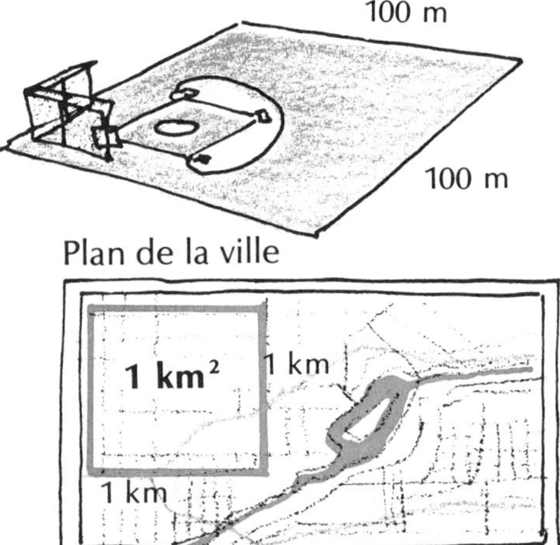

De très grandes aires, comme celles des villes ou des pays, se mesurent en **kilomètres carrés (km**²**)**.

EXERCICES

Choisis l'unité appropriée pour exprimer l'aire de ces surfaces.

1. une feuille de papier
2. un plancher
3. un court de tennis
4. une pizza
5. le Canada
6. une étagère
7. une patinoire
8. un champ
9. un parc en ville
10. les Grands Lacs

EXERCICES

Recopie et complète avec l'unité de mesure qui exprime le mieux l'aire. (Les données sont approximatives.)

1. Une page de ce livre: 600 ■
2. Un terrain de baseball: ■
3. Un terrain de football: 6000 ■
4. L'Île-du-Prince-Édouard: 5600 ■
5. Un parc en ville: 10 ■
6. Un timbre: 5 ■
7. Le Canada: 10 000 000 ■
8. Une grande pizza: 1200 ■
9. Un terrain de basketball: 600 ■
10. Une carte de crédit: 50 ■
11. Une patinoire: 1600 ■
12. Le Québec: 1 500 000 ■

Recopie et complète par $<$, $>$ ou $=$.

13. 1 ha ● 1 km^2
14. 1 km^2 ● 10 ha
15. 100 cm^2 ● 1 m^2
16. 1 m^2 ● 1000 cm^2
17. 2 ha ● 10 000 cm^2
18. 1 m^2 ● 10 000 cm^2
19. 1 ha ● 10 000 m^2
20. 1 km^2 ● 1000 ha
21. 1 km^2 ● 100 ha

La superficie des provinces

1. Dresse la liste des provinces en les classant par ordre croissant de superficie.
2. Quel est l'aire totale des provinces des Prairies?
3. Quel est l'aire totale des provinces maritimes?
4. De combien de km^2 l'aire du Québec dépasse-t-elle celle de l'Île-du-Prince-Édouard?

Province	Superficie (km^2)
Terre-Neuve	404 517
Île-du-Prince-Édouard	5 657
Nouvelle-Écosse	55 491
Nouveau-Brunswick	73 436
Québec	1 540 680
Ontario	1 068 582
Manitoba	650 087
Saskatchewan	651 900
Alberta	661 185
Colombie-Britannique	948 596

Le calcul de l'aire

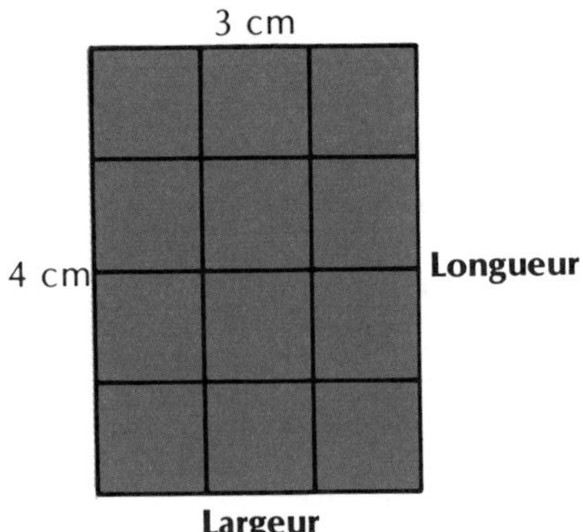

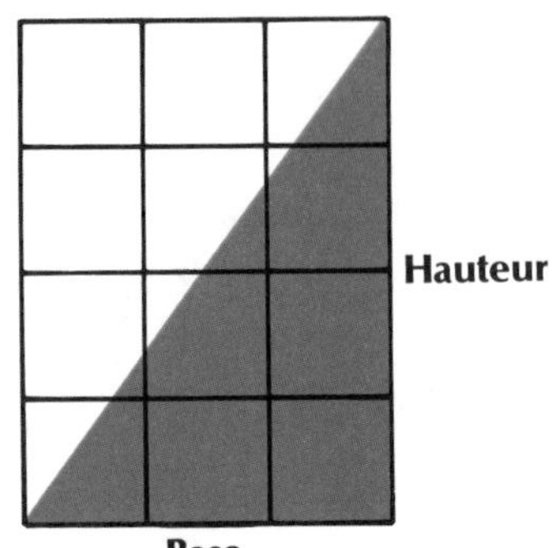

En comptant les carrés:

Aire $=$ 12 cm²

Il y a 4 rangées de 3 carrés.

$4 \times 3 = 12$

L'aire du triangle représente la moitié de l'aire du rectangle.

$$\text{Aire} = \frac{12}{2}\,\text{cm}^2 = 6\ \text{cm}^2$$

Aire du rectangle = Longueur × Largeur

ou $A = L \times \ell$

$$\text{Aire du triangle} = \frac{\text{Base} \times \text{Hauteur}}{2}$$

ou $A = \dfrac{B \times H}{2}$

EXERCICES

Quel est l'aire du rectangle?

1. Longueur = 5 cm
Largeur = 4 cm

2. $L = 28$ cm
$\ell = 30$ cm

3. $L = 20$ m
$\ell = 15$ m

Quel est l'aire du triangle?

4. Base = 5 cm
Hauteur = 4 cm

5. $B = 15$ cm
$H = 10$ cm

6. $B = 36$ m
$H = 12$ m

7. $B = 24$ km
$H = 18$ km

8. $B = 16$ m
$H = 20$ m

9. $B = 25$ cm
$H = 30$ cm

10.

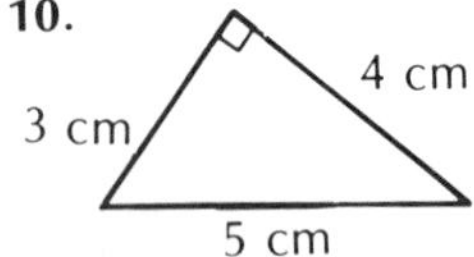

11. 10 cm, 8 cm, 6 cm

12. 15 m, 9 m, 12 m

EXERCICES

Quel est l'aire du rectangle *ABCD*?

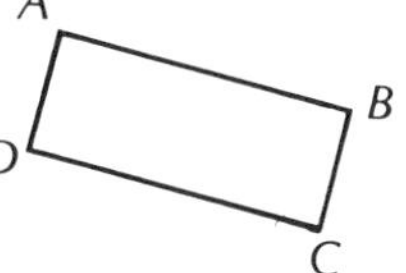

1. $DC = 8$ cm
   $BC = 20$ cm
2. $BC = 8$ m
   $DC = 55$ m
   $AB = 55$ m

Quel est l'aire du triangle *EFG*?

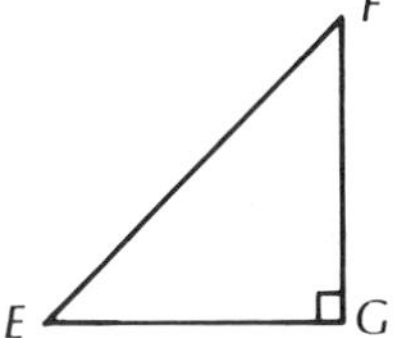

3. $EG = 8$ cm
   $FG = 6$ cm
   $EF = 10$ cm
4. $EG = 15$ m
   $FG = 10$ m

Calcule l'aire.

5. 6 km, 3 km

6. 3 dm, 5 dm, 4 dm

7.

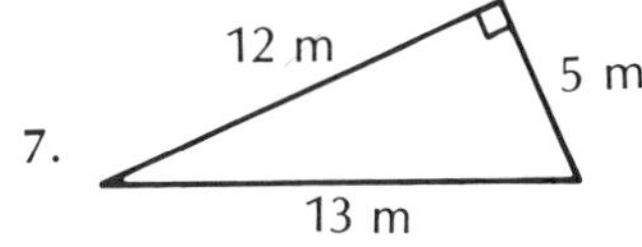

8. 3 m, 8 m, 2 m, 12 m

9. 7 cm, 4 cm, 10 cm

10.

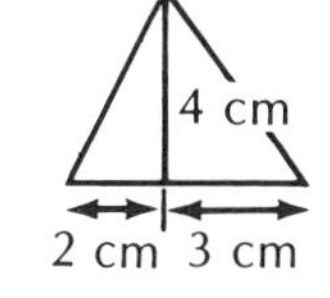

11. a. Quel est l'aire du triangle *STV*?
    b. Quel est l'aire du triangle *TVR*?
    c. Quel est l'aire totale?
    d. Quel est l'aire du triangle *STR*?
    e. Y a-t-il une autre façon de calculer l'aire du triangle *STR*?

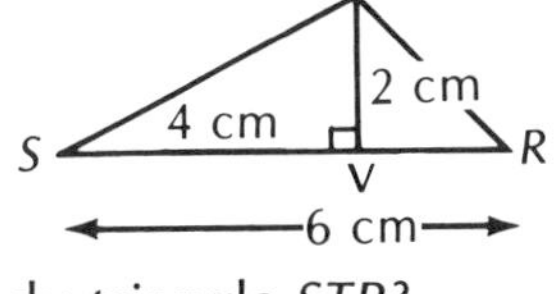

Calcule l'aire.

12.

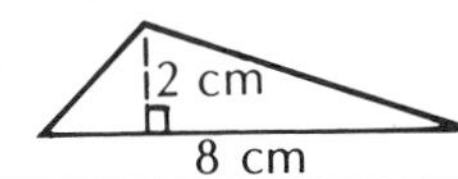

13.

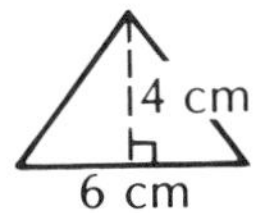

14.

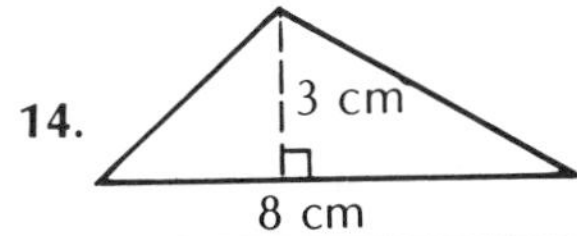

Panneaux solaires

1. Quel est l'aire totale des panneaux solaires?

2. Quel est l'aire du support triangulaire?

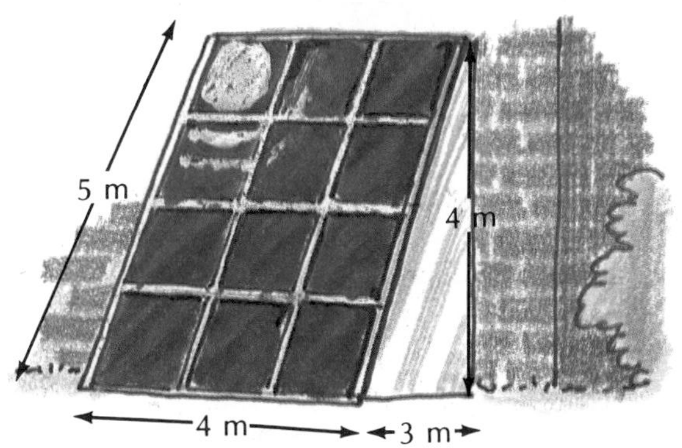

Le cercle

La **circonférence** d'un cercle est la longueur de ce cercle.

On estime **l'aire** du cercle en comptant les carrés.

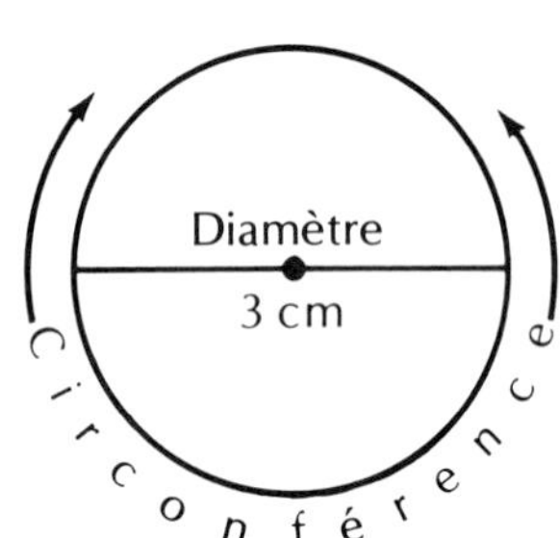

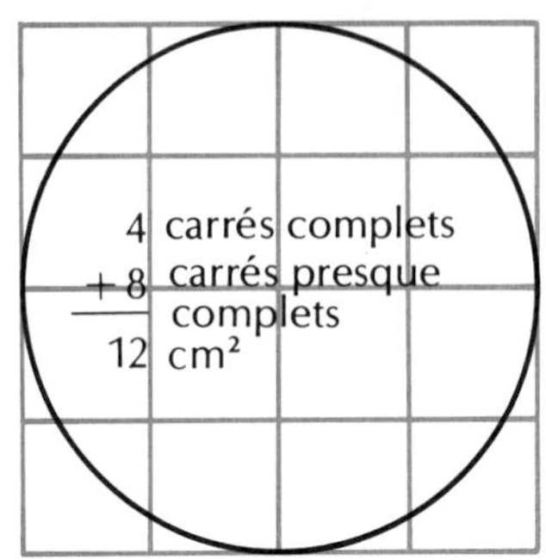

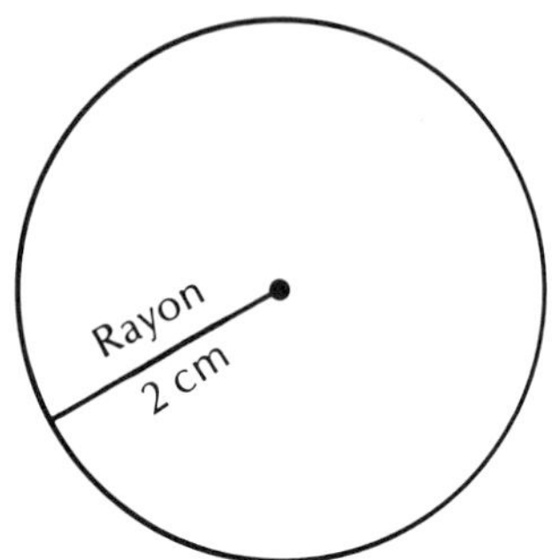

Circonférence = Diamètre × 3,14
= 3 × 3,14
= 9,42
Circonférence = 9,42 cm

Aire = $(\text{Rayon})^2$ × 3,14
= 2 × 2 × 3,14
= 12,56
Aire = 12,56 cm^2

3,14 est la valeur approchée d'un nombre particulier appelé **pi.**

EXERCICES

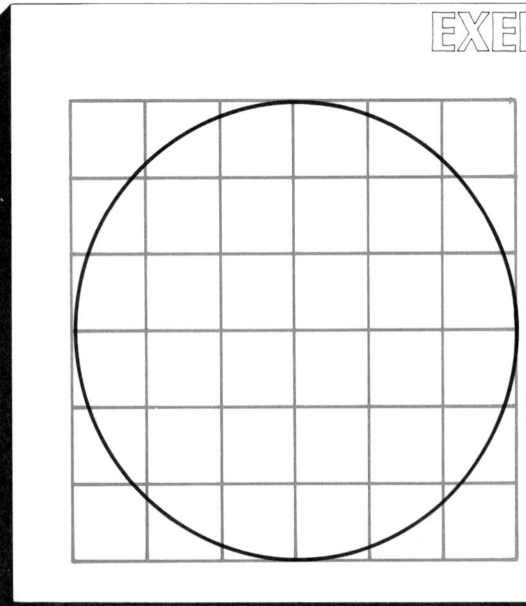

1. Estime l'aire du cercle en comptant les carrés.
2. Quel est son rayon?
3. Calcule son aire .
4. Quel est son diamètre?
5. Calcule sa circonférence.

EXERCICES

Calcule la circonférence d'un cercle ayant pour diamètre:

1.	11 cm	**2.**	25 cm	**3.**	22 cm	**4.**	40 cm	**5.**	300 cm
6.	12 m	**7.**	20 mm	**8.**	35 km	**9.**	42 dm	**10.**	63 cm

Calcule l'aire d'un cercle ayant pour rayon:

11.	6 cm	**12.**	7 m	**13.**	10 m	**14.**	22 cm	**15.**	15 cm
16.	12 m	**17.**	16 m	**18.**	30 m	**19.**	5 km	**20.**	23 cm

Problèmes

21. Quelle est l'aire d'un cercle dont le diamètre mesure 10 cm?

22. Quelle est la circonférence d'un cercle dont le rayon mesure 15 cm?

23. Quel est le diamètre d'un cercle dont la circonférence mesure 628 cm?

RÉVISION

Choisis l'unité appropriée pour mesurer:

1. ta hauteur
2. la hauteur d'une montagne
3. la largeur d'un lac
4. l'épaisseur d'un livre

Calcule le périmètre.

5.

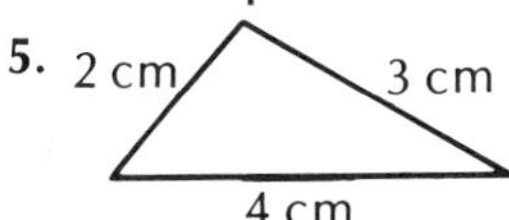

6.

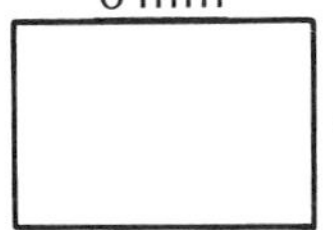

7.

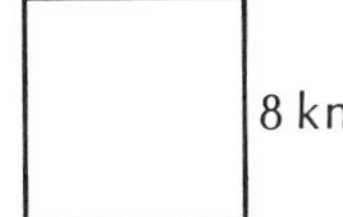

Choisis l'unité appropriée pour mesurer l'aire:

8. d'une ferme
9. d'un plancher
10. des Provinces maritimes
11. de l'empreinte de ton pied

Calcule l'aire.

12. 4 cm, 2 cm

13.

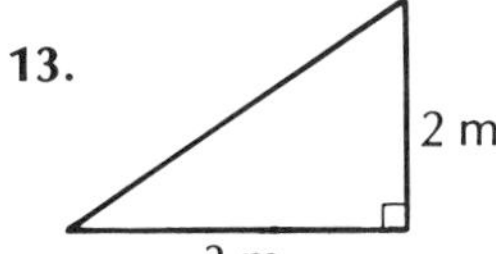

14.

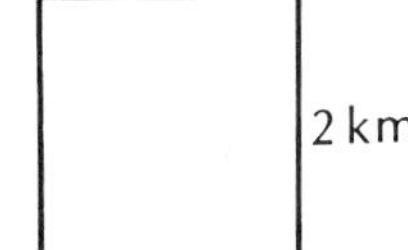

15. Quelle est la circonférence d'un cercle dont le diamètre mesure 2 cm?

16. Quelle est l'aire d'un cercle dont le rayon mesure 4 m?

Le volume

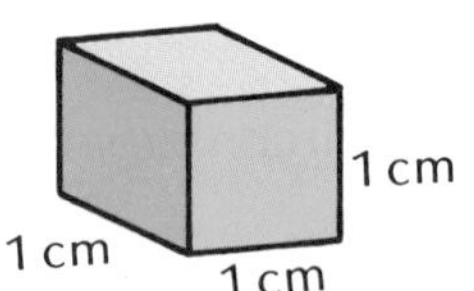

un centimètre cube
1 cm³

Le **volume** d'un solide est la mesure de l'espace qu'il occupe.

Le nombre de centimètres cubes qu'il contient est la mesure de son **volume**.

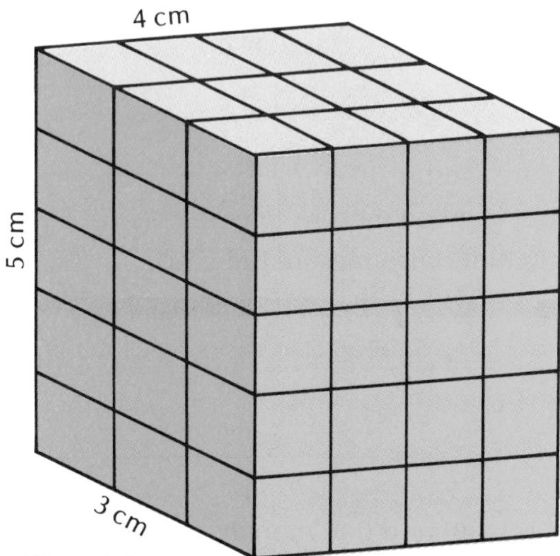

Cette boîte mesure
5 cm de haut
4 cm de long,
3 cm de large.

Elle a 5 étages.
Chaque étage se compose de 4×3 (ou 12) centimètres cubes.
Volume de la boîte: $5 \times (4 \times 3) = 5 \times 12$
$= 60$ cm³

Volume = Longueur × Largeur × Hauteur
$V = L \times \ell \times H$

Le volume peut aussi se mesurer en **décimètres cubes (dm³)** ou en **mètres cubes (m³)**.

EXERCICES

Calcule le volume.

1. Longueur = 5 cm
Largeur = 4 cm
Hauteur = 2 cm

2. $L = 2$ cm
$\ell = 2$ cm
$H = 2$ cm

3. $L = 5$ m
$\ell = 3$ cm
$H = 2$ m

4. Longueur = 4 cm
Largeur = 3 cm
Hauteur = 5 cm

5. $L = 5$ dm
$\ell = 2$ dm
$H = 4$ dm

6. $L = 1$ dm
$\ell = 1$ dm
$H = 1$ dm

EXERCICES

Calcule le volume.

1.

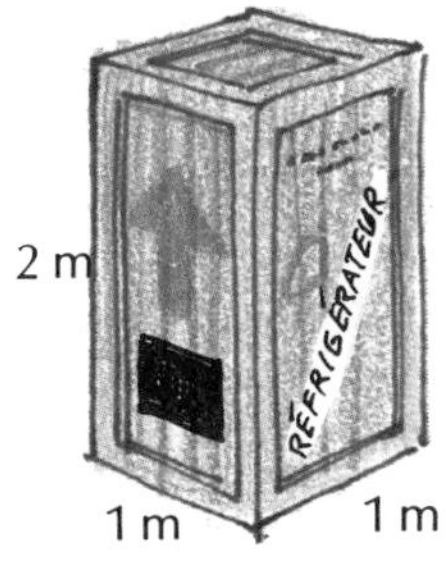

2.

3.

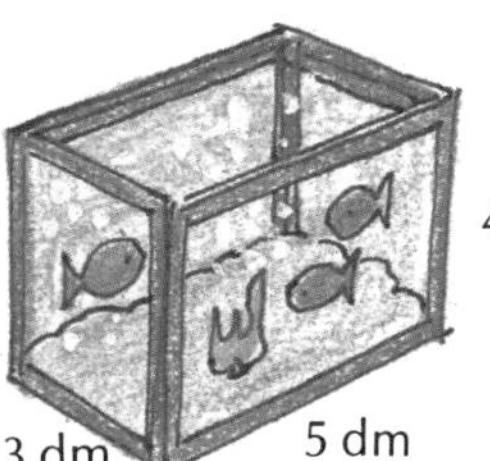

4.

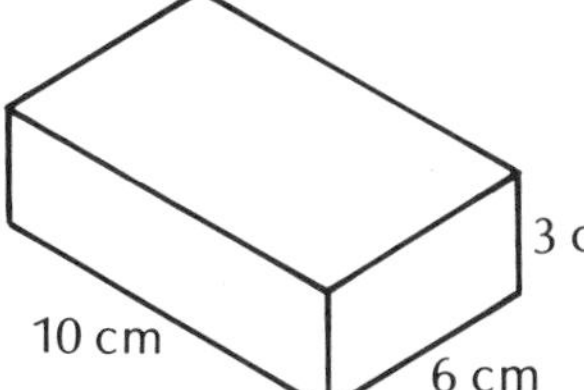

5.

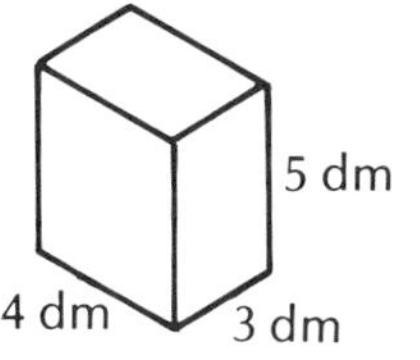

6.

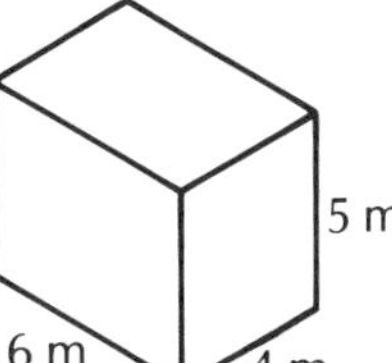

7. $BD = 7$ dm $\quad EC = 7$ dm
$AB = 8$ dm $\quad DG = 8$ dm
$BC = 9$ dm $\quad DE = 9$ dm

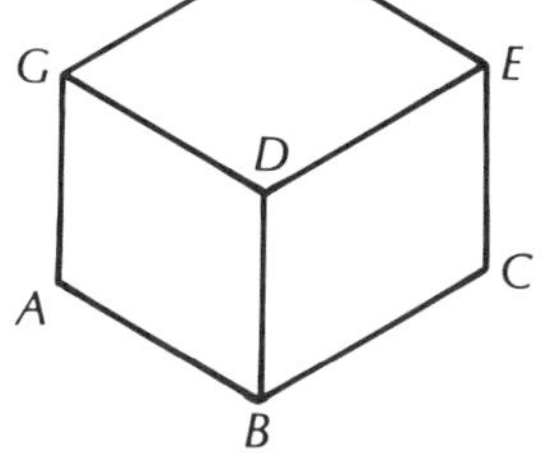

Problèmes.

8. Combien y a-t-il de mètres cubes d'air dans une chambre de 7 m de large, 3 m de haut et 10 m de long?

9. Quel est le volume d'un poêle à bois de 1 m de long, 40 cm de large et 5 dm de haut.

En passant par le col du Nid-de-corbeau

Trois wagons à charbon mesurent chacun 3 m de large et 2 m de haut. Attachés bout à bout, ils forment un train de 26 m de long.
Il y a 1 m entre chaque wagon.
Quel est le volume d'un wagon?

La masse

1 g

un petit bouton

1 kg

les souliers de papa

un gramme
1 g

un kilogramme
1 kg

$1 \text{ kg} = 1000 \text{ g}$

Une tonne (1 t) = 1000 kg

Un mètre cube de charbon a
une masse d'environ 1 t (une tonne).

1 m

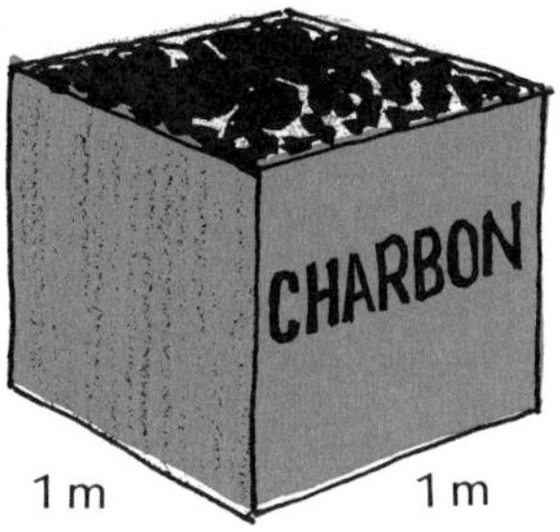

CHARBON

1 m 1 m

EXERCICES

Emploie les symboles g, kg, ou t.

1.	une pièce de 10 cents	3■
2.	un marteau	1■
3.	un joueur de football	100■
4.	une ampoule	50■
5.	une pomme	250■
6.	ton ami(e)	40■

7.	une bicyclette	6■
8.	une auto	1■
9.	un éléphant	4■
10.	une pile de livres	5■
11.	une fourchette	40■
12.	un camion	4■

Recopie et complète les équations.

13. 1 kg = ■ g **14.** 2 kg = ■ g **15.** 3 kg = ■ g

16. 1 t = ■ kg **17.** 2 t = ■ kg **18.** 3 t = ■ kg

EXERCICES

Choisis la masse appropriée.

1.	un sac de farine	**a.**	2,0 kg
2.	une chaise	**b.**	2 g
3.	un camion de charbon	**c.**	4 kg
4.	un cheval	**d.**	6 t
5.	une plume	**e.**	0,5 t
		f.	10 kg

Complète.

6. 3 kg = ■ g	**7.** 2 t = ■ kg	**8.** 2000 g = ■ kg
9. 3000 kg = ■ t	**10.** 3,5 kg = ■ g	**11.** 4,5 t = ■ kg

Problèmes.

12. Combien y a-t-il de sacs de 50 kg dans une tonne de pommes de terre?

13. Un brontosaure, un tyrannosaure et un brachiosaure ont des masses respectives de 39,5 t, 6,9 t et 75,8 t. Un brontosaure et 4 tyrannosaures sont-ils plus ou moins lourds qu'un brachiosaure?

Vague de chaleur

Une tonne d'uranium dégage autant de chaleur que 3 millions de tonnes de charbon.

Les mines canadiennes produisent près de 6000 t d'uranium par an.

1. Quelle masse de charbon devrait-on extraire pour fournir autant de chaleur?
2. Combien de temps faudrait-il pour extraire cette masse de charbon, sachant qu'au Canada on en extrait environ 25 millions de tonnes par an?

La capacité

La **capacité** est la mesure du volume d'un récipient.
Le **litre (L)** mesure **la capacité** liquide.

Il y a **1000 millilitres (mL)** dans un litre.

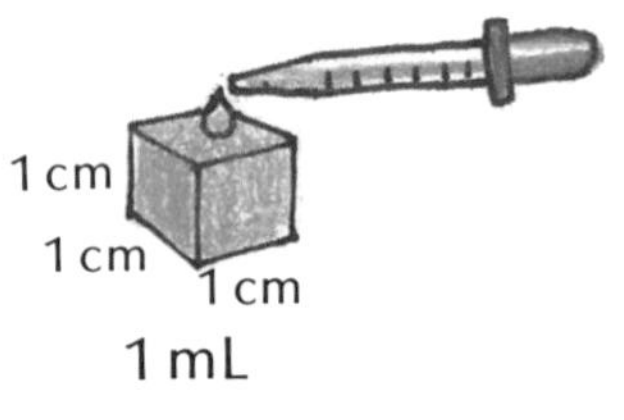

1000 mL = 1 L
1 mL = 0,001 L

Une grande capacité se mesure en **kilolitres (kL)**.

1 kL = 1000 L

EXERCICES

Choisis l'unité (L,mL ou kL) qui exprime le mieux la capacité.

1. un pot de limonade
2. une bouteille de médicament
3. le réservoir d'une voiture
4. le réservoir d'eau d'une ville
5. une cuillère
6. un aquarium
7. une piscine
8. un pot de cornichons

Complète.

9. Un verre de lait frappé: 550 ■.
10. Un tube de dentifrice: 160 ■.
11. Un camion d'essence: 12 ■.
12. Une boîte de soupe: 250 ■.
13. Un pot de lait: 4 ■.

EXERCICES

Complète.

1.	1 L = ■ mL	**2.**	1 mL = ■ L	**3.**	0,5 L = ■ mL
4.	2000 mL = ■ L	**5.**	2500 mL = ■ L	**6.**	100 mL = ■ L
7.	1 kL = ■ L	**8.**	1 kL = ■ mL	**9.**	1 L = ■ kL

Choisis la capacité appropriée.

10.	une tasse de chocolat chaud	**a.**	500 mL
11.	un seau	**b.**	1 mL
12.	une bouteille de détergent liquide	**c.**	250 mL
13.	un compte-gouttes	**d.**	250 L
14.	une piscine	**e.**	250 kL
		f.	6 L

Problèmes.

15. Le carter d'huile d'une voiture a une capacité de 8 L. Combien coûte un changement d'huile, si un litre coûte 1,45 $?

16. La tondeuse d'Hélène fonctionne avec un mélange d'huile et d'essence (60 mL d'huile pour 1 L d'essence). Quelle quantité d'huile faudra-t-il ajouter à 2,5 L d'essence?

Le plein

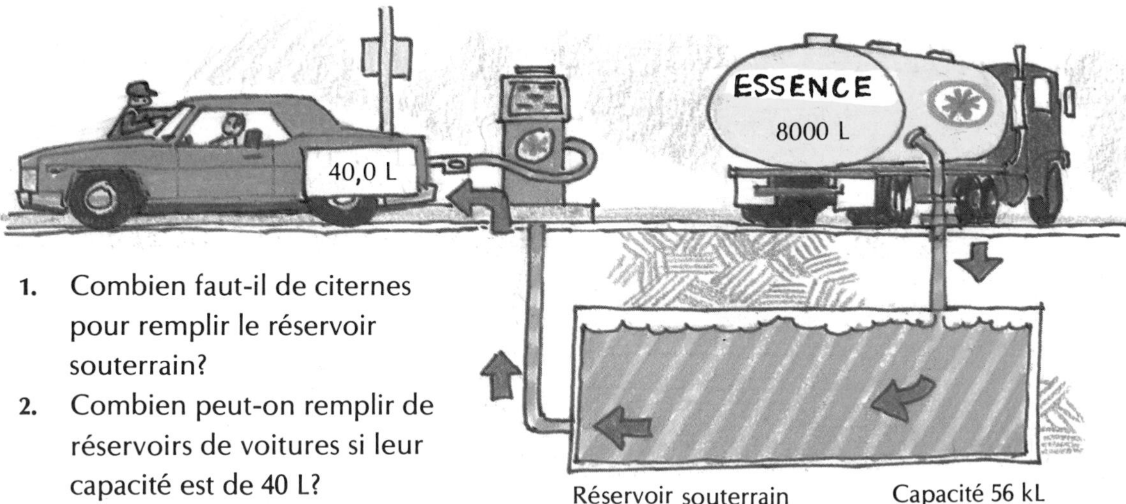

1. Combien faut-il de citernes pour remplir le réservoir souterrain?
2. Combien peut-on remplir de réservoirs de voitures si leur capacité est de 40 L?

La masse, la capacité et le volume

À une température de 4°C, ce cube d'eau a des propriétés spéciales.

Chacun de ses côtés mesure 1 dm ou 10 cm.

Son **volume** est de 1 dm^3 ou 1000 cm^3.

Sa **masse** est de 1 kg.

Il représente une **capacité** de 1 L.

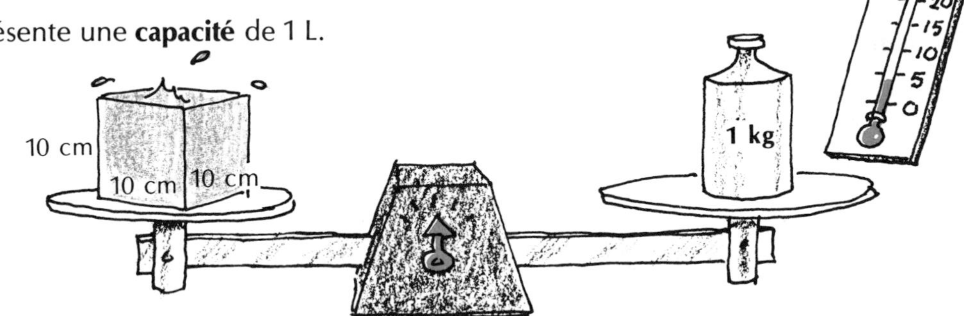

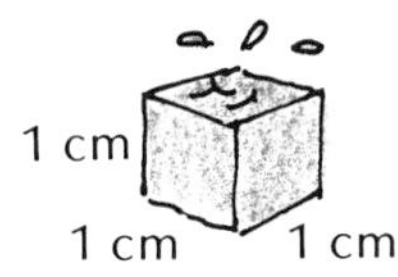

1 cm^3 d'eau représente une masse de 1 g et une capacité de 1 mL.

EXERCICES

Reproduis et complète le tableau.

Volume d'eau	Capacité	Masse
1 dm^3	**1.** ■ L	**2.** ■ kg
5 dm^3	**3.** ■ L	**4.** ■ kg
0,5 dm^3	**5.** ■ L	**6.** ■ kg
1 cm^3	**7.** ■ mL	**8.** ■ g
1000 cm^3	**9.** ■ mL	**10.** ■ g
500 cm^3	**11.** ■ mL	**12.** ■ g
500 cm^3	**13.** ■ L	**14.** ■ kg

EXERCICES

1. Reproduis et complète le tableau.

Capacité		Masse		Volume	
L	mL	g	kg	cm^3	dm^3
2					
	500				
		3000			
			1,5		
				100	
					2,5

Problèmes.

2. Quel liquide est le plus lourd? Où l'as-tu déjà vu?
3. Pourquoi est-ce que l'huile flotte sur l'eau de mer?
4. Pourquoi l'eau de mer est-elle plus lourde que l'eau douce?

Liquide	Masse de 1 L
Mercure	14 kg
Huile	920 g
Térébenthine	870 g
Eau de mer	1025 g

Combien pèse l'air?

Viviane utilise une balance très précise pour mesurer la masse de l'air.

Elle pèse d'abord un bocal rempli d'un litre d'air. Il a une masse totale de 528,675 g.

Elle enlève ensuite cet air avec une pompe à vide et constate que le bocal a une masse de 527,382 g.

Quelle est la masse d'un litre d'air?

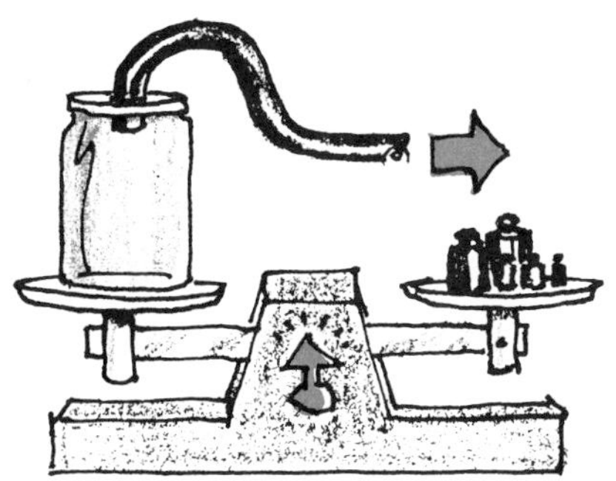

L’heure

Le **cadran de 24 heures** est souvent utilisé pour établir les emplois du temps. Il a également été adopté par les fabricants de montres à affichage numérique.

Cadran de 12 heures

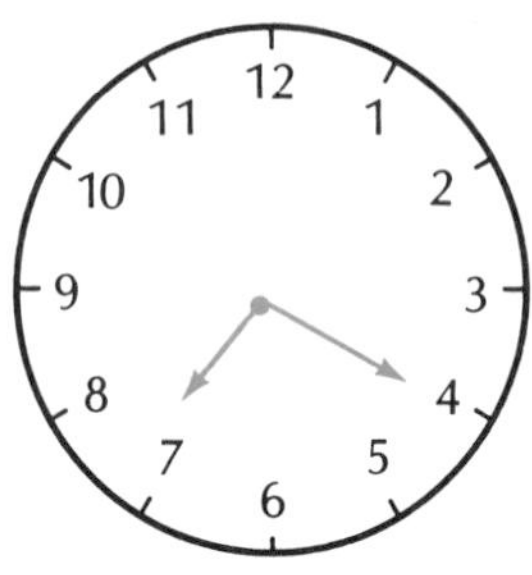

Cadran de 24 heures

	Cadran de 12 h	Cadran de 24 h
MATIN	1	01:00
	2	02:00
	3	03:00
	•	•
	•	•
	•	•
	10	10:00
	11	11:00
	12 Midi	12:00
APRÈS-MIDI	1	13:00
	2	14:00
	3	15:00
	•	•
	•	•
	•	•
SOIR	10	22:00
	11	23:00
	12 Minuit	24:00

Matin

Après-midi

Soir

EXERCICES

Exprime l’heure sur un cadran de 24 h.

1. 4:00 (matin) **2.** 5:30 (matin) **3.** 1:25 (après-midi)

4. 4:15 (après-midi) **5.** 6:15 (après-midi) **6.** 9:45 (soir)

7. 12:30 (après-midi) **8.** midi **9.** minuit

Calcule le temps écoulé:

10. de 07:00 à 09:00 **11.** de 07:00 à 12:00

12. de 07:00 à 12:30 **13.** de 07:30 à 12:00

14. de 07:30 à 13:00 **15.** de 07:45 à 13:00

16. de 12:45 à 19:00 **17.** de 12:45 à 19:20

18. de 09:20 à 16:50 **19.** de 09:50 à 16:20

EXERCICES

1. Combien de vols partent de Calgary chaque jour?
2. Dresse la liste des vols qui partent de Calgary chaque matin.
3. Tu habites à Calgary et tu désires arriver à Vancouver vers midi. Quel vol prends-tu?
4. Aide-toi du tableau des fuseaux horaires pour calculer la durée de chaque voyage.

SOCIÉTÉ AIR-PACIFIQUE

HORAIRE

De Calgary à

	Départ	Arrivée	Vol
Vancouver	07:00	07:20	201
	12:20	12:40	117
	17:00	17:20	277
Winnipeg	14:20	18:08	252
Chicago	06:55	11:45	836
	13:05	18:30	822
Toronto	00:30	07:05	188
	12:35	18:00	120
Montréal	11:30	17:20	176
	23:00	05:00	111
Halifax	12:55	21:55	154
	16:30	02:02	634

Heure	08:00	09:00	10:00	11:00	12:00	12:30
Zone	Pacifique	Rocheuses	Centre	Est	Atlantique	Terre-Neuve
Ville	Vancouver	Calgary	Winnipeg Chicago	Toronto Montréal	Halifax	Saint-Jean

RÉVISION

Calcule le volume.

1. Longueur = 3 cm
   Largeur = 4 cm
   Hauteur = 2 cm

2. Longueur = 5 m
   Largeur = 3 m
   Hauteur = 2 m

Complète.

3. 4 kg = ■ g
4. 1500 g = ■ kg
5. ■ t = 3000 kg

6. 2 L = ■ mL
7. 2500 mL = ■ L
8. 1 kL = ■ L

9. Quelle est la masse de 1 L d'eau?
10. À quel volume correspond 1 mL d'eau?

Calcule le temps écoulé:

11. de 09:15 à 12:10
12. de 10:50 à 18:35

TEST CHAPITRE 5

Choisis l'unité appropriée pour mesurer:

1. la distance autour du monde **2.** une chute de neige

3. la hauteur d'une montagne **4.** l'épaisseur du papier

Recopie et complète.

5. 1 ha = ■ m^2 **6.** L'aire d'un timbre est d'environ 6 ■.

7. L'aire du Nouveau-Brunswick est d'environ 73 000 ■.

Calcule le périmètre et l'aire des figures suivantes.

8.

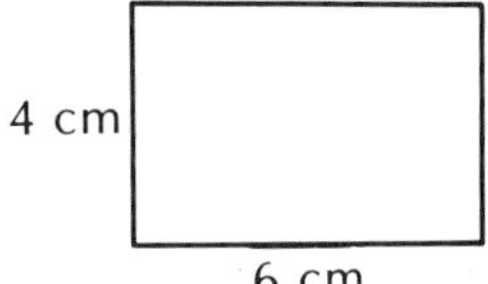

9.

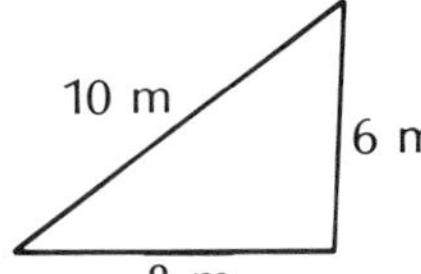

10.

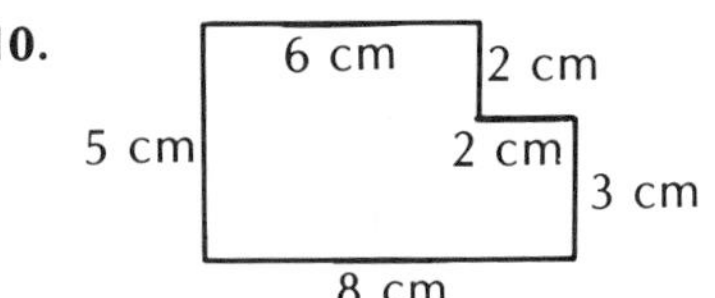

11.

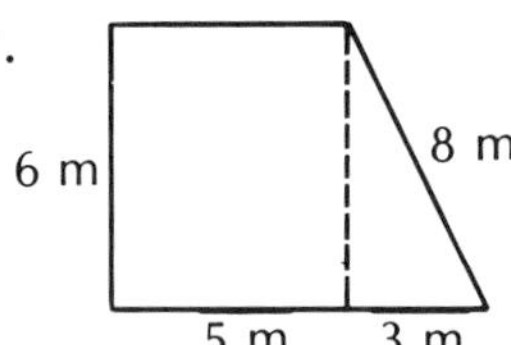

Calcule la circonférence d'un cercle dont le diamètre mesure:

12. 3 cm **13.** 10 cm **14.** 25 km **15.** 18 m

Calcule l'aire d'un cercle dont le rayon mesure:

16. 2 cm **17.** 10 cm **18.** 5 km **19.** 12 mm

Calcule le volume.

20. Longueur = 6 cm
Largeur = 3 cm
Hauteur = 5 cm

21. Longueur = 2 m
Largeur = 8 m
Hauteur = 10 m

Complète.

22. 2 kg = ■ g **23.** 4000 kg = ■ t **24.** 8,5 t = ■ kg

25. 3 L = ■ mL **26.** 3500 mL = ■ L **27.** 2000 L = ■ kL

28. Quelle est la masse de 2 L d'eau?

Calcule le temps écoulé:

29. de 08:25 à 11:25 **30.** de 06:50 à 13:30

REPRISE

LA DIVISION

Calcule le quotient.

1. $39 \div 6$ 2. $44 \div 5$ 3. $70 \div 8$ 4. $65 \div 9$

5. $68 \div 5$ 6. $83 \div 2$ 7. $135 \div 6$ 8. $208 \div 7$

9. $5\overline{)2573}$ 10. $8\overline{)969}$ 11. $3\overline{)7578}$ 12. $6\overline{)25\ 526}$

13. $4\overline{)8045}$ 14. $9\overline{)9270}$ 15. $6\overline{)37\ 213}$ 16. $3\overline{)60\ 122}$

17. $40\overline{)167}$ 18. $20\overline{)832}$ 19. $50\overline{)2491}$ 20. $60\overline{)4925}$

21. $17\overline{)156}$ 22. $43\overline{)285}$ 23. $79\overline{)567}$ 24. $81\overline{)496}$

25. $49\overline{)548}$ 26. $68\overline{)1354}$ 27. $37\overline{)1628}$ 28. $55\overline{)2891}$

29. $73\overline{)2815}$ 30. $36\overline{)2521}$ 31. $87\overline{)5203}$ 32. $65\overline{)19\ 498}$

33. $24\overline{)49\ 325}$ 34. $51\overline{)55\ 672}$ 35. $43\overline{)88\ 297}$ 36. $33\overline{)99\ 288}$

Problèmes.

37. Un tableau de statistiques indique que le Canada a importé pour 4500 millions de dollars de pétrole en un an. Quelle a été la moyenne mensuelle des dépenses en pétrole?

38. La famille Nadeau a dépensé 60,06 $ pour acheter de l'essence en juillet. Un litre coûte 42 ¢. Quelle quantité d'essence la famille a-t-elle achetée?

39. On a compté 9856 passagers, ce soir, à l'aéroport. La moitié d'entre eux ont été retardés par le mauvais temps. Combien de passagers sont arrivés à l'heure?

40. Mme Leblanc, Mme Charette et Mme Dubois se partagent une somme de 849 $ gagnée à la loterie. Quelle est la part de chacune?

CHAPITRE 6
LA THÉORIE DES NOMBRES

Message codé

Calcule la valeur des lettres et décode le message.

1. 8 × 69 = [A]
2. 17 × [S] = 765
3. 238 ÷ [C] = 7
4. 3942 ÷ 9 = [N]
5. 4 × 110 = [E]
6. 6 × 77 = [Y]
7. 6 × 78 = [T]
8. 13 × [O] = 52
9. 3 × 154 = [Y]
10. 8 × 55 = [E]
11. 78 × [O] = 312
12. 4 × 138 = [A]
13. 3608 ÷ [L] = 41
14. 204 ÷ [C] = 6
15. 1242 ÷ [B] = 23
16. 12 × 39 = [T]
17. 34 × 78 = [D]
18. 8 × 52 = [Q]
19. 1816 ÷ 8 = [U]
20. 93 × [O] = 372
21. 6 × 389 = [R]
22. 2376 ÷ [L] = 27
23. 300 ÷ 25 = [M]
24. 2754 ÷ 51 = [B]
25. 35 × [O] = 140
26. 18 × [I] = 738

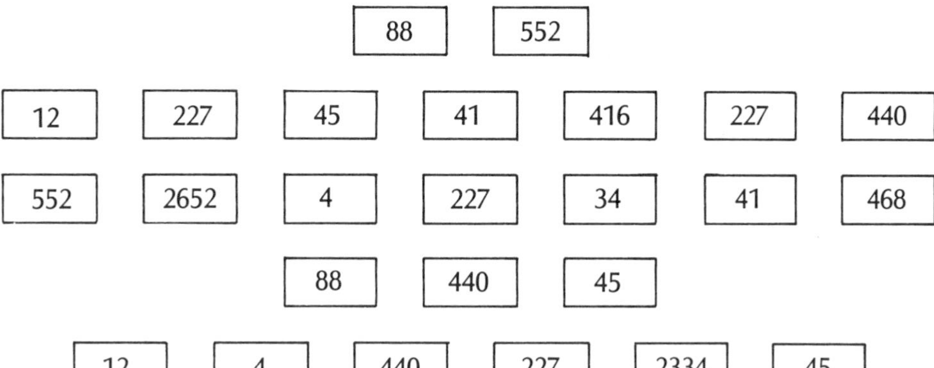

88	552					
12	227	45	41	416	227	440
552	2652	4	227	34	41	468
88	440	45				
12	4	440	227	2334	45	

Les multiples et le P.P.C.M.

En comptant par 4, tu nommes les **multiples** de 4.

4, 8, 12, 16, 20, . . .

En comptant par 5, tu nommes les **multiples** de 5.

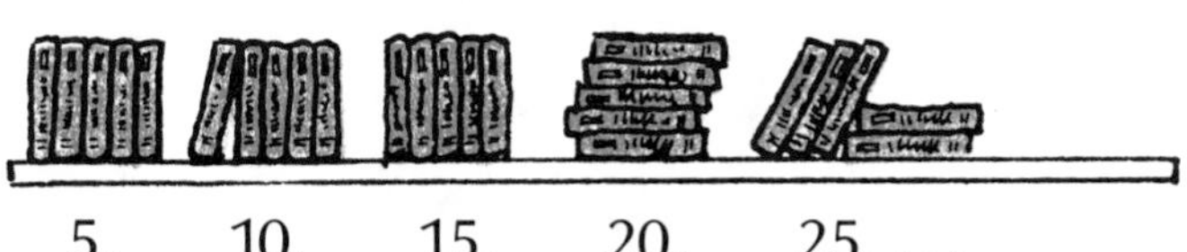

5, 10, 15, 20, 25, . . .

Multiples de 4: 4, 8, 12, 16, 20, 24, 28, 32, 36, 40, . . .
Multiples de 5: 5, 10, 15, 20, 25, 30, 35, 40, . . .

Multiples communs de 4 et 5: 20, 40,...
Plus petit commun multiple (P.P.C.M.): 20

EXERCICES

Cite les sept multiples suivants.

1. 3, 6, 9, ■, ■, ■, . . .

2. 4, 8, 12, ■, ■, ■, . . .

3. 6, 12, 18, ■, ■, ■, . . .

4. 10, 20, 30, ■, ■, ■, . . .

5. Cite les 10 premiers multiples de 7.

6. Cite les 4 multiples de 5 qui suivent 35.

7. Cite les multiples de 2 compris entre 16 et 32.

Recopie les multiples. Quel est le P.P.C.M.?

8. 3: 3, 6, 9, 12, . . .
4: 4, 8, 12, 16, . . .
P.P.C.M. = ■

9. 2: 2, 4, 6, 8, . . .
3: 3, 6, 9, 12, . . .
P.P.C.M. = ■

Dresse une liste des multiples de ces nombres. Trouve le P.P.C.M.

10. 6 et 9

11. 3 et 5

12. 4 et 7

13. 2 et 4

EXERCICES

Cite les sept multiples suivants.

1. 5, 10, 15, ■, ■, ■, . . .
2. 8, 16, 24, ■, ■, ■, . . .
3. 9, 18, 27, ■, ■, ■, . . .
4. 12, 24, 36, ■, ■, ■, . . .
5. Cite les dix premiers multiples de 8.
6. Cite les quatre multiples de 3 qui suivent 22.
7. Cite les multiples de 5 compris entre 79 et 106.
8. Cite les multiples de 4 compris entre 47 et 73.

Cite quelques multiples de ces nombres, puis indique leur P.P.C.M.

9. 6 et 8
10. 3 et 7
11. 8 et 10
12. 12 et 18
13. 12 et 16
14. 20 et 30
15. 2, 3 et 4
16. 3, 6 et 9
17. 2, 4 et 5
18. 40, 50 et 60

Problème.

19. Anne prépare son programme de conditionnement physique. Lundi, elle fera des tractions et des exercices pour les muscles abdominaux. Elle fera ensuite des exercices pour les abdominaux un jour sur deux et des tractions un jour sur trois. Combien de jours s'écouleront avant qu'elle fasse des tractions et des exercices pour les abdominaux au cours d'une même journée?

Le triangle de Pascal

Reproduis le triangle et complète-le en respectant les suites de nombres.

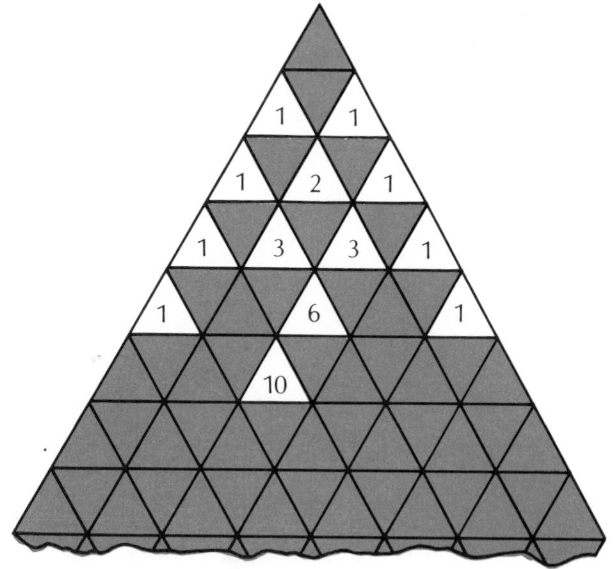

Les règles de divisibilité

2 Un nombre est divisible par 2 s'il se termine par 0, 2, 4, 6 ou 8.

$4180 \div 2 = 2090$

3 Un nombre est divisible par 3 si la somme de ses chiffres est divisible par 3.

$1623 \div 3 = 541$

4 Un nombre est divisible par 4 si le nombre formé par ses deux derniers chiffres est divisible par 4.

$1016 \div 4 = 254$

5 Un nombre est divisible par 5 s'il se termine par 0 ou 5.

$1735 \div 5 = 347$

6 Un nombre est divisible par 6 s'il est divisible par 2 et par 3.

$5622 \div 6 = 937$

9 Un nombre est divisible par 9 si la somme de ses chiffres est divisible par 9.

$3411 \div 9 = 379$

10 Un nombre est divisible par 10 s'il se termine par 0.

$7150 \div 10 = 715$

EXERCICES

Indique le nombre qui est divisible:

1.	par 5	610 ou 612	**2.**	par 10	642 ou 640
3.	par 2	313 ou 314	**4.**	par 4	534 ou 536
5.	par 3	840 ou 842	**6.**	par 9	693 ou 683
7.	par 6	482 ou 483	**8.**	par 6	424 ou 432

EXERCICES

Reproduis le tableau. Écris les quotients des divisions sans reste.

	Divisible	par 2	par 3	par 4	par 5	par 6	par 9	par 10
1.	51							
2.	69							
3.	87							
4.	270							
5.	400							
6.	516							
7.	734							
8.	705							
9.	926							
10.	5004							
11.	1116							
12.	8140							

Problème.

13. Mme Lebrun achète 42 plants de marguerites. Peut-elle les répartir également dans 3 différentes sections de son jardin?

Le carré d'un nombre

Les quadrillages représentent les carrés des trois premiers nombres.
Représente et identifie les carrés des 4 nombres suivants.

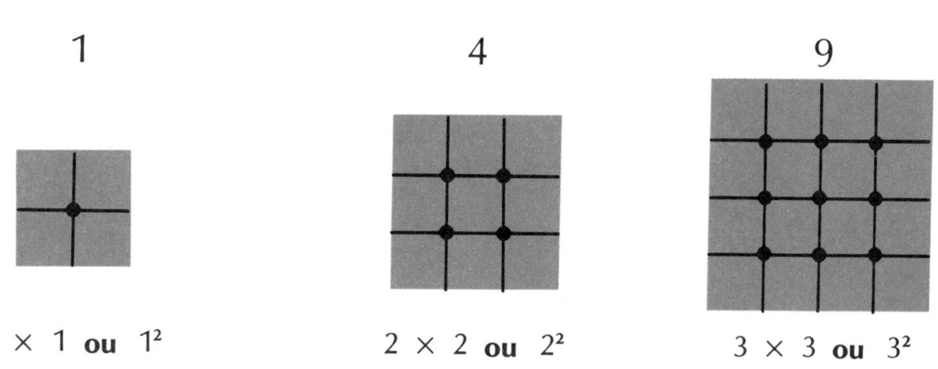

1×1 **ou** 1^2 2×2 **ou** 2^2 3×3 **ou** 3^2

Les diviseurs et le P.G.C.D.

Multiplications ayant pour produit 14

$14 = 1 \times 14$
$14 = 2 \times 7$

Diviseurs de 14: 1, 2, 7, 14

Multiplications ayant pour produit 20

$20 = 1 \times 20$
$20 = 2 \times 10$
$20 = 4 \times 5$

Diviseurs de 20: 1, 2, 4, 5, 10, 20

Diviseurs de 14: (1,) (2,) 7, 14
Diviseurs de 20: (1,) (2,) 4, 5, 10, 20

14 et 20 ont deux diviseurs **communs:** 1 et 2.

Le **plus grand commun diviseur (P.G.C.D.)** de 14 et de 20 est 2.

EXERCICES

Complète. Dresse la liste des diviseurs.

1. $24 = 1 \times$ ■ $3 \times$ ■
$2 \times$ ■ $4 \times$ ■

Diviseurs de 24: ■, ■, ■, ■,
■, ■, ■, ■

2. 54: $1 \times$ ■ $3 \times$ ■
$2 \times$ ■ $6 \times$ ■

Diviseurs de 54: ■, ■, ■, ■,
■, ■, ■, ■

3. 15 **4.** 28 **5.** 13 **6.** 21

Vrai ou faux?

7. 3 est un diviseur commun de 18 et 15.
8. 9 est un diviseur commun de 81 et 89.
9. 16 est un diviseur commun de 16 et 32.
10. 5 est un diviseur commun de 35 et 48.
11. 8 est un diviseur commun de 80 et 120.

Dresse la liste des diviseurs communs de ces nombres. Indique le P.G.C.D.

12. 4 et 6 **13.** 6 et 8 **14.** 9 et 15
15. 12 et 18 **16.** 3 et 7 **17.** 13 et 19
18. 24 et 32 **19.** 18 et 30 **20.** 7 et 9

EXERCICES

Écris toutes les multiplications qui ont ces nombres pour produits.
Dresse la liste des diviseurs.

1. 36	**2.** 23	**3.** 48	**4.** 56
5. 49	**6.** 47	**7.** 72	**8.** 51
9. 60	**10.** 100	**11.** 19	**12.** 64

Trouve le P.G.C.D.

13. 16 et 18	**14.** 17 et 29	**15.** 63 et 90
16. 25 et 38	**17.** 42 et 33	**18.** 15 et 26
19. 39 et 52	**20.** 100 et 120	**21.** 48 et 60
22. 45 et 75	**23.** 14 et 49	**24.** 60 et 90

Problèmes.

25. Madame Boisvert prépare 54 biscuits au gruau et 57 biscuits aux brisures de chocolat. Combien peut-elle remplir de boîtes pour que chacune contienne le même nombre de biscuits de chaque sorte?

26. Est-ce que 9 enfants peuvent partager également 81 pièces d'un cent et 54 pièces de 5 cents?

27. Mme Frank veut répartir également 21 livres de mathématique et 49 livres de lecture sur des étagères. Combien lui en faut-il?

28. M. Dubois range 24 livres rouges, 60 livres bleus et 48 livres verts dans des boîtes qui ne contiennent pas plus de 20 livres chacune. Combien de boîtes remplit-il avec un même nombre de livres de chaque couleur?

Le cube d'un nombre

Les dessins représentent les cubes des trois premiers nombres entiers.
Représente et identifie les cubes des quatre nombres suivants.

1

$1 \times 1 \times 1$ **ou** 1^3

8

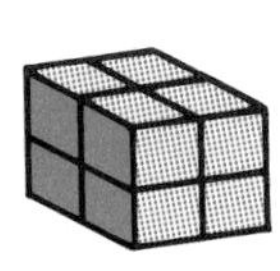

$2 \times 2 \times 2$ **ou** 2^3

27

$3 \times 3 \times 3$ **ou** 3^3

Les nombres premiers et les nombres composés

19 est divisible seulement par 1 et 19.

Les diviseurs de 19 sont 1 et 19.

Un nombre qui a **seulement deux diviseurs** est **un nombre premier**.

25 est divisible par 1, 5 et 25.
Les diviseurs de 25 sont 1, 5 et 25.

Un nombre qui a **plus de deux diviseurs** est **un nombre composé**.

1	2	3	4	5	6	7	8	9	10
11	12	13	14	15	16	17	18	19	20
21	22	23	24	25	26	27	28	29	30
31	32	33	34	35	36	37	38	39	40
41	42	43	44	45	46	47	48	49	50
51	52	53	54	55	56	57	58	59	60
61	62	63	64	65	66	67	68	69	70
71	72	73	74	75	76	77	78	79	80
81	82	83	84	85	86	87	88	89	90
91	92	93	94	95	96	97	98	99	100

EXERCICES

Dresse la liste des diviseurs de ces nombres. Sont-ils premiers ou composés?

1. 4 **2.** 2 **3.** 13 **4.** 7
5. 49 **6.** 22 **7.** 41 **8.** 24

Indique les nombres premiers.

9. 10, 11, 12, 13 **10.** 20, 21, 22, 23 **11.** 3, 5, 7, 9

Indique les nombres composés.

12. 14, 15, 16, 17 **13.** 30, 31, 32, 33 **14.** 70, 71, 72, 73

15. **a.** Cite tous les nombres premiers inférieurs à 20.
b. Cite tous les nombres composés inférieurs à 20.
c. Cite tous les nombres premiers compris entre 20 et 30.

EXERCICES

Est-ce un nombre premier ou composé?

1. 17	**2.** 27	**3.** 45	**4.** 57
5. 61	**6.** 51	**7.** 63	**8.** 73
9. 95	**10.** 84	**11.** 83	**12.** 93
13. 29	**14.** 49	**15.** 69	**16.** 200
17. 108	**18.** 111	**19.** 101	**20.** 117

21. Cite les nombres premiers compris entre 20 et 50.

22. Cite les nombres composés compris entre 30 et 45.

Problèmes.

23. Tu as deux sacs de bonbons. L'un contient 57 bonbons et l'autre 59. Lequel peux-tu partager équitablement avec des amis?

24. Quelle quantité de livres est-il impossible de répartir également entre plusieurs personnes: 12 ou 13?

25. Quel est le plus grand nombre premier inférieur à 21?

26. Quel est le plus petit nombre premier supérieur à 49?

27. Quelle règle de divisiblité indique que 171 n'est pas un nombre premier?

28. Quelle règle de divisibilité indique que 51 est un nombre composé?

Couples premiers

Les nombres premiers qui ont une différence de 2 s'appellent des **couples premiers**.

Cherche les sept autres couples premiers inférieurs à 100.

Les facteurs ou diviseurs premiers

Diviseurs de 72: 1, (2), (3), 4, 6, 8, 9, 12, 18, 24, 36, 72

Seuls 2 et 3 sont des **nombres premiers**.

Les **facteurs** ou **diviseurs premiers** de 72 sont 2 et 3.

On peut trouver les **facteurs premiers** de 72 en faisant **l'arbre** de ses facteurs.

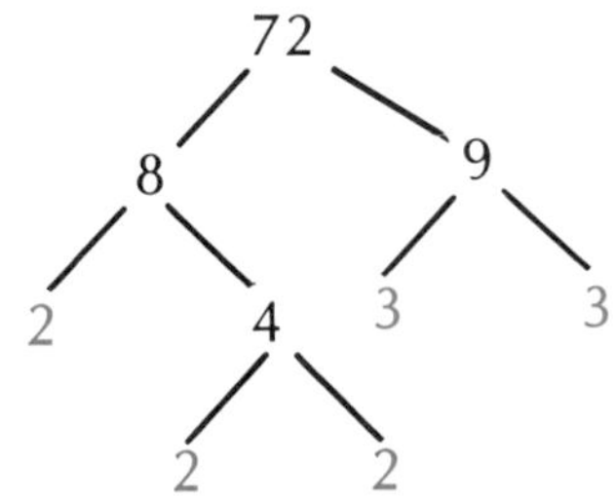

Tout nombre peut être représenté sous forme de produit de ses facteurs premiers.

$72 = 2 \times 2 \times 2 \times 3 \times 3$
$\quad = 2^3 \times 3^2$

En multipliant les facteurs premiers entre eux, on obtient d'autres facteurs.

Exemple: $2 \times 2 \times 3 = 12$ est un facteur de 72.

EXERCICES

Complète.

1.

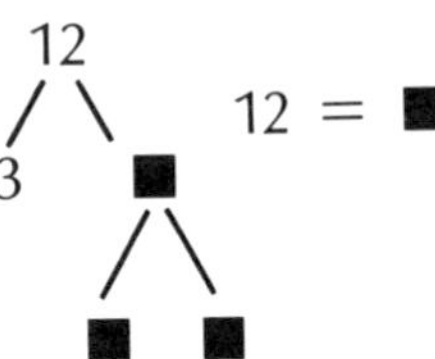

12 = ■ × ■ × ■

2.

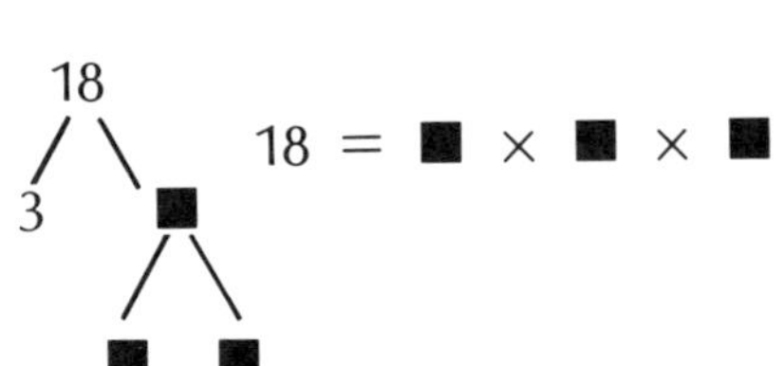

3. 20 **4.** 24 **5.** 27 **6.** 30

Écris avec les exposants.

7. $3 \times 3 \times 2 \times 2$ **8.** $2 \times 2 \times 5$ **9.** $7 \times 7 \times 2 \times 2 \times 2$

Complète.

10.

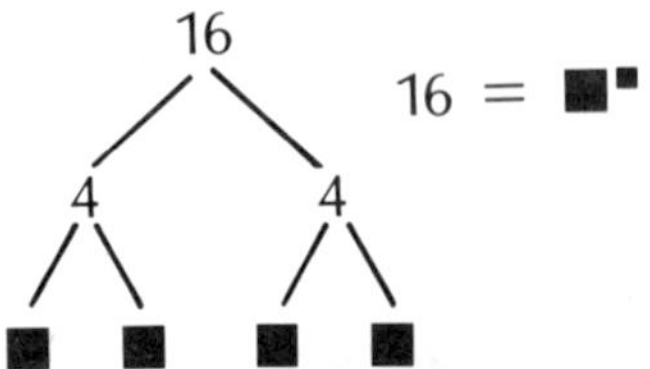

16 = ■$^{■}$

11.

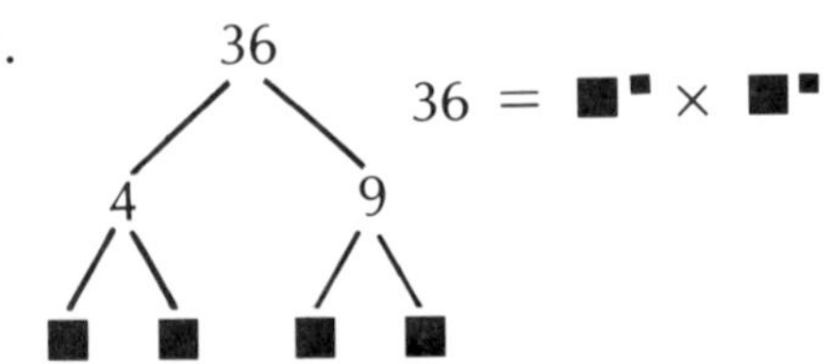

EXERCICES

Décompose les nombres en produits de facteurs premiers. N'utilise pas d'exposants.

1. 42	**2.** 45	**3.** 52	**4.** 36
5. 66	**6.** 77	**7.** 63	**8.** 75

Décompose les nombres en produits de facteurs premiers. Utilise les exposants.

9. 60	**10.** 54	**11.** 24	**12.** 100
13. 48	**14.** 27	**15.** 32	**16.** 72
17. 125	**18.** 64	**19.** 81	**20.** 500

Trouve le P.G.C.D. en t'aidant des arbres de facteurs.

21. 45 et 36	**22.** 26 et 55
23. 60 et 72	**24.** 70 et 98
25. 64 et 256	**26.** 175 et 81
27. 96 et 144	**28.** 48, 32 et 72

RÉVISION

Cite les multiples de ces nombres. Indique le P.P.C.M.

1. 4 et 6 **2.** 10 et 12 **3.** 5 et 6

Est-ce que 34 750 est divisible par:

4. 2? **5.** 5? **6.** 9? **7.** 4? **8.** 6?

Dresse la liste des diviseurs de ces nombres. Indique le P.G.C.D.

9. 6 et 9 **10.** 12 et 18 **11.** 24 et 36

Est-ce un nombre premier ou composé?

12. 19 **13.** 49 **14.** 50 **15.** 61 **16.** 87

Décompose les nombres en produits de facteurs premiers. Utilise les exposants.

17. 8 **18.** 20 **19.** 100 **20.** 60 **21.** 90

L'ordre des opérations

Applique la règle pour simplifier les expressions numériques.

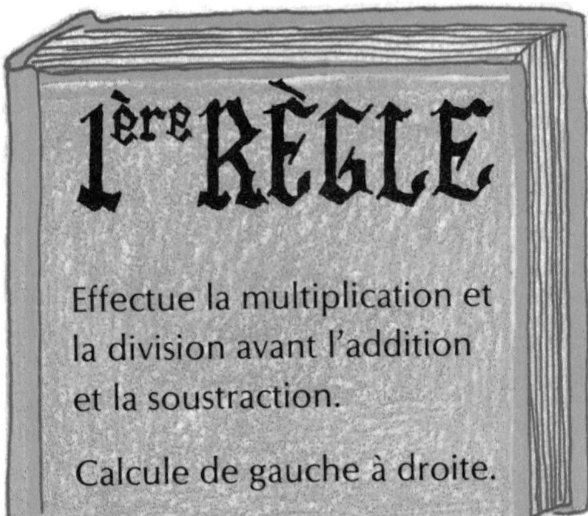

45 − 6 ÷ 2
= 45 − 3
= 42

38 + 9 × 2 − 6 + 2
= 38 + 18 − 6 + 2
= 56 − 6 + 2
= 50 + 2
= 52

EXERCICES

Recopie et simplifie les expressions.

1. 68 + 9 × 3
= 68 + ■
= ■

2. 49 − 2 × 4 + 6
= 49 − ■ + 6
= ■ + 6
= ■

3. 25 ÷ 5 + 6 − 4
= ■ + 6 − 4
= ■ − 4
= ■

4. 15 − 3 ÷ 1 + 2
= 15 − ■ + 2
= ■ + 2
= ■

5. 27 + 4 − 8 ÷ 2
= 27 + 4 − ■
= 31 − ■
= ■

6. 60 + 16 ÷ 4 − 4
= 60 + ■ − 4
= ■ − 4
= ■

7. 46 − 3 + 2

8. 97 + 6 ÷ 2

9. 7 + 5 × 3 − 6

10. 18 ÷ 2 + 4 × 3

EXERCICES

Recopie et simplifie les expressions.

1. $35 + 6 \times 3$

2. $15 \div 5 - 2$

3. $27 - 6 + 4$

4. $18 \div 3 \div 2$

5. $90 - 48 \div 6$

6. $35 + 7 \times 4$

7. $12 \times 2 \div 8$

8. $16 + 12 - 3$

9. $16 - 2 + 3 \times 3$

10. $9 \times 8 - 4 + 2$

11. $79 + 42 \div 7 - 18$

12. $150 - 10 + 5 \times 2$

13. $16 \div 2 + 25 \div 5$

14. $84 - 6 \times 6 + 6$

15. $15 + 2 \times 2 + 3$

16. $60 - 4 + 9 \div 3$

17. $18 \times 10 + 35 \div 7$

18. $24 + 28 \div 4 - 2$

19. $73 - 20 \div 4 + 1$

20. $32 + 38 - 6 \div 6$

Trouve les expressions correspondantes.

21. quatre moins trois fois un

22. vingt-cinq divisé par cinq plus six

23. la différence entre six fois huit et dix-sept

24. la somme de cinquante-deux et trente divisé par dix

25. la différence entre deux fois trois et quatre-vingt-dix fois trois

26. la différence entre neuf fois deux et neuf fois onze

AVEC LA CALCULATRICE

a. $5001 - 3584 + 2072 \div 37$

b. $157 - 30\,174 \div 321 + 168$

c. $7934 + 6526 - 1487$

d. $302 + 1050 \div 14 + 866$

e. $48 \times 52 - 1081 \div 47$

L'ordre des opérations

Applique la règle pour simplifier les expressions numériques.

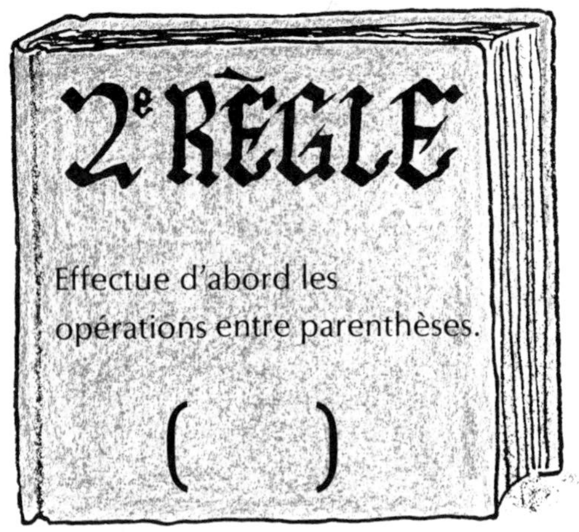

$50 \times 2 + 3$
$= 100 + 3$
$= 103$

$50 \times (2 + 3)$
$= 50 \times 5$
$= 250$

Compare.

$16 + 4 - 5 + 8$
$= 23$

$(16 + 4) - (5 + 8)$
$= 20 - 13$
$= 7$

Compare.

EXERCICES

Recopie et simplifie les expressions.

1. $8 \times (15 + 25)$
$= 8 \times \blacksquare$
$= \blacksquare$

2. $86 + (65 - 35)$
$= 86 + \blacksquare$
$= \blacksquare$

3. $(67 + 80) \times (6 - 5)$
$= \blacksquare \times \blacksquare$
$= \blacksquare$

4. $(89 - 20) \div (12 - 9)$
$= \blacksquare \div \blacksquare$
$= \blacksquare$

5. $42 \times (15 - 7)$
$= 42 \times \blacksquare$
$= \blacksquare$

6. $100 \div (19 - 15)$
$= 100 \div \blacksquare$
$= \blacksquare$

7. $(16 + 4) \times (8 - 2)$
$= \blacksquare \times \blacksquare$
$= \blacksquare$

8. $(25 + 9) \div (60 - 43)$
$= \blacksquare \div \blacksquare$
$= \blacksquare$

9. $11 + (40 - 25)$

10. $(9 + 3) \div (8 - 4)$

11. $72 \div (14 - 5)$

12. $(16 - 8) \times (24 + 6)$

EXERCICES

Simplifie les expressions.

1. $3 \times (15 - 4)$
2. $(60 + 90) \div (6 - 2)$
3. $(8 \div 4) \times (95 - 25)$
4. $8 \times (50 - 40)$
5. $150 \div (72 \div 12)$
6. $(44 - 24) \times (35 - 15)$
7. $(56 - 34) \times (126 + 74)$
8. $600 \div (285 + 15)$
9. $486 \times (85 - 85)$
10. $(21 - 21) \times (21 - 21)$
11. $592 \times (793 - 793)$
12. $(2 \times 72) \div (720 \div 5)$
13. $(46 \div 2) \times (18 - 18)$
14. $847 \div (11 \times 11)$

Simplifie, puis remplace ■ par $<$, $=$ ou $>$.

15. $88 \times (8 - 8)$ ■ $8 + 8 + 8 - 8$
16. $(6 \div 6) \times (6 - 6)$ ■ $6 \div 6 - 6 \div 6$
17. $4 - 4 + 4$ ■ $4 \times (4 \div 4)$
18. $7 \times 7 - (7 - 7)$ ■ $77 - (7 + 7)$
19. $(9 \times 9) \div (9 \times 9)$ ■ $9 \times (99 \div 99)$
20. $3 \times (33 - 33)$ ■ $3 \times 3 - (3 + 3)$

Trouve les expressions correspondantes.

21. deux fois la somme de 14 et 22
22. neuf fois la différence entre 150 et 127
23. la somme de 6 et 9 divisée par la différence entre 31 et 28
24. cent fois la différence entre 6 et 5
25. dix-sept fois la somme de 20 et 3

Quatre chiffres obstinés

Trouve 10 expressions numériques égales aux nombres compris entre 1 et 10 en te servant seulement du chiffre 5. Ce dernier apparaît 4 fois dans chaque expression.

Voici un exemple pour 10:

$$(5 + 5) - (5 - 5) = 10$$

Les machines numériques

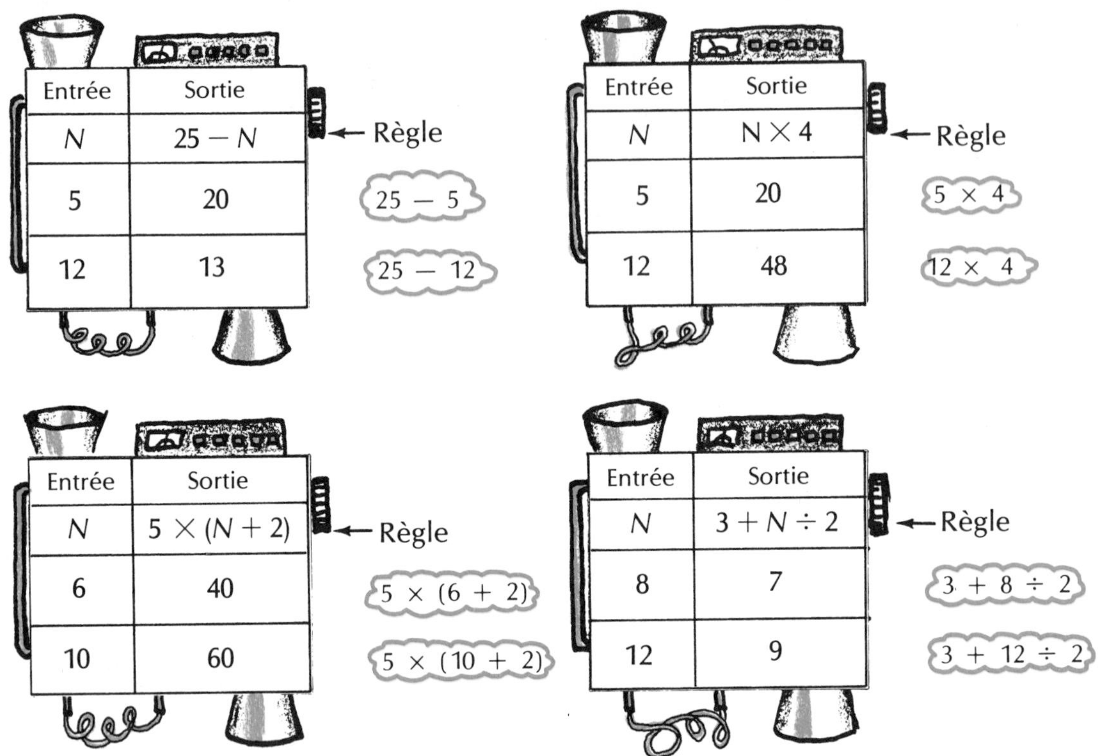

EXERCICES

Reproduis et complète.

1.

Entrée	Sortie
N	$9 + N$
6	
8	
100	

2.

Entrée	Sortie
N	$N - 11$
15	
21	
60	

3.

Entrée	Sortie
N	$7 \times N$
4	
9	
50	

Reproduis les tableaux. Respecte l'ordre des opérations pour les compléter.

4.

Entrée	Sortie
N	$(20 - N) \times 2$
12	
9	
4	

5.

Entrée	Sortie
N	$(N \times 5) + 3$
6	
9	
20	

6.

Entrée	Sortie
N	$6 + N \div 3$
6	
12	
21	

EXERCICES

Reproduis et complète.

1.

Entrée	Sortie
N	$15 + N$
8	
16	
28	

2.

Entrée	Sortie
N	$38 - N$
11	
17	
29	

3.

Entrée	Sortie
N	$N \times 8$
5	
12	
30	

4.

Entrée	Sortie
N	$N \div 6$
24	
42	
540	

5.

Entrée	Sortie
N	$52 - N$
9	
18	
29	

6.

Entrée	Sortie
N	$60 \div N$
2	
4	
5	

Reproduis les tableaux. Respecte l'ordre des opérations pour les compléter.

7.

Entrée	Sortie
N	$(N + 3) \times 6$
2	
5	
8	

8.

Entrée	Sortie
N	$5 \times N - 4$
6	
9	
20	

9.

Entrée	Sortie
N	$(N + 9) \times 7$
1	
2	
11	

10.

Entrée	Sortie
N	$48 \div (N + 3)$
3	
5	
9	

11.

Entrée	Sortie
N	$N \times 4 \div 2$
8	
20	
60	

12.

Entrée	Sortie
N	$(N \div 5) + 3$
15	
40	
100	

Chiffres romains

I = 1 V = 5 X = 10 L = 50 C = 100 D = 500 M = 1000

Exprime normalement:

a.

b.

c.

d.

e.

La résolution d'une équation

$N - 9 = 16$ est une équation. Elle signifie:
«Un nombre N moins 9 égale 16.»

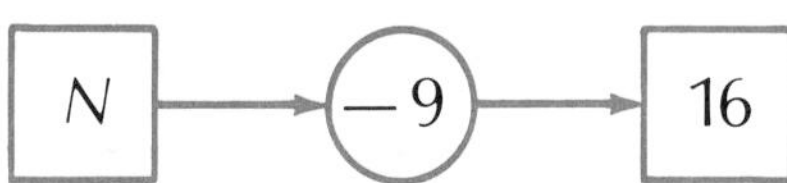

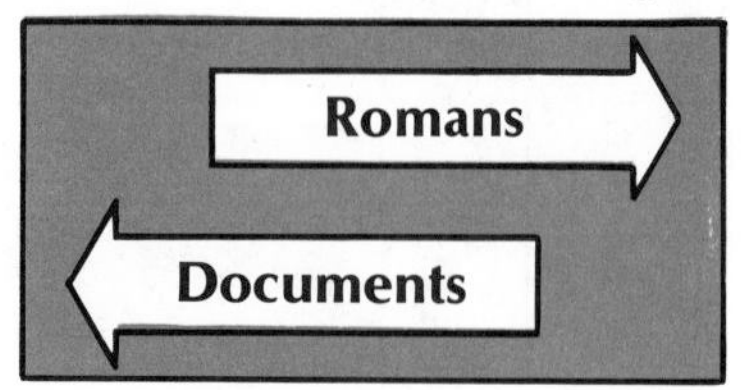

L'organigramme représentant **l'opération réciproque** te permet de trouver **l'équation réciproque**.

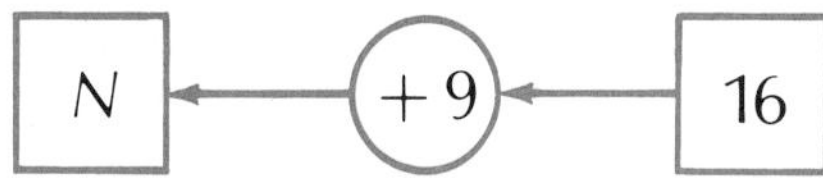

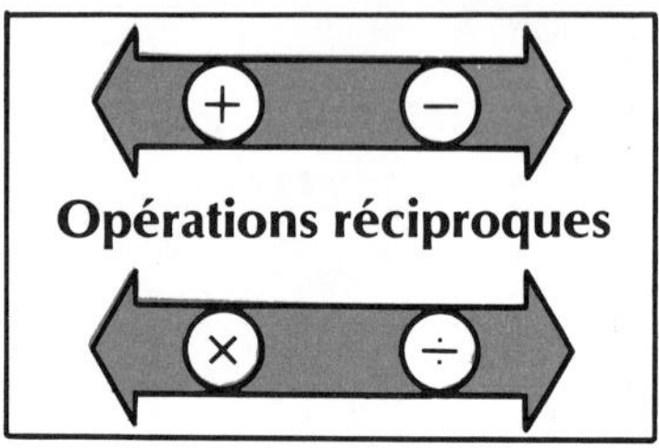

$16 + 9 = N$ est l'équation réciproque de $N - 9 = 16$

$N = 25$

25 est la solution de l'équation $N - 9 = 16$

Pour vérifier, remplace N par 25: $25 - 9 = 16$

EXERCICES

Écris l'organigramme représentant l'opération réciproque et l'équation réciproque. Résous l'équation. Vérifie la réponse.

1. $6 + N = 11$

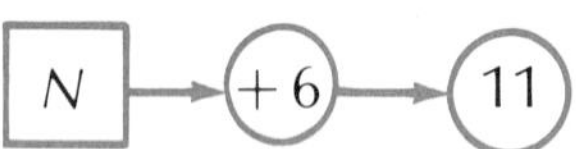

2. $N \div 2 = 12$

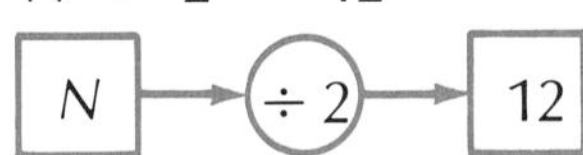

3. $N - 17 = 12$

4. $9 \times N = 108$

5. $N \times 6 = 90$

6. $N \div 8 = 4$

7. $9 + N = 32$

8. $7 \times N = 56$

EXERCICES

Résous l'équation, puis vérifie.

1. $8 + N = 71$	**2.** $N - 28 = 4$	**3.** $N \times 3 = 36$
4. $N \div 9 = 8$	**5.** $N - 45 = 29$	**6.** $N \div 8 = 6$
7. $62 + N = 80$	**8.** $30 \times N = 150$	**9.** $N \div 4 = 25$
10. $N - 85 = 17$	**11.** $18 + N = 92$	**12.** $N \times 12 = 24$

Résous les équations afin de décoder le message.

13. $20 \times \boxed{E} = 60$	**14.** $27 + \boxed{I} = 104$	**15.** $\boxed{Q} - 19 = 27$
16. $\boxed{A} \div 3 = 47$	**17.** $\boxed{N} \times 56 = 504$	**18.** $25 \times \boxed{U} = 200$
19. $15 \times \boxed{U} = 120$	**20.** $\boxed{O} \div 9 = 25$	**21.** $\boxed{S} \times 99 = 198$
22. $\boxed{T} - 85 = 102$	**23.** $\boxed{E} \times 51 = 153$	**24.** $\boxed{L} \div 32 = 8$
25. $\boxed{N} + 195 = 204$	**26.** $\boxed{V} - 75 = 113$	**27.** $\boxed{A} - 58 = 83$

[188] [77] [188] [3]   [256] [3] [2]   [3́] [46] [8] [141] [187] [77] [225] [9] [2] !

Écris et résous l'équation.

28. Ce nombre, divisé par 11, est égal à 12.

29. 18 fois ce nombre donne 90.

30. Ce nombre moins 47 donne 48.

31. 235 plus ce nombre égale 604.

Carrés et nombres impairs

Reproduis le tableau et complète-le. Il te montrera comment les carrés des nombres et les nombres impairs sont apparentés.

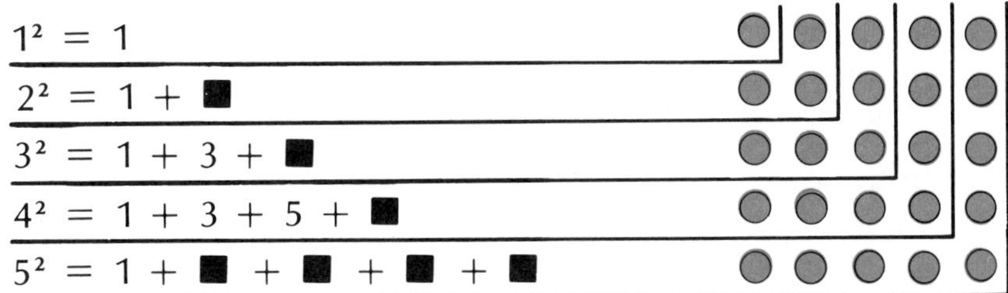

Continue jusqu'à 10.

Les équations

Jacques a acheté un livre de 1,95 $.
Il lui reste 3,15 $.
Combien avait-il au départ?

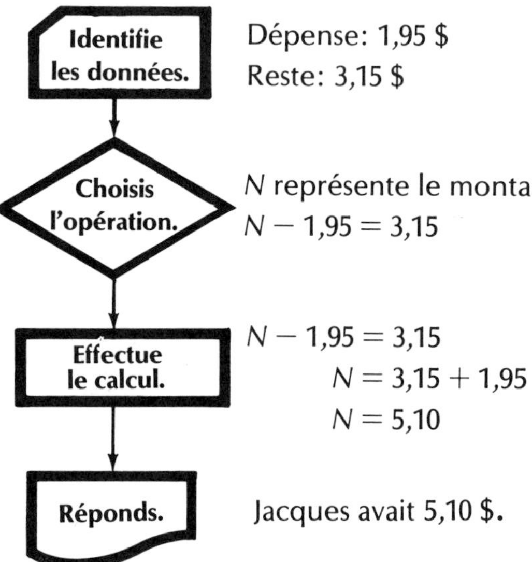

Dépense: 1,95 $
Reste: 3,15 $

N représente le montant d'argent initial.
$N - 1{,}95 = 3{,}15$

$N - 1{,}95 = 3{,}15$
$N = 3{,}15 + 1{,}95$
$N = 5{,}10$

Jacques avait 5,10 $.

EXERCICES

Écris une équation pour représenter les situations suivantes.

1. Il y a *N* dollars sur un compte bancaire. On effectue un versement de 550 $. Maintenant, il y a 850 $.
2. Thomas a *N* crayons. Il en perd 3. Il lui en reste 4.
3. Dans la classe de Mme Boucher il y a 18 filles et *N* garçons. Il y a 39 enfants en tout.
4. Il y a 10 étages de *N* appartements chacun dans un immeuble. L'immeuble comprend 50 appartements en tout.
5. Un bijoutier possédait *N* montres à affichage numérique en début de journée. Il en a vendu 7. Il lui en reste 5.
6. On trouve 37 en soustrayant 15 de ce nombre.
7. Vingt-six fois *N* donne 364.
8. On obtient 17 en divisant ce nombre par 3.

EXERCICES

Écris et résous l'équation.

1. Lors d'une vente à l'encan, Marie achète 12 livres. Il y a 8 romans policiers et le reste est composé d'ouvrages de science-fiction. Combien de romans de science-fiction a-t-elle achetés?
2. Quand on rend un livre en retard, on paie une amende de 25 ¢ par jour à la bibliothèque. Marc a dû payer 1,50 $. Combien avait-il de jours de retard?
3. Douze plus ■ égalent 56.
4. Cinquante-six égalent 12 plus un certain nombre. Lequel?
5. Quel nombre ajouté à 35 donne 49?
6. De quel nombre doit-on soustraire 9 pour obtenir 56?
7. Quel nombre doit-on diviser par 6 pour obtenir 15?
8. Quel nombre doit-on multiplier par 7 pour obtenir 210?

RÉVISION

Recopie et simplifie les expressions.

1. $17 - 8 \times 2$
2. $50 + 8 \div 2 - 10$
3. $(21 \div 3) + (6 \times 7)$
4. $46 \times (98 - 98)$

Reproduis et complète les tableaux.

5.

Entrée	Sortie
N	$75 - N$
29	
17	
36	

6.

Entrée	Sortie
N	$48 \div (N \times 2)$
8	
12	
24	

7.

Entrée	Sortie
N	$80 - N \times 5$
6	
12	
16	

Calcule la valeur de N. Vérifie ta réponse.

8. $N - 45 = 27$
9. $N \div 8 = 11$
10. $64 + N = 100$

TEST CHAPITRE 6

Cite les multiples de ces nombres. Indique leur P.P.C.M.

1. 6 et 9 **2.** 6 et 8 **3.** 12 et 16

Est-ce que 2314 est divisible par:

4. 10? **5.** 2? **6.** 3? **7.** 4? **8.** 9?

Est-ce que 708 est divisible par:

9. 10? **10.** 2? **11.** 3? **12.** 4? **13.** 5?

Dresse la liste des diviseurs de chaque nombre. Indique le P.G.C.D.

14. 15 et 30 **15.** 28 et 35 **16.** 26 et 39

Est-ce un nombre **premier** ou **composé**?

17. 12 **18.** 13 **19.** 51 **20.** 52 **21.** 83

Décompose les nombres en produits de facteurs premiers. Utilise les exposants.

22. 28 **23.** 36 **24.** 200 **25.** 300 **26.** 108

Recopie et simplifie les expressions.

27. $40 + 9 \times 5$ **28.** $33 - 12 + 10 \div 2$

29. $92 \div (6 - 4)$ **30.** $(7 + 2) \div (19 - 16)$

Calcule la valeur de N. Vérifie ta réponse.

31. $N - 100 = 37$ **32.** $N \div 25 = 8$ **33.** $6 \times N = 90$

Reproduis et complète les tableaux.

34.

Entrée	Sortie
N	$86 + N$
9	
26	
104	

35.

Entrée	Sortie
N	$48 \div (N \times 2)$
3	
6	
8	

36.

Entrée	Sortie
N	$16 + N \div 5$
10	
25	
40	

REPRISE LA MESURE

Choisis l'unité de longueur appropriée pour mesurer:

1. l'épaisseur d'un livre
2. la largeur d'un livre
3. la hauteur d'un arbre
4. une distance parcourue en autobus

5. Mesure la longueur du rectangle.
6. Mesure sa largeur.
7. Calcule son aire.

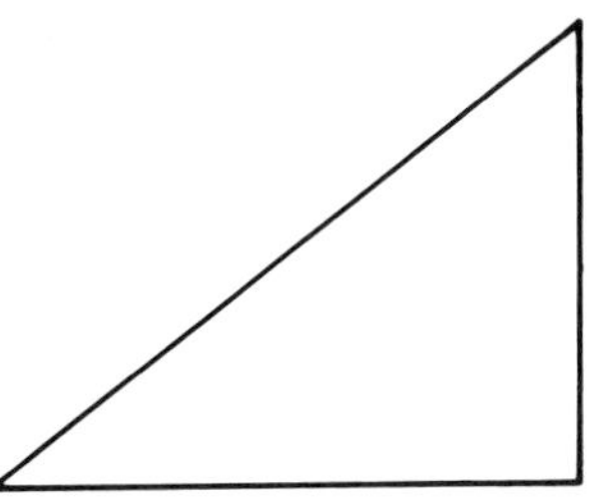

8. Mesure la base du triangle.
9. Mesure sa hauteur.
10. Calcule son aire.

(Pi = 3,14)

11. Mesure le diamètre du cercle.
12. Mesure son rayon.
13. Calcule sa circonférence.
14. Calcule son aire.

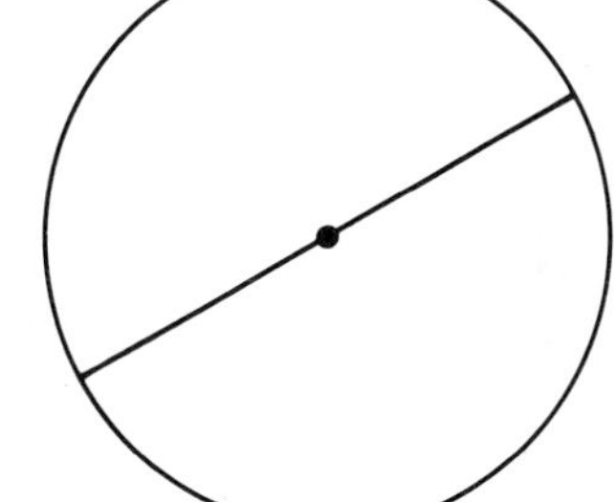

15. Calcule le volume de la boîte.

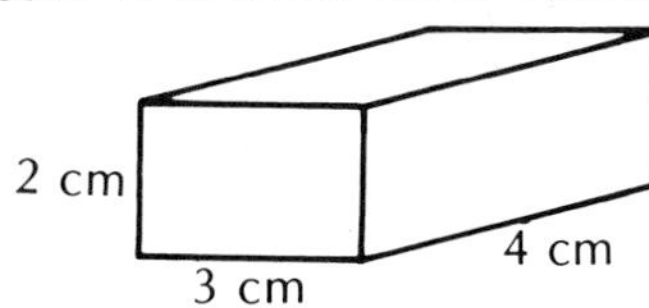

Recopie et complète.

16. 3 kg = ■ g
17. 6000 kg = ■ t
18. 2.5 t = ■ kg
19. 8 L = ■ mL
20. 2500 mL = ■ L
21. 5000 L = ■ kL

22. Jean a commencé à lire à 10:45. Il s'est arrêté à 13:15 pour aider sa mère. Pendant combien de temps a-t-il lu?

CHAPITRE 7

LES FRACTIONS

En avant, marche!

C'est la mi-temps d'une partie de football. Six fanfares défilent, en différentes formations. Chacune se compose de 18 membres.

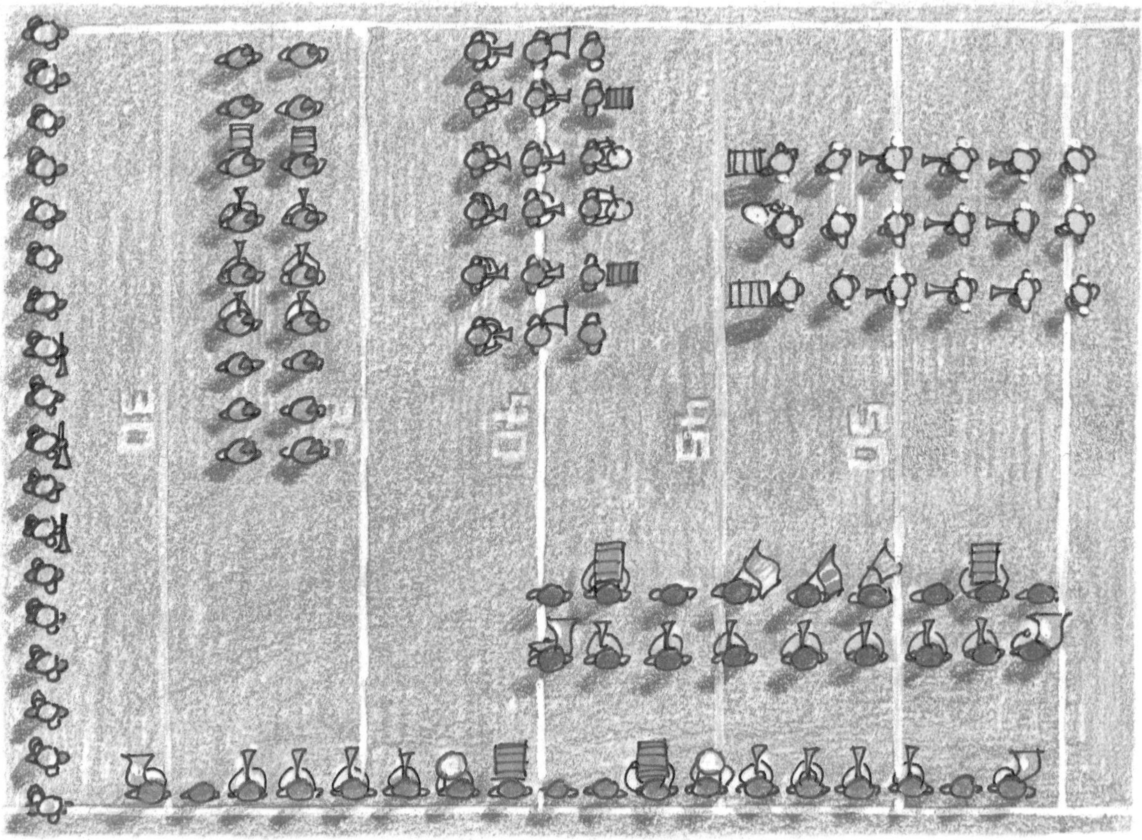

1. Exprime chaque formation sous forme de produit de deux facteurs.
2. Quelles formations rectangulaires peut-on obtenir avec 36 membres?
3. Combien de formations peut-on obtenir avec 9 joueurs?
4. Complète le tableau ci-dessous pour prédire le nombre de formations réalisables avec 72 joueurs et 144 joueurs. Vérifie tes prédictions en dressant la liste de tous les couples de facteurs.

Joueurs	9	18	36	72	144
Formations	?	6	?	?	?

Les fractions

$\frac{1}{3}$ du tambour est bleu.

3 joueurs de cuivres sur 5 jouent de la trompette.

$\frac{\text{1 partie bleue}}{\text{3 parties en tout}}$

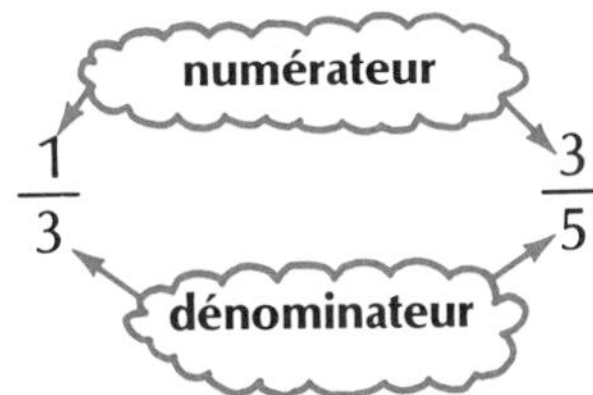

$\frac{\text{3 joueurs de trompette}}{\text{5 joueurs de cuivres}}$

EXERCICES

Quelle fraction de la figure est coloriée?

1.

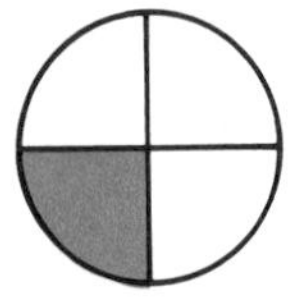

2.

3.

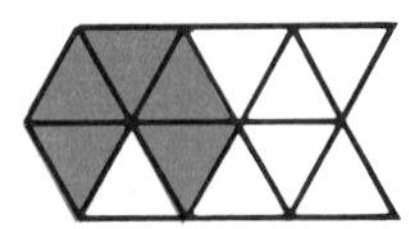

Quelle fraction de l'ensemble est coloriée?

4.

5.

6.

7.

8.

9.

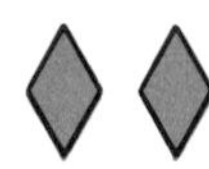

Dessine un rectangle, puis colorie-le pour représenter la fraction.

10. $\frac{3}{8}$ **11.** $\frac{5}{6}$ **12.** $\frac{7}{10}$ **13.** $\frac{1}{5}$ **14.** $\frac{8}{9}$

EXERCICES

Quelle fraction de la figure est coloriée?

1. 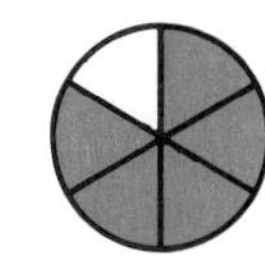

2. 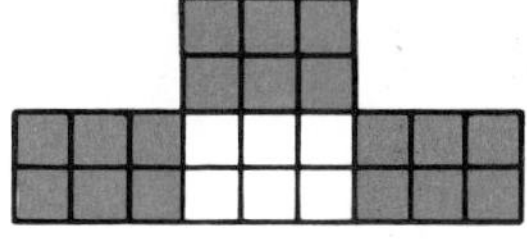

3. 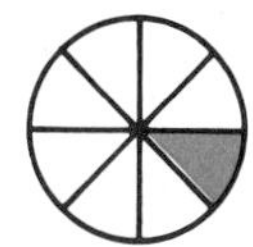

Quelle fraction de l'ensemble est coloriée?

4. 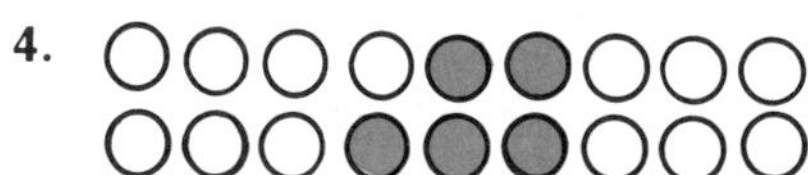

5. 

6. 

Les touches de piano noires représentent ■ de l'ensemble.

7. 

8. 

9. 

Dessine un rectangle, puis colorie-le pour représenter la fraction.

10. $\frac{1}{3}$ **11.** $\frac{3}{4}$ **12.** $\frac{1}{8}$ **13.** $\frac{4}{5}$ **14.** $\frac{3}{10}$

Note-le bien!

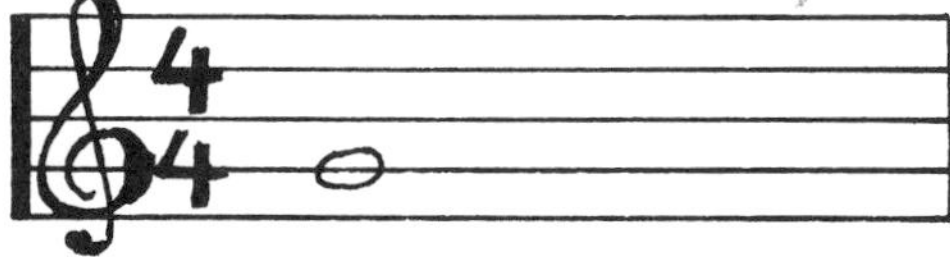

un, deux, trois, quatre

Une ronde

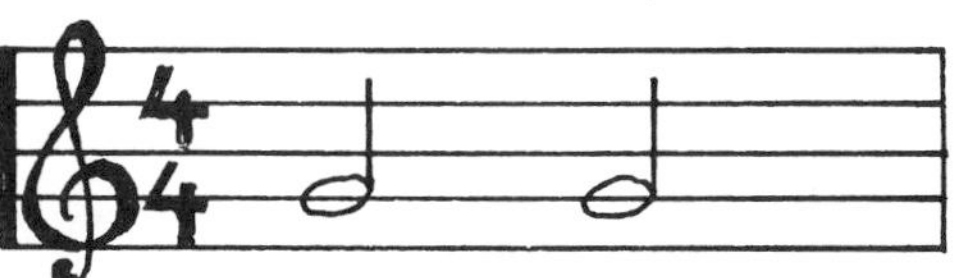

un, deux, trois, quatre

Deux blanches

un, deux, trois, quatre

Quatre noires

un, deux, trois, quatre

Huit croches

Une ronde a la même durée que:

a. ■ blanches

b. ■ noires

c. ■ croches

Une blanche a la même durée que:

a. ■ noires

b. ■ croches

Les fractions équivalentes

Une chorale comprend 24 enfants.
$\frac{1}{8}$ d'entre eux portent des lunettes.
Combien d'enfants portent des lunettes?

On peut résoudre ce problème en cherchant une **fraction équivalente**.

$$\frac{1}{8} = \frac{1 \times 3}{8 \times 3} = \frac{3}{24}$$

Trois enfants portent des lunettes.

Pour trouver une fraction équivalente, on mulitplie le numérateur et le dénominateur par un même nombre.

EXERCICES

Recopie et complète.

1. $\frac{1}{4} = \frac{1 \times 2}{4 \times 2} = \frac{\blacksquare}{\blacksquare}$ **2.** $\frac{1}{4} = \frac{1 \times 3}{4 \times 3} = \frac{\blacksquare}{\blacksquare}$ **3.** $\frac{1}{4} = \frac{1 \times 4}{4 \times 4} = \frac{\blacksquare}{\blacksquare}$

4. $\frac{1}{5} = \frac{1 \times 2}{5 \times 2} = \frac{\blacksquare}{\blacksquare}$ **5.** $\frac{1}{5} = \frac{1 \times 5}{5 \times 5} = \frac{\blacksquare}{\blacksquare}$ **6.** $\frac{1}{5} = \frac{1 \times 10}{5 \times 10} = \frac{\blacksquare}{\blacksquare}$

7. $\frac{2}{3} = \frac{2 \times 3}{3 \times 3} = \frac{\blacksquare}{\blacksquare}$ **8.** $\frac{2}{3} = \frac{2 \times 5}{3 \times 5} = \frac{\blacksquare}{\blacksquare}$ **9.** $\frac{2}{3} = \frac{2 \times 6}{3 \times 6} = \frac{\blacksquare}{\blacksquare}$

10. $\frac{5}{7} = \frac{5 \times \blacksquare}{7 \times \blacksquare} = \frac{20}{28}$ **11.** $\frac{2}{5} = \frac{2 \times \blacksquare}{5 \times \blacksquare} = \frac{4}{10}$ **12.** $\frac{3}{8} = \frac{3 \times \blacksquare}{8 \times \blacksquare} = \frac{9}{24}$

13. $\frac{1}{2} = \frac{\blacksquare}{10}$ **14.** $\frac{3}{4} = \frac{\blacksquare}{8}$ **15.** $\frac{3}{10} = \frac{9}{\blacksquare}$ **16.** $\frac{8}{11} = \frac{16}{\blacksquare}$

EXERCICES

Recopie et complète.

1. $\frac{2}{5} = \frac{■}{20}$ **2.** $\frac{5}{9} = \frac{■}{36}$ **3.** $\frac{6}{7} = \frac{■}{35}$

4. $\frac{3}{8} = \frac{6}{■}$ **5.** $\frac{3}{5} = \frac{■}{15}$ **6.** $\frac{3}{4} = \frac{18}{■}$

7. $\frac{7}{8} = \frac{■}{16}$ **8.** $\frac{1}{7} = \frac{5}{■}$ **9.** $\frac{5}{6} = \frac{■}{24}$

10. $\frac{5}{9} = \frac{25}{■}$ **11.** $\frac{7}{12} = \frac{■}{36}$ **12.** $\frac{3}{10} = \frac{21}{■}$

13. $\frac{1}{3} = \frac{■}{6} = \frac{■}{9}$ **14.** $\frac{1}{6} = \frac{■}{12} = \frac{■}{18}$ **15.** $\frac{1}{9} = \frac{■}{18} = \frac{■}{27}$

16. $\frac{3}{5} = \frac{■}{10} = \frac{■}{15}$ **17.** $\frac{7}{8} = \frac{■}{16} = \frac{■}{24}$ **18.** $\frac{11}{12} = \frac{■}{24} = \frac{■}{36}$

19. $\frac{3}{4} = \frac{■}{8} = \frac{■}{12} = \frac{12}{■} = \frac{15}{■} = \frac{■}{24} = \frac{■}{28} = \frac{24}{■} = \frac{27}{■}$

Vrai ou faux?

20. $\frac{5}{9} = \frac{25}{54}$ **21.** $\frac{3}{8} = \frac{27}{72}$ **22.** $\frac{7}{15} = \frac{21}{30}$

23. $\frac{8}{13} = \frac{24}{39}$ **24.** $\frac{6}{11} = \frac{30}{66}$ **25.** $\frac{1}{3} = \frac{17}{51}$

Problème.

26. Un orchestre comprend 36 musiciens.
$\frac{1}{3}$ des musiciens jouent du violon. Combien de musiciens jouent du violon?

Suites de fractions

Complète.

a. $\frac{1}{2}, \frac{2}{4}, \frac{3}{6}$, ■, ■, ■ **b.** $\frac{1}{3}, \frac{2}{6}, \frac{3}{9}$, ■, ■, ■

c. $\frac{2}{3}, \frac{4}{6}, \frac{6}{9}$, ■, ■, ■ **d.** $\frac{2}{5}, \frac{4}{10}, \frac{6}{15}$, ■, ■, ■

e. $\frac{3}{8}, \frac{6}{16}, \frac{9}{24}$, ■, ■, ■ **f.** $\frac{5}{9}, \frac{10}{18}, \frac{15}{27}$, ■, ■, ■

g. $1, \frac{2}{2}, \frac{4}{4}$, ■, ■, ■ **h.** $\frac{1}{2}, \frac{2}{4}, \frac{4}{8}$, ■, ■, ■

La simplification des fractions

Pour trouver une fraction équivalente plus simple, **divise** le numérateur et le dénominateur par le même nombre.

$$\frac{8}{12} = \frac{8 \div 2}{12 \div 2} = \frac{4}{6}$$

Pour simplifier une fraction, divise ses deux termes par leur P.G.C.D. (Plus grand commun diviseur).

Les diviseurs de 8 sont: 1, 2, 4, 8.
Les diviseurs de 12 sont: 1, 2, 3, 4, 6, 12.

Le P.G.C.D. de 8 et 12 est **4**.

$$\frac{8}{12} = \frac{8 \div 4}{12 \div 4} = \frac{2}{3}$$

$\frac{8}{12}$ des instruments sont des violons.

EXERCICES

Calcule le P.G.C.D. des nombres suivants.

1. 6 et 8 **2.** 5 et 10 **3.** 12 et 18

Recopie et complète.

4. $\frac{6}{8} = \frac{6 \div 2}{8 \div 2} = \frac{■}{■}$ **5.** $\frac{4}{8} = \frac{4 \div 4}{8 \div 4} = \frac{■}{■}$ **6.** $\frac{10}{15} = \frac{10 \div ■}{15 \div ■} = \frac{■}{■}$

7. $\frac{12}{18} = \frac{12 \div ■}{18 \div ■} = \frac{■}{■}$ **8.** $\frac{9}{12} = \frac{9 \div ■}{12 \div ■} = \frac{■}{■}$ **9.** $\frac{18}{24} = \frac{18 \div ■}{24 \div ■} = \frac{■}{■}$

10. $\frac{16}{24} = \frac{16 \div ■}{24 \div ■} = \frac{■}{■}$ **11.** $\frac{14}{21} = \frac{14 \div ■}{21 \div ■} = \frac{■}{■}$ **12.** $\frac{18}{27} = \frac{18 \div ■}{27 \div ■} = \frac{■}{■}$

Simplifie.

13. $\frac{2}{4}$ **14.** $\frac{24}{36}$ **15.** $\frac{8}{16}$ **16.** $\frac{9}{12}$ **17.** $\frac{30}{50}$

EXERCICES

Calcule le P.G.C.D. des nombres suivants.

1. 20 et 24 **2.** 28 et 42 **3.** 18 et 36

Simplifie.

4. $\frac{15}{25}$	**5.** $\frac{22}{33}$	**6.** $\frac{4}{12}$	**7.** $\frac{3}{15}$	**8.** $\frac{13}{39}$
9. $\frac{5}{15}$	**10.** $\frac{6}{18}$	**11.** $\frac{10}{18}$	**12.** $\frac{10}{25}$	**13.** $\frac{7}{28}$
14. $\frac{15}{24}$	**15.** $\frac{9}{36}$	**16.** $\frac{17}{34}$	**17.** $\frac{14}{42}$	**18.** $\frac{24}{36}$
19. $\frac{8}{14}$	**20.** $\frac{30}{36}$	**21.** $\frac{9}{21}$	**22.** $\frac{24}{32}$	**23.** $\frac{35}{56}$

Indique les fractions **qu'on ne peut pas** simplifier.

24. $\frac{2}{6}, \frac{4}{12}, \frac{3}{5}$ **25.** $\frac{5}{7}, \frac{3}{4}, \frac{20}{25}$ **26.** $\frac{9}{16}, \frac{4}{9}, \frac{21}{24}$

27. $\frac{8}{21}, \frac{11}{28}, \frac{1}{4}$ **28.** $\frac{5}{30}, \frac{7}{25}, \frac{20}{21}$ **29.** $\frac{23}{30}, \frac{6}{41}, \frac{8}{29}$

Donne ta réponse sous forme de fraction simplifiée.

30. 23 musiciens sont venus répéter.
Il en manquait 4.
L'orchestre comprend 9 joueurs de trompette.
Quelle fraction les représente?

Des fractions étranges

Hélène a découvert une méthode facile pour simplifier les fractions.
Regarde:

$$\frac{2\cancel{6}}{\cancel{6}5} = \frac{2}{5} \qquad \frac{1\cancel{9}}{\cancel{9}5} = \frac{1}{5}$$

La méthode d'Hélène est-elle toujours valable?

La fraction $\frac{1\cancel{4}}{\cancel{4}3}$ n'est pas égale à $\frac{1}{3}$.

Cette méthode est-elle valable dans les cas suivants?

$$\frac{16}{64}, \frac{17}{75}, \frac{17}{72}, \frac{13}{35}, \frac{13}{39}, \frac{49}{98}, \frac{12}{21}, \frac{12}{24}$$

La comparaison des fractions

Laquelle est la plus grande: $\frac{2}{5}$ ou $\frac{3}{10}$?

$$\frac{2}{5} = \frac{2 \times 2}{5 \times 2} = \frac{4}{10}$$

$$\frac{4}{10} > \frac{3}{10} \text{ donc: } \frac{2}{5} > \frac{3}{10}$$

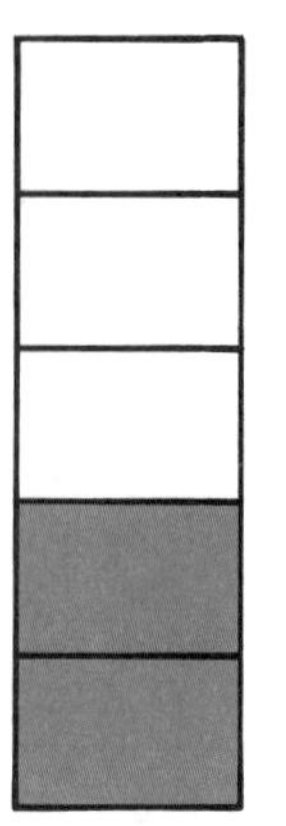

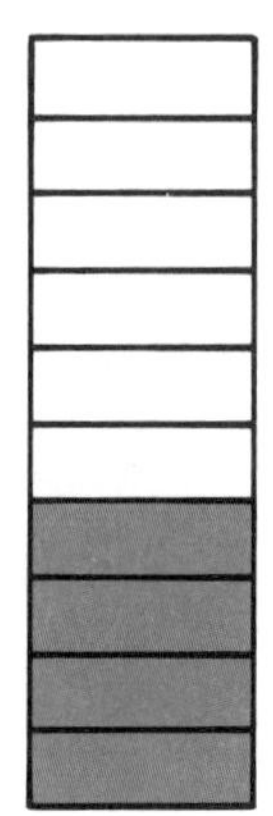

$$\frac{2}{5} = \frac{4}{10} > \frac{3}{10}$$

Donc: $\frac{2}{5} > \frac{3}{10}$

Compare des fractions qui ont le même dénominateur.

EXERCICES

Recopie et complète par $<$ ou $>$.

1. $\frac{6}{7} \bullet \frac{3}{7}$
2. $\frac{3}{5} \bullet \frac{5}{5}$
3. $\frac{9}{12} \bullet \frac{11}{12}$
4. $\frac{7}{8} \bullet \frac{5}{8}$
5. $\frac{1}{3} = \frac{\blacksquare}{6}$; $\frac{1}{3} \bullet \frac{3}{6}$
6. $\frac{1}{4} = \frac{\blacksquare}{8}$; $\frac{1}{4} \bullet \frac{3}{8}$
7. $\frac{1}{2} = \frac{\blacksquare}{4}$; $\frac{1}{2} \bullet \frac{1}{4}$
8. $\frac{2}{3} = \frac{\blacksquare}{9}$; $\frac{2}{3} \bullet \frac{7}{9}$
9. $\frac{1}{2} = \frac{\blacksquare}{8}$; $\frac{1}{2} \bullet \frac{5}{8}$
10. $\frac{3}{4} = \frac{\blacksquare}{8}$; $\frac{3}{4} \bullet \frac{5}{8}$
11. $\frac{2}{3} \bullet \frac{5}{6}$
12. $\frac{5}{9} \bullet \frac{9}{18}$
13. $\frac{3}{5} \bullet \frac{11}{15}$
14. $\frac{6}{7} \bullet \frac{17}{21}$

Écris les fractions équivalentes en douzièmes, puis classe les fractions d'origine par ordre croissant.

15. $\frac{1}{2}, \frac{1}{6}, \frac{3}{4}, \frac{2}{3}, \frac{1}{4}, \frac{1}{3}, \frac{5}{6}$

EXERCICES

Recopie et complète par > ou <.

1. $\frac{4}{7} \bullet \frac{5}{21}$
2. $\frac{2}{3} \bullet \frac{8}{9}$
3. $\frac{3}{5} \bullet \frac{17}{35}$
4. $\frac{4}{9} \bullet \frac{7}{18}$
5. $\frac{5}{12} \bullet \frac{11}{24}$
6. $\frac{1}{4} \bullet \frac{5}{16}$
7. $\frac{9}{10} \bullet \frac{91}{100}$
8. $\frac{4}{5} \bullet \frac{7}{10}$
9. $\frac{3}{8} \bullet \frac{7}{72}$
10. $\frac{7}{10} \bullet \frac{69}{100}$
11. $\frac{9}{100} \bullet \frac{1}{10}$
12. $\frac{3}{5} \bullet \frac{5}{10}$

Trouve les fractions équivalentes.

13. dénominateur 24

$\frac{1}{6}, \frac{3}{8}, \frac{1}{4}$

14. dénominateur 32

$\frac{3}{4}, \frac{5}{8}, \frac{9}{16}$

15. dénominateur 48

$\frac{5}{12}, \frac{1}{6}, \frac{1}{16}$

Classe les fractions par ordre croissant.

16. $\frac{9}{12}, \frac{3}{4}, \frac{2}{3}, \frac{5}{6}, \frac{1}{2}$
17. $\frac{17}{28}, \frac{6}{7}, \frac{3}{4}, \frac{1}{2}, \frac{11}{14}$

RÉVISION

Dessine un rectangle, puis colorie-le pour représenter la fraction.

1. $\frac{3}{5}$
2. $\frac{5}{8}$
3. $\frac{9}{10}$
4. $\frac{11}{11}$

Recopie et complète.

5. $\frac{3}{7} = \frac{\blacksquare}{28}$
6. $\frac{5}{9} = \frac{\blacksquare}{18}$
7. $\frac{2}{3} = \frac{8}{\blacksquare}$

Simplifie.

8. $\frac{15}{24}$
9. $\frac{20}{35}$
10. $\frac{12}{36}$
11. $\frac{18}{24}$

Recopie et complète par < ou >.

12. $\frac{3}{4} \bullet \frac{5}{8}$
13. $\frac{7}{10} \bullet \frac{29}{40}$
14. $\frac{2}{11} \bullet \frac{5}{33}$

Les nombres mixtes

$1 + \frac{1}{4} = 1\frac{1}{4}$

$1 + 1 + \frac{2}{3} = 2\frac{2}{3}$

$\frac{4}{4} + \frac{1}{4} = \frac{5}{4}$

$\frac{3}{3} + \frac{3}{3} + \frac{2}{3} = \frac{8}{3}$

0 1 2

$\frac{0}{4}$ $\frac{1}{4}$ $\frac{2}{4}$ $\frac{3}{4}$ $\frac{4}{4}$ $\frac{5}{4}$ $\frac{6}{4}$ $\frac{7}{4}$ $\frac{8}{4}$

0 1 2 3

$\frac{0}{3}$ $\frac{1}{3}$ $\frac{2}{3}$ $\frac{3}{3}$ $\frac{4}{3}$ $\frac{5}{3}$ $\frac{6}{3}$ $\frac{7}{3}$ $\frac{8}{3}$ $\frac{9}{3}$

$\frac{5}{4} = 1\frac{1}{4}$

fraction — nombre mixte

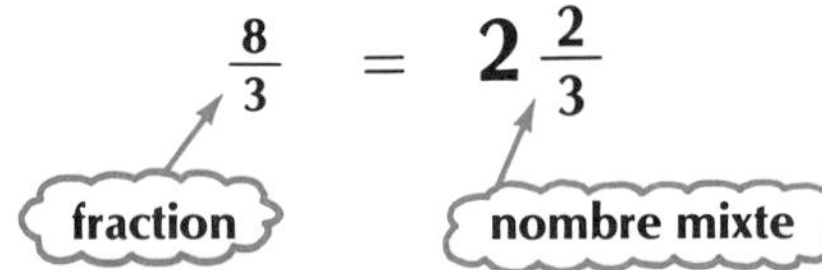

EXERCICES

Transforme le nombre mixte en fraction.

1. $1\frac{2}{5} = \frac{\blacksquare}{5}$
2. $1\frac{1}{6} = \frac{\blacksquare}{6}$
3. $2\frac{2}{3} = \frac{\blacksquare}{3}$
4. $1\frac{3}{4} = \frac{\blacksquare}{\blacksquare}$
5. $2\frac{5}{6} = \frac{\blacksquare}{\blacksquare}$
6. $2\frac{3}{7} = \frac{\blacksquare}{\blacksquare}$
7. $3\frac{1}{2} = \frac{\blacksquare}{2}$
8. $9\frac{3}{4} = \frac{\blacksquare}{4}$
9. $5\frac{6}{7} = \frac{\blacksquare}{7}$
10. $2\frac{3}{5} = \frac{\blacksquare}{5}$
11. $7\frac{1}{3} = \frac{\blacksquare}{\blacksquare}$
12. $4\frac{5}{8} = \frac{\blacksquare}{\blacksquare}$
13. $2\frac{1}{3} = \frac{\blacksquare}{\blacksquare}$
14. $5\frac{1}{2} = \frac{\blacksquare}{\blacksquare}$
15. $3\frac{7}{10}$
16. $4\frac{2}{5}$
17. $6\frac{5}{8}$
18. $3\frac{4}{7}$
19. $5\frac{1}{9}$
20. $4\frac{4}{6}$
21. $7\frac{2}{8}$
22. $9\frac{5}{7}$

EXERCICES

Transforme le nombre mixte en fraction.

1. $2\frac{1}{2} = \frac{■}{2}$
2. $3\frac{2}{3} = \frac{■}{3}$
3. $5\frac{3}{4} = \frac{■}{4}$
4. $4\frac{1}{4} = \frac{■}{4}$
5. $1\frac{2}{3} = \frac{5}{■}$
6. $7\frac{1}{5} = \frac{■}{5}$
7. $1\frac{4}{7} = \frac{11}{■}$
8. $8\frac{1}{2} = \frac{■}{2}$
9. $2\frac{5}{7}$
10. $3\frac{4}{5}$
11. $4\frac{2}{3}$
12. $6\frac{1}{9}$
13. $7\frac{2}{9}$
14. $10\frac{3}{5}$
15. $1\frac{3}{4}$
16. $5\frac{3}{8}$
17. $5\frac{3}{100}$
18. $3\frac{2}{25}$
19. $2\frac{7}{40}$
20. $6\frac{5}{11}$

Écris le nombre mixte représentant la longueur de *OA*, *OB* et *OC*.

21. 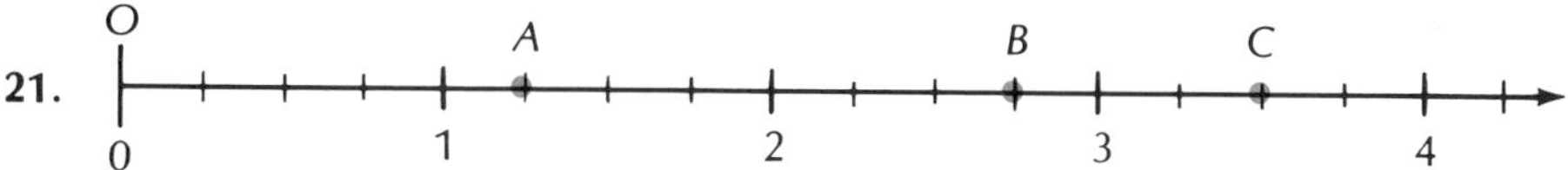

22. 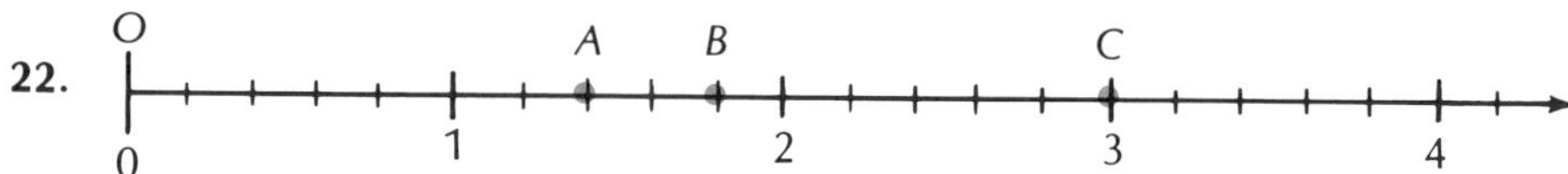

23. Un disque effectue 33 tours $\frac{1}{3}$ à la minute.
Transforme ce nombre mixte en fraction.

Mesure à quatre temps

Quatre élèves ont noté la durée du concert donné par leur orchestre.
Est-ce toujours la même?

Katia	1 h $\frac{3}{4}$
Ravinder	105 min
Nina	1 h 45 min
Ted	7 quarts d'heure

Exprime de 3 façons différentes:

a. 2 h $\frac{1}{4}$ **b.** 90 min **c.** 3 h 15 min

Les nombres mixtes

Transforme $\frac{13}{5}$ en nombre mixte.

Représente les nombres par un dessin.

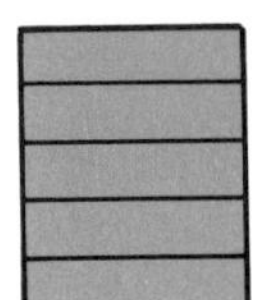
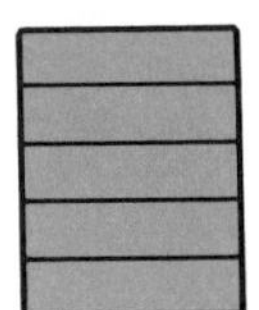
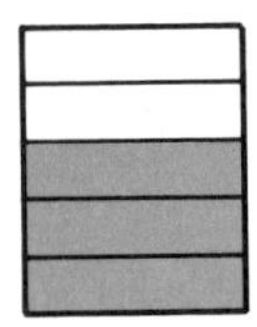

$$\frac{13}{5} = 1 + 1 + \frac{3}{5} = 2\frac{3}{5}$$

Divise.

$$\frac{13}{5} \longrightarrow 5\overline{)13} \longrightarrow 2\frac{3}{5}$$

$$\begin{array}{r} 2 \\ 5\overline{)13} \\ \underline{10} \\ 3 \end{array}$$

Écris le reste sous forme de fraction.

EXERCICES

Transforme la fraction en nombre mixte.

1. 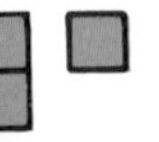 $\frac{9}{4} = ■$

2. 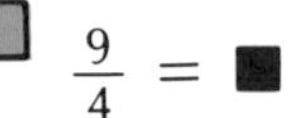 $\frac{5}{3} = ■$

3.  $\frac{11}{8} = ■$

4. 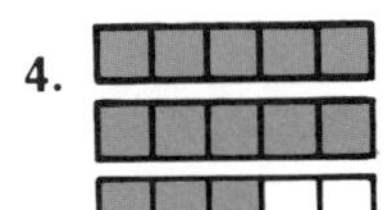 $\frac{13}{5} = ■$

5. 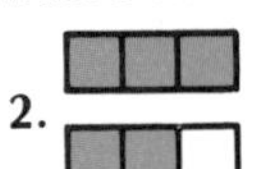 $\frac{11}{6} = ■$

6. 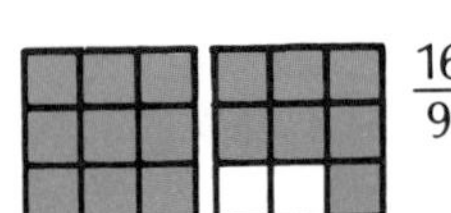  $\frac{16}{9} = ■$

Effectue la division pour transformer la fraction en nombre mixte.

7. $\frac{5}{3}$	8. $\frac{9}{4}$	9. $\frac{16}{7}$	10. $\frac{18}{5}$	11. $\frac{25}{8}$
12. $\frac{11}{4}$	13. $\frac{9}{2}$	14. $\frac{29}{10}$	15. $\frac{12}{5}$	16. $\frac{45}{7}$
17. $\frac{61}{9}$	18. $\frac{42}{8}$	19. $\frac{16}{8}$	20. $\frac{29}{5}$	21. $\frac{65}{6}$
22. $\frac{42}{9}$	23. $\frac{72}{9}$	24. $\frac{45}{4}$	25. $\frac{53}{10}$	26. $\frac{34}{5}$

EXERCICES

Effectue la division pour transformer la fraction en nombre mixte.

1. $\frac{15}{6}$	**2.** $\frac{8}{3}$	**3.** $\frac{32}{4}$	**4.** $\frac{27}{5}$	**5.** $\frac{35}{5}$
6. $\frac{25}{8}$	**7.** $\frac{17}{12}$	**8.** $\frac{22}{7}$	**9.** $\frac{42}{6}$	**10.** $\frac{52}{8}$
11. $\frac{41}{6}$	**12.** $\frac{38}{3}$	**13.** $\frac{15}{7}$	**14.** $\frac{28}{4}$	**15.** $\frac{26}{3}$
16. $\frac{48}{5}$	**17.** $\frac{21}{2}$	**18.** $\frac{49}{6}$	**19.** $\frac{33}{10}$	**20.** $\frac{35}{6}$
21. $\frac{80}{9}$	**22.** $\frac{74}{6}$	**23.** $\frac{88}{7}$	**24.** $\frac{101}{10}$	**25.** $\frac{100}{11}$

Quel nombre mixte correspond à *A*? à *B*? à *C*?

26.

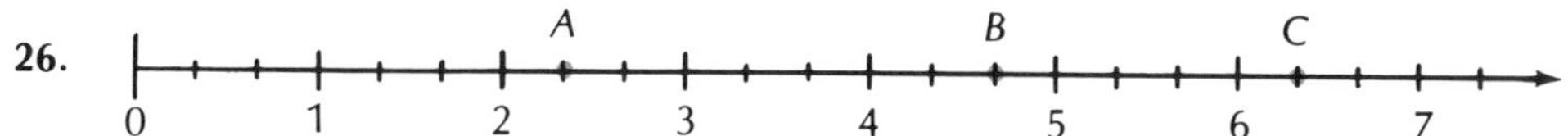

27.

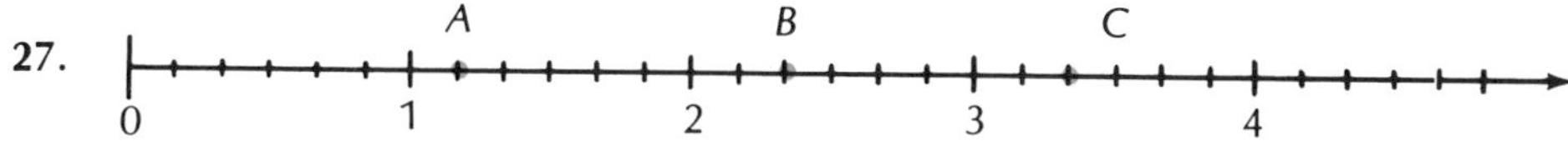

28. **Pi** est le nombre utilisé pour calculer la circonférence et l'aire d'un cercle.
Pi est proche de $\frac{22}{7}$. Écris $\frac{22}{7}$ sous forme de nombre mixte.

3 façons d'écrire la division

Avec ÷	Avec $\overline{)}$	Comme une fraction
$29 \div 8$	$8\overline{)29}$	$\frac{29}{8}$

Écris l'expression de deux autres façons.

a. $26 \div 9$ **b.** $7\overline{)48}$ **c.** $\frac{56}{5}$ **d.** $100 \div 71$ **e.** $\frac{638}{51}$

Les fractions et les nombres décimaux

D'après un sondage effectué dans la classe de sixième année, les $\frac{2}{5}$ des élèves jouent d'un instrument et les $\frac{5}{8}$ voudraient faire partie de l'orchestre.
Transforme ces fractions en nombres décimaux.

1ère méthode

Transforme en fraction ayant 10 ou 100 comme dénominateur, puis en nombre décimal.

$$\frac{2}{5} = \frac{2 \times 2}{5 \times 2} = \frac{4}{10}$$

$$\frac{4}{10} = 0{,}4$$

2e méthode

Divise.

$$\begin{array}{r} 0{,}625 \\ 8\overline{)5{,}000} \\ -4\;8 \\ \hline 20 \\ -16 \\ \hline 40 \\ -40 \\ \hline 0 \end{array}$$

EXERCICES

Exprime sous forme de nombre décimal.

1. $\frac{2}{10}$ 2. $\frac{6}{10}$ 3. $\frac{21}{100}$ 4. $\frac{7}{100}$ 5. $\frac{35}{100}$

Transforme en fraction ayant 10 comme dénominateur, puis en nombre décimal.

6. $\frac{1}{5} = \frac{■}{10} = ■$ 7. $\frac{1}{2} = \frac{■}{10} = ■$ 8. $\frac{7}{5} = \frac{■}{10} = ■$ 9. $\frac{5}{2} = \frac{■}{10} = ■$

Transforme en fraction ayant 100 comme dénominateur, puis en nombre décimal.

10. $\frac{3}{20} = \frac{■}{100} = ■$ 11. $\frac{19}{50} = \frac{■}{100} = ■$ 12. $\frac{52}{50} = \frac{■}{100} = ■$

Effectue la division pour transformer la fraction en nombre décimal.

13. $\frac{3}{50}$ 14. $\frac{7}{8}$ 15. $\frac{7}{4}$ 16. $\frac{9}{40}$ 17. $\frac{36}{80}$

18. $\frac{26}{25}$ 19. $\frac{3}{20}$ 20. $\frac{17}{25}$ 21. $\frac{17}{20}$ 22. $\frac{34}{50}$

EXERCICES

Transforme en fraction ayant 10 ou 100 comme dénominateur, puis en nombre décimal.

1. $\frac{2}{5}$	**2.** $\frac{1}{2}$	**3.** $\frac{8}{25}$	**4.** $\frac{13}{50}$	**5.** $\frac{9}{20}$
6. $\frac{7}{2}$	**7.** $\frac{9}{5}$	**8.** $\frac{23}{50}$	**9.** $\frac{21}{25}$	**10.** $\frac{19}{20}$
11. $\frac{47}{50}$	**12.** $\frac{31}{50}$	**13.** $\frac{32}{25}$	**14.** $\frac{27}{20}$	**15.** $\frac{17}{5}$
16. $\frac{61}{50}$	**17.** $\frac{14}{20}$	**18.** $\frac{8}{5}$	**19.** $\frac{18}{25}$	**20.** $\frac{5}{4}$

Effectue la division pour transformer la fraction en nombre décimal.

21. $\frac{5}{8}$	**22.** $\frac{30}{16}$	**23.** $\frac{11}{40}$	**24.** $\frac{9}{20}$	**25.** $\frac{24}{64}$
26. $\frac{5}{625}$	**27.** $\frac{27}{40}$	**28.** $\frac{32}{80}$	**29.** $\frac{8}{11}$	**30.** $\frac{23}{30}$

Transforme en fraction:

31. 0,95	**32.** 0,8	**33.** 0,709	**34.** 0,1135
35. 0,4	**36.** 0,05	**37.** 0,017	**38.** 0,0006

39. Un sondage effectué auprès de 20 élèves a révélé que les $\frac{3}{4}$ d'entre eux possèdent au moins un disque, que les $\frac{3}{5}$ en possèdent au moins deux et que les $\frac{7}{20}$ en possèdent plus de cinq. Exprime les résultats de ce sondage sous forme de nombres décimaux.

Le coin des mélomanes

Demande à 8 élèves quel intérêt ils portent à la musique. Donne les résultats de ce sondage sous forme de nombres décimaux inscrits dans un tableau.
Aimes-tu chanter? Joues-tu d'un instrument de musique?
De quel instrument joues-tu? Aimerais-tu être membre d'une fanfare ou d'un orchestre?
Aimerais-tu te produire sur scène?

Partie d'un ensemble

Les instruments à cordes représentent $\frac{1}{3}$ des instruments de l'orchestre.

$$\frac{1}{3} \text{ de } 15 \quad \textbf{ou} \quad \frac{1}{3} \times 15 \quad \textbf{égalent } \frac{15}{3} = 5$$

Il y a 5 instruments à cordes.

EXERCICES

Reproduis et complète.

1.  

   $\frac{1}{3}$ de $6 = \blacksquare$

2.  

   $\frac{1}{5}$ de $10 = \blacksquare$

3. 

   $\frac{1}{3}$ de $12 = \blacksquare$

4. $\frac{1}{9} \times 18 = \frac{18}{9} = \blacksquare$
5. $\frac{1}{4} \times 16 = \frac{16}{4} = \blacksquare$
6. $\frac{1}{6} \times 30 = \frac{30}{6} = \blacksquare$
7. $\frac{1}{10} \times 20 = \frac{\blacksquare}{\blacksquare} = \blacksquare$
8. $\frac{1}{8} \times 24 = \frac{\blacksquare}{\blacksquare} = \blacksquare$
9. $\frac{1}{7} \times 7 = \frac{\blacksquare}{\blacksquare} = \blacksquare$

Multiplie.

10. $\frac{1}{2} \times 18$
11. $\frac{1}{10} \times 30$
12. $\frac{1}{6} \times 12$
13. $\frac{1}{5} \times 20$
14. $\frac{1}{4} \times 48$
15. $\frac{1}{7} \times 35$
16. $\frac{1}{20} \times 80$
17. $\frac{1}{25} \times 75$

EXERCICES

Recopie et complète.

1. $\frac{1}{5} \times 25 = \frac{25}{5} = \blacksquare$
2. $\frac{1}{7} \times 56 = \frac{56}{7} = \blacksquare$
3. $\frac{1}{3} \times 24 = \frac{24}{3} = \blacksquare$
4. $\frac{1}{9} \times 27 = \frac{27}{9} = \blacksquare$
5. $\frac{1}{12} \times 36 = \frac{36}{12} = \blacksquare$
6. $\frac{1}{8} \times 32 = \frac{32}{8} = \blacksquare$

Multiplie.

7. $\frac{1}{4} \times 44$
8. $\frac{1}{6} \times 72$
9. $\frac{1}{5} \times 45$
10. $\frac{1}{7} \times 49$
11. $\frac{1}{3} \times 21$
12. $\frac{1}{2} \times 120$
13. $\frac{1}{9} \times 72$
14. $\frac{1}{4} \times 28$
15. $\frac{1}{5} \times 55$
16. $\frac{1}{8} \times 64$
17. $\frac{1}{10} \times 150$
18. $\frac{1}{2} \times 44$
19. $\frac{1}{4} \times 60$
20. $\frac{1}{5} \times 75$
21. $\frac{1}{8} \times 80$
22. $\frac{1}{12} \times 84$

Problèmes.

23. Les élèves de sixième année ont vendu 556 billets pour le concert de l'école. La moitié des billets ont été vendus pour la première. Combien cela représente-t-il de billets?
24. Gérard s'exerce au piano pendant 45 minutes chaque jour. Pendant $\frac{1}{5}$ de ce temps, il fait des gammes. Combien de temps fait-il des gammes?
25. Un tiers des 60 élèves ont des radios. Combien cela représente-t-il d'élèves?

Rattrapage

L'âge de Jeanne équivaut à $\frac{1}{3}$ de l'âge de son père. Il y a six ans, son âge représentait $\frac{1}{5}$ de l'âge de son père.

Quel est l'âge de Jeanne?

Fraction d'un ensemble

Les trois quarts des choristes sont des filles.

$\frac{3}{4}$ de 20 **ou** $\frac{3}{4} \times 20$ **égalent** $\frac{60}{4} = 15$

Il y a 15 filles.

EXERCICES

Recopie et complète.

1. $\frac{1}{4}$ de $8 = ■$

$\frac{2}{4}$ de $8 = ■$

$\frac{3}{4}$ de $8 = ■$

$\frac{4}{4}$ de $8 = ■$

2. $\frac{1}{3} \times 12 = ■$

$\frac{2}{3} \times 12 = ■$

$\frac{3}{3} \times 12 = ■$

3. $\frac{1}{5} \times 30 = ■$

$\frac{2}{5} \times 30 = ■$

$\frac{3}{5} \times 30 = ■$

$\frac{4}{5} \times 30 = ■$

$\frac{5}{5} \times 30 = ■$

4. $\frac{2}{5} \times 15 = \frac{2 \times 15}{5} = \frac{30}{5} = ■$

5. $\frac{3}{4} \times 20 = \frac{3 \times 20}{4} = \frac{60}{4} = ■$

6. $\frac{3}{8} \times 16 = \frac{3 \times 16}{8} = \frac{■}{■} = ■$

7. $\frac{5}{7} \times 21 = \frac{5 \times 21}{7} = \frac{■}{■} = ■$

8. $\frac{5}{6} \times 12 = \frac{5 \times 12}{■} = \frac{■}{■} = ■$

9. $\frac{4}{5} \times 20 = \frac{■ \times ■}{5} = \frac{■}{■} = ■$

Multiplie.

10. $\frac{2}{3} \times 9$ **11.** $\frac{3}{5} \times 25$ **12.** $\frac{2}{7} \times 14$ **13.** $\frac{5}{8} \times 32$

14. $\frac{1}{6} \times 18$ **15.** $\frac{4}{8} \times 32$ **16.** $\frac{1}{7} \times 42$ **17.** $\frac{2}{3} \times 54$

EXERCICES

Multiplie.

1. $\frac{3}{5} \times 15$	**2.** $\frac{3}{8} \times 16$	**3.** $\frac{4}{7} \times 21$	**4.** $\frac{7}{8} \times 32$
5. $\frac{7}{10} \times 20$	**6.** $\frac{5}{6} \times 42$	**7.** $\frac{2}{9} \times 27$	**8.** $\frac{4}{5} \times 50$
9. $\frac{3}{7} \times 77$	**10.** $\frac{3}{4} \times 48$	**11.** $\frac{2}{3} \times 60$	**12.** $\frac{3}{5} \times 40$
13. $\frac{5}{8} \times 64$	**14.** $\frac{7}{9} \times 81$	**15.** $\frac{2}{5} \times 100$	**16.** $\frac{6}{7} \times 63$
17. $\frac{4}{5} \times 200$	**18.** $\frac{3}{8} \times 72$	**19.** $\frac{5}{6} \times 36$	**20.** $\frac{5}{9} \times 63$

Problèmes.

21. Il y a 120 sièges dans un auditorium. Lors d'un concert, les $\frac{5}{6}$ de ces sièges étaient occupés. Combien de spectateurs assistaient au concert?

22. Les deux cinquièmes des 300 étudiants de l'école Vanier jouent de la guitare. Combien n'en jouent pas?

23. La fanfare doit défiler sur une distance de 36 pâtés de maisons. La troupe des Jeannettes doit parcourir les $\frac{2}{3}$ de cette distance seulement. Combien cela représente-t-il de pâtés de maisons?

AVEC LA CALCULATRICE

On peut se servir de la calculatrice pour multiplier un nombre entier par une fraction.

Exemple: $\frac{5}{8} \times 56$.

Fais entrer: [5] [×] [56] [=] [÷] [8] [=]

Arrondis les réponses à l'unité près.

1. $\frac{3}{4} \times 10$	**2.** $\frac{3}{8} \times 25$	**3.** $\frac{5}{16} \times 78$
4. $\frac{2}{3} \times 100$	**5.** $\frac{2}{7} \times 100$	**6.** $\frac{4}{9} \times 100$

Résolution de problèmes

Les 35 étudiants de 6e année ont vendu 350 billets pour le concert de printemps. Combien d'argent ont-ils recueilli?

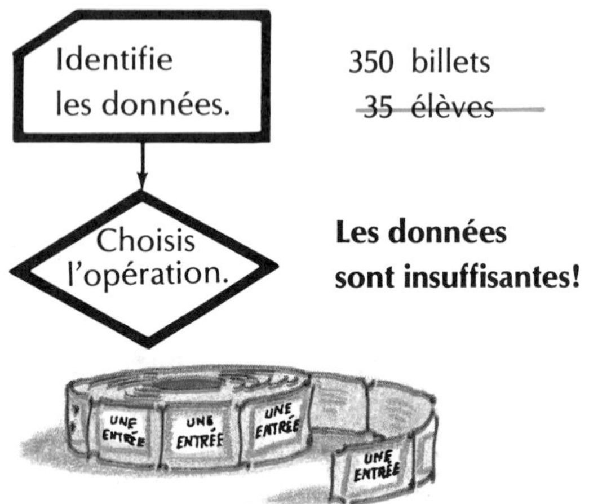

350 billets
~~35 élèves~~

Les données sont insuffisantes!

Un orchestre comprend 8 violons, 3 clarinettes, 2 violoncelles, 2 flûtes, 1 hautbois, 2 altos, et un cor d'harmonie. Combien y a-t-il d'instruments à cordes?

Il y a trop de données!

Identifie les données.

8 violons
2 violoncelles
2 altos

$$8 + 2 + 2 = 12$$

L'ensemble comprend 12 instruments à corde.

EXERCICES

Y a-t-il trop de données, assez de données ou pas assez de données?

1. Les tartelettes au beurre se vendent 3,50 $ la douzaine. Quel est le prix de 12 tartelettes empaquetées en rangées de 3?

2. Combien coûtent 5 paires de billets pour la danse de l'école?

3. Combien coûte une douzaine de livres sachant qu'un livre coûte 1,95 $?

4. Les pommes de terre coûtent 30 ¢/kg. Combien coûte un sac de 5 kg qui contient 20 pommes de terre?

5. Le gérant d'un magasin d'antiquités vend un violon pour 50 $. Plus tard, il le rachète à 30 $ pour le revendre à 40 $. Quel bénéfice, ou quelle perte, réalise-t-il?

EXERCICES

Résous seulement les problèmes contenant assez de données.

1. Samedi dernier, 480 spectateurs ont assisté au concert de l'école Nelson. Ils sont tous venus en voiture. Combien y en avait-il?

2. Au marché, Francine loue son kiosque pour 15 $ le mètre carré. Il mesure 3 m de haut, 2 m de large et 4 m de long. Combien devrait-elle payer?

3. L'école secondaire de Markham donne son concert annuel et demande 2 $ d'entrée aux adultes et 1 $ aux enfants. Il y a 300 $ dans la caisse. Combien d'entrées la somme représente-t-elle?

4. Pendant la fin de semaine, Lucille a encaissé 1278 $ en vendant des disques à 120 personnes. Elle réalise un profit de 356 $ sur la vente de 165 albums et 38 disques simples. Quel était leur prix d'achat?

RÉVISION

Transforme en fraction.

1. $5\frac{3}{4}$ **2.** $9\frac{5}{6}$ **3.** $2\frac{4}{5}$ **4.** $6\frac{1}{2}$

Transforme en nombre mixte.

5. $\frac{15}{8}$ **6.** $\frac{5}{2}$ **7.** $\frac{11}{3}$ **8.** $\frac{27}{4}$

Transforme en nombre décimal.

9. $\frac{9}{10}$ **10.** $\frac{3}{4}$ **11.** $\frac{11}{50}$ **12.** $\frac{16}{25}$

Multiplie.

13. $\frac{1}{5} \times 35$ **14.** $\frac{1}{3} \times 42$ **15.** $\frac{1}{8} \times 64$

16. $\frac{3}{4} \times 28$ **17.** $\frac{2}{3} \times 30$ **18.** $\frac{5}{9} \times 36$

TEST CHAPITRE 7

Quelle fraction de l'ensemble est coloriée?

1. ●●●○○○○ / ●●○○○○○

2. △△△△ / △△△△

3. ■■■■

Recopie et complète.

4. $\frac{2}{3} = \frac{10}{■}$ 5. $\frac{4}{9} = \frac{■}{36}$ 6. $\frac{1}{5} = \frac{7}{■}$ 7. $\frac{6}{7} = \frac{■}{21}$

Simplifie.

8. $\frac{8}{10}$ 9. $\frac{6}{12}$ 10. $\frac{18}{21}$ 11. $\frac{15}{40}$ 12. $\frac{14}{35}$

Recopie et complète par $<$ ou $>$.

13. $\frac{1}{2}$ ● $\frac{3}{4}$ 14. $\frac{5}{6}$ ● $\frac{11}{12}$ 15. $\frac{3}{5}$ ● $\frac{7}{10}$ 16. $\frac{2}{3}$ ● $\frac{5}{6}$

Transforme les nombres mixtes en fractions.

17. $3\frac{1}{2}$ 18. $5\frac{2}{3}$ 19. $8\frac{1}{4}$ 20. $9\frac{2}{5}$ 21. $3\frac{5}{8}$

Transforme les fractions en nombres mixtes.

22. $\frac{15}{7}$ 23. $\frac{19}{5}$ 24. $\frac{8}{3}$ 25. $\frac{21}{10}$ 26. $\frac{48}{9}$

Transforme en nombre décimal.

27. $\frac{2}{10}$ 28. $\frac{79}{100}$ 29. $\frac{4}{25}$ 30. $\frac{21}{50}$ 31. $\frac{3}{8}$

Multiplie.

32. $\frac{1}{6} \times 18$ 33. $\frac{1}{4} \times 32$ 34. $\frac{1}{9} \times 81$ 35. $\frac{1}{5} \times 45$

36. $\frac{3}{4} \times 12$ 37. $\frac{5}{7} \times 35$ 38. $\frac{3}{8} \times 32$ 39. $\frac{4}{5} \times 65$

Problème.

40. Un orchestre comprend 36 musiciens. Les trois quarts seulement sont venus répéter. Combien étaient-ils?

REPRISE LA THÉORIE DES NOMBRES

Calcule le P.P.C.M. des nombres.

1. 4 et 6 **2.** 9 et 12 **3.** 15 et 20

7294 est-il divisible:

4. par 2? **5.** par 3? **6.** par 4? **7.** par 5? **8.** par 6?

5112 est-il divisible:

9. par 4? **10.** par 3? **11.** par 5? **12.** par 9? **13.** par 10?

Calcule le P.G.C.D.

14. 12 et 18 **15.** 14 et 21 **16.** 18 et 36

Est-ce un nombre premier ou composé?

17. 2 **18.** 9 **19.** 15 **20.** 30 **21.** 43

Décompose les nombres en produits de facteurs premiers. Utilise les exposants.

22. 15 **23.** 40 **24.** 32 **25.** 36 **26.** 60

Simplifie les expressions.

27. $70 + 40 \div 5$ **28.** $65 - 18 + 12 \div 4$

29. $48 \div (16 - 4)$ **30.** $(3 + 7) \times (14 - 2)$

Que représente *N*? Vérifie ta réponse.

31. $N - 57 = 38$ **32.** $N \times 15 = 120$ **33.** $N \div 12 = 13$

Reproduis et complète.

34.

Entrée	Sortie
N	$N - 24$
61	
92	
108	

35.

Entrée	Sortie
N	$60 \div (N + 3)$
9	
12	
27	

36.

Entrée	Sortie
N	$100 - N \div 2$
26	
38	
100	

CHAPITRE 8

LA MULTIPLICATION
FRACTIONS ET NOMBRES DÉCIMAUX

Opérations de bourse

A — 1000 actions
Transaction A

Simplifie les nombres mixtes.

1. $5\frac{5}{10}$ **2.** $7\frac{12}{20}$ **3.** $2\frac{9}{24}$

4. $5\frac{10}{24}$ **5.** $3\frac{4}{16}$ **6.** $3\frac{12}{16}$

7. $7\frac{27}{30}$ **8.** $2\frac{20}{24}$ **9.** $5\frac{8}{24}$

10. $7\frac{20}{30}$ **11.** $6\frac{15}{24}$ **12.** $9\frac{6}{24}$

13. $8\frac{8}{10}$ **14.** $4\frac{21}{28}$ **15.** $1\frac{40}{45}$

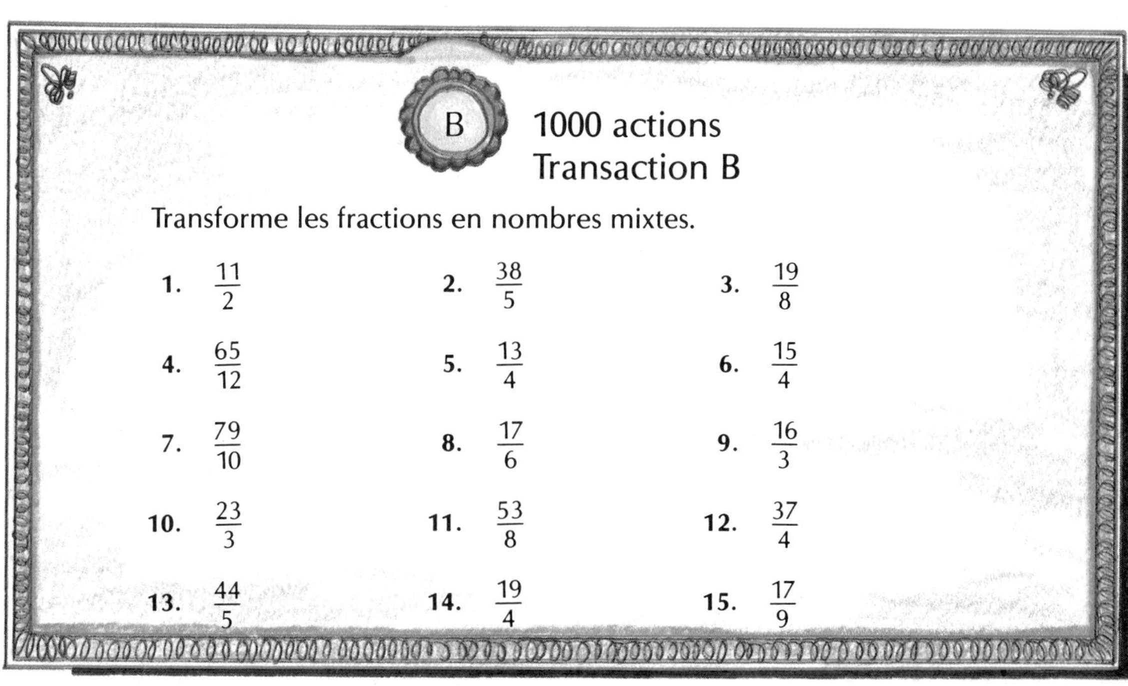

B — 1000 actions
Transaction B

Transforme les fractions en nombres mixtes.

1. $\frac{11}{2}$ **2.** $\frac{38}{5}$ **3.** $\frac{19}{8}$

4. $\frac{65}{12}$ **5.** $\frac{13}{4}$ **6.** $\frac{15}{4}$

7. $\frac{79}{10}$ **8.** $\frac{17}{6}$ **9.** $\frac{16}{3}$

10. $\frac{23}{3}$ **11.** $\frac{53}{8}$ **12.** $\frac{37}{4}$

13. $\frac{44}{5}$ **14.** $\frac{19}{4}$ **15.** $\frac{17}{9}$

La multiplication de fractions

Les trois-quarts des 22 mille ouvriers du chemin de fer ont voté contre la grève. Combien cela représente-t-il de milliers de travailleurs?

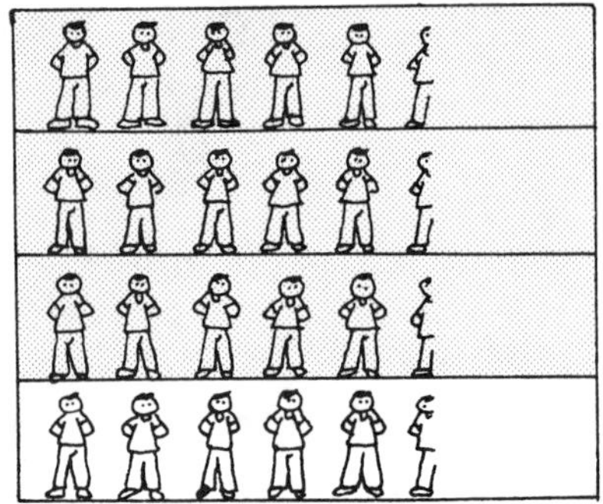

Un [figure] représente 1000 ouvriers.

$\frac{3}{4}$ de 22 = ■

ou

$\frac{3}{4} \times 22 = \frac{3 \times 22}{4} = \frac{66}{4} = 16\frac{2}{4} = 16\frac{1}{2}$

16 500 ouvriers ont voté contre la grève.

EXERCICES

Multiplie. Donne les réponses sous forme de nombres mixtes.

1. $\frac{1}{8}$ de 9 $= \frac{9}{8} =$ ■

2. $9 \times \frac{5}{8} = \frac{9 \times 5}{8} =$ ■

3. $\frac{3}{5}$ de 2 $= \frac{3 \times 2}{5} =$ ■

4. $4 \times \frac{6}{7} = \frac{4 \times 6}{7} =$ ■

5. $\frac{1}{3}$ de 10 **6.** $\frac{2}{3}$ de 10 **7.** $\frac{3}{3}$ de 10 **8.** $\frac{4}{3}$ de 10

9. $\frac{1}{4}$ de 14 **10.** $\frac{2}{4}$ de 14 **11.** $\frac{3}{4}$ de 14 **12.** $\frac{4}{4}$ de 14

13. $3 \times \frac{1}{2}$ **14.** $3 \times \frac{2}{2}$ **15.** $3 \times \frac{3}{2}$ **16.** $3 \times \frac{4}{2}$

17. $\frac{3}{4} \times 6$ **18.** $\frac{5}{7} \times 12$ **19.** $5 \times \frac{3}{10}$ **20.** $8 \times \frac{3}{4}$

21. $\frac{5}{6} \times 7$ **22.** $\frac{4}{8} \times 5$ **23.** $\frac{2}{3} \times 6$ **24.** $\frac{5}{3} \times 8$

25. $\frac{6}{5} \times 4$ **26.** $\frac{3}{7} \times 7$ **27.** $\frac{3}{6} \times 8$ **28.** $\frac{12}{5} \times 4$

EXERCICES

Multiplie. Exprime le résultat sous forme de fraction simplifiée.

1. $\frac{1}{6}$ de 70 **2.** $\frac{1}{9}$ de 3 **3.** $3 \times \frac{2}{3}$ **4.** $5 \times \frac{1}{10}$

5. $\frac{4}{5} \times 10$ **6.** $\frac{7}{12} \times 4$ **7.** $11 \times \frac{7}{8}$ **8.** $3 \times \frac{2}{9}$

9. $\frac{2}{3} \times 7$ **10.** $\frac{3}{4} \times 24$ **11.** $\frac{5}{5} \times 4$ **12.** $\frac{5}{6} \times 9$

13. $25 \times \frac{7}{10}$ **14.** $15 \times \frac{2}{9}$ **15.** $12 \times \frac{5}{8}$ **16.** $30 \times \frac{1}{12}$

17. $\frac{2}{3} \times 120$ **18.** $\frac{3}{4} \times 200$ **19.** $\frac{7}{8} \times 120$ **20.** $\frac{9}{10} \times 145$

21. $101 \times \frac{3}{2}$ **22.** $60 \times \frac{2}{3}$ **23.** $88 \times \frac{1}{6}$ **24.** $30 \times \frac{7}{9}$

25. $\frac{6}{7} \times 49$ **26.** $85 \times \frac{4}{5}$ **27.** $120 \times \frac{3}{4}$ **28.** $\frac{1}{10} \times 165$

Problèmes.

29. Le salaire moyen d'un ouvrier du chemin de fer est 1 fois $\frac{1}{4}$ plus élevé qu'il y a 2 ans. Il était alors de 24 000 $. À combien s'élève-t-il aujourd'hui?

30. Le réseau ferroviaire du Canada mesure environ 70 000 km de long. $\frac{1}{5}$ des voies ferrées se trouvent en Saskatchewan, $\frac{1}{7}$ en Alberta et $\frac{1}{10}$ au Manitoba. Quelle est, en kilomètres, la longueur approximative des voies ferrées dans ces trois provinces?

À la recherche de numérateurs

Trouve les numérateurs des fractions.

a. $\frac{\blacksquare}{4} \times 6 = 6$ **b.** $\frac{\blacksquare}{4} \times 6 = 12$ **c.** $\frac{\blacksquare}{4} \times 6 = 0$

d. $\frac{\blacksquare}{7} \times 15 = 15$ **e.** $\frac{\blacksquare}{7} \times 15 = 30$ **f.** $\frac{\blacksquare}{7} \times 15 = 45$

g. $\frac{\blacksquare}{11} \times 2 = 2$ **h.** $\frac{\blacksquare}{11} \times 2 = 4$ **i.** $\frac{\blacksquare}{11} \times 2 = 0$

La multiplication de fractions

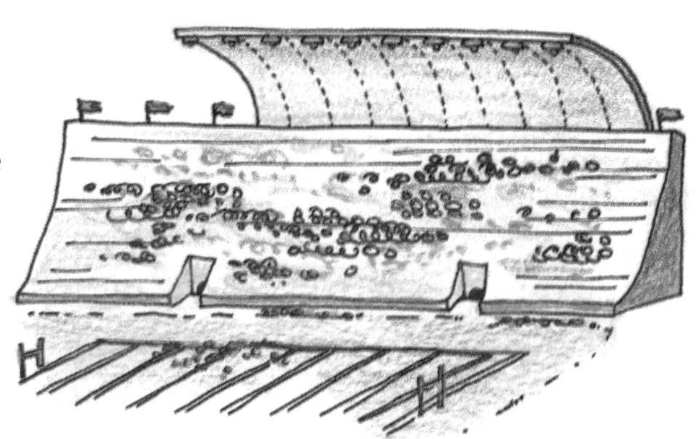

On a demandé à l'entreprise O. Béton Ltée de bâtir un stade de football.

Les $\frac{3}{4}$ des sièges doivent être situés entre les lignes de buts.
Les $\frac{2}{3}$ de **ces** sièges doivent être protégés par un toit.
Quelle fraction de l'ensemble sera couverte?
Le diagramme indique que la section couverte représente $\frac{6}{12}$ ou $\frac{1}{2}$ de l'ensemble.

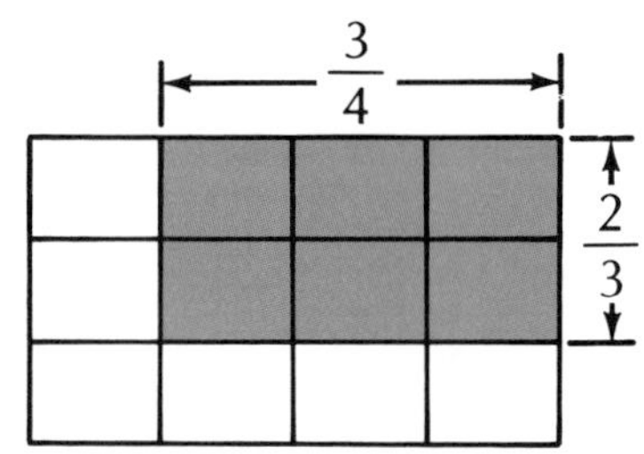

On peut trouver la réponse en faisant une multiplication.

$$\frac{2}{3} \times \frac{3}{4} = \frac{2 \times 3}{3 \times 4} = \frac{6}{12} = \frac{1}{2}$$

EXERCICES

Calcule. Exprime le résultat sous forme de fraction simplifiée.

1. $\frac{1}{5}$ de $\frac{2}{3} = \frac{1}{5} \times \frac{2}{3} = \blacksquare$ **2.** $\frac{1}{2}$ de $\frac{4}{5} = \frac{1}{2} \times \frac{4}{5} = \blacksquare$

3. $\frac{1}{3}$ de $\frac{3}{5}$ **4.** $\frac{2}{3}$ de $\frac{3}{5}$ **5.** $\frac{3}{3}$ de $\frac{3}{5}$ **6.** $\frac{4}{3}$ de $\frac{3}{5}$

7. $\frac{1}{4} \times \frac{5}{6}$ **8.** $\frac{2}{4} \times \frac{5}{6}$ **9.** $\frac{3}{4} \times \frac{5}{6}$ **10.** $\frac{4}{4} \times \frac{5}{6}$

11. $\frac{1}{2} \times \frac{3}{4}$ **12.** $\frac{2}{2} \times \frac{3}{4}$ **13.** $\frac{3}{2} \times \frac{3}{4}$ **14.** $\frac{4}{2} \times \frac{3}{4}$

15. $\frac{1}{5} \times \frac{5}{7}$ **16.** $\frac{2}{5} \times \frac{5}{7}$ **17.** $\frac{3}{5} \times \frac{5}{7}$ **18.** $\frac{4}{5} \times \frac{5}{7}$

19. $\frac{1}{6} \times \frac{4}{8}$ **20.** $\frac{6}{3} \times \frac{1}{9}$ **21.** $\frac{5}{4} \times \frac{4}{3}$ **22.** $\frac{1}{12} \times \frac{18}{4}$

EXERCICES

Multiplie. Exprime le résultat sous forme de fraction simplifiée.

1. $\frac{1}{2} \times \frac{1}{3}$ **2.** $\frac{2}{5} \times \frac{1}{4}$ **3.** $\frac{3}{8} \times \frac{5}{6}$ **4.** $\frac{2}{7} \times \frac{3}{11}$

5. $\frac{3}{7} \times \frac{3}{9}$ **6.** $\frac{7}{8} \times \frac{1}{9}$ **7.** $\frac{5}{9} \times \frac{9}{10}$ **8.** $\frac{1}{6} \times \frac{3}{4}$

9. $\frac{2}{3} \times \frac{4}{9}$ **10.** $\frac{8}{8} \times \frac{10}{11}$ **11.** $\frac{3}{8} \times \frac{6}{9}$ **12.** $\frac{5}{12} \times \frac{10}{10}$

13. $\frac{6}{6} \times \frac{5}{9}$ **14.** $\frac{3}{4} \times \frac{5}{5}$ **15.** $\frac{1}{2} \times \frac{4}{3}$ **16.** $\frac{3}{2} \times \frac{5}{8}$

17. $\frac{3}{8} \times \frac{6}{5}$ **18.** $\frac{6}{7} \times \frac{3}{4}$ **19.** $\frac{5}{4} \times \frac{8}{15}$ **20.** $\frac{10}{7} \times \frac{5}{7}$

Combien cela représente-t-il?

21. $\frac{1}{2}$ de $\frac{1}{2}$ heure **22.** $\frac{1}{3}$ de $\frac{1}{2}$ heure **23.** $\frac{3}{4}$ de $\frac{1}{3}$ d'heure

24. $\frac{5}{8}$ de $\frac{2}{3}$ d'heure **25.** $\frac{5}{6}$ de 9 heures **26.** $\frac{1}{9}$ de $\frac{3}{4}$ d'heure

27. Exprime le résultat des exercices 21 à 26 en minutes.

Tarifs de téléphone

Une compagnie de téléphone consent des rabais pour les appels effectués en dehors des heures de pointe.

Du lundi au vendredi	08:00	18:00	Aucun rabais
Du lundi au vendredi	18:00	23:00	$\frac{1}{3}$ de rabais
Le samedi	08:00	12:00	Aucun rabais
Le samedi	12:00	23:00	$\frac{2}{3}$ de rabais
Le samedi	08:00	18.00	$\frac{2}{3}$ de rabais
Le dimanche	18:00	23:00	$\frac{1}{2}$ de rabais
Tous les jours	23:00	08:00	$\frac{2}{3}$ de rabais

Quelles sont ces heures de pointe?

Calcule le total de la facture de téléphone.

Appel	Jour	Heure	Tarif normal	Rabais	Prix net
Lethbridge	Dimanche	19:00	16,00 $		
Winnipeg	Mercredi	18:30	21,00 $		
Moncton	Vendredi	11:30	4,80 $		
Sherbrooke	Samedi	07:45	27,00 $		
				Total	

La multiplication de nombres mixtes

On utilise souvent les fractions pour exprimer la valeur en dollars des actions cotées en bourse.

Quel est la valeur de 9 actions si une action est cotée à $3\frac{3}{4}$?

$$9 \times \boxed{3\frac{3}{4}} = 9 \times \boxed{\frac{15}{4}} = \frac{9 \times 15}{4} = \frac{135}{4} = 33\frac{3}{4}$$

Les 9 actions valent $33\frac{3}{4}$ dollars ou 33,75 $.

Le 1er mai, une action était cotée à $3\frac{3}{8}$.

Le 31 juillet, cette action avait perdu les $\frac{2}{3}$ de sa valeur.

Quelle était sa nouvelle cote?

$$\frac{2}{3} \times \boxed{3\frac{3}{8}} = \frac{2}{3} \times \boxed{\frac{27}{8}} = \frac{2 \times 27}{3 \times 8} = \frac{54}{24} = 2\frac{6}{24} = 2\frac{1}{4}$$

Le 31 juillet, sa cote était de $2\frac{1}{4}$.

EXERCICES

Multiplie. Exprime le résultat sous forme de fraction simplifiée.

1. $7 \times \boxed{5\frac{1}{2}} = 7 \times \boxed{\frac{11}{2}} = \blacksquare$ **2.** $\boxed{3\frac{2}{5}} \times 2 = \boxed{\frac{17}{5}} \times 2 = \blacksquare$

3. $\frac{2}{3} \times \boxed{1\frac{1}{4}} = \frac{2}{3} \times \boxed{\frac{5}{4}} = \blacksquare$ **4.** $\boxed{1\frac{3}{8}} \times \frac{3}{4} = \boxed{\frac{11}{8}} \times \frac{3}{4} = \blacksquare$

5. $3 \times 1\frac{1}{2}$ **6.** $2 \times 1\frac{1}{2}$ **7.** $\frac{2}{2} \times 1\frac{1}{2}$ **8.** $\frac{1}{2} \times 1\frac{1}{2}$

9. $3 \times 1\frac{1}{3}$ **10.** $2 \times 1\frac{1}{3}$ **11.** $\frac{2}{2} \times 1\frac{1}{3}$ **12.** $\frac{1}{2} \times 1\frac{1}{3}$

13. $4 \times 2\frac{3}{4}$ **14.** $2 \times 2\frac{3}{4}$ **15.** $\frac{2}{2} \times 2\frac{3}{4}$ **16.** $\frac{1}{4} \times 2\frac{3}{4}$

17. $8 \times 2\frac{2}{9}$ **18.** $4 \times 2\frac{2}{9}$ **19.** $\frac{4}{4} \times 2\frac{2}{9}$ **20.** $\frac{1}{4} \times 2\frac{2}{9}$

21. $2\frac{2}{3} \times 6$ **22.** $10 \times 4\frac{1}{2}$ **23.** $9\frac{1}{3} \times \frac{1}{2}$ **24.** $\frac{5}{6} \times 3\frac{4}{5}$

25. $\frac{5}{6} \times 3\frac{1}{3}$ **26.** $\frac{7}{12} \times 4$ **27.** $4\frac{5}{7} \times \frac{2}{3}$ **28.** $\frac{4}{9} \times 6\frac{1}{3}$

EXERCICES

Multiplie. Exprime le résultat sous forme de fraction simplifiée.

1. $\frac{1}{2} \times 9\frac{1}{2}$ **2.** $3\frac{1}{7} \times 3$ **3.** $\frac{3}{3} \times 5\frac{5}{6}$ **4.** $\frac{2}{3} \times 1\frac{1}{2}$

5. $3 \times 5\frac{3}{5}$ **6.** $3\frac{1}{4} \times 4$ **7.** $6\frac{2}{3} \times \frac{1}{4}$ **8.** $\frac{3}{8} \times 2\frac{1}{4}$

9. $4\frac{5}{8} \times 2$ **10.** $6 \times 7\frac{1}{5}$ **11.** $\frac{1}{3} \times 4\frac{6}{7}$ **12.** $3\frac{2}{3} \times \frac{1}{4}$

13. $6\frac{2}{3} \times \frac{3}{4}$ **14.** $7\frac{5}{8} \times 4$ **15.** $\frac{5}{9} \times 3\frac{1}{5}$ **16.** $\frac{8}{11} \times 2\frac{1}{2}$

17. $18 \times 1\frac{1}{3}$ **18.** $\frac{3}{7} \times 2\frac{1}{10}$ **19.** $2\frac{1}{11} \times 10$ **20.** $\frac{7}{8} \times 5\frac{1}{3}$

21. Reproduis et complète le tableau.

Valeur d'une action	Valeur de 4 actions	Valeur de 8 actions	Valeur de 15 actions	Valeur de 50 actions
$2\frac{1}{2}$				
$6\frac{1}{4}$				
$7\frac{1}{8}$				
$2\frac{3}{8}$				

Encore des nombres mixtes

Pour multiplier deux nombres mixtes, transforme-les d'abord en fractions.

$$2\frac{1}{2} \times 3\frac{1}{2} = \frac{5}{2} \times \frac{7}{2} = \frac{35}{4} = 8\frac{3}{4}$$

Multiplie. Exprime le résultat sous forme de fraction simplifiée.

1. $3\frac{2}{3} \times 1\frac{1}{2}$ **2.** $2\frac{1}{5} \times 1\frac{1}{3}$ **3.** $1\frac{1}{3} \times 2\frac{1}{4}$

4. $3\frac{3}{4} \times 1\frac{1}{2}$ **5.** $1\frac{3}{5} \times 3\frac{1}{2}$ **6.** $2\frac{3}{4} \times 1\frac{1}{6}$

7. $2\frac{1}{3} \times 1\frac{4}{5}$ **8.** $3\frac{1}{8} \times 2\frac{4}{5}$ **9.** $1\frac{3}{10} \times 2\frac{1}{2}$

10. $2\frac{2}{5} \times 1\frac{3}{8}$ **11.** $1\frac{1}{3} \times 2\frac{1}{4}$ **12.** $1\frac{5}{9} \times 2\frac{1}{7}$

Les formules

On exprime parfois le nombre **Pi** (voir page 106) par la fraction $\frac{22}{7}$.

Pi entre dans les calculs concernant les mesures d'un cercle.

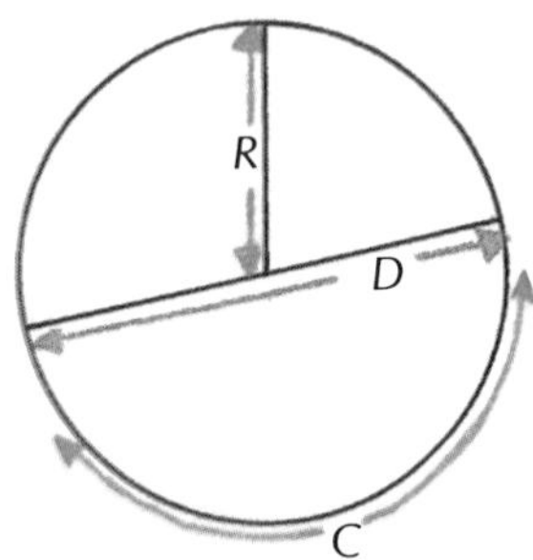

C = Circonférence
R = Rayon
D = Diamètre
A = Aire

En remplaçant les mesures d'un cercle par des lettres, on peut écrire des **formules** permettant de calculer l'aire et la circonférence de ce cercle.

$$A = \textbf{pi} \times R^2$$

$$C = \textbf{pi} \times D$$

EXERCICES

1. Quelle et la circonférence d'un cercle de 7 cm de diamètre?
2. Quel est l'aire d'un cercle de 7 cm de rayon?
3. Quelle est la circonférence d'un cercle de 3,5 cm de rayon?
4. Quel est l'aire d'un cercle de 14 cm de diamètre?
5. Écris la formule qui permet de calculer le rayon à partir du diamètre.
6. Écris la formule qui permet de calculer le diamètre à partir du rayon.

EXERCICES

L'aire du triangle

$$A = \frac{1}{2} \times B \times H$$

Le volume de la sphère

$$V = \frac{4}{3} \times \textbf{pi} \times R^3$$

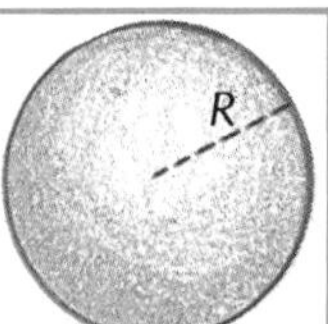

Résous les problèmes à l'aide des formules ci-dessus.

1. Quel est l'aire d'un triangle dont la base mesure 4 cm et la hauteur 3 cm?
2. Quel est le volume d'une sphère dont le **rayon** mesure 1 cm?
3. Quel est l'aire d'un triangle dont la base mesure 5 cm et la hauteur 4 cm?
4. Lequel a le plus grand volume?

3 cm 3 cm 3 cm 2 cm

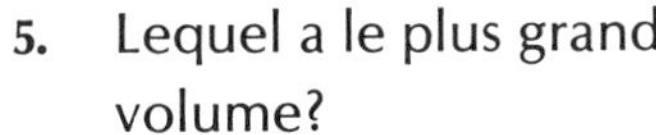

5. Lequel a le plus grand volume?

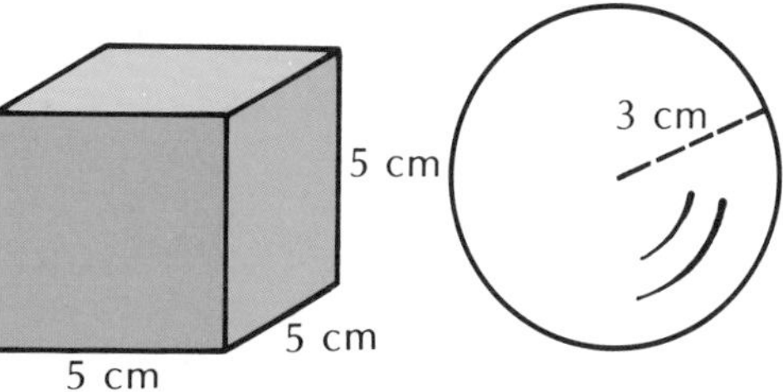

RÉVISION

Multiplie. Exprime le produit sous sa forme la plus simple.

1. $\frac{1}{5} \times 8$	**2.** $\frac{11}{12} \times 8$	**3.** $\frac{5}{7} \times 6$	**4.** $40 \times \frac{5}{6}$
5. $\frac{1}{2} \times \frac{6}{7}$	**6.** $\frac{3}{5} \times \frac{8}{9}$	**7.** $\frac{2}{3} \times \frac{5}{7}$	**8.** $\frac{9}{10} \times \frac{4}{5}$
9. $18 \times 1\frac{1}{3}$	**10.** $6\frac{1}{4} \times 10$	**11.** $\frac{2}{3} \times 5\frac{1}{2}$	**12.** $3\frac{3}{7} \times \frac{1}{2}$

La multiplication de nombres décimaux

Calcule l'aire des terrains rectangulaires.

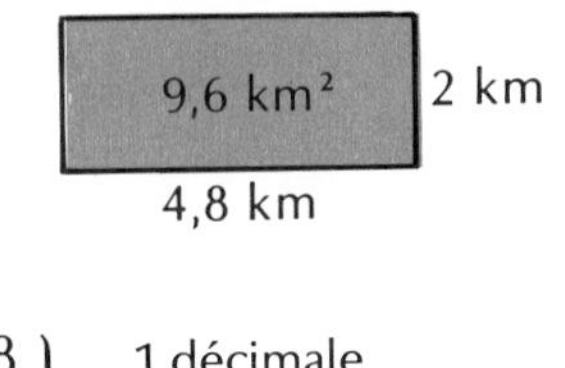

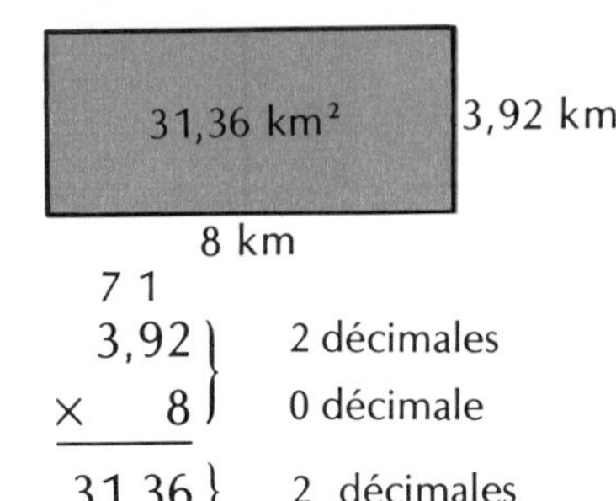

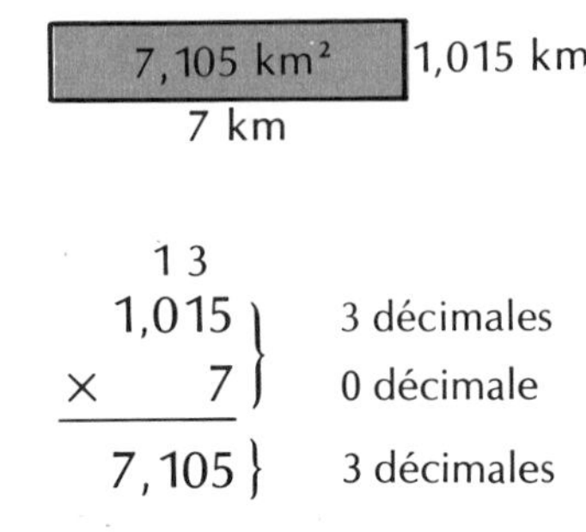

		7 1		1 3	
4,8	1 décimale	3,92	2 décimales	1,015	3 décimales
× 2	0 décimale	× 8	0 décimale	× 7	0 décimale
9,6	1 décimale	31,36	2 décimales	7,105	3 décimales

Estime toujours le résultat pour t'assurer que la réponse est vraisemblable.

5	4	1
× 2	× 8	× 7
10	32	7

EXERCICES

Combien y a-t-il de décimales dans le produit? Multiplie.

1. 32 × 4	**2.** 3,2 × 4	**3.** 3,02 × 4	**4.** 3,002 × 4	**5.** 3,222 × 4
6. 63 × 3	**7.** 6,3 × 3	**8.** 6,03 × 3	**9.** 6,003 × 3	**10.** 6,333 × 3
11. 57 × 9	**12.** 5,7 × 9	**13.** 5,07 × 9	**14.** 5,007 × 9	**15.** 5,777 × 9

Estime le produit, puis multiplie.

16. 7,8 × 7	**17.** 8,13 × 9	**18.** 6,002 × 4	**19.** 4,217 × 48	**20.** 8,04 × 19
21. 4,23 × 14	**22.** 8,014 × 27	**23.** 5,44 × 35	**24.** 6,72 × 17	**25.** 9,32 × 47

EXERCICES

Calcule le produit.

1. $5{,}8 \times 6$
2. $3{,}45 \times 7$
3. $6{,}003 \times 4$
4. $9{,}02 \times 8$
5. $4{,}3 \times 7$
6. $7{,}559 \times 8$
7. $2{,}07 \times 6$
8. $3{,}017 \times 9$
9. $7{,}6 \times 5$
10. $4{,}86 \times 7$
11. $3{,}7 \times 61$
12. $5{,}03 \times 22$
13. $7{,}006 \times 38$
14. $1{,}41 \times 15$
15. $6{,}012 \times 14$
16. $9{,}71 \times 85$
17. $6{,}075 \times 74$
18. $4{,}215 \times 501$
19. $9{,}008 \times 243$
20. $3{,}172 \times 132$

Calcule l'aire des rectangles. Fais une estimation pour t'assurer que la réponse est vraisemblable.

21. longueur = 17,2 m
    largeur = 8 m
22. longueur = 12 m
    largeur = 6,08 m
23. longueur = 5,064 km
    largeur = 13 km
24. longueur = 72 km
    largeur = 74,25 km

L'aire et le périmètre

Compare l'aire et le périmètre des rectangles **A**, **B**, et **C**.
Remplace ■ par <, = ou >.

A.

12 cm

1,2 cm

B.

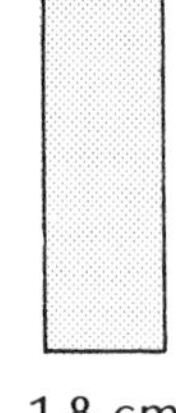

8 cm

1,8 cm

C.

6 cm

2,4 cm

1. Aire de **A** ■ Aire de **B** ■ Aire de **C**
2. Périmètre de **A** ■ Périmètre de **B** ■ Périmètre de **C**

La multiplication de nombres décimaux

Une mine ontarienne produit environ 0,9 t (tonnes) d'argent par semaine. Il y a cinq ans, elle en produisait seulement la moitié (0,5). Quelle masse d'argent produisait-elle à cette époque?

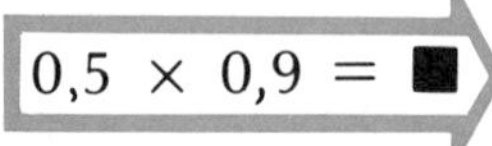

$$\frac{5}{10} \times \frac{9}{10} = \frac{45}{100}$$

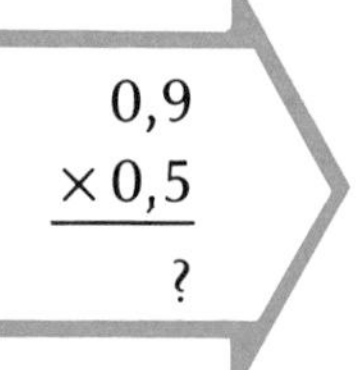

$$\begin{array}{r} 9 \\ \times 5 \\ \hline 45 \end{array}$$

0,9	1 décimale
× 0,5	1 décimale
0,45	2 décimales

Il y a cinq ans, la mine produisait environ 0,45 t d'argent par semaine.

dixièmes × dixièmes ⟶ centièmes

EXERCICES

Multiplie.

1. $\frac{1}{10} \times \frac{2}{10}$ **2.** $\frac{3}{10} \times \frac{8}{10}$ **3.** $\frac{2}{10} \times \frac{4}{10}$ **4.** $\frac{7}{10} \times \frac{9}{10}$

5. $0,2 \times 0,1$ **6.** $0,8 \times 0,3$ **7.** $0,4 \times 0,2$ **8.** $0,9 \times 0,7$

9. $\frac{1}{10} \times \frac{8}{10}$ **10.** $\frac{7}{10} \times \frac{3}{10}$ **11.** $\frac{1}{10} \times \frac{1}{10}$ **12.** $\frac{4}{10} \times \frac{4}{10}$

13. $0,8 \times 0,1$ **14.** $0,3 \times 0,7$ **15.** $0,1 \times 0,1$ **16.** $0,4 \times 0,4$

17. $0,9 \times 0,9$ **18.** $0,7 \times 0,8$ **19.** $0,6 \times 0,1$ **20.** $0,3 \times 0,3$

EXERCICES

Calcule le produit.

1. $0{,}6 \times 0{,}3$	**2.** $0{,}7 \times 0{,}7$	**3.** $0{,}2 \times 0{,}3$	**4.** $0{,}9 \times 0{,}3$	**5.** $0{,}8 \times 0{,}6$
6. $0{,}4 \times 7$	**7.** $0{,}5 \times 0{,}4$	**8.** $0{,}3 \times 0{,}3$	**9.** $0{,}7 \times 0{,}1$	**10.** $0{,}3 \times 1$
11. $0{,}8 \times 0{,}4$	**12.** $0{,}1 \times 9$	**13.** $0{,}5 \times 0{,}3$	**14.** $0{,}8 \times 8$	**15.** $0{,}9 \times 0{,}2$

Remplace ■ par $<$, $=$, ou $>$.

16. $0{,}2 + 0{,}2$ ■ $0{,}2 \times 0{,}2$

17. $0{,}5 + 0{,}7$ ■ $3 \times 0{,}4$

18. $15 - 14{,}3$ ■ $10 \times 0{,}7$

19. $0{,}1 \times 0{,}1$ ■ $1 - 0{,}99$

20. $2{,}5 - 0{,}7$ ■ $0{,}6 \times 3$

21. $0{,}5 \times 0{,}9$ ■ $0{,}02 + 0{,}4$

22. Reproduis et complète.

×	0,8	0,9	0,7	0,1	9	36
100						
10						
1						
0,1						

23. Terre-Neuve produit environ la moitié (0,5) du minerai de fer extrait au Canada. La production du Québec représente environ $\frac{6}{10}$ (0,6) de celle de Terre Neuve. Que représente la production du Québec par rapport à celle du Canada?

Combinaisons de chiffres

1. Compose une expression égale à 100 avec six 9.
2. Compose une expression égale à 100 avec cinq 5.
3. Compose une expression égale à 100 avec huit 7.

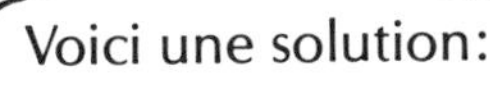

La multiplication de nombres décimaux

Cette année, un fabricant de micro-ordinateurs a réalisé un chiffre d'affaires de 6,9 millions de dollars. Il compte réaliser un chiffre d'affaires 2,2 fois plus grand l'année prochaine. Peux-tu le calculer?

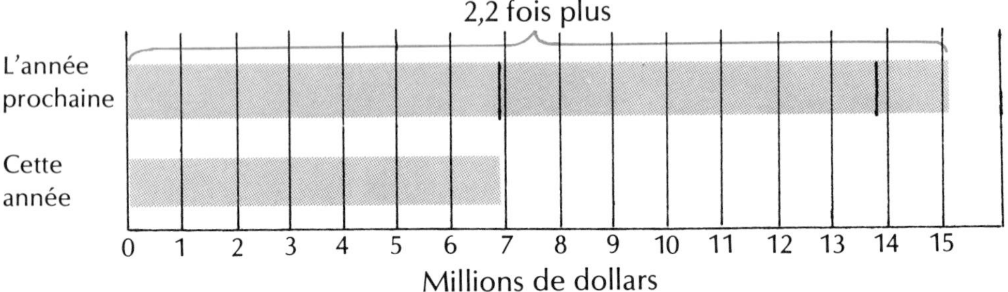

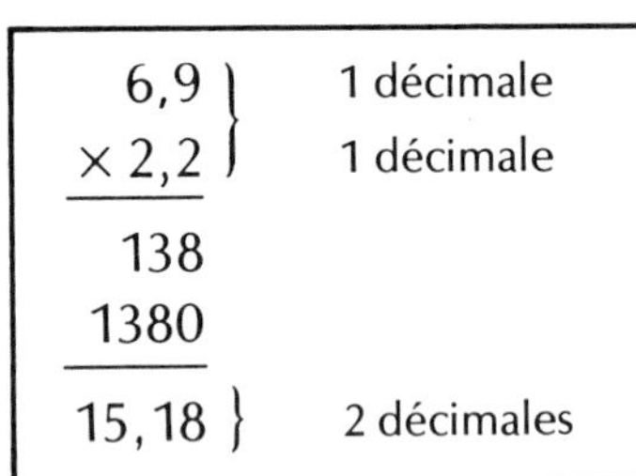

$$\begin{array}{rl} 6{,}9 & \text{1 décimale} \\ \times\ 2{,}2 & \text{1 décimale} \\ \hline 138 & \\ 1380 & \\ \hline 15{,}18 & \text{2 décimales} \end{array}$$

ou

$$\frac{69}{10} \times \frac{22}{10} = \frac{1518}{100} = 15{,}18$$

Il devrait réaliser un chiffre d'affaires de 15 millions de dollars environ.

Vérifie par une estimation.

$7 \times 2 = 14$

EXERCICES

Multiplie.

1. $\frac{6}{10} \times 3\frac{2}{10}$ **2.** $\frac{3}{10} \times 4\frac{1}{10}$ **3.** $1\frac{5}{10} \times 2\frac{1}{10}$ **4.** $8\frac{2}{10} \times 2\frac{3}{10}$

5. $3{,}2 \times 0{,}6$ **6.** $4{,}1 \times 0{,}3$ **7.** $2{,}1 \times 1{,}5$ **8.** $2{,}3 \times 8{,}2$

9. $4{,}3 \times 0{,}5$ **10.** $4{,}3 \times 1$ **11.** $4{,}3 \times 1{,}5$ **12.** $4{,}3 \times 2$

Multiplie. Vérifie par une estimation.

13. $5{,}3 \times 0{,}4$ **14.** $5{,}3 \times 2{,}4$ **15.** $6{,}7 \times 0{,}8$ **16.** $6{,}7 \times 3{,}8$

EXERCICES

Calcule le produit.

1. $\begin{array}{r} 3{,}2 \\ \times 0{,}2 \\ \hline \end{array}$

2. $\begin{array}{r} 5{,}8 \\ \times \quad 7 \\ \hline \end{array}$

3. $\begin{array}{r} 6{,}8 \\ \times 9{,}3 \\ \hline \end{array}$

4. $\begin{array}{r} 4{,}5 \\ \times 0{,}6 \\ \hline \end{array}$

5. $\begin{array}{r} 3{,}9 \\ \times \ 12 \\ \hline \end{array}$

6. $\begin{array}{r} 8{,}1 \\ \times \quad 7 \\ \hline \end{array}$

7. $\begin{array}{r} 6{,}7 \\ \times 5{,}5 \\ \hline \end{array}$

8. $\begin{array}{r} 5{,}9 \\ \times \ 17 \\ \hline \end{array}$

9. $\begin{array}{r} 1{,}4 \\ \times 8{,}2 \\ \hline \end{array}$

10. $\begin{array}{r} 7{,}2 \\ \times 0{,}5 \\ \hline \end{array}$

11. $\begin{array}{r} 7{,}8 \\ \times 3{,}7 \\ \hline \end{array}$

12. $\begin{array}{r} 8{,}8 \\ \times 0{,}2 \\ \hline \end{array}$

13. $\begin{array}{r} 6{,}9 \\ \times 6{,}9 \\ \hline \end{array}$

14. $\begin{array}{r} 5{,}3 \\ \times \ 72 \\ \hline \end{array}$

15. $\begin{array}{r} 3{,}9 \\ \times 4{,}1 \\ \hline \end{array}$

16. Un coureur parcourt 1 km en 6, 7 minutes. Combien de temps lui faut-il pour parcourir 2,5 km?

17. Il y a dix ans, un épargnant a déposé 12 000 $ dans un compte en banque. Grâce aux intérêts, il dispose maintenant d'une somme 2,3 fois plus importante. À combien s'élève-t-elle?

Reproduis et complète.

18.

Entrée	Sortie
N	$N \times 3{,}4$
5,2	
0,4	
6,7	

19.

Entrée	Sortie
N	$(N - 0{,}6) \times 7{,}5$
1,9	
3,7	
5,8	

20.

Entrée	Sortie
N	$(N + 0{,}2) \times 1{,}2$
0,3	
5,6	
2,9	

La logique des lettres

Chaque lettre représente un chiffre différent. Lequel?
Vérifie les réponses en effectuant la multiplication.

$$\begin{array}{r} A{,}B \\ \times A{,}B \\ \hline BC \\ AB \\ \hline A{,}DC \end{array}$$

La multiplication de nombres décimaux

Une agence immobilière touche une part représentée par le nombre décimal 0, 05 sur la vente d'une maison. La moitié de cette somme va au vendeur. Combien touche-t-il?

La moitié de 0,05

$0,5 \times 0,05 = \blacksquare$

0,5	1 décimale
× 0,05	2 décimales
0,025	3 décimales

ou

$$\frac{5 \times 5}{10 \times 100} = \frac{25}{1000}$$

Il touche une part représentée par le nombre décimal 0,025.

dixièmes × centièmes ⟶ millièmes

EXERCICES

Multiplie.

1. $\frac{6}{10} \times \frac{2}{100}$ **2.** $\frac{2}{10} \times \frac{3}{100}$ **3.** $\frac{5}{10} \times \frac{9}{100}$ **4.** $\frac{3}{10} \times \frac{3}{100}$

5. $0,02 \times 0,6$ **6.** $0,03 \times 0,2$ **7.** $0,09 \times 0,5$ **8.** $0,03 \times 0,3$

9. $\frac{3}{10} \times \frac{8}{100}$ **10.** $\frac{7}{10} \times \frac{15}{100}$ **11.** $\frac{6}{10} \times \frac{32}{100}$ **12.** $\frac{5}{10} \times \frac{78}{100}$

13. $0,08 \times 0,3$ **14.** $0,15 \times 0,7$ **15.** $0,32 \times 0,6$ **16.** $0,78 \times 0,5$

17. $0,55 \times 0,6$ **18.** $0,74 \times 0,8$ **19.** $0,91 \times 0,4$ **20.** $0,37 \times 0,9$

EXERCICES

Calcule le produit.

1. $0{,}14 \times 0{,}2$
2. $0{,}06 \times 0{,}1$
3. $0{,}57 \times 9$
4. $0{,}48 \times 0{,}2$
5. $0{,}62 \times 0{,}5$
6. $0{,}04 \times 0{,}2$
7. $0{,}05 \times 0{,}8$
8. $0{,}98 \times 0{,}2$
9. $0{,}09 \times 0{,}1$
10. $0{,}47 \times 6$
11. $0{,}38 \times 16$
12. $0{,}02 \times 0{,}1$
13. $0{,}83 \times 7$
14. $0{,}31 \times 0{,}6$
15. $0{,}29 \times 48$

Recopie et complète par $<$, $=$ ou $>$.

16. $0{,}2 \times 0{,}2$ ■ $0{,}95 - 0{,}91$
17. $0{,}01 \times 0{,}7$ ■ $0{,}5 + 0{,}2$
18. $15{,}1 - 15{,}09$ ■ $0{,}1 \times 0{,}1$
19. $0{,}5 \times 0{,}32$ ■ $0{,}25 - 0{,}09$
20. $3{,}2 - 3{,}09$ ■ $0{,}5 \times 0{,}02$
21. $0{,}9 \times 0{,}02$ ■ $0{,}09 + 0{,}09$

22. Reproduis et complète.

×	10	0,5	0,8	900	842	10,3	40,7
10							
1							
0,1							
0,01							

Trois facteurs

Calcule le volume de chaque boîte.

a. 0,1 m 0,1 m 0,1 m

b.

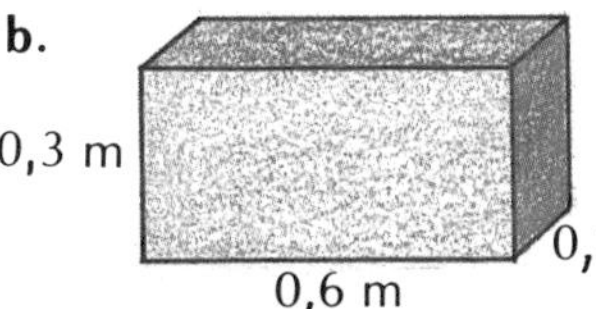

c. 0,5 m

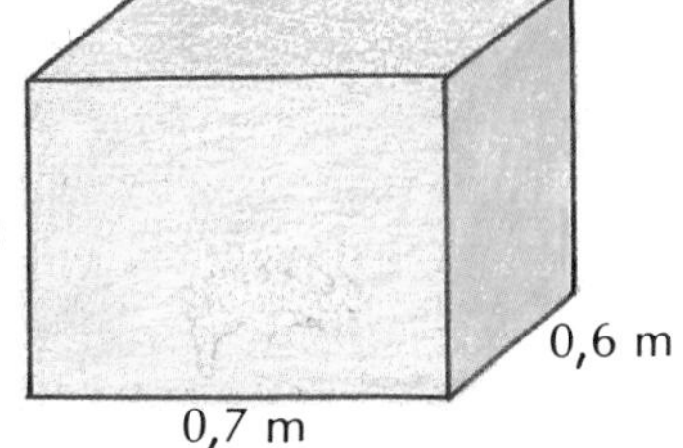

a. $\frac{1}{10} \times \frac{1}{10} \times \frac{1}{10} =$ ■

Ou $0{,}1 \times 0{,}1 \times 0{,}1 =$ ■

Volume = ■ m^3

b. $\frac{6}{10} \times \frac{3}{10} \times \frac{2}{10} =$ ■

Ou $0{,}6 \times 0{,}3 \times 0{,}2 =$ ■

Volume = ■ m^3

c. $\frac{5}{10} \times \frac{6}{10} \times \frac{7}{10} =$ ■

Ou $0{,}5 \times 0{,}6 \times 0{,}7 =$ ■

Volume = ■ m^3

La multiplication de nombres décimaux

Un billet de cinéma coûte 2,20 $. Les frais d'administration ayant augmenté de 1,7 fois, le gérant décide de reporter cette hausse sur le prix des billets. Quel sera le nouveau prix?

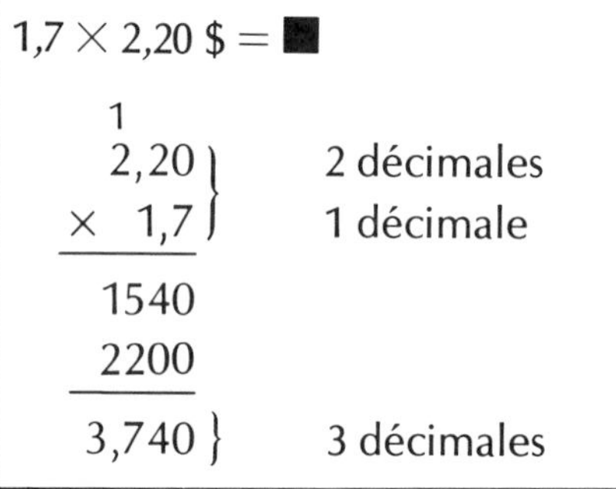

$1{,}7 \times 2{,}20\ \$ = \blacksquare$

$$\begin{array}{r l}
\overset{1}{2{,}20} & \text{2 décimales} \\
\times\ 1{,}7 & \text{1 décimale} \\
\hline
1540 & \\
2200 & \\
\hline
3{,}740 & \text{3 décimales}
\end{array}$$

ou

$$\frac{17}{10} \times \frac{220}{100} = \frac{3740}{1000} = 3{,}740$$

Vérifie par une estimation.

$2 \times 2\ \$ = 4\ \$$

Les nouveaux billets coûteront 3,74 $.

EXERCICES

Multiplie.

1. $\frac{5}{10} \times 2\frac{1}{100}$
2. $\frac{3}{10} \times 2\frac{2}{100}$
3. $1\frac{4}{10} \times 1\frac{3}{100}$
4. $2\frac{2}{10} \times 3\frac{1}{100}$
5. $2{,}01 \times 0{,}5$
6. $2{,}02 \times 0{,}3$
7. $1{,}03 \times 1{,}4$
8. $3{,}01 \times 2{,}2$
9. $3{,}48 \times 0{,}5$
10. $3{,}48 \times 1{,}5$
11. $3{,}48 \times 2{,}5$
12. $3{,}48 \times 3{,}5$

Estime la réponse, puis effectue la multiplication.

13. $4{,}07 \times 5{,}8$
14. $3{,}89 \times 6{,}1$
15. $9{,}91 \times 1{,}7$
16. $6{,}03 \times 4{,}2$
17. $6{,}54\ \$ \times 7{,}2$
18. $8{,}49\ \$ \times 6{,}5$
19. $4{,}88\ \$ \times 5{,}6$
20. $7{,}61\ \$ \times 8{,}4$

EXERCICES

Calcule le produit.

1. $5{,}77 \times 0{,}4$
2. $4{,}69 \times 1{,}2$
3. $26{,}8 \times 0{,}14$
4. $3{,}58 \times 2{,}5$
5. $6{,}85 \times 3{,}2$
6. $65{,}6 \times 35$
7. $4{,}25 \times 3{,}3$
8. $875 \times 6{,}12$
9. $1{,}51 \times 0{,}2$
10. $15{,}9 \times 2{,}13$
11. $895 \times 1{,}2$
12. $63{,}8 \times 4{,}09$
13. $4{,}77 \times 22$
14. $3{,}98 \times 4{,}3$
15. $422 \times 1{,}08$

Simplifie.

16. $1{,}2 + 4{,}3 \times 0{,}5$
17. $95 - 6{,}1 \times 5{,}1$
18. $5{,}21 \times (4{,}1 + 2{,}6)$
19. $42{,}3 \times (7{,}5 - 1{,}04)$
20. $200 - 3{,}1 \times 0{,}1$
21. $8{,}8 + 7{,}2 \times 0{,}02$

Reproduis et complète.

22.

Entrée	Sortie
N	$N \times 1{,}01$
3,5	
8	
46	

23.

Entrée	Sortie
N	$(N + 1{,}2) \times 6{,}25$
3	
12	
50	

24.

Entrée	Sortie
N	$(N - 6{,}25) \times 1{,}2$
14	
25	
80	

AVEC LA CALCULATRICE

1. **a.** Fais entrer: [•] [5] [×] [•] [5] [=]
   b. Fais entrer: [•] [5] [×] [=]
   Que remarques-tu?

2. Fais entrer: [•] 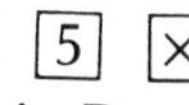
   Presse [=] une fois. Deux fois. Trois fois. Que remarques-tu?

Calcule.

3. $0{,}5^2$
4. $0{,}5^3$
5. $0{,}2^2$
6. $0{,}2^3$
7. $0{,}9^2$
8. $0{,}05^2$
9. $0{,}09^2$
10. $0{,}2^4$
11. $0{,}1^2$
12. $0{,}1^3$
13. $0{,}01^3$
14. $0{,}1^7$

Les tableaux

Isabelle dresse des chevaux. Aujourd'hui, elle a entrepris de construire un enclos avec 24 haies mobiles. Elle veut les disposer en forme de rectangle de manière à obtenir une aire aussi grande que possible. Comment va-t-elle les disposer?

Résous le problème à l'aide d'un tableau.

Périmètre	Longueur	Largeur	Aire
24	11	1	11
24	10	2	20
24	9	3	27
24	8	4	32
24	7	5	35
24	6	6	36

Elle va les disposer en forme de carré. Chaque côté sera constitué de 6 haies.

EXERCICES

1. De quelle façon doit-on disposer 34 haies pour obtenir le rectangle le plus grand possible?

2. Calcule le plus petit périmètre possible d'un rectangle dont l'aire mesure 48 cm^2. La longueur des côtés doit être exprimée par un nombre entier.

3. Combien y-a-t-il de carrés dans le diagramme?

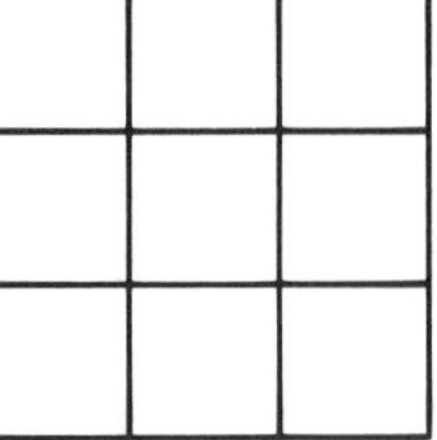

4. Combien y a-t-il de rectangles dans le diagramme?

EXERCICES

1. Mme Lebrun a donné les notes suivantes en lecture: A, B, B, C, A, D, C, B, A, C, C, D, B, C, C, A, D, B, C, A, C, B, B et C. Quelle note est la plus fréquente?

2. La somme des trois angles d'un triangle est 180°.
   La somme des quatre angles d'un quadrilatère est 360°.
   La somme des cinq angles d'un pentagone est 540°.
   Quelle est la somme des huit angles d'un octogone?

3. La somme des deux premiers nombres impairs (1 + 3) est 4.
   La somme des trois premiers nombres impairs (1 + 3 + 5) est 9.
   a. Calcule la somme des quatre, cinq et six premiers nombres impairs.
   b. Prédis la somme des 8 premiers nombres impairs.
   c. Prédis la somme des 10 premiers nombres impairs.

RÉVISION

Multiplie.

1. 3,8 × 6	**2.** 4,02 × 3	**3.** 7,001 × 8	**4.** 6,023 × 4
5. 0,1 × 0,1	**6.** 0,3 × 0,4	**7.** 0,6 × 0,8	**8.** 0,2 × 0,3
9. 1,2 × 3,2	**10.** 6,3 × 5,1	**11.** 4,5 × 6,7	**12.** 9,8 × 8,9
13. 0,01 × 0,1	**14.** 0,07 × 0,8	**15.** 0,02 × 0,3	**16.** 0,09 × 0,5
17. 5,02 × 4,1	**18.** 9,85 × 6,4	**19.** 5,43 × 7,5	**20.** 7,01 × 9,1

TEST CHAPITRE 8

Multiplie. Exprime le produit sous forme de fraction simplifiée.

1. $\frac{3}{5} \times 14$ **2.** $20 \times \frac{5}{6}$ **3.** $28 \times \frac{3}{8}$ **4.** $\frac{3}{4} \times 34$

5. $\frac{2}{3} \times \frac{7}{8}$ **6.** $\frac{5}{6} \times \frac{8}{9}$ **7.** $\frac{3}{8} \times \frac{6}{7}$ **8.** $\frac{4}{5} \times \frac{5}{6}$

9. $6 \times 3\frac{1}{4}$ **10.** $\frac{1}{2} \times 2\frac{2}{3}$ **11.** $5\frac{3}{5} \times 10$ **12.** $4\frac{1}{8} \times \frac{2}{3}$

Calcule le produit.

13. $3{,}5 \times 12$ **14.** $6{,}07 \times 23$ **15.** $5{,}006 \times 9$ **16.** $3{,}019 \times 45$

17. $0{,}6 \times 0{,}1$ **18.** $0{,}5 \times 0{,}3$ **19.** $0{,}2 \times 0{,}2$ **20.** $0{,}8 \times 0{,}9$

21. $4{,}6 \times 6{,}7$ **22.** $9{,}8 \times 1{,}2$ **23.** $8{,}5 \times 4{,}3$ **24.** $3{,}2 \times 7{,}8$

25. $0{,}03 \times 0{,}2$ **26.** $0{,}05 \times 0{,}7$ **27.** $0{,}01 \times 0{,}1$ **28.** $0{,}68 \times 0{,}9$

29. $2{,}04 \times 7{,}1$ **30.** $6{,}25 \times 3{,}8$ **31.** $9{,}02 \times 1{,}3$ **32.** $6{,}57 \times 8{,}7$

Problèmes.

33. En 0,75 s (seconde), ton coeur bat une fois. À quelle durée correspondent 100 battements? 500? 1000?

34. Estime le coût de 1,9 kg de viande à 5,39 $ le kg. Calcule le produit exact.

REPRISE LES FRACTIONS

Recopie et complète.

1. $\frac{1}{2} = \frac{4}{■}$ 2. $\frac{3}{5} = \frac{■}{10}$ 3. $\frac{7}{25} = \frac{28}{■}$ 4. $\frac{4}{9} = \frac{■}{81}$

Simplifie les fractions.

5. $\frac{4}{6}$ 6. $\frac{5}{10}$ 7. $\frac{10}{15}$ 8. $\frac{15}{100}$ 9. $\frac{14}{28}$ 10. $\frac{8}{10}$ 11. $\frac{6}{14}$ 12. $\frac{25}{100}$

Recopie et complète par $>$, $<$, $=$.

13. $\frac{11}{20}$ ● $\frac{1}{2}$ 14. $\frac{9}{10}$ ● $\frac{4}{5}$ 15. $\frac{12}{15}$ ● $\frac{4}{5}$ 16. $\frac{19}{100}$ ● $\frac{1}{5}$

17. $\frac{6}{7}$ ● $\frac{19}{21}$ 18. $\frac{3}{10}$ ● $\frac{31}{100}$ 19. $\frac{2}{3}$ ● $\frac{9}{15}$ 20. $\frac{5}{8}$ ● $\frac{20}{32}$

Transforme en nombre décimal.

21. $\frac{3}{10}$ 22. $\frac{19}{100}$ 23. $\frac{7}{100}$ 24. $\frac{5}{10}$

25. $\frac{1}{5}$ 26. $\frac{1}{2}$ 27. $\frac{3}{25}$ 28. $\frac{3}{50}$

Multiplie.

29. $\frac{1}{3} \times 15$ 30. $\frac{1}{4} \times 28$ 31. $\frac{1}{5} \times 65$ 32. $\frac{1}{2} \times 36$

33. $\frac{2}{3} \times 12$ 34. $\frac{3}{8} \times 16$ 35. $\frac{4}{5} \times 25$ 36. $\frac{2}{5} \times 40$

37. $\frac{3}{10} \times 10$ 38. $\frac{7}{10} \times 30$ 39. $\frac{7}{100} \times 400$ 40. $\frac{19}{100} \times 200$

Problème.

41. Marie bénéficie d'un rabais de $\frac{1}{3}$ sur sa facture de téléphone. Au tarif normal, elle aurait payé 48 $. Combien paie-t-elle en réalité?

CHAPITRE 9

LES RAPPORTS ET LES POURCENTAGES

À quel étage s'arrêtent-ils?

Multiplie pour le savoir.

a. 900 × 0,02	b. 1,50 × 4	c. 3,25 × 4
d. 12 × 1,25	e. 2 × 1,50	f. 8 × 1,75
g. 0,24 × 50	h. 4,25 × 4	i. 1,25 × 4

j. 2,25 × 4	k. 8 × 0,25	l. 8 × 1,25
m. 64 × 0,25	n. 16 × 0,25	o. 2,75 × 4
p. 4 × 1,75	q. 100 × 0,01	r. 5 × 1,60

Le prix

Les graines d'herbe Alapuss coûtent quatre dollars **par** kilogramme. Combien coûtent 3 kg de graines?

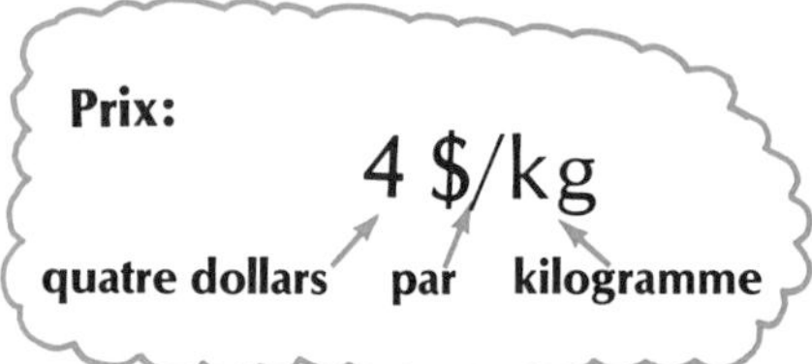

1 kg coûte 4 $.
3 kg coûtent 3 × 4 $ = 12 $.

EXERCICES

Sers-toi de symboles pour exprimer:

1. 25 $ **par** heure
2. 7,35 $ **par** kilogramme
3. 1,29 $ **par** mètre
4. 0,45 $ **par** litre
5. 18 $ **par** mètre carré
6. 500 $ **par** semaine

Calcule le prix de l'ensemble.

7. 4 boîtes à 4,50 $ la boîte
8. 6 boîtes à 3,95 $ la boîte
9. 18 m à 65 ¢/m
10. 8 L à 0,85 $/L
11. 100 m^2 à 25 $/$m^2$
12. 5 h à 2,50 $/h

Calcule le prix de l'unité.

13. 8 kg pour 9 $
14. 3 boîtes pour 87 ¢
15. 32 $ pour 8 h de travail
16. 4 pour 4 $
17. 3 boîtes pour 3,30 $
18. 36 m^2 pour 720 $
19. 6 caisses pour 88,50 $
20. 8 t pour 2200 $

Reproduis et complète le tableau.

21.

Litres de crème glacée	1	2	3	4	5
Prix en dollars	1,95 $				

EXERCICES

Reproduis et complète le tableau.

1.

Nombre de personnes	1	2	3	4	5	6
Prix des billets	5,25 $					

Calcule le prix de l'ensemble.

2. 6 kg à 5,20 $/kg
3. 5 boîtes à 35 ¢/la boîte
4. 7 m à 1,99 $/m
5. 8 h à 6,50 $/h

Calcule le prix de l'unité.

6. 8 cartons pour 56,64 $
7. 24 L pour 10,80 $
8. 6 m^3 pour 216 $
9. 8 h de travail pour 72 $

Problèmes.

10. 6 sacs de clous coûtent 3,60 $. Combien coûte un sac?
11. Une carte coûte 0,65 $. Combien coûtent 6 cartes?
12. 3 m de tapis coûtent 12 $. Combien coûte 1 m?
13. 24 boîtes de fèves coûtent 4,95 $. Combien coûtent 48 boîtes?
14. 4 savonnettes coûtent 1,20 $. Combien coûtent 8 savonnettes?
15. 12 paniers de pommes coûtent 36 $. Combien coûtent 6 paniers?

Des figures criblées d'étoiles

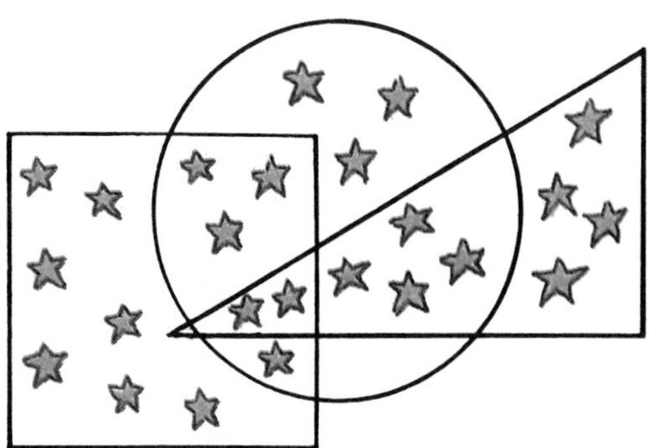

1. Combien y a-t-il d'étoiles dans le ○ qui ne sont ni dans le □ , ni dans le △?
2. Combien y a-t-il d'étoiles dans le □ qui ne sont ni dans le ○ , ni dans le △ ?
3. Combien d'étoiles appartiennent à la fois au △ et au ○ , mais se trouvent en dehors du □ ?
4. Combien d'étoiles appartiennent à la fois au △, au ○ et au □ ?

La vitesse

Le train roule à une vitesse de 105 kilomètres **par** heure. Quelle distance parcourt-il en six heures?

Vitesse:

105 km/h

kilomètres **par** **heure**

En 1 h, le train parcourt 105 km.
En 6 h, il parcourt 6 × 105 km = 630 km.

EXERCICES

Sers-toi de symboles pour exprimer:

1. 88 kilomètres **par** heure
2. 2,5 mètres **par** seconde
3. 565 kilomètres **par** jour
4. 40 kilomètres **par** heure

Calcule la distance parcourue.

5. Une voiture roule à 70 km/h. Quelle distance parcourt-elle en 3 h?
6. Un cycliste roule à 8 km/h. Quelle distance parcourt-il en 5 h?
7. Un train roule à 18 m/s. Quelle distance parcourt-il en 7 s?

Calcule la vitesse.

8. 450 km en 5 h (kilomètres **par** heure)
9. 2000 m en 8 min (mètres **par** minute)
10. 100 m en 10 s (mètres **par** seconde)
11. 750 km en 15 h (kilomètres **par** heure)

Reproduis et complète le tableau. Il représente la progression d'un avion volant à la vitesse constante de 550 km/h.

12.

Temps (h)	1	2	3	4	5	6
Distance (km)	550					

EXERCICES

1. Une voiture roule à 75 km/h. Quelle distance parcourt-elle en 4 h?
2. La vitesse du son est de 330 m/s. Quelle distance parcourt-il en une minute?
3. La lumière se déplace à la vitesse de 30 000 000 000 cm/s. Quelle distance parcourt-elle en une minute?

Calcule la vitesse.

4. 15 m en 3 s (mètres par seconde)
5. 2500 km en 4 h (kilomètres à l'heure)
6. 4 km en 2 min (kilomètres par minute)

Problèmes.

7. Un nageur olympique parcourt 100 m en 50 s. Quelle est sa vitesse moyenne en mètres par seconde?
8. Un coureur de fond parcourt 10 000 m en près de 25 min.
   a. Quelle est sa vitesse moyenne en mètres par minute?
   b. Quelle est sa vitesse moyenne en mètres par heure?
   c. Quelle est sa vitesse moyenne en kilomètres par heure?
9. Marie prépare son voyage à Halifax. Elle devra parcourir une distance totale de 1830 km. Elle roulera 8 h par jour à la vitesse moyenne de 80 km/h. Combien de jours durera son voyage?
10. Un skieur de fond parcourt 30 000 m en 1 h 30 min. Quelle est sa vitesse en kilomètres par heure?

Battements de coeur

Le coeur humain bat environ 70 fois par minute.
Combien de fois bat-il en une année?

Rapports

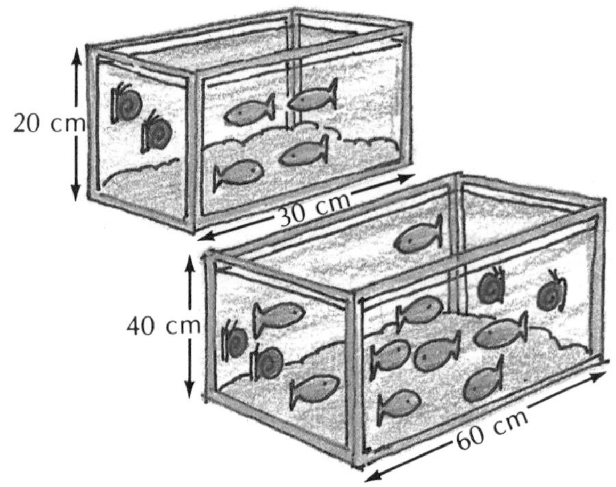

Un **rapport** est une comparaison de nombres. Le **rapport** du nombre de poissons du petit aquarium au nombre de poissons du grand aquarium est de 4 à 9.

Ce rapport s'écrit: **4 : 9** ou $\frac{4}{9}$.

EXERCICES

Exprime les rapports en te référant à l'illustration.

1. Le nombre d'escargots du grand aquarium au nombre d'escargots du petit aquarium

   4 à ■ **ou** 4: ■ **ou** $\frac{4}{■}$

2. La hauteur du petit aquarium à la hauteur du grand aquarium

   ■ à 40 **ou** ■ : 40 **ou** $\frac{■}{40}$

3. La longueur du petit aquarium à la longueur du grand aquarium

   ■ à ■ **ou** ■ : ■ **ou** $\frac{■}{■}$

4. Le nombre total d'escargots au nombre total de poissons

Exprime les rapports sous forme de fractions.

5. 2 à 1 **6.** 1 à 2 **7.** 9:5 **8.** 5:9 **9.** 8:5

Exprime les fractions sous forme de rapports (■ : ■).

10. $\frac{2}{3}$ **11.** $\frac{3}{2}$ **12.** $\frac{4}{1}$ **13.** $\frac{6}{5}$ **14.** $\frac{4}{7}$

Exprime le rapport.

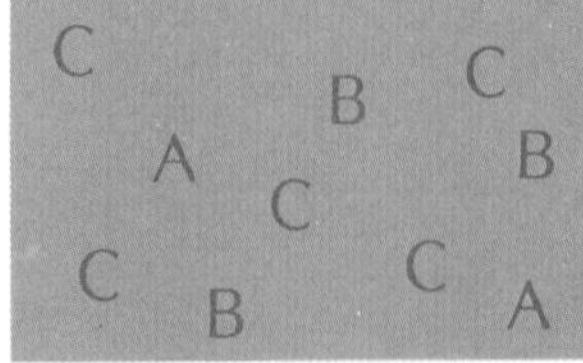

15. A à B
16. B à C
17. A à C
18. A au nombre total de lettres

EXERCICES

Exprime le rapport.

1.	M M N N M M N	N : M
2.	1 2 2 1 2 2 1 2 2 1 1	1 : 2
3.	◇◇◇◇◇◇◇○○	◇ : ○
4.	12 livres, 1 boîte	livres : boîtes
5.	8 filles, 11 garçons	garçons : personnes
6.	2 chiens, 5 chats	chiens : chats
7.	11 bananes, 15 fruits	bananes : fruits
8.	6 biscuits, 7 gâteaux	gâteaux : biscuits

9. Il y a 23 hommes et 27 femmes dans un club de culture physique. Quel est le rapport du nombre d'hommes à celui de femmes?

10. Pour une recette, il faut 2 L de boisson au gingembre et 5 L de jus de fruits. Quel est le rapport de la quantité de boisson au gingembre à celle de liquide?

11. Lucie écrit un test de mathématiques de 20 questions. Elle répond correctement à 17 questions. Écris les rapports suivants:
    a. Nombre de bonnes réponses : Nombre total de questions
    b. Nombre de mauvaises réponses : Nombre total de questions
    c. Nombre de mauvaises réponses : Nombre de bonnes réponses

L'aire

Tu peux comparer trois nombres en écrivant un seul rapport. Le rapport des longueurs des côtés des carrés est: 4 : 2 : 1 ou 4 à 2 à 1.

Quel est le rapport des aires des trois carrés?

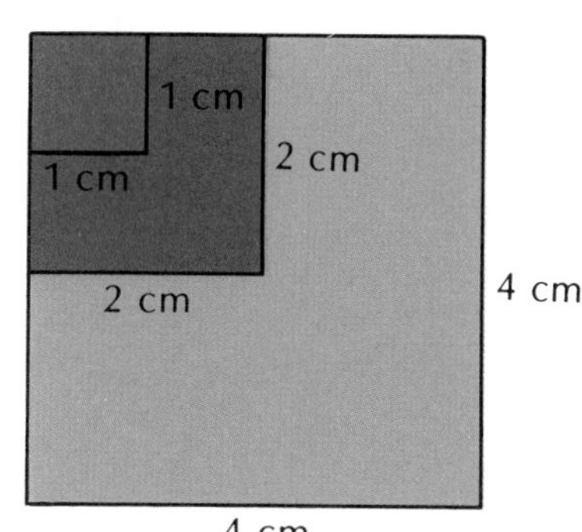

Rapports équivalents

M. Lebrun organise un pique-nique pour le voisinage. Il achète 2 L de lait pour chaque groupe de 5 enfants. Le rapport du nombre de litres au nombre d'enfants est 2 à 5.

2 L pour 5 enfants
4 L pour 10 enfants
8 L pour 20 enfants

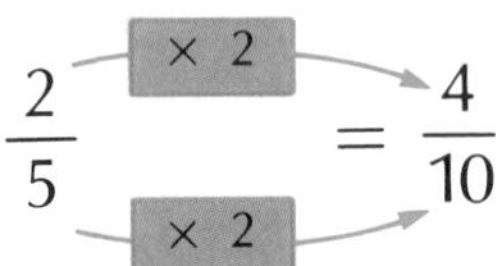

Il apporte également 6 ballons pour 10 enfants.

6 ballons pour 10 enfants
3 ballons pour 5 enfants

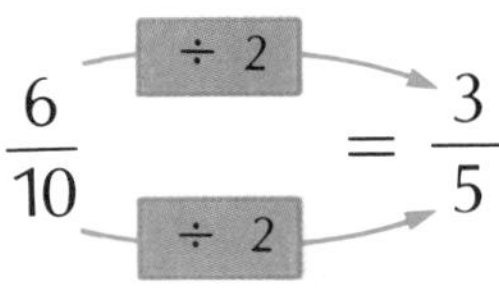

Deux **rapports équivalents** forment une **proportion**.

$2:5 = 4:10$ $\qquad$ $6:10 = 3:5$

$\frac{2}{5} = \frac{4}{10}$ $\qquad$ $\frac{6}{10} = \frac{3}{5}$

EXERCICES

Écris deux rapports pour chaque dessin.

1.

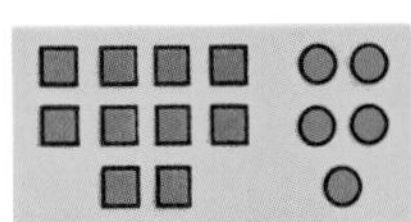

2.

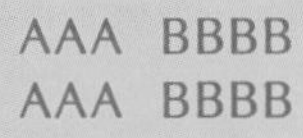

3.

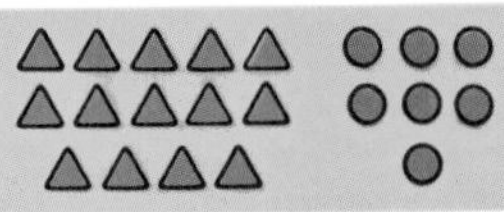

Calcule la valeur de N.

4. $\frac{4}{3} = \frac{8}{N}$ **5.** $\frac{1}{2} = \frac{N}{6}$ **6.** $\frac{2}{5} = \frac{N}{20}$ **7.** $\frac{1}{7} = \frac{3}{N}$

8. $\frac{5}{6} = \frac{10}{N}$ **9.** $\frac{3}{8} = \frac{N}{48}$ **10.** $\frac{11}{12} = \frac{N}{24}$ **11.** $\frac{1}{4} = \frac{5}{N}$

12. $\frac{N}{5} = \frac{10}{50}$ **13.** $\frac{1}{N} = \frac{2}{12}$ **14.** $\frac{N}{4} = \frac{12}{16}$ **15.** $\frac{9}{N} = \frac{27}{30}$

16. $\frac{7}{N} = \frac{21}{24}$ **17.** $\frac{N}{3} = \frac{8}{12}$ **18.** $\frac{5}{N} = \frac{15}{27}$ **19.** $\frac{6}{N} = \frac{1}{3}$

EXERCICES

Complète les proportions.

1. $\frac{5}{6} = \frac{15}{N}$ 2. $\frac{3}{N} = \frac{21}{28}$ 3. $\frac{1}{2} = \frac{N}{14}$ 4. $\frac{N}{8} = \frac{25}{40}$

5. $\frac{1}{N} = \frac{12}{48}$ 6. $\frac{3}{5} = \frac{18}{N}$ 7. $\frac{7}{N} = \frac{21}{27}$ 8. $\frac{2}{3} = \frac{N}{9}$

9. $\frac{N}{10} = \frac{35}{50}$ 10. $\frac{5}{N} = \frac{55}{99}$ 11. $\frac{6}{7} = \frac{30}{N}$ 12. $\frac{5}{48} = \frac{10}{N}$

Écris «**oui**» si les rapports sont équivalents et «**non**» s'ils ne le sont pas.

13. 2:3, 9:12 14. 5:9, 15:18 15. 6:10, 12:20 16. 4:5, 12:20

17. 3:8, 12:32 18. 3:4, 9:20 19. 11:12, 33:36 20. 1:6, 7:48

Calcule la valeur de N.

21. 8:15 = 16:N 22. 8:N = 16:24 23. 9:35 = N:70

24. N:5 = 3:15 25. 9:5 = N:20 26. 3:2 = 15:N

2 pommes coûtent 25 ¢.

27. Combien peux-tu en acheter avec 50 ¢? 75 ¢? 1,00 $?
28. Combien coûtent 12 pommes?
29. Combien coûte une pomme?

Dessins proportionnels

Dessine un agrandissement de chaque figure sur du papier quadrillé.
Construis des côtés 3 fois plus longs.
Compare l'aire des nouvelles figures à celle des figures d'origine.

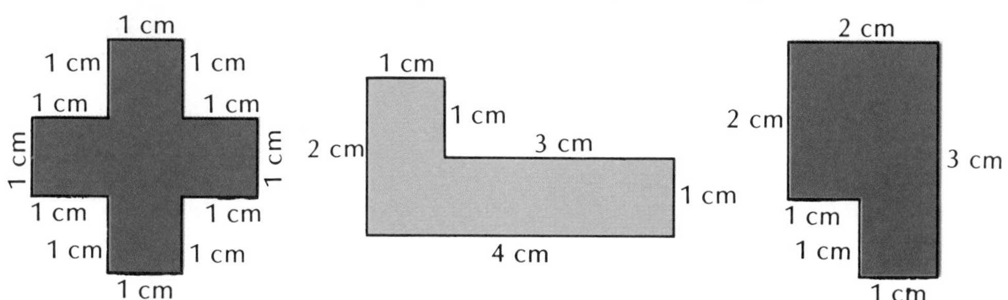

Résolution de problèmes

Deux arbustes coûtent 29 $.
Combien coûtent 10 arbustes?

Résous le problème en exprimant une proportion. Suppose que 10 arbustes coûtent N $.

$$\frac{2}{29} = \frac{10}{N}$$

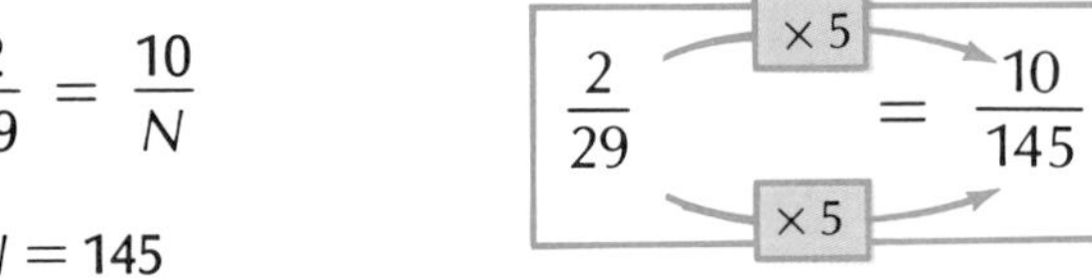

$N = 145$
Dix arbustes coûtent 145 $.

EXERCICES

Calcule la valeur de N en exprimant une proportion.

1. Jean parcourt 17 km en 2 h sur sa bicyclette. À cette même vitesse, il parcourt N km en 6 h. $\quad \frac{17}{2} = \frac{N}{6}$

2. Quatre bouteilles de sirop coûtent 5 $. N bouteilles coûtent 15 $. $\quad \frac{4}{5} = \frac{N}{15}$

3. Jeanne réalise un temps de 9 s au 50 m. À cette même vitesse, elle parcourt 100 m en N s. $\quad \frac{50}{9} = \frac{100}{N}$

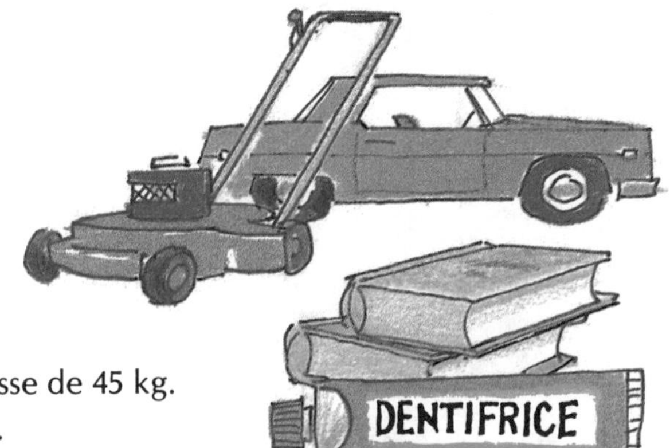

Indique la proportion.

4. Jean gagne 18 $ en 5 h.
Il gagne N $ en 20 h.

5. Alice parcourt 230 km en 2 h.
Elle parcourt N km en 6 h.

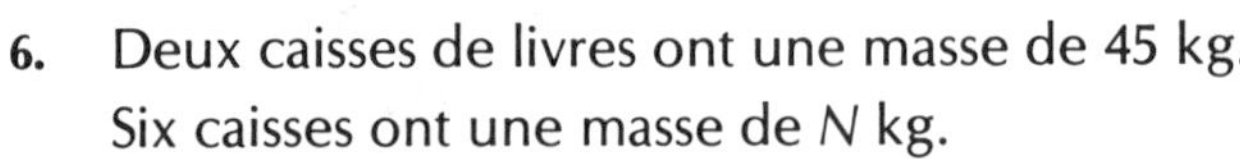

6. Deux caisses de livres ont une masse de 45 kg.
Six caisses ont une masse de N kg.

7. Trois tubes de dentifrice coûtent 4 $. Neuf tubes coûtent N $.

EXERCICES

Résous les problèmes en exprimant une proportion.

1. Jeanne gagne 22 $ en 4 h. Combien gagne-t-elle en 12 h?

2. Les ouvriers d'une chaîne de montage fabriquent 125 radios en 3 h. Combien de temps leur faut-il pour en fabriquer 625, leur rythme de production restant constant?

3. 5 m de fil électrique coûtent 2,84 $. 15 m coûtent ■.

4. Sur une carte, 1 cm représente 25 km. Quelle est la distance réelle entre deux villes séparées de 5 cm sur la carte.

5. D'après une recette pour 4 personnes il faut 3 oeufs. Combien faudra-t-il d'oeufs pour 12 personnes?

RÉVISION

Reproduis et complète le tableau.

1.

Nombre de pizzas	1	2	3	4	
Prix en dollars	5,50 $				27,50 $

Calcule la vitesse.

2. 200 m en 4 min (mètres par minute)
3. 38 km en 2 h (kilomètres par heure)
4. 1500 km en 2 jours (kilomètres par jour)

Exprime le rapport de trois façons.

5. 3 livres par étudiant
6. 2 téléphones pour 7 personnes
7. 2 sachets de thé par théière
8. 16 garçons pour 18 filles

Calcule la valeur de N.

9. $\frac{5}{6} = \frac{N}{30}$
10. $\frac{15}{17} = \frac{30}{N}$
11. $\frac{N}{8} = \frac{12}{32}$
12. $\frac{11}{N} = \frac{33}{36}$

Pourcentages

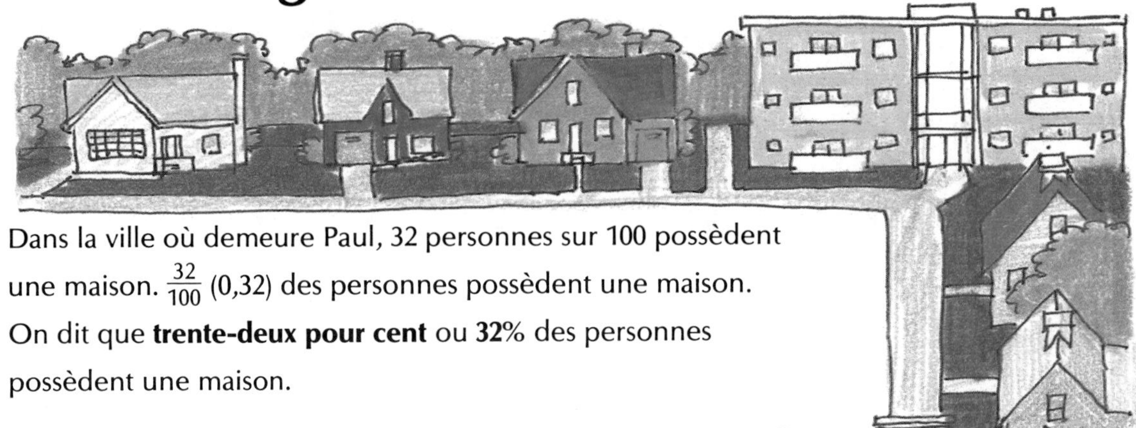

Dans la ville où demeure Paul, 32 personnes sur 100 possèdent une maison. $\frac{32}{100}$ (0,32) des personnes possèdent une maison. On dit que **trente-deux pour cent** ou **32%** des personnes possèdent une maison.

$$1\% = \frac{1}{100} = 0{,}01$$

$$100\% = \frac{100}{100} = 1$$

$$200\% = \frac{200}{100} = 2$$

EXERCICES

Transforme la fraction en nombre décimal, puis en pourcentage.

1. $\frac{6}{100}$ **2.** $\frac{7}{100}$ **3.** $\frac{50}{100}$ **4.** $\frac{38}{100}$ **5.** $\frac{75}{100}$

6. $\frac{100}{100}$ **7.** $\frac{150}{100}$ **8.** $\frac{500}{100}$ **9.** $\frac{493}{100}$ **10.** $\frac{115}{100}$

Écris sous forme de pourcentage.

11. 0,01 **12.** 0,02 **13.** 0,05 **14.** 0,09 **15.** 0,10

16. 0,20 **17.** 0,25 **18.** 0,59 **19.** 1,00 **20.** 1,59

Écris la fraction, le nombre décimal et le pourcentage correspondant à la partie coloriée.

21.

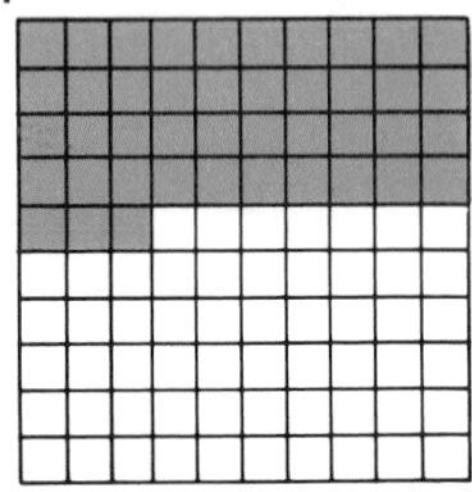

22.

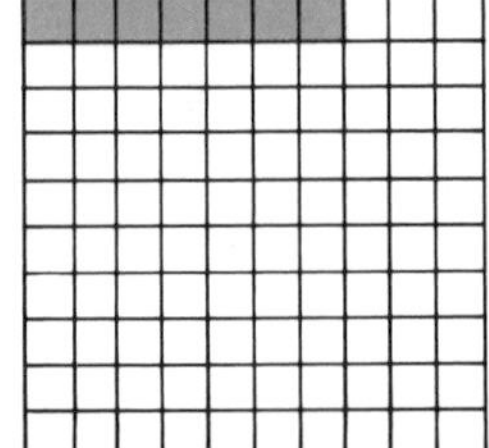

EXERCICES

Exprime les données sous forme de pourcentage.

1. 45 m sur 100 m

2. 10 ¢ sur 1,00 $

3. 95 km sur 100 km

4. 7 ¢ sur 1,00 $

5. 4 cm sur 1 m

6. 1,09 $ sur 1,00 $

Recopie et complète.

7. $\frac{27}{100} = ■\%$

8. $\frac{9}{100} = ■\%$

9. $\frac{■}{100} = 2\%$

10. $\frac{■}{100} = 50\%$

11. $\frac{185}{100} = ■\%$

12. $\frac{■}{100} = 225\%$

13. $0{,}63 = ■\%$

14. $0{,}85 = ■\%$

15. $0{,}05 = ■\%$

16. $1{,}35 = ■\%$

17. $0{,}005 = ■\%$

18. $0{,}125 = ■\%$

Complète par $<$, $=$ ou $>$.

19. $26\% ● \frac{26}{100}$

20. $8\% ● \frac{80}{100}$

21. $\frac{73}{100} ● 37\%$

22. $100\% ● \frac{98}{100}$

23. $110\% ● 1{,}10$

24. $2\% ● 2{,}00$

25. $\frac{10}{100} ● 1\%$

26. $\frac{100}{100} ● 100\%$

27. $\frac{1}{100} ● 0{,}05\%$

28. Le gouvernement fédéral prélève une taxe de 15% sur le prix de vente de la plupart des marchandises. Combien prélève-t-il sur chaque dollar de marchandise vendue?

29. 2% des transistors fabriqués sur une chaîne de montage sont défectueux. Combien y a-t-il de transistors défectueux sur 100 transistors?

Chronique du consommateur

Bela reçoit 68 $ de salaire net chaque fois qu'elle gagne 100 $.

1. Quel pourcentage de son salaire les impôts et les retenues variées représentent-ils?

2. Les impôts représentent 25% de son salaire. À combien s'élèvent les autres retenues?

Fractions et pourcentages

Un sondage récent a révélé que $\frac{1}{4}$ des ménages emploient le détergent Rongetout.

Les $\frac{2}{5}$ des ménages emploient Blanchitout. Valérie a transformé ces fractions en pourcentages pour comparer les données.

$$\frac{1 \times 25}{4 \times 25} = \frac{25}{100} = 25\%$$

$$\frac{2 \times 20}{5 \times 20} = \frac{40}{100} = 40\%$$

Elle a ainsi trouvé que Blanchitout est le plus utilisé.

EXERCICES

Recopie et complète.

1. $\frac{1}{4} = \frac{■}{100}$ **2.** $\frac{2}{4} = \frac{■}{100}$ **3.** $\frac{3}{4} = \frac{■}{100}$ **4.** $\frac{4}{4} = \frac{■}{100}$

Indique le pourcentage équivalent.

5. $\frac{1}{5}$ **6.** $\frac{2}{5}$ **7.** $\frac{3}{5}$ **8.** $\frac{4}{5}$ **9.** $\frac{5}{5}$

10. $\frac{1}{50}$ **11.** $\frac{3}{25}$ **12.** $\frac{7}{10}$ **13.** $\frac{11}{20}$ **14.** $\frac{2}{2}$

Écris la fraction, le nombre décimal et le pourcentage.

15.

16. 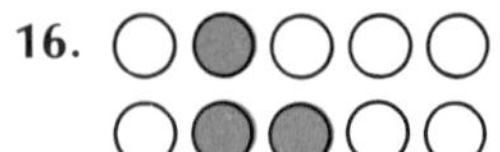

17. 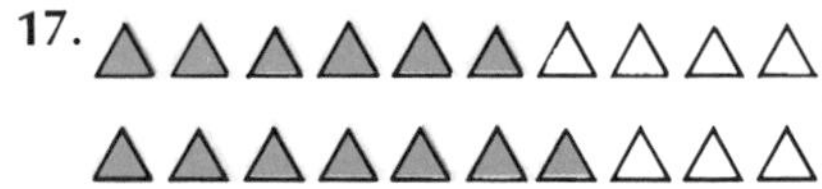

Écris la fraction, le nombre décimal et le pourcentage.

18. 9 mots sur 10 ont été épelés correctement.

19. 21 problèmes sur 25 ont été résolus.

EXERCICES

Donne le pourcentage équivalent.

1. $\frac{9}{10}$
2. $\frac{4}{5}$
3. $\frac{6}{25}$
4. $\frac{13}{20}$
5. $\frac{27}{50}$
6. $\frac{1}{20}$
7. $\frac{3}{10}$
8. $\frac{23}{25}$
9. $\frac{9}{20}$
10. $\frac{17}{50}$

Indique quel pourcentage est colorié.

11.

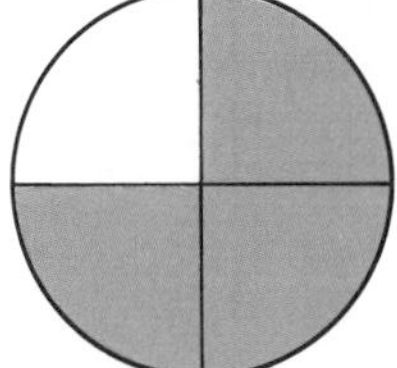

12.

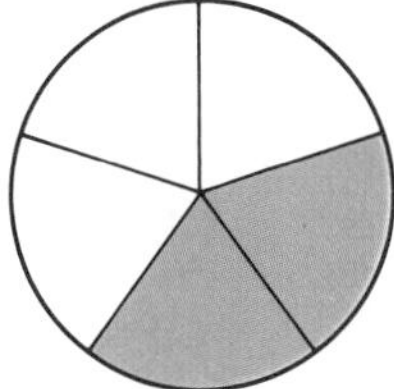

13.

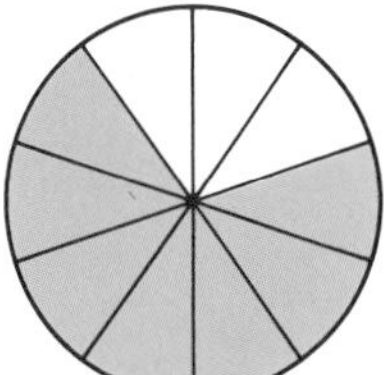

Exprime sous forme de pourcentage:

14. 19 bonnes réponses sur 25 questions
15. 48 bonnes réponses sur 50 questions
16. 11 bonnes réponses sur 20 questions
17. 1 bonne réponse sur 2 questions
18. 4 bonnes réponses sur 4 questions
19. 39 bonnes réponses sur 50 questions
20. 24 bonnes réponses sur 25 questions
21. 16 bonnes réponses sur 20 questions

La règle du jeu

Donne la règle correspondant à la flèche.

A.

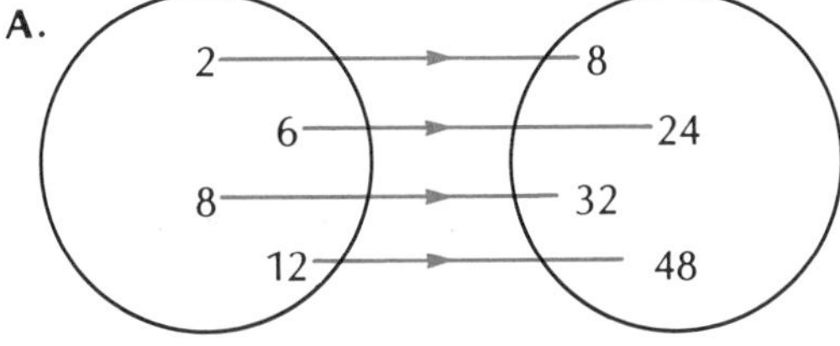

B.

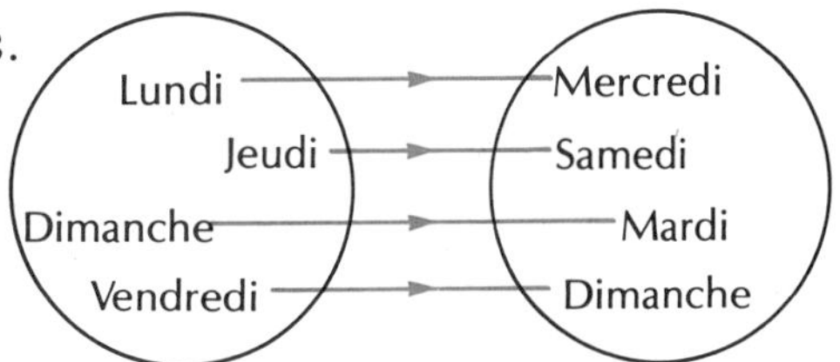

C.

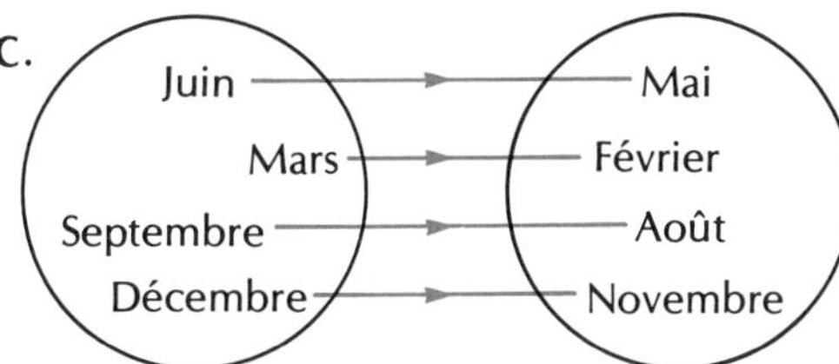

D.

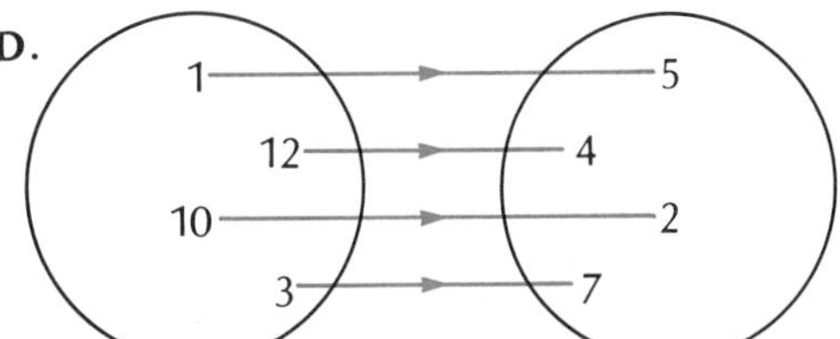

Fractions et pourcentages

Les rabais sont souvent exprimés par une fraction ou un pourcentage.
Un quincailler réduit ses prix de 25%.
Comment pourrait-il l'annoncer?

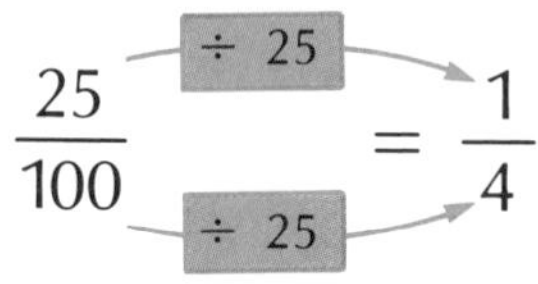

Il pourrait annoncer qu'il offre $\frac{1}{4}$ de rabais sur tous les prix.

EXERCICES

Simplifie les fractions.

1. $\frac{25}{100}$
2. $\frac{50}{100}$
3. $\frac{75}{100}$
4. $\frac{100}{100}$
5. $\frac{125}{100}$
6. $\frac{20}{100}$
7. $\frac{40}{100}$
8. $\frac{60}{100}$
9. $\frac{80}{100}$
10. $\frac{10}{100}$

Exprime sous forme de fraction simplifiée.

11. 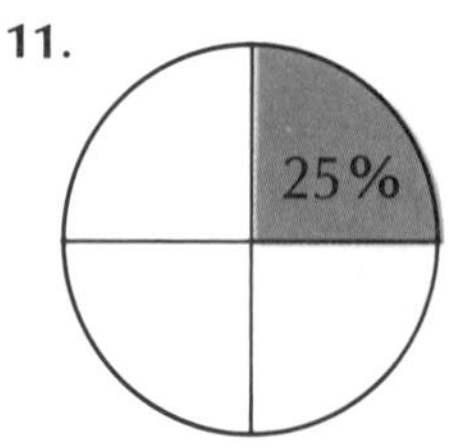

12. 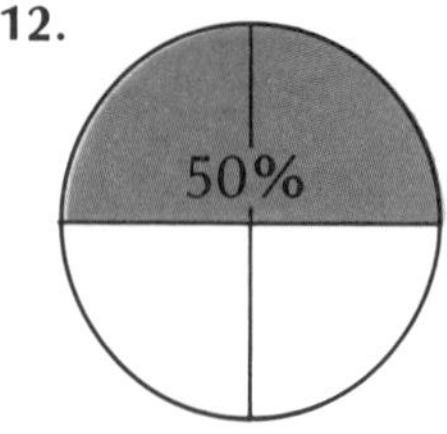

13. 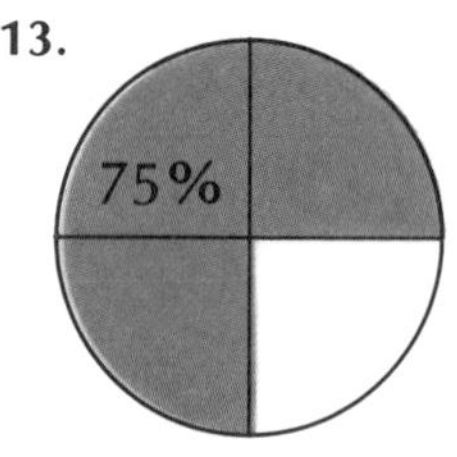

14. 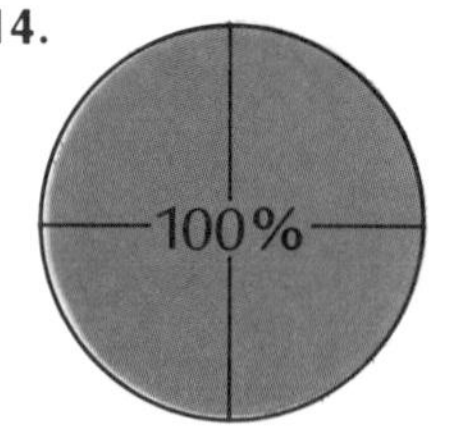

15. 10%
16. 20%
17. 30%
18. 40%
19. 50%
20. 4%
21. 8%
22. 12%
23. 16%
24. 20%
25. 15%
26. 100%
27. 2%
28. 64%
29. 95%

EXERCICES

Exprime sous forme de fraction simplifiée:

1. 74%	**2.** 4%	**3.** 45%	**4.** 98%	**5.** 56%
6. 80%	**7.** 2%	**8.** 50%	**9.** 40%	**10.** 5%
11. 18%	**12.** 64%	**13.** 1%	**14.** 48%	**15.** 20%

Recopie et complète par <, =, ou >.

16. $15\% \bullet \frac{4}{20}$	**17.** $30\% \bullet \frac{3}{5}$	**18.** $70\% \bullet \frac{4}{5}$
19. $75\% \bullet \frac{7}{10}$	**20.** $36\% \bullet \frac{9}{25}$	**21.** $64\% \bullet \frac{18}{25}$
22. $11\% \bullet \frac{1}{10}$	**23.** $55\% \bullet \frac{11}{20}$	**24.** $2\% \bullet \frac{2}{50}$
25. $4\% \bullet \frac{1}{25}$	**26.** $95\% \bullet \frac{46}{50}$	**27.** $92\% \bullet \frac{24}{25}$

Exprime sous forme de fraction simplifiée:

28. $25\% = \frac{1}{\blacksquare}$	**29.** $5\% = \frac{1}{\blacksquare}$	**30.** $1\% = \frac{1}{\blacksquare}$
$12\frac{1}{2}\% = \frac{1}{\blacksquare}$	$2\frac{1}{2}\% = \frac{1}{\blacksquare}$	$\frac{1}{2}\% = \frac{1}{\blacksquare}$
$6\frac{1}{4}\% = \frac{1}{\blacksquare}$	$1\frac{1}{4}\% = \frac{1}{\blacksquare}$	$\frac{1}{10}\% = \frac{1}{\blacksquare}$
$3\frac{1}{8}\% = \frac{1}{\blacksquare}$		

En réclame

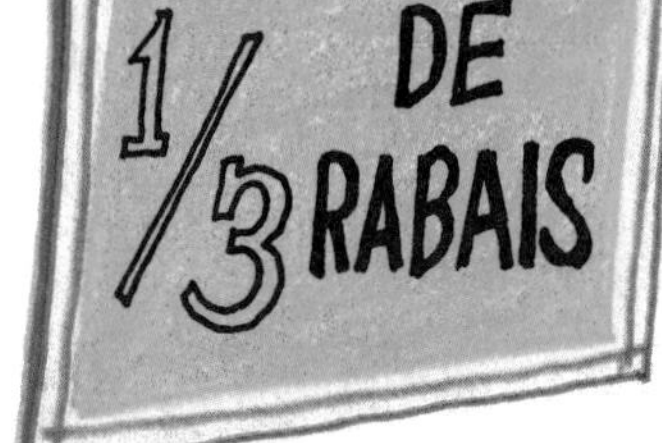

Pour exprimer une fraction sous forme de pourcentage, effectue d'abord la division pour trouver le nombre décimal équivalent.

$$3\overline{)1,000\ldots} = 0,333\ldots$$

$\frac{1}{3} = 0,33$ au centième près

$= 33\%$ à un pour cent près

Exprime sous forme de pourcentage:

1. $\frac{2}{3}$ **2.** $\frac{1}{6}$ **3.** $\frac{5}{6}$ **4.** $\frac{1}{9}$ **5.** $\frac{2}{9}$ **6.** $\frac{5}{9}$

Le pourcentage d'un nombre

Hélène a acheté un nouveau tourne-disque de 300 $. Elle a payé 7% de taxe de vente provinciale. Quel montant d'argent cela représente-t-il?

7% de 300 $

Exprime le pourcentage sous forme de nombre décimal.

$$7\% = 0{,}07$$

$$0{,}07 \times 300 = 21$$

La taxe de vente s'élève à 21 $.

EXERCICES

Calcule.

1. 5% de 100	**2.** 20% de 100	**3.** 50% de 100
4. 80% de 100	**5.** 100% de 100	**6.** 250% de 100
7. 1% de 100	**8.** 1% de 50	**9.** 1% de 59
10. 10% de 100	**11.** 10% de 30	**12.** 10% de 50
13. 25% de 100	**14.** 25% de 20	**15.** 25% de 36
16. 8% de 59	**17.** 36% de 59	**18.** 75% de 59
19. 46% de 27	**20.** 78% de 18	**21.** 7% de 46
22. 10% de 25 $	**23.** 16% de 50 $	**24.** 5% de 18 $
25. 67% de 110 $	**26.** 38% de 90 $	**27.** 55% de 250 $

EXERCICES

Calcule.

1. 25% de 52
2. 70% de 90
3. 36% de 25
4. 12% de 75
5. 95% de 60
6. 15% de 20
7. 64% de 325
8. 35% de 480
9. 8% de 175
10. 16% de 400
11. 40% de 590
12. 50% de 488
13. 34% de 300
14. 14% de 195
15. 69% de 5000
16. 22% de 4200
17. 57% de 347
18. 3% de 2500
19. 42% de 25 $
20. 16% de 4000 $
21. 75% de 350 $
22. 8% de 915 $
23. 62% de 500 $
24. 5% de 80 $

Problèmes.

25. M. Weiss place 5000 $ à la banque. Dans un an, il touchera 15% d'intérêts sur cette somme. Calcule le montant de ses intérêts.

26. Le prix normal d'un manteau de fourrure est de 8500 $. Le magasin offre un rabais de 20%. À combien s'élève le rabais? Quel est le prix de vente du manteau?

AVEC LA CALCULATRICE

Calcule le prix de vente des articles.

Résolution de problèmes

Luc distribue le journal à 50 abonnés. Pendant les vacances, 11 partent. Quel pourcentage représentent-ils?

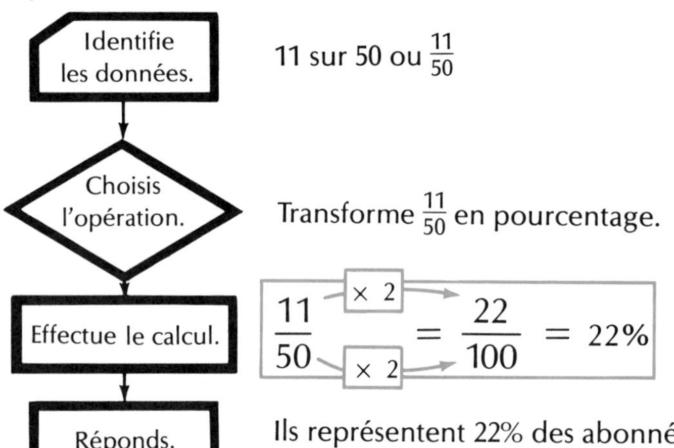

11 sur 50 ou $\frac{11}{50}$

Transforme $\frac{11}{50}$ en pourcentage.

$$\frac{11}{50} \overset{\times 2}{=} \frac{22}{100} = 22\%$$

Ils représentent 22% des abonnés.

EXERCICES

1. Adèle donne 43 bonnes réponses sur 50 questions. Calcule le pourcentage des réponses incorrectes.

2. Dans un terrain de stationnement, trois voitures sur 20 sont décapotables. Calcule le pourcentage des voitures décapotables.

3. Lors d'une journée sportive, 7 sauts sur 10 dépassaient 3 m. Calcule le pourcentage des sauts inférieurs à 3 m.

4. Une voiture coûte 9500 $. La taxe de vente est de 5%. À combien s'élève-t-elle? Quel est le prix total de la voiture?

5. Un manteau coûte normalement 200 $. Le vendeur consent un rabais de 25% sur ce prix. À combien s'élève le rabais? Quel est le prix de vente du manteau?

EXERCICES

1. Belleville compte 5000 habitants. 34% des habitants vivent sur la rive ouest de la rivière qui traverse la ville. Combien de personnes habitent à l'est de la rivière?

2. 25% du courrier collecté au bureau de poste d'Embrun est expédié à l'extérieur de la ville et 10% à l'extérieur de la province. Aujourd'hui, le bureau a reçu 860 lettres.
   - **a.** Combien de lettres seront expédiées à l'extérieur de la ville?
   - **b.** Combien de lettres seront distribuées localement?

3. Le conseil scolaire prévoit une diminution de 12% des inscriptions pour l'année prochaine. Cette année 6400 élèves fréquentent l'école. Si les prévisions sont exactes, combien y en aura-t-il l'an prochain?

4. Marie passe un test de mathématique composé de 70 questions valant chacune un point et de 15 questions valant chacune 2 points. Elle répond correctement à 80 questions et obtient une note de 90%. À combien de questions de chaque sorte répond-elle correctement?

RÉVISION

Exprime sous forme décimale:

1. $\frac{16}{100}$ **2.** $\frac{37}{100}$ **3.** $\frac{70}{100}$ **4.** $\frac{1}{100}$ **5.** $\frac{100}{100}$

Exprime sous forme de pourcentage:

6. $\frac{3}{4}$ **7.** $\frac{23}{50}$ **8.** $\frac{17}{20}$ **9.** $\frac{10}{10}$ **10.** $\frac{16}{25}$

Exprime sous forme de fraction simplifiée:

11. 60% **12.** 72% **13.** 75% **14.** 45% **15.** 6%

Calcule.

16. 25% de 60 **17.** 96% de 50 **18.** 16% de 25

TEST CHAPITRE 9

Problèmes.

1. 4 boîtes coûtent 2,80 $. Combien coûte une boîte?
2. 1 m coûte 7,50 $. Combien coûtent 8 m?
3. Une voiture parcourt 190 km en 2 h. Quelle distance parcourt-elle en 8 h?
4. À la nage, Patrick parcourt 250 m en 5 min. Quelle est sa vitesse, en mètres par minute?

Indique le rapport.

5. 3 crayons pour 2 élèves
6. 6 poires pour 15 prunes
7. 18 conducteurs pour 5 cyclistes
8. 11 radis pour 8 carottes

Calcule la valeur de N.

9. $\frac{8}{11} = \frac{N}{44}$
10. $\frac{N}{7} = \frac{30}{35}$
11. $\frac{9}{13} = \frac{27}{N}$
12. $\frac{7}{N} = \frac{49}{56}$

Exprime sous forme de nombre décimal, puis de pourcentage:

13. $\frac{68}{100}$
14. $\frac{31}{100}$
15. $\frac{1}{100}$
16. $\frac{105}{100}$

Exprime sous forme de pourcentage :

17. $\frac{17}{20}$
18. $\frac{1}{5}$
19. $\frac{7}{50}$
20. $\frac{13}{25}$

Exprime sous forme de fraction simplifiée:

21. 2%
22. 44%
23. 95%
24. 80%

Calcule.

25. 28% de 625
26. 9% de 900
27. 35% de 18 $

Problèmes.

28. 3 boîtes de fèves coûtent 1,67 $. Combien coûtent 9 boîtes?
29. 15 personnes sont dans un ascenseur. 9 sont des hommes. Quel pourcentage du total représentent-ils?

REPRISE LA MULTIPLICATION

Multiplie.

1. $\frac{2}{3} \times 8$
2. $\frac{7}{8} \times 20$
3. $16 \times \frac{1}{6}$
4. $50 \times \frac{5}{12}$
5. $\frac{3}{4} \times \frac{6}{5}$
6. $\frac{1}{2} \times \frac{9}{10}$
7. $\frac{2}{3} \times \frac{11}{12}$
8. $\frac{3}{5} \times \frac{5}{7}$
9. $8 \times 5\frac{1}{2}$
10. $\frac{1}{4} \times 4\frac{4}{5}$
11. $2\frac{2}{3} \times 9$
12. $3\frac{5}{8} \times \frac{2}{5}$
13. $1\frac{3}{5} \times 2\frac{1}{4}$
14. $5\frac{1}{2} \times 2\frac{1}{2}$
15. $5\frac{1}{4} \times 3\frac{1}{5}$
16. $1\frac{3}{4} \times 2\frac{1}{5}$
17. $6{,}7 \times 18$
18. $5{,}08 \times 35$
19. $4{,}002 \times 6$
20. $7{,}245 \times 69$
21. $0{,}3 \times 0{,}6$
22. $0{,}9 \times 0{,}7$
23. $0{,}1 \times 0{,}1$
24. $0{,}5 \times 0{,}4$
25. $6{,}3 \times 2{,}9$
26. $4{,}5 \times 7{,}1$
27. $6{,}5 \times 8{,}2$
28. $5{,}8 \times 3{,}3$
29. $0{,}06 \times 0{,}5$
30. $0{,}09 \times 0{,}4$
31. $0{,}07 \times 0{,}8$
32. $0{,}09 \times 0{,}1$
33. $6{,}58 \times 2{,}3$
34. $7{,}49 \times 4{,}5$
35. $3{,}35 \times 8{,}9$
36. $8{,}04 \times 5{,}2$

Fais un tableau pour résoudre les problèmes.

37. Un rectangle a une aire de 36 m^2. Calcule sa longueur et sa largeur pour le plus petit périmètre possible.

38. Denise achète un rouleau de grillage métallique de 48 m de long pour en faire un enclos rectangulaire. Comment obtiendra-t-elle la plus grande aire possible?

CHAPITRE 10

LA DIVISION AVEC LES FRACTIONS ET LES NOMBRES DÉCIMAUX

Courtepointe

Multiplie.

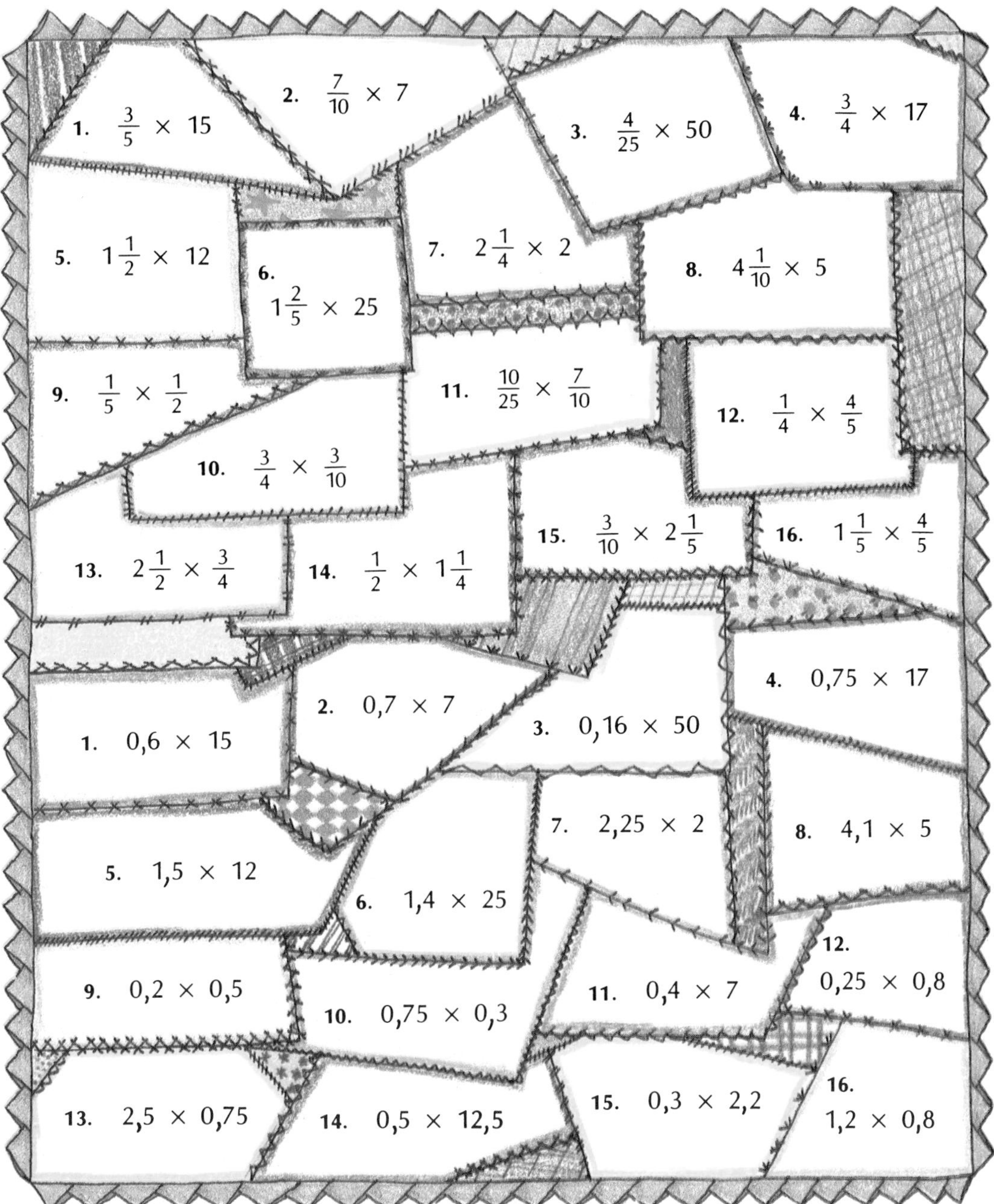

Quelle série d'opérations était la plus facile?
Les produits correspondent d'une série à l'autre, sauf deux. Lesquels?

Les nombres inverses

Deux nombres dont le produit est égal à l'unité sont des nombres **inverses**.

$\frac{3}{5} \times \frac{5}{3} = \frac{15}{15} = 1$

$\frac{3}{5}$ et $\frac{5}{3}$ sont des (nombres) inverses.

L'inverse de $\frac{9}{20}$ est $\frac{20}{9}$ parce que $\frac{9}{20} \times \frac{20}{9} = \frac{180}{180} = 1$.

L'inverse de 6 est $\frac{1}{6}$ parce que $6 \times \frac{1}{6} = \frac{6}{6} = 1$.

EXERCICES

S'agit-il de nombres inverses?

1. $\frac{1}{2}, 2$ **2.** $\frac{4}{11}, \frac{11}{4}$ **3.** $10, \frac{1}{10}$ **4.** $\frac{1}{3}, \frac{1}{3}$

Recopie et complète.

5. $\frac{4}{5} \times \frac{5}{4} = \frac{20}{20} = ■$ **6.** $7 \times \frac{1}{7} = \frac{7}{7} = ■$ **7.** $\frac{6}{11} \times \frac{■}{■} = \frac{66}{66} = 1$

8. $\frac{18}{10} \times \frac{■}{■} = 1$ **9.** $\frac{■}{■} \times \frac{4}{3} = 1$ **10.** $■ \times \frac{1}{8} = 1$

Trouve le nombre inverse. Vérifie par une multiplication.

11. $\frac{2}{5}$ **12.** $\frac{3}{5}$ **13.** $\frac{4}{5}$ **14.** $\frac{1}{5}$ **15.** $\frac{5}{7}$

16. $\frac{1}{3}$ **17.** $\frac{2}{3}$ **18.** $1\frac{1}{2}$ **19.** $\frac{3}{10}$ **20.** $\frac{3}{8}$

21. $3\frac{1}{3}$ **22.** 3 **23.** $3\frac{1}{2}$ **24.** $3\frac{1}{4}$ **25.** 8

EXERCICES

Dessine un tableau d'après ce modèle.

Nombre	Nombre inverse	Produit
$\frac{1}{2}$	2	$\frac{1}{2} \times 2 = \frac{2}{2} = 1$

Inscris ces nombres dans le tableau, puis complète-le.

1. $\frac{1}{10}$ **2.** $\frac{2}{7}$ **3.** $\frac{11}{4}$ **4.** 3 **5.** 7

6. $\frac{24}{25}$ **7.** 12 **8.** $1\frac{1}{3}$ **9.** $2\frac{2}{5}$ **10.** 9

Recopie et complète.

11. $6 \times ■ = 1$ **12.** $\frac{50}{41} \times ■ = 1$ **13.** $1\frac{4}{5} \times ■ = 1$

14. $\frac{2}{9} \times ■ = 1$ **15.** $10 \times ■ = 1$ **16.** $3\frac{1}{3} \times ■ = 1$

17. $■ \times \frac{6}{7} = 1$ **18.** $■ \times 2\frac{2}{5} = 1$ **19.** $■ \times \frac{1}{8} = 1$

Problèmes.

20. Catherine s'absente pendant une heure de son travail. Elle promet de travailler un quart d'heure supplémentaire chaque jour pour rattraper cette heure. Combien de jours lui faudra-t-il?

21. Un seau qui fuit perd $\frac{2}{5}$ de l'eau qu'il contient en une heure. Combien de temps faudra-t-il pour qu'il se vide?

Casse-tête

Indique le nombre qui n'a pas d'inverse.

0 10 000 2 97 100 7 8 $\frac{1}{1000}$ 9 $\frac{1}{10\,000}$ 1000 $\frac{1}{10}$ 10 000 000

Pour diviser une fraction

Diane coud des bandes de feutrine sur des coussins. Il lui reste $\frac{1}{2}$ carré de feutrine rouge pour décorer 3 coussins. Comment va-t-elle la répartir?

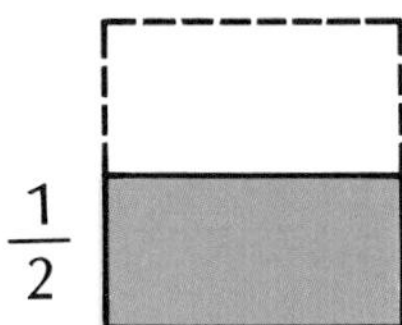

$\frac{1}{2}$ $\qquad$ $\frac{1}{2} \div 3$

Le $\frac{1}{2}$ carré est divisé en 3 parties. Chaque nouvelle partie représente $\frac{1}{6}$ d'un carré entier. $\quad \frac{1}{2} \div 3 = \frac{1}{6}$

ou

Chaque nouvelle partie représente $\frac{1}{3}$ de $\frac{1}{2}$ carré. $\quad \frac{1}{2} \times \frac{1}{3} = \frac{1}{6}$

Divise une fraction par un nombre entier en **multipliant** cette fraction par **l'inverse** du diviseur.

EXERCICES

Recopie et complète.

1. $\frac{1}{2} \div 2 = \frac{1}{2} \times \frac{1}{2} = ■$ **2.** $\frac{1}{2} \div 3 = \frac{1}{2} \times \frac{1}{3} = ■$

3. $\frac{1}{2} \div 4 = \frac{1}{2} \times \frac{1}{4} = ■$ **4.** $\frac{3}{4} \div 2 = \frac{3}{4} \times \frac{1}{2} = ■$

5. $\frac{3}{4} \div 3 = \frac{3}{4} \times \frac{1}{3} = ■$ **6.** $\frac{3}{4} \div 4 = \frac{3}{4} \times \frac{1}{4} = ■$

Divise.

7. $\frac{1}{3} \div 2$ **8.** $\frac{1}{10} \div 2$ **9.** $\frac{1}{5} \div 3$ **10.** $\frac{1}{7} \div 4$

11. $\frac{5}{9} \div 2$ **12.** $\frac{5}{6} \div 3$ **13.** $\frac{2}{3} \div 3$ **14.** $\frac{3}{4} \div 2$

15. $\frac{9}{10} \div 3$ **16.** $\frac{4}{7} \div 3$ **17.** $\frac{1}{8} \div 2$ **18.** $\frac{2}{5} \div 3$

EXERCICES

Divise. Simplifie la réponse.

1. $\frac{1}{3} \div 3$
2. $\frac{1}{4} \div 2$
3. $\frac{2}{5} \div 2$
4. $\frac{5}{6} \div 2$
5. $\frac{3}{4} \div 3$
6. $\frac{1}{5} \div 2$
7. $\frac{2}{3} \div 2$
8. $\frac{1}{6} \div 2$
9. $\frac{2}{3} \div 5$
10. $\frac{1}{6} \div 5$
11. $\frac{1}{5} \div 4$
12. $\frac{3}{8} \div 2$
13. $\frac{7}{10} \div 3$
14. $\frac{3}{10} \div 7$
15. $\frac{1}{10} \div 10$
16. $\frac{7}{10} \div 100$
17. $1\frac{1}{2} \div 3$
18. $2\frac{3}{4} \div 2$
19. $1\frac{1}{8} \div 9$
20. $3\frac{2}{3} \div 5$

Écris une division correspondant au diagramme.

21. 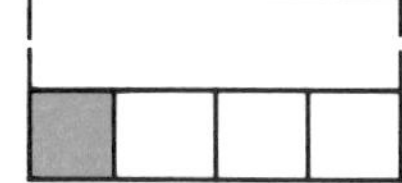

22. 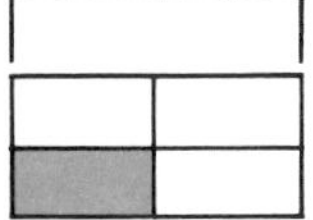

23. 

Dessine un diagramme correspondant à la division.

24. $\frac{3}{5} \div 5$
25. $\frac{1}{3} \div 4$
26. $\frac{4}{7} \div 3$
27. $\frac{1}{4} \div 4$

Problèmes.

28. René a les $\frac{2}{3}$ d'un sac de brisures de chocolat pour décorer 6 gâteaux. Quelle portion d'un sac de brisures mettra-t-il sur chaque gâteau?

29. Anne peint deux avions modèles réduits avec $\frac{1}{3}$ d'un pot de peinture. Quelle quantité de peinture emploie-t-elle pour un avion?

Les nombres inverses

Pour diviser par un nombre entier on peut multiplier par son inverse.

$$4 \div 3 = 4 \times \frac{1}{3} = \frac{4}{3} = 1\frac{1}{3}$$

Calcule.

1. $5 \div 3$
2. $22 \div 3$
3. $15 \div 7$
4. $40 \div 9$
5. $100 \div 11$
6. $19 \div 6$
7. $25 \div 12$
8. $10 \div 3$

Pour diviser par une fraction

Lucien tisse des poignées pour prendre les plats. Il a 3 pelotes de laine. Combien pourra-t-il tisser de poignées s'il lui faut une demi-pelote pour chacune?

Combien y a-t-il de demi-pelotes dans 3 pelotes? D'après le dessin, il y en a 6. $\quad 3 \div \frac{1}{2} = 6$

ou

Lucien a 3 pelotes de laine. Il peut tisser 2 poignées avec une pelote. $\quad 3 \times 2 = 6$

Pour **diviser** un nombre par une fraction, **multiplie** ce nombre par **l'inverse** de la fraction.

EXERCICES

Combien peux-tu tricoter d'articles?

1.

Pelotes de laine	Article	Nombre de pelotes nécessaires	Nombre d'articles tricotés
12	gilet	4	$12 \div 4 = ■$
12	foulard	2	$12 \div 2 = ■$
12	bas	1	$12 \div 1 = ■$
12	gants	$\frac{1}{2}$	$12 \div \frac{1}{2} = ■$

Divise.

2. $4 \div \frac{1}{3} = 4 \times 3 = ■$
3. $5 \div \frac{1}{2} = 5 \times 2 = ■$
4. $3 \div \frac{1}{5} = 3 \times ■ = ■$
5. $8 \div \frac{1}{4} = 8 \times ■ = ■$
6. $\frac{1}{2} \div \frac{1}{10} = \frac{1}{2} \times ■ = ■$
7. $\frac{1}{3} \div \frac{1}{4} = \frac{1}{3} \times ■ = ■$
8. $\frac{2}{3} \div \frac{1}{2} = \frac{2}{3} \times ■ = ■$
9. $\frac{4}{5} \div \frac{1}{3} = \frac{4}{5} \times ■ = ■$
10. $8 \div \frac{1}{3}$
11. $\frac{1}{5} \div \frac{1}{2}$
12. $\frac{3}{10} \div \frac{1}{3}$
13. $\frac{7}{10} \div \frac{1}{7}$

EXERCICES

Dessine un diagramme pour t'aider à répondre aux questions.

1. Combien y a-t-il de tiers dans 2 unités?
2. Combien y a-t-il de quarts dans 3 unités?
3. Combien y a-t-il de dixièmes dans 2 unités?
4. Combien y a-t-il de tiers dans $\frac{2}{3}$ d'unité?
5. Combien y a-t-il de quarts dans $\frac{1}{2}$ unité?

Divise.

6. $6 \div \frac{1}{2}$
7. $7 \div \frac{1}{3}$
8. $\frac{1}{2} \div \frac{1}{3}$
9. $\frac{2}{7} \div \frac{1}{5}$
10. $\frac{1}{8} \div \frac{1}{2}$
11. $8 \div \frac{1}{4}$
12. $\frac{2}{3} \div \frac{1}{5}$
13. $10 \div \frac{1}{5}$
14. $\frac{4}{9} \div \frac{1}{2}$
15. $\frac{3}{7} \div \frac{1}{2}$
16. $12 \div \frac{1}{2}$
17. $\frac{1}{4} \div \frac{1}{6}$

Problèmes.

18. Marianne met une demi-heure pour préparer une fournée de biscuits. Combien peut-elle en préparer en deux heures?
19. Thomas met un quart d'heure pour construire chaque section d'une maquette de bateau. Combien de sections peut-il construire en une demi-heure?

À l'infini

Donne les cinq équations suivantes.

$$1 \div \frac{1}{10} = 10$$

$$1 \div \frac{1}{100} = 100$$

$$1 \div \frac{1}{1000} = 1000$$

Que peut-on dire du quotient à mesure que le diviseur diminue?

Est-ce que le diviseur se rapproche de 0 ou de 1?

Peux-tu diviser 1 par 0? $0\overline{)1}$

Pour diviser par une fraction

Suzanne a 1 sac $\frac{1}{2}$ de perles. Elle utilise $\frac{3}{8}$ d'un sac pour fabriquer un collier. Combien de colliers peut-elle fabriquer?

Combien y a-t-il de fois $\frac{3}{8}$ dans $1\frac{1}{2}$?

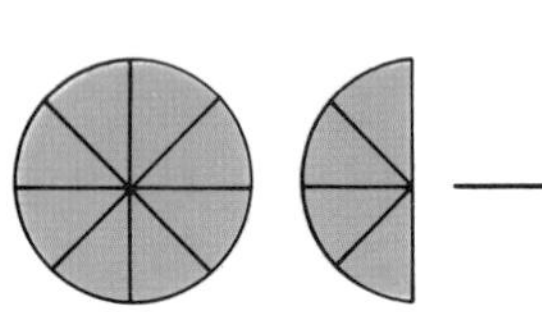

$$1\frac{1}{2} \div \frac{3}{8} = \frac{3}{2} \times \frac{8}{3} = \frac{24}{6} = 4$$

inverse du diviseur

Suzanne peut fabriquer 4 colliers.

EXERCICES

Recopie et complète.

1. $\frac{2}{3} \div \frac{3}{4} = \frac{2}{3} \times \frac{4}{3} = ■$
2. $\frac{1}{2} \div \frac{3}{5} = \frac{1}{2} \times \frac{5}{3} = ■$
3. $8 \div \frac{2}{3} = 8 \times ■ = \frac{24}{2} = ■$
4. $6 \div \frac{4}{5} = 6 \times ■ = \frac{30}{4} = ■$
5. $1\frac{1}{3} \div \frac{2}{7} = \frac{4}{3} \times ■ = ■$
6. $2\frac{1}{2} \div \frac{2}{3} = \frac{5}{2} \times ■ = ■$

Divise. Simplifie le quotient.

7. $\frac{1}{5} \div \frac{2}{3}$
8. $\frac{1}{2} \div \frac{5}{8}$
9. $\frac{3}{4} \div \frac{1}{2}$
10. $\frac{3}{8} \div \frac{3}{4}$
11. $8 \div \frac{3}{4}$
12. $6 \div \frac{5}{8}$
13. $1\frac{1}{4} \div \frac{3}{5}$
14. $2\frac{1}{3} \div \frac{3}{4}$
15. $3\frac{2}{4} \div \frac{1}{8}$
16. $4\frac{1}{5} \div \frac{4}{10}$
17. $7 \div \frac{1}{6}$
18. $2\frac{5}{8} \div \frac{5}{6}$

EXERCICES

Écris et résous l'équation correspondante.

1. Combien y a-t-il de fois $\frac{2}{3}$ dans 2?

2. Combien y a-t-il de fois $\frac{3}{5}$ dans $1\frac{1}{5}$?

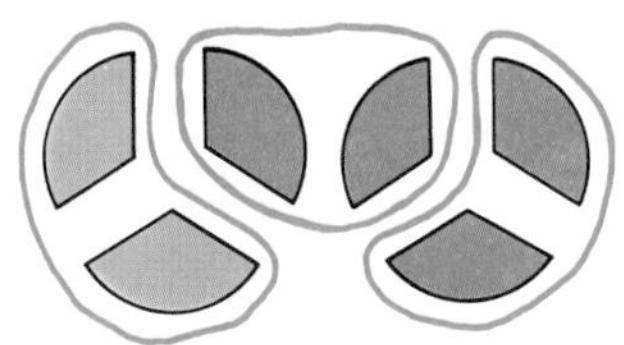

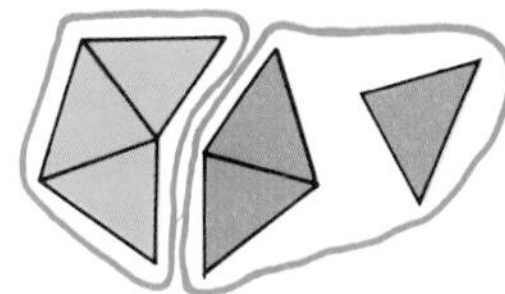

Divise.

3. $\frac{1}{3} \div \frac{3}{4}$ **4.** $\frac{7}{8} \div \frac{2}{5}$ **5.** $5 \div \frac{2}{3}$ **6.** $1\frac{1}{8} \div \frac{3}{4}$

7. $6 \div \frac{2}{3}$ **8.** $\frac{3}{5} \div \frac{1}{4}$ **9.** $2\frac{1}{2} \div \frac{5}{6}$ **10.** $\frac{1}{2} \div \frac{3}{4}$

11. $\frac{8}{9} \div \frac{2}{3}$ **12.** $3 \div \frac{2}{3}$ **13.** $1\frac{4}{5} \div \frac{3}{4}$ **14.** $\frac{2}{3} \div \frac{2}{3}$

15. $4 \div \frac{3}{5}$ **16.** $\frac{2}{3} \div \frac{3}{5}$ **17.** $1\frac{1}{5} \div \frac{2}{3}$ **18.** $\frac{5}{8} \div \frac{2}{3}$

Problème.

19. Jean utilise $\frac{2}{3}$ d'une boîte de clous de tapissier pour recouvrir une sculpture en bois. Combien peut-il en recouvrir avec $2\frac{1}{2}$ boîtes de clous?

RÉVISION

Indique l'inverse de chaque nombre.

1. $\frac{1}{8}$ **2.** 3 **3.** $\frac{4}{9}$

Divise.

4. $\frac{1}{5} \div 2$ **5.** $\frac{5}{6} \div 3$ **6.** $\frac{3}{4} \div 4$

7. $4 \div \frac{1}{2}$ **8.** $\frac{1}{3} \div \frac{1}{5}$ **9.** $\frac{4}{5} \div \frac{1}{3}$

10. $\frac{2}{3} \div \frac{3}{5}$ **11.** $3 \div \frac{3}{4}$ **12.** $1\frac{1}{2} \div \frac{2}{3}$

Pour diviser des nombres décimaux

Dominique coupe une lanière en cuir de 2,6 m de long en 4 parties égales. Combien mesure chacune d'elle?

$2,6 \div 4 = ?$

Inscrit la virgule du quotient.

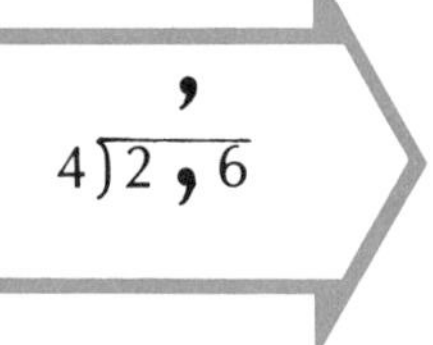

0 unité

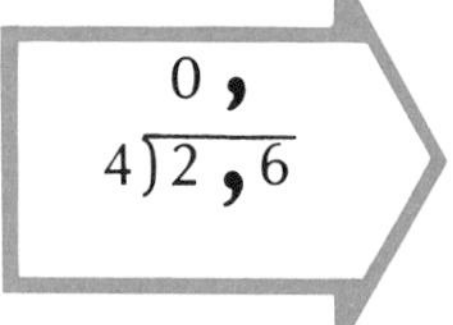

Divise.

```
   0,6
4) 2,6
  -2 4
  ----
     2
```

Ajoute un zéro à droite du 6 et continue la division.

```
   0,65
4) 2,60
  -2 4
  ----
     20
    -20
    ---
      0
```

Chacune mesure 0,65 m de long.

EXERCICES

Divise.

1. $3\overline{)69}$	**2.** $3\overline{)6,9}$	**3.** $3\overline{)0,69}$	**4.** $3\overline{)0,069}$
5. $4\overline{)12}$	**6.** $4\overline{)1,2}$	**7.** $4\overline{)0,12}$	**8.** $4\overline{)0,012}$
9. $21\overline{)441}$	**10.** $21\overline{)44,1}$	**11.** $21\overline{)4,41}$	**12.** $21\overline{)0,441}$
13. $5\overline{)0,5}$	**14.** $7\overline{)8,4}$	**15.** $6\overline{)14,4}$	**16.** $4\overline{)467,6}$
17. $7\overline{)0,07}$	**18.** $8\overline{)0,56}$	**19.** $5\overline{)2,25}$	**20.** $6\overline{)80,64}$

Divise. Tu auras peut-être besoin d'ajouter des zéros au dividende.

21. $5\overline{)2,4}$	**22.** $5\overline{)6,9}$	**23.** $4\overline{)2,2}$	**24.** $4\overline{)10,5}$
25. $25\overline{)6,5}$	**26.** $25\overline{)15,2}$	**27.** $15\overline{)22,5}$	**28.** $6\overline{)2,25}$
29. $5\overline{)23}$	**30.** $10\overline{)58}$	**31.** $25\overline{)710}$	**32.** $4\overline{)815}$

EXERCICES

Exprime sous forme d'équation:

1.

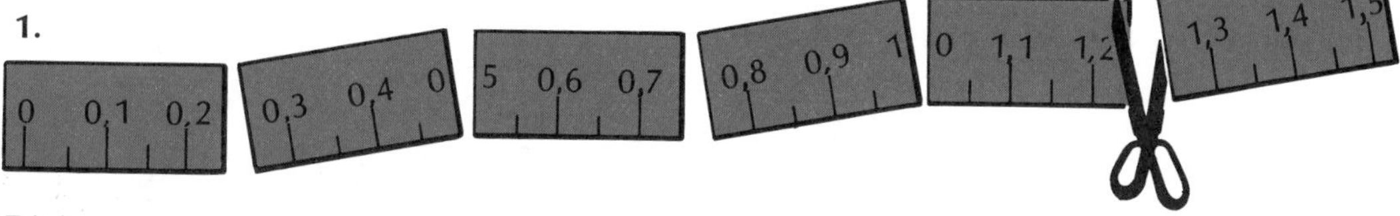

Divise.

2.	$8\overline{)0,08}$	**3.**	$12\overline{)3,6}$	**4.**	$15\overline{)0,45}$	**5.**	$4\overline{)22,4}$
6.	$33\overline{)9,9}$	**7.**	$7\overline{)0,091}$	**8.**	$7\overline{)14,7}$	**9.**	$25\overline{)7,5}$
10.	$35\overline{)8,75}$	**11.**	$8\overline{)33}$	**12.**	$6\overline{)0,456}$	**13.**	$13\overline{)15,6}$
14.	$5\overline{)8,37}$	**15.**	$16\overline{)20}$	**16.**	$9\overline{)4,05}$	**17.**	$26\overline{)0,182}$
18.	$3,08 \div 14$	**19.**	$5 \div 8$	**20.**	$0,81 \div 27$	**21.**	$18,2 \div 100$
22.	$12,6 \div 42$	**23.**	$0,328 \div 82$	**24.**	$2,9 \div 25$	**25.**	$98 \div 16$

Problèmes.

26. Les 48 maillons d'une chaîne en or ont une masse de 99,36 g. Quelle est la masse d'un maillon?

27. La voiture de Sandra a consommé 51 L d'essence pour un trajet de 400 km. Combien consomme-t-elle aux 100 km?

Les budgets

Jeanne a noté ses dépenses d'une semaine. Elle veut savoir quel pourcentage de son allocation chacune représente. Son allocation est de 6,00 $. Elle dépense 1,50 $ pour le cinéma.

Cinéma	1,50 $
Crème glacée	0,60 $
Autobus	0.90 $
Pommes	0,48 $
Livres	2,28 $
Épargne	0,24 $
Total	6,00 $

$1,50 \div 6 = 0,25$

Ceci représente 25% de ses dépenses.
Exprime le pourcentage des autres.

Pour diviser par un nombre à 1 décimale

Hélène brode un essuie-main. La bordure mesure 5,1 cm de large. Chaque rangée de motifs mesure 0,3 cm de large. Combien de rangées de motifs y a-t-il dans la bordure?

$5{,}1 \div 0{,}3 = ?$

$$\frac{5{,}1}{0{,}3} = \frac{5{,}1 \times 10}{0{,}3 \times 10} = \frac{51}{3}$$

$0{,}3\overline{)5{,}1}$

Multiplie le diviseur et le dividende par 10.

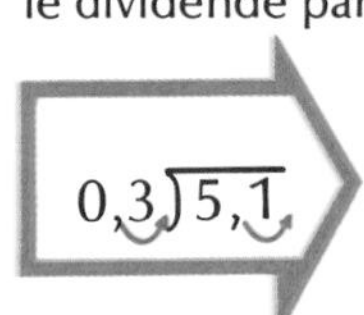

Divise.

$$\begin{array}{r} 17 \\ 3\overline{)\ 51} \\ -3 \\ \hline 21 \\ -21 \\ \hline 0 \end{array}$$

La bordure se compose de 17 rangées de motifs.

EXERCICES

Multiplie les nombres par 10.

1. 20 **2.** 2 **3.** 0,2 **4.** 0,02 **5.** 0,002

6. 1,2 **7.** 0,12 **8.** 0,012 **9.** 0,16 **10.** 2,4

Divise.

11. $0{,}6\overline{)0{,}3}$ **12.** $0{,}6\overline{)6{,}3}$ **13.** $1{,}2\overline{)4{,}8}$ **14.** $3{,}5\overline{)10{,}5}$

15. $0{,}3\overline{)0{,}72}$ **16.** $0{,}2\overline{)0{,}32}$ **17.** $2{,}5\overline{)1{,}75}$ **18.** $1{,}6\overline{)5{,}44}$

19. $0{,}2\overline{)0{,}824}$ **20.** $0{,}5\overline{)6{,}375}$ **21.** $3{,}6\overline{)1{,}008}$ **22.** $4{,}7\overline{)1{,}645}$

23. $0{,}2\overline{)4}$ **24.** $0{,}3\overline{)18}$ **25.** $3{,}6\overline{)144}$ **26.** $2{,}8\overline{)4480}$

27. $0{,}4\overline{)3}$ **28.** $1{,}6\overline{)30}$ **29.** $0{,}8\overline{)9{,}1}$ **30.** $2{,}5\overline{)6{,}2}$

EXERCICES

Calcule le quotient.

1. $0,3\overline{)6}$ **2.** $0,2\overline{)0,8}$ **3.** $2,4\overline{)62,4}$ **4.** $0,3\overline{)0,09}$

5. $0,2\overline{)0,006}$ **6.** $0,4\overline{)48}$ **7.** $0,4\overline{)0,68}$ **8.** $1,3\overline{)3,9}$

9. $1,5\overline{)225}$ **10.** $0,3\overline{)0,057}$ **11.** $0,5\overline{)9,05}$ **12.** $0,4\overline{)0,512}$

Divise. Vérifie la réponse.

13. $0,7\overline{)39,48}$ **14.** $2,3\overline{)69}$ **15.** $0,6\overline{)5,676}$ **16.** $1,5\overline{)4,5}$

17. $3,1\overline{)89,9}$ **18.** $0,5\overline{)831,5}$ **19.** $2,7\overline{)0,81}$ **20.** $3,8\overline{)0,228}$

Problèmes.

21. Une corde coûte 7,5 ¢/m. Quelle longueur de corde peux-tu acheter avec 1,35 $?

22. Diane court le 100 m en 12,5 s. Calcule sa vitesse en:
a. mètres par seconde.
b. mètres par heure.
c. kilomètres par heure.

23. Le papier peint qu'utilise Marc a 0,8 m de large. Combien de sections lui faudra-t-il pour tapisser un mur de 5,5 m de large?

Avec l'ordinateur

DONNÉES		
A	B	C
7,2	1,2	2,8

Que va répondre l'ordinateur?
Attention aux symboles: * veut dire multiplie et / veut dire divise.

a.
```
1 READ A, C
2 D = A + C
3 PRINT D
4 END
```

b.
```
1 READ B,C
2 E = B * C
3 PRINT E
4 END
```

c.
```
1 READ A,B
2 F = A / B
3 PRINT F
4 END
```

Pour diviser par un nombre à 2 décimales

Louis coupe des morceaux de corde de 0,55 m chacun afin que ses camarades puissent s'exercer à faire des noeuds. Il a 13,2 m de corde. Combien de morceaux obtiendra-t-il?

$13,2 \div 0,55 = ?$

$$\frac{13,2}{0,55} = \frac{13,2 \times 100}{0,55 \times 100} = \frac{1320}{55}$$

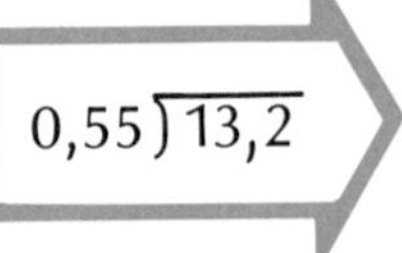

Multiplie le diviseur et le dividende par 100.

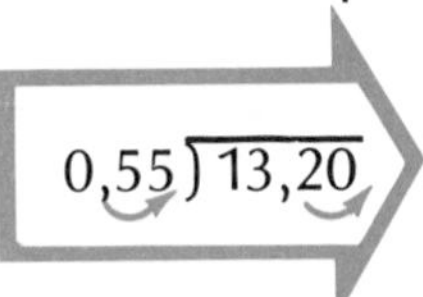

Divise

$$\begin{array}{r} 24 \\ 55\overline{)\ 1320} \\ -110 \\ \hline 220 \\ -220 \\ \hline 0 \end{array}$$

Vérifie.

$$\begin{array}{r} 24 \\ \times 0,55 \\ \hline 120 \\ 120 \\ \hline 13,20 \end{array}$$

Louis obtiendra 24 morceaux de corde.

EXERCICES

Multiplie chaque nombre par 100.

1. 30 **2.** 3 **3.** 0,3 **4.** 0,03 **5.** 0,003

6. 0,4 **7.** 0,04 **8.** 0,004 **9.** 1,8 **10.** 21,43

Divise.

11. $0,02\overline{)6}$ **12.** $0,08\overline{)32}$ **13.** $0,12\overline{)48}$ **14.** $0,25\overline{)375}$

15. $0,03\overline{)3,6}$ **16.** $0,04\overline{)8,4}$ **17.** $0,15\overline{)7,5}$ **18.** $0,23\overline{)4,6}$

19. $0,04\overline{)0,24}$ **20.** $0,05\overline{)1,25}$ **21.** $0,13\overline{)0,39}$ **22.** $0,41\overline{)1,64}$

23. $0,05\overline{)0,355}$ **24.** $0,06\overline{)4,266}$ **25.** $0,16\overline{)0,048}$ **26.** $0,33\overline{)0,165}$

27. $0,16\overline{)9}$ **28.** $0,32\overline{)7,8}$ **29.** $0,95\overline{)1,634}$ **30.** $0,77\overline{)66,99}$

EXERCICES

Calcule le quotient.

1. $0{,}02\overline{)0{,}6}$ 2. $0{,}04\overline{)76}$ 3. $0{,}05\overline{)1{,}35}$ 4. $0{,}06\overline{)3{,}132}$

5. $0{,}04\overline{)0{,}008}$ 6. $0{,}04\overline{)59{,}2}$ 7. $0{,}05\overline{)871{,}5}$ 8. $0{,}08\overline{)29{,}36}$

9. $0{,}12\overline{)384}$ 10. $0{,}14\overline{)5{,}88}$ 11. $0{,}09\overline{)847{,}8}$ 12. $0{,}92\overline{)110{,}4}$

Divise. Vérifie la réponse.

13. $0{,}23\overline{)0{,}575}$ 14. $0{,}56\overline{)1{,}12}$ 15. $0{,}23\overline{)0{,}92}$ 16. $0{,}17\overline{)8{,}5}$

17. $0{,}32\overline{)7{,}68}$ 18. $1{,}4\overline{)11{,}2}$ 19. $0{,}52\overline{)0{,}208}$ 20. $0{,}18\overline{)9}$

21. $2{,}52 \div 21$ 22. $37{,}6 \div 0{,}08$ 23. $0{,}21 \div 1{,}1$

24. $7 \div 0{,}05$ 25. $14{,}4 \div 0{,}06$ 26. $3{,}38 \div 0{,}26$

Problèmes.

27. Alfred achète des baguettes de balsa pour construire un modèle réduit d'avion. Une baguette d'un mètre coûte 0,89 $. Quelle longueur de bois peut-il acheter avec 22,25 $?

28. Un paquet de graines pour oiseaux de 4,5 kg dure normalement 18 semaines. Le magasin n'a plus que des paquets de 3 kg. Combien de temps chacun durera-t-il?

À la recherche des absents

Complète.

```
             0 , ■ 3
0,■■ ) ■■, 8 ■
      -■ 4   ■
      ---------
             8 ■
            -■■
            ----
               0
```

La valeur approchée du quotient

Marie visite plusieurs épiceries pour comparer les prix des pamplemousses. Elle calcule toujours le prix de **l'unité**.
François propose le meilleur prix: 6 pamplemousses pour 1,55 $.
Calcule le prix d'un pamplemousse dans son magasin.

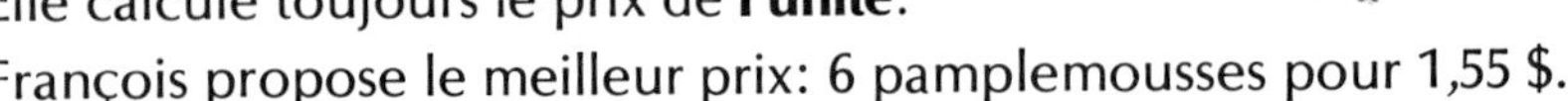

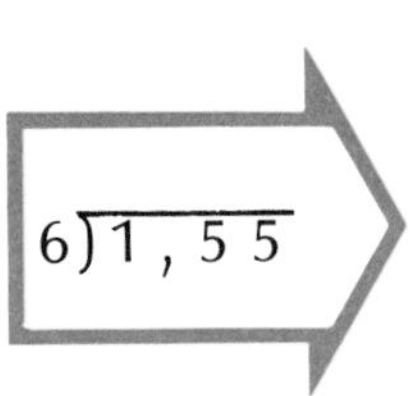

Divise.

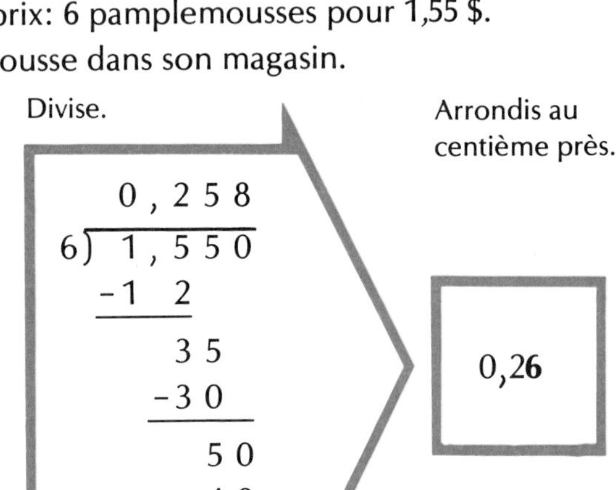

Arrondis au centième près.

0,26

Chez François, un pamplemousse coûte environ 26 ¢.

EXERCICES

Arrondis au centième près.

1. 0,378	**2.** 1,4251	**3.** 67,043	**4.** 0,019
5. 6,4222	**6.** 0,666	**7.** 1,414	**8.** 29,395

Divise. Arrondis le quotient au centième près.

9. $7\overline{)1}$	**10.** $9\overline{)1}$	**11.** $11\overline{)1}$	**12.** $13\overline{)1}$
13. $3\overline{)0,1}$	**14.** $6\overline{)0,4}$	**15.** $15\overline{)0,35}$	**16.** $23\overline{)6,247}$
17. $0,3\overline{)16}$	**18.** $0,9\overline{)2,9}$	**19.** $0,14\overline{)0,51}$	**20.** $0,36\overline{)7,318}$

Divise. Arrondis le quotient au dixième près.

21. $3\overline{)2}$	**22.** $17\overline{)1}$	**23.** $0,6\overline{)0,1}$	**24.** $0,15\overline{)1,072}$

EXERCICES

Divise. Arrondis le quotient au dixième près.

1. $8\overline{)150}$ **2.** $6\overline{)1{,}3}$ **3.** $5\overline{)0{,}59}$ **4.** $4\overline{)0{,}235}$

5. $0{,}7\overline{)237}$ **6.** $0{,}5\overline{)4{,}3}$ **7.** $0{,}3\overline{)0{,}35}$ **8.** $0{,}06\overline{)0{,}017}$

Divise. Arrondis le quotient au centième près.

9. $23\overline{)342}$ **10.** $3{,}4\overline{)413}$ **11.** $48\overline{)2{,}9}$ **12.** $12\overline{)1}$

13. $15\overline{)0{,}2}$ **14.** $1{,}6\overline{)0{,}35}$ **15.** $0{,}08\overline{)0{,}131}$ **16.** $0{,}25\overline{)6}$

17. $0{,}4\overline{)0{,}213}$ **18.** $0{,}7\overline{)1{,}5}$ **19.** $1{,}9\overline{)2}$ **20.** $0{,}13\overline{)4{,}6}$

Problèmes.

21. Douze billes ont une masse de 70 g. Quelle est la masse d'une bille, au dixième de gramme près?

22. Quelle est le prix le plus avantageux: 12 oranges pour 1,69 $ ou 14 ¢ l'unité?

23. Un moule à bougie contient 0,18 L de cire. Combien peut-on fabriquer de bougies avec 3 L de cire?

AVEC LA CALCULATRICE

Estime chaque quotient mentalement,
puis vérifie avec ta calculatrice.
Arrondis les quotients au millième près.

1. $0{,}54 \div 0{,}7$ **2.** $6{,}98 \div 0{,}3$ **3.** $75{,}25 \div 0{,}9$

4. $68 \div 0{,}77$ **5.** $85{,}4 \div 0{,}33$ **6.** $69{,}22 \div 0{,}54$

7. $9 \div 1{,}54$ **8.** $55{,}2 \div 6{,}35$ **9.** $8 \div 0{,}127$

Calcule la différence entre ton estimation et ton calcul. Si la somme des 9 différences est inférieure à 100, bravo, tu es un as!

Pour exprimer une fraction en notation décimale

Avec sa calculatrice, Jeannette manipule des nombres décimaux plutôt que des fractions. Par quel nombre remplace-t-elle $\frac{3}{8}$?

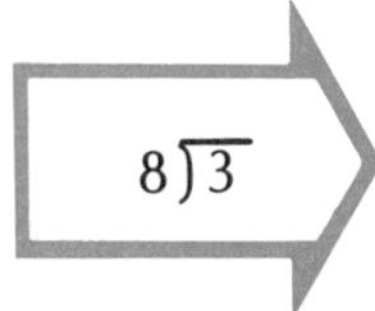

$$\begin{array}{r} 0,375 \\ 8\,\overline{)\,3,000} \\ -2\;4 \\ \hline 60 \\ -56 \\ \hline 40 \\ -40 \\ \hline 0 \end{array}$$

$$\frac{3}{8} = 0,375$$

Pour exprimer une fraction en notation décimale, divise le numérateur par le dénominateur.

EXERCICES

Exprime les fractions en notation décimale.
Divise jusqu'à ce que le reste soit nul.

1. $\frac{1}{2}$ **2.** $\frac{1}{4}$ **3.** $\frac{3}{4}$ **4.** $\frac{1}{5}$ **5.** $\frac{2}{5}$

6. $\frac{3}{5}$ **7.** $\frac{4}{5}$ **8.** $\frac{1}{8}$ **9.** $\frac{5}{8}$ **10.** $\frac{7}{8}$

11. $\frac{1}{20}$ **12.** $\frac{3}{20}$ **13.** $\frac{9}{20}$ **14.** $\frac{11}{20}$ **15.** $\frac{19}{20}$

16. $\frac{1}{25}$ **17.** $\frac{9}{25}$ **18.** $\frac{17}{25}$ **19.** $\frac{1}{50}$ **20.** $\frac{23}{50}$

Exprime la fraction en notation décimale, au dixième près.

21. $\frac{5}{8}$ **22.** $\frac{1}{3}$ **23.** $\frac{2}{15}$ **24.** $\frac{4}{7}$ **25.** $\frac{7}{9}$

Exprime la fraction en notation décimale, au centième près.

26. $\frac{2}{3}$ **27.** $\frac{7}{8}$ **28.** $\frac{5}{9}$ **29.** $\frac{1}{14}$ **30.** $\frac{5}{6}$

EXERCICES

Exprime en notation décimale. Divise jusqu'à ce que le reste soit nul.

1. $\frac{1}{20}$ **2.** $\frac{3}{25}$ **3.** $\frac{3}{50}$ **4.** $\frac{7}{8}$ **5.** $\frac{29}{50}$

6. $\frac{4}{25}$ **7.** $\frac{1}{16}$ **8.** $\frac{3}{2}$ **9.** $\frac{6}{5}$ **10.** $\frac{11}{8}$

Exprime en notation décimale, au dixième près.

11. $\frac{1}{9}$ **12.** $\frac{3}{7}$ **13.** $\frac{3}{8}$ **14.** $\frac{1}{6}$ **15.** $\frac{2}{11}$

Exprime en notation décimale, au centième près.

16. $\frac{1}{15}$ **17.** $\frac{1}{30}$ **18.** $\frac{37}{60}$ **19.** $\frac{7}{11}$ **20.** $\frac{5}{18}$

Complète par $>$ ou $<$.

21. $\frac{9}{8}$ ● $\frac{12}{11}$ **22.** $\frac{7}{4}$ ● $\frac{28}{15}$ **23.** $\frac{65}{50}$ ● $\frac{4}{3}$

24. $\frac{8}{29}$ ● $\frac{3}{11}$ **25.** $\frac{5}{14}$ ● $\frac{17}{47}$ **26.** $\frac{9}{13}$ ● $\frac{24}{35}$

Problèmes.

27. Mario donne 21 réponses exactes sur 25 questions et Caroline en donne 29 sur 35. Qui obtient le meilleur résultat?

28. **pi** est parfois exprimé par la fraction $\frac{22}{7}$. Calcule $\frac{22}{7}$ au centième près.

Régularités décimales

Exprime les fractions en notation décimale. Divise jusqu'à ce que tu obtiennes un quotient à quatre décimales. N'arrondis pas.

a. $\frac{1}{9}$ **b.** $\frac{2}{9}$ **c.** $\frac{3}{9}$ **d.** $\frac{4}{9}$ **e.** $\frac{5}{9}$

Continue. $\frac{6}{9}$, $\frac{7}{9}$, $\frac{8}{9}$ Que remarques-tu?

f. $\frac{1}{11}$ **g.** $\frac{2}{11}$ **h.** $\frac{3}{11}$ **i.** $\frac{4}{11}$ **j.** $\frac{5}{11}$

$\frac{6}{11}$, $\frac{7}{11}$, $\frac{8}{11}$, $\frac{9}{11}$, $\frac{10}{11}$.

Résolution de problèmes

Roméo est trois fois plus âgé que Rose. Dans cinq ans, il n'aura que deux fois son âge. Quel âge ont Roméo et Rose maintenant?

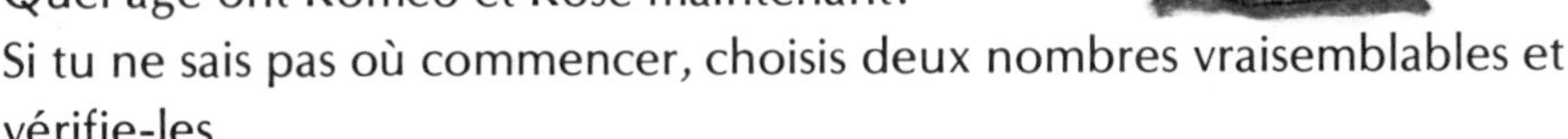

Si tu ne sais pas où commencer, choisis deux nombres vraisemblables et vérifie-les.

Essaie **30** et **10**. Vérifie: Dans cinq ans, ils auront 35 ans et 15 ans.
Mais $2 \times 15 \neq 35$

Essaie **21** et **7**. Vérifie: Dans cinq ans, il auront 26 ans et 12 ans.
Mais $2 \times 12 \neq 26$ (**Mais** c'est plus près!)

Essaie **15** et **5**. Vérifie: Dans cinq ans, ils auront 20 ans et 10 ans.
$2 \times 10 = 20$

Roméo a 15 ans et Rose a 5 ans.

EXERCICES

1. Quand on multiplie ce nombre par lui-même on obtient 225. Quel est ce nombre?

$12 \times 12 = 144$ (trop petit)
$20 \times 20 = 400$ (trop grand)
$17 \times 17 = 289$ (trop grand)

2. Un champ rectangulaire a une aire de 48 m² et un périmètre de 38 m. Quelles sont ses dimensions?

Son aire étant de 48 m², ses dimensions pourraient être 8 par 6, ou 12 par 4, ou 16 par 3 ou 48 par 1.
Dans quel cas son périmètre est-il égal à 38 m?

3. Si Laurent multiplie son âge par 3, ajoute 6 et divise le résultat par 3, il obtient 15. Quel âge a-t-il?

Essaie 8. $8 \times 3 = 24$; $24 + 6 = 30$; $30 \div 3 = 10$
Essaie 12. $12 \times 3 = 36$; $36 + 6 = 42$; $42 \div 3 = 14$

EXERCICES

1. Le prix d'entrée à l'exposition d'artisanat était de 5 $ pour les adultes et de 2 $ pour les enfants. Les 150 premières entrées ont rapporté 600 $. Combien y avait-il d'adultes et d'enfants parmi les visiteurs?

2. Il y a trois ans, Elizabeth était 3 fois plus âgée que Jean. Maintenant elle a 8 ans de plus que lui. Quel âge ont-ils maintenant?

3. Je pense à un nombre. Si je le triple et si je soustrais 8 du résultat, j'obtiens 13. Quel est ce nombre?

4. Nicole a 8 pièces de monnaie, qui représentent un total de 1,15 $. Combien a-t-elle de pièces de 25 cents, de 10 cents et de 5 cents?

5. Un jardin rectangulaire a une aire de 36 m^2 et un périmètre de 30 m. Quelles sont ses dimensions?

RÉVISION

Divise.

1. $8\overline{)0,16}$	**2.** $12\overline{)3,6}$	**3.** $5\overline{)1,245}$
4. $0,4\overline{)96}$	**5.** $0,3\overline{)0,057}$	**6.** $2,7\overline{)0,81}$
7. $0,05\overline{)871,5}$	**8.** $0,13\overline{)0,78}$	**9.** $0,33\overline{)1,65}$

Divise. Arrondis le quotient au centième près.

10. $14\overline{)0,2}$ **11.** $2,6\overline{)0,371}$ **12.** $0,09\overline{)12}$

Exprime les fractions en notation décimale.
Divise jusqu'à ce que le reste soit nul.

13. $\frac{5}{8}$ **14.** $\frac{9}{36}$ **15.** $\frac{7}{5}$

TEST CHAPITRE 10

Indique l'inverse de ces nombres.

1. $\frac{1}{5}$ **2.** $\frac{2}{3}$ **3.** 6 **4.** $\frac{1}{10}$

Divise.

5. $\frac{5}{9} \div 3$ **6.** $\frac{2}{3} \div 2$ **7.** $\frac{1}{4} \div 3$ **8.** $\frac{3}{8} \div 2$

9. $5 \div \frac{1}{2}$ **10.** $\frac{1}{4} \div \frac{1}{3}$ **11.** $\frac{5}{6} \div \frac{1}{4}$ **12.** $6 \div \frac{1}{8}$

13. $\frac{1}{3} \div \frac{3}{4}$ **14.** $7 \div \frac{2}{5}$ **15.** $2\frac{1}{2} \div \frac{3}{8}$ **16.** $\frac{5}{6} \div \frac{3}{5}$

17. $8\overline{)0{,}8}$ **18.** $4\overline{)17{,}2}$ **19.** $5\overline{)2{,}95}$

20. $0{,}6\overline{)18}$ **21.** $0{,}4\overline{)0{,}72}$ **22.** $1{,}2\overline{)0{,}084}$

23. $0{,}05\overline{)0{,}455}$ **24.** $0{,}07\overline{)2{,}8}$ **25.** $0{,}16\overline{)6{,}56}$

Divise. Arrondis le quotient au centième près.

26. $0{,}8\overline{)2{,}9}$ **27.** $9\overline{)2}$ **28.** $1{,}7\overline{)0{,}98}$

Exprime les fractions en notation décimale.
Divise jusqu'à ce que le reste soit nul.

29. $\frac{7}{8}$ **30.** $\frac{7}{50}$ **31.** $\frac{4}{5}$ **32.** $\frac{28}{25}$

Problème.

33. Une pomme coûte 18 ¢ et une orange coûte 21 ¢.
Carole achète 7 fruits pour 1,32 $.
Combien en achète-t-elle de chaque sorte?

REPRISE LES RAPPORTS

Problèmes.

1. 3 boîtes coûtent 12,24 $. Combien coûte une boîte?
2. Thomas court le 2000 m en 10 min. Quelle est sa vitesse en mètres par minute?
3. 1 L coûte 2,95 $. Combien coûtent 6 L?
4. Un cycliste parcourt 180 km en 3 h. Quelle distance parcourt-il en 6 h?

Écris le rapport correspondant aux situations suivantes:

5. 8 livres pour 5 élèves
6. 3 bananes pour 5 prunes
7. 12 patients pour 2 médecins
8. 11 fèves pour 6 radis

Calcule la valeur de N.

9. $\frac{6}{7} = \frac{N}{28}$
10. $\frac{N}{9} = \frac{20}{45}$
11. $\frac{5}{11} = \frac{45}{N}$
12. $\frac{8}{N} = \frac{64}{72}$

Exprime sous forme de nombre décimal, puis de pourcentage.

13. $\frac{27}{100}$
14. $\frac{49}{100}$
15. $\frac{2}{100}$
16. $\frac{109}{100}$

Exprime sous forme de pourcentage.

17. $\frac{19}{25}$
18. $\frac{1}{20}$
19. $\frac{7}{20}$
20. $\frac{39}{50}$

Exprime sous forme de fraction simplifiée.

21. 5%
22. 32%
23. 85%
24. 60%

Calcule.

25. 7% de 600
26. 36% de 175
27. 65% de 420 $

Problèmes.

28. 5 savonnettes coûtent 1,95 $. Combien coûtent 7 savonnettes?
29. Anne a écrit correctement 37 mots sur 50.
    Exprime le pourcentage de mots corrects.

CHAPITRE 11
APPLICATIONS

Démographie

Population du Canada

Année	Population
1851	2 436 297
1871	3 689 257
1891	4 833 239
1911	7 206 643
1931	10 376 786
1951	14 009 429
1961	18 238 247
1971	21 568 311
1976	22 992 604
1981	24 343 181
1986	25 354 064

Réponses

(en nombres arrondis)

a.	12 000 000
b.	46 000 000
c.	1 300 000
d.	25 000 000
e.	1 000 000
f.	9 700 000
g.	9 000 000
h.	6 000 000
i.	2 000 000
j.	400 000

Fais correspondre les questions et les réponses.

1. De combien la population a-t-elle augmenté entre 1851 et 1871?
2. Quelle est la différence entre la population de 1951 et celle de 1851?
3. Quelle est la moitié de la population de 1961?
4. Quel est le double de la population de 1891?
5. Quel nombre obtiens-tu si tu ajoutes 2 millions à la population de 1976?
6. La population de Terre-Neuve a été prise en considération pour la première fois en 1951. Sans Terre-Neuve, le nombre aurait été 13 648 006. Quelle était alors la population de cette province?
7. On prévoit qu'en l'an 2001 la population du Canada atteindra 30 655 500 habitants. De combien dépassera-t-elle celle de 1981?
8. Entre 1951 et 1961, l'immigration représentait environ 25% de la croissance, soit ■ personnes.

Le mode

Taille des joueurs de l'équipe de basketball de l'école Sainte-Hélène

145 cm 148 cm 150 cm 150 cm 150 cm 155 cm 155 cm 160 cm

Le plus petit joueur mesure 145 cm.
Le plus grand joueur mesure 160 cm.

$$\begin{array}{r} 160 \\ -\ 145 \\ \hline 15 \end{array}$$

L'étendue est de 15 cm.

Trois des joueurs mesurent 150 cm.
Le nombre le plus fréquent s'appelle le **mode**.
Le **mode** des nombres ci-dessus est 150 cm.

Combien de fois les autres nombres apparaissent-ils?

EXERCICES

Quelle est l'étendue de l'ensemble des nombres? Quel est le mode?

1. 12, 13, 15, 15, 18
   Étendue: 18 − 12 = ■
   Mode: ■

2. 88, 92, 95, 95, 95
   Étendue: 95 − 88 = ■
   Mode: ■

3. 10 cm, 10 cm, 12 cm, 14 cm, 15 cm, 16 cm
   Étendue: ■ Mode: ■

4. 22°C, 25°C, 25°C, 25°C, 26°C, 28°C, 29°C
   Étendue: ■ Mode: ■

5. 30 L, 27 L, 30 L, 29 L, 30 L
   Étendue: ■ Mode: ■

6. 120 kg, 131 kg, 131 kg, 167 kg
   Étendue: ■ Mode: ■

7. 82 s, 80 s, 76 s, 75 s, 84 s, 97 s, 75 s
   Étendue: ■ Mode: ■

8. 50 m, 55 m, 45 m, 50 m, 40 m, 50 m
   Étendue: ■ Mode: ■

EXERCICES

Indique l'étendue et le mode.

1. **Tailles des élèves (cm)**

142	139	178	164	167
155	146	150	161	158
173	156	169	149	153
144	170	155	154	157
160	152	165	155	146

2. **Températures maximales de mai(°C)**

14	10	13	16	18	19	21	20
18	12	9	12	16	18	23	19
10	11	12	15	14	20	22	23
20	15	14	17	17	19	20	

Le mode n'est pas toujours un nombre.
Quel est le mode de chaque ensemble de données?

3. **Étendue des notes Étudiants**

	Étendue des notes	Étudiants
A	75-100	2
B	66-74	15
C	60-65	14
D	50-59	5
E	moins de 50	3

4. **Chemises vendues en une semaine, par tailles**

Tailles	Lun.	Mar.	Mer.	Jeu.	Ven.	Sam.	TOTAL
P	2	0	3	8	10	12	
M	3	2	5	7	15	23	
G	2	2	4	5	12	16	
TG	1	2	0	4	9	13	

Sciences sociales

La classe de 6e année a effectué un sondage portant sur le nombre d'enfants dans les familles des élèves.

Enfants	1	2	3	4	5	6	7
Familles	4	7	10	5	2	0	1

1. Combien de familles ont 2 enfants? 7 enfants?
2. Indique l'étendue, puis le mode, se rapportant au nombre d'enfants.
3. Dans combien de familles le nombre d'enfants est-il inférieur au mode?
4. Combien y a-t-il d'enfants dans l'ensemble des familles?
5. Essaie d'utiliser la mémoire d'une calculatrice pour répondre à la question numéro 4.

La moyenne arithmétique

Le tableau indique le nombre d'élèves présents pour chaque jour de la première semaine de mai à l'école Bellerive. Quelle est la **moyenne arithmétique** des présences pour chaque jour?

On trouve la **moyenne arithmétique** d'un ensemble de données en divisant la somme de ces données par leur nombre total.

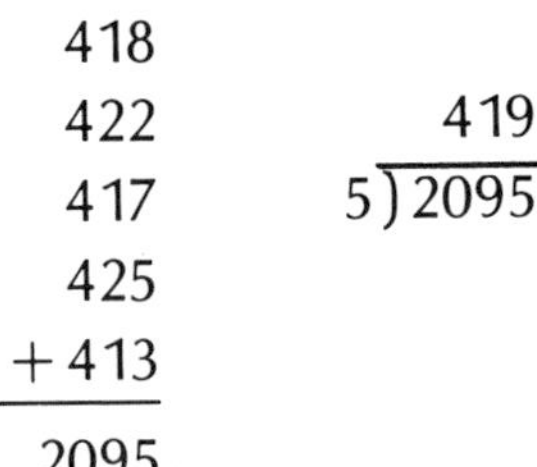

$$\begin{array}{r} 418 \\ 422 \\ 417 \\ 425 \\ +413 \\ \hline 2095 \end{array} \qquad \begin{array}{r} 419 \\ 5\overline{)2095} \end{array}$$

Présents 1ère semaine de Mai	
Lundi	418
Mardi	422
Mercredi	417
Jeudi	425
Vendredi	413

La moyenne arithmétique (ou **moyenne**) des présences quotidiennes pour la semaine est 419.

EXERCICES

Calcule la moyenne.

1.

$$\begin{array}{r} 8 \\ 9 \\ 7 \\ 10 \\ +\ 6 \\ \hline \end{array}$$

■ ÷ 5 = ■

2.

$$\begin{array}{r} 70 \\ 75 \\ 90 \\ +85 \\ \hline \end{array}$$

■ ÷ 4 = ■

3.

$$\begin{array}{r} 130 \\ 125 \\ 126 \\ 120 \\ 121 \\ +122 \\ \hline \end{array}$$

■ ÷ 6 = ■

4. 40, 47, 42, 45, 46

5. 120, 128, 130

Calcule la moyenne. Arrondis à l'unité près.

6. 32 cm, 41 cm, 37 cm

7. 80 kg, 73 kg, 63 kg, 86 kg, 76 kg

8. 1047 L, 1212 L, 1153 L, 1181 L

9. 18,5 s, 19,8 s, 20,2 s, 19,0 s, 19,5 s

EXERCICES

Calcule la moyenne et l'étendue.

1. 20 cm, 18 cm, 17 cm, 10 cm, 23 cm, 17 cm
2. 41 kg, 49 kg, 53 kg, 51 kg, 44 kg, 52 kg
3. 32 m², 60 m², 48 m², 35 m², 56 m², 29 m², 51 m²
4. 70 L, 39 L, 62 L, 45 L
5. 134 km, 205 km, 126 km, 215 km, 163 km

Calcule la moyenne. Combien de nombres lui sont supérieurs? Combien de nombres lui sont inférieurs?

6. 10°C, 11°C, 14°C, 12°C, 13°C
7. 62 mm, 60 mm, 60 mm, 65 mm, 63 mm, 68 mm
8. 110 t, 115 t, 105 t, 102 t
9. 46 min, 52 min, 63 min, 45 min, 58 min, 60 min

Calcule la moyenne. Arrondis au dixième près.

10. 1,8 km 1,2 km 2,1 km 1,9 km 1,8 km
11. 3,4 s 3,6 s 4,1 s 4,5 s 3,7 s 4,4 s

Problèmes.

12. Henri a obtenu les notes suivantes: 70, 75, 80, 72 et 73. Calcule la moyenne, l'étendue et le total de ses notes.
13. Danielle obtient une moyenne de 74 pour 5 tests. Ses quatre premières notes sont: 75, 79, 85 et 80. Quelle est la cinquième?

Qui veut la fin veut les moyens

Denis a 11 ans et 2 mois. Ses amis Diane et René on respectivement 10 ans et 11 mois et 11 ans et 8 mois. Quelle est la moyenne de leur âge? Essaie de trouver une solution courte pour résoudre ce problème.

La médiane

Mlle Lavigne a donné un test surprise.

Les élèves ont obtenu les notes suivantes: 60, 78, 75, 90, 42, 60, 95, 85 et 70.

Classe les notes par ordre croissant.

42 60 60 70 75 78 85 90 95

Le *nombre du milieu* (le 5e) est 75.
Le nombre du milieu est appelé la **médiane**.

> Si deux nombres sont situés au milieu, la médiane est le nombre situé à égale distance de chacun.

42 60 60 70 75 77 78 85 90 95

La médiane est 76.

EXERCICES

Trouve la médiane.

1. 3, 4, 7, 9, 10
2. 4, 5, 8, 10, 11, 12, 15
3. 10, 12, 15, 16, 18, 20, 22
4. 30, 32, 36, 38, 39, 43
5. 72 cm, 73 cm, 77 cm, 81 cm
6. 116 g, 119 g, 120 g, 130 g, 137 g, 142 g

Classe les nombres dans l'ordre, puis calcule la médiane.

7. 175, 163, 179
8. 49, 31, 35, 44, 37, 42, 39
9. 9, 16, 11, 8, 22
10. 51, 50, 56, 53
11. 86 \$, 80 \$, 89 \$, 90 \$, 78 \$, 63 \$, 90 \$, 75 \$, 10 \$, 88 \$, 89 \$, 80 \$
12. 3 kg, 4 kg, 9 kg, 2 kg, 2 kg, 7 kg, 1 kg, 10 kg, 2 kg, 9 kg

EXERCICES

Calcule la médiane.

1. 82, 95, 78, 91, 86
2. 65, 58, 61, 72, 57, 70
3. 14, 18, 23, 16, 36, 14, 18, 12, 16, 23, 14, 20, 19, 12
4. 42°C, 12°C, 30°C, 34°C, 20°C, 19°C
5. 19 $, 8 $, 9 $, 24 $, 22 $, 10 $, 20 $, 20 $, 18 $, 19 $, 19 $, 16 $, 20 $
6. 26 m, 16 m, 9 m, 8 m, 12 m, 17 m, 20 m, 27 m, 8 m
7. 57 kg, 70 kg, 61 kg, 60 kg, 63 kg, 61 kg

Calcule la médiane et la moyenne. Arrondis-les au dixième près.

8. 6, 12, 9, 7, 6
9. 13, 6, 12, 5
10. 22 cm, 25 cm, 30 cm, 21 cm, 37 cm, 27 cm, 30 cm, 23 cm, 20 cm
11. 9,61 g 8,99 g 8,43 g 7,87 g 8,05 g

Problèmes

12. Dix étudiants mesurent la longueur de leur main droite. Les résultats sont: 18 cm, 20 cm, 17 cm, 23 cm, 20 cm, 20 cm, 21 cm, 20 cm, 19 cm, et 18 cm. Calcule le mode, la moyenne, la médiane et l'étendue des mesures.

13. Tu ne sais pas nager et tu veux traverser une rivière. Quelle donnée indique si tu peux le faire en toute sécurité: la profondeur moyenne, la profondeur médiane, l'étendue ou le mode?

14. Trouve sept nombres tels que:
    a. la moyenne < la médiane < le mode
    b. la médiane < la moyenne < le mode
    c. la moyenne < le mode < la médiane
    d. le mode < la médiane < la moyenne

Moyenne au bâton

Quand un joueur de baseball obtient 38 coups sûrs en 109 passages au bâton, sa moyenne est $\frac{38}{109} = 0{,}349$ (au millième près).
Sers-toi d'une calculatrice pour déterminer la meilleure moyenne au bâton.

	Nombre de fois au bâton	Coups sûrs
Zoé Nolan	98	32
Ève Lipka	112	39
Laure Wahl	116	40

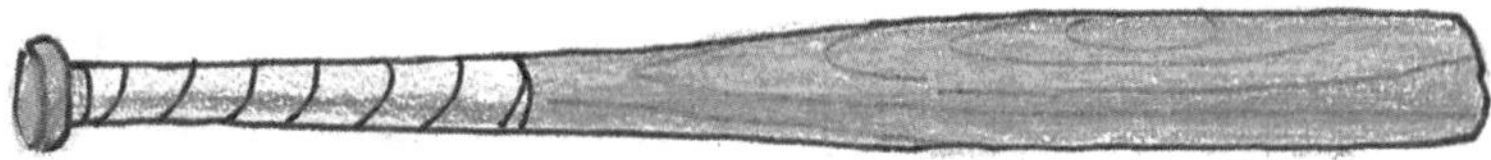

Les graphiques à barres

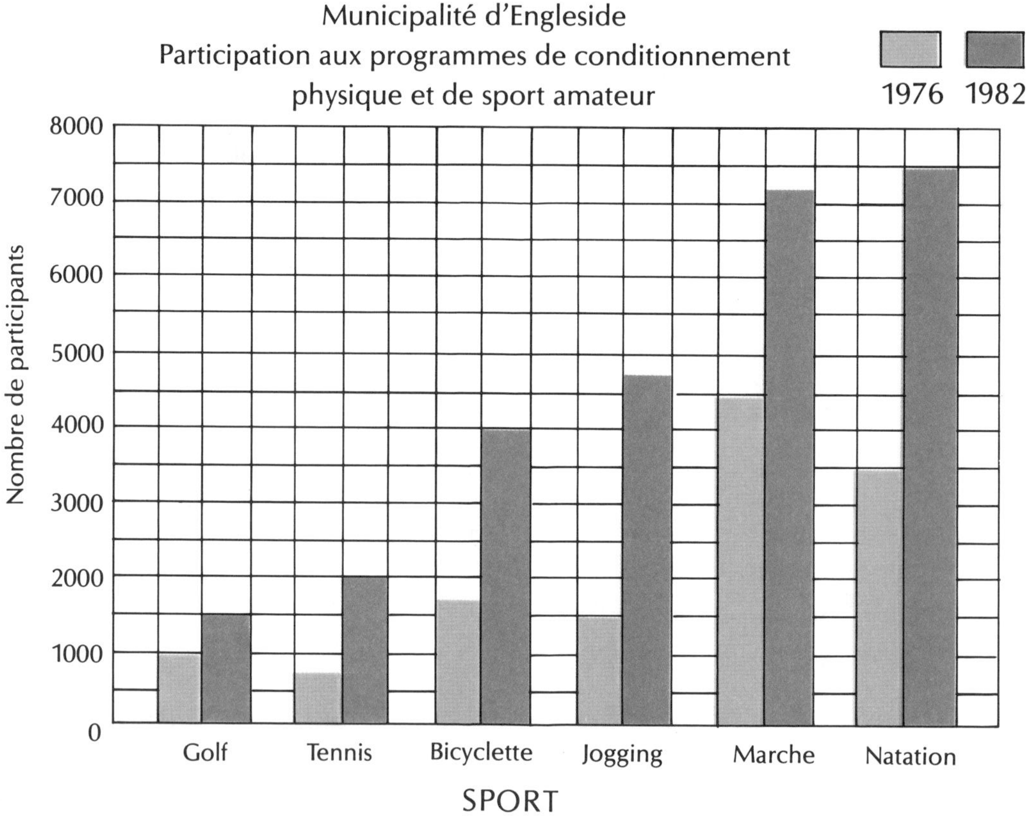

EXERCICES

1. Quels renseignements nous donne le graphique?
2. Comment sont représentées les données de 1976? de 1982?
3. Combien de personnes ont joué au golf en 1976? en 1982?
4. Combien de personnes ont fait de la bicyclette en 1976? en 1982?
5. Combien de personnes ont fait de la natation en 1976? en 1982?
6. Quelle a été l'activé la plus populaire en 1976? en 1982?
7. Quels sont les deux sports qui ont enregistré la plus forte hausse de participation?
8. Est-ce que l'une des activités a subi une baisse de participation?

EXERCICES

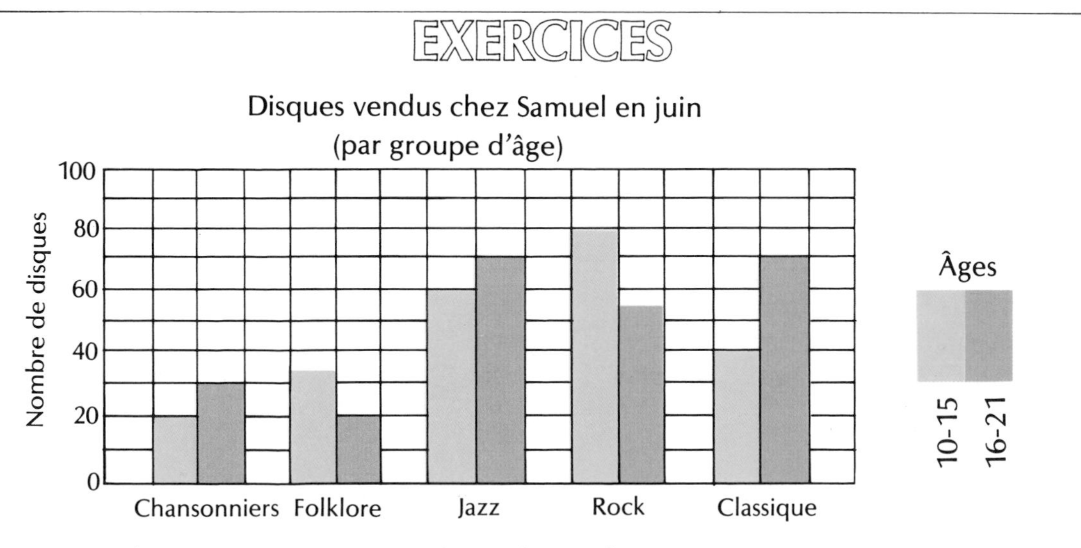

1. Quels renseignements nous donne le graphique?
2. Comment sont représentées les données pour chaque groupe d'âge?
3. Combien de disques de chansonniers ont été achetés par chaque groupe?
4. Combien de disques de jazz ont été achetés par chaque groupe?
5. Quels disques ont été les moins populaires parmi les acheteurs les plus âgés?
6. Quels disques ont été les plus populaires parmi les acheteurs les plus jeunes?
7. Quelles catégories de disques ont eu sensiblement le même succès auprès des deux groupes?
8. Lorsqu'ils avaient sept ans, Martin et Thérèse mesuraient tous deux 125 cm. A neuf ans, ils mesuraient respectivement 130 cm et 140 cm. À onze ans, Martin mesurait 150 cm et Thérèse mesurait 145 cm. Porte ces renseignements sur un graphique.

Un budget bien équilibré

Cette semaine, Pierre et Paul ont reçu chacun 7,00 $ d'argent de poche. Voici comment Paul a réparti son argent: transport 1,00 $; fournitures d'école 0,50 $; nourriture 2,30 $; loisirs 2,50 $; économies 0,70 $. Pierre a réparti le sien comme ceci: transport 1,80 $; fournitures d'école 2,40 $; nourriture 1,60 $; loisirs 0 $; économies 1,20 $.

Porte ces renseignements sur un graphique.

Graphiques à ligne brisée

La directrice d'une commission scolaire porte sur un graphique les prévisions concernant les inscriptions dans les écoles de sa région. Elle relie les points du graphique par des segments de droite pour rendre les tendances plus évidentes.

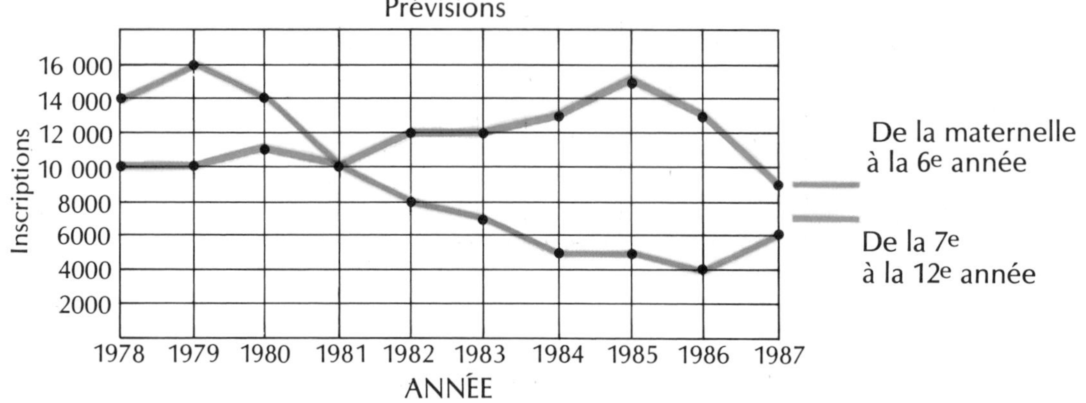

EXERCICES

1. Qu'indique la ligne rouge? Qu'indique la ligne verte?
2. Donne le nombre d'inscriptions, de la maternelle à la 6e, en 1979 et en 1980.
3. Donne le nombre d'inscriptions, de la 7e à la 12e année, en 1980.
4. Combien prévoit-on d'inscriptions, de la maternelle à la 6e, pour 1987?
5. Quand les inscriptions de la 7e à la 12e année sont-elles les plus élevées?
6. Que peut-on dire des inscriptions de la maternelle à la 6e année?

Luc et Diane gagnent de l'argent de poche en gardant des enfants. Ils portent leurs gains sur un graphique.

7. Comment les gains de Diane et de Luc sont-ils indiqués?
8. Combien Diane gagne-t-elle durant la deuxième semaine? la quatrième semaine?
9. Quand est-ce que Diane ne gagne rien?

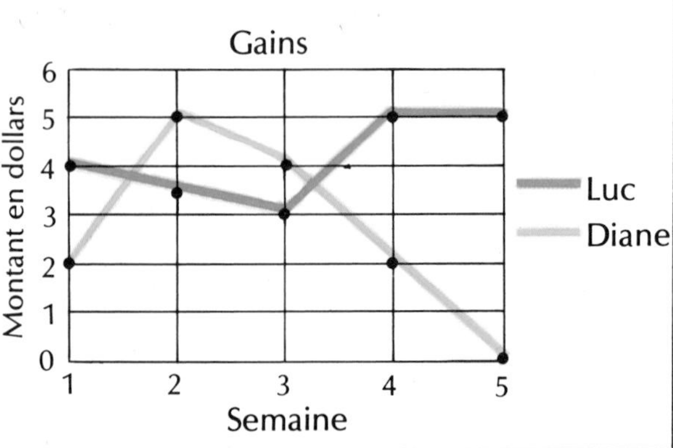

EXERCICES

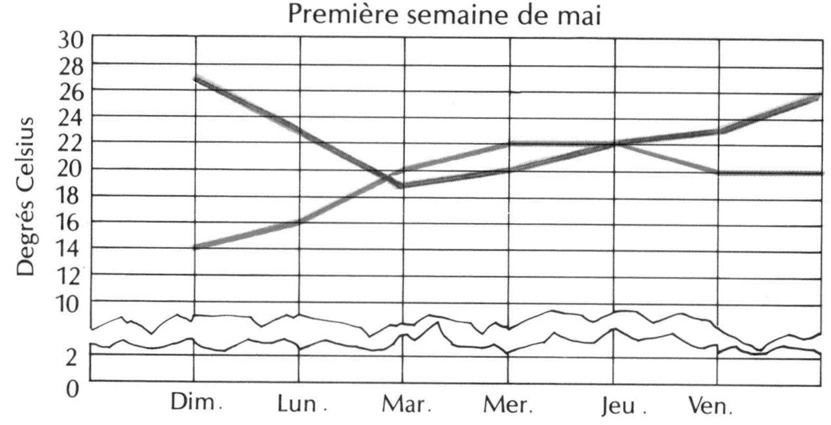

1. Quels renseignements nous donne le graphique?
2. Quelle température faisait-il à Kelowna et à Grande Prairie dimanche?
3. Quand la température de Kelowna est-elle la plus basse?
4. Quand la température était-elle identique dans les deux villes?
5. Quelle ville connaissait la plus haute température au milieu de la semaine?

RÉVISION

Indique l'étendue et le mode.

1. 20, 13, 20, 23, 27
2. 37, 52, 52, 46, 37, 41, 52

Calcule la moyenne. Arrondis à l'unité près.

3. 70, 39, 62, 45
4. 305, 315, 234, 226, 263

Calcule la médiane.

5. 28, 17, 14, 19, 17, 16, 18
6. 18, 16, 21, 19

7. Combien les garçons ont-ils vendu de billets le 1er jour?
8. Qui a vendu le plus de billets le 2e jour?

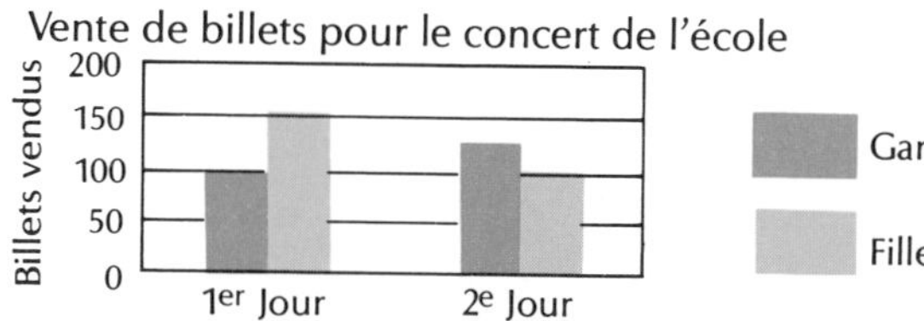

Les angles

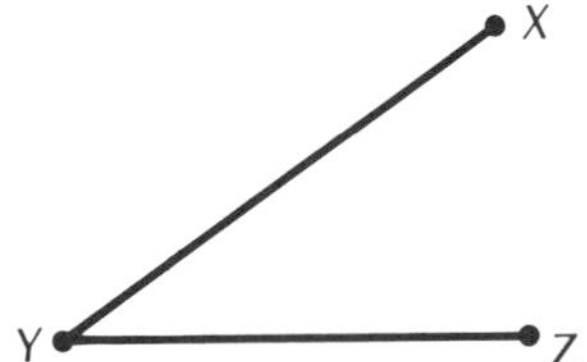

Les segments de droite *YX* et *YZ* se coupent en *Y* et forment un **angle** de sommet *Y*.

On l'appelle l'angle *XYZ* ou simplement l'angle *Y*. Le point *Y* est le **sommet** de l'angle.

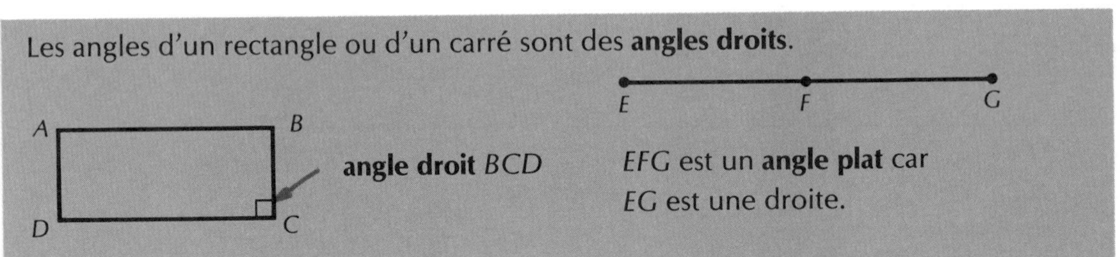

Les angles d'un rectangle ou d'un carré sont des **angles droits**.

angle droit *BCD*

EFG est un **angle plat** car *EG* est une droite.

Les droites ou les segments de droites qui se coupent à angle droit sont **perpendiculaires**.

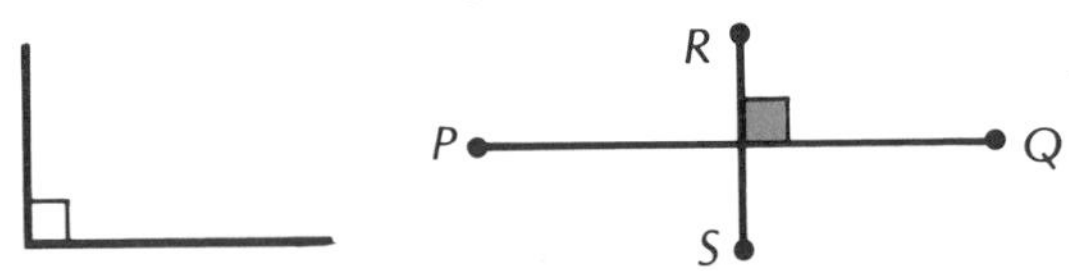

PQ est perpendiculaire à *RS*.

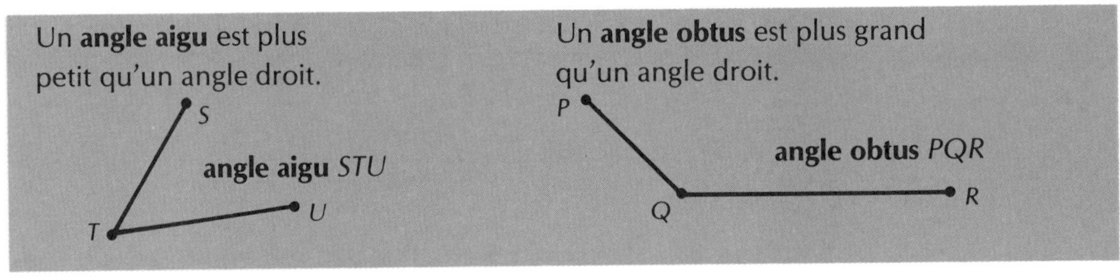

Un **angle aigu** est plus petit qu'un angle droit.

Un **angle obtus** est plus grand qu'un angle droit.

angle aigu *STU*

angle obtus *PQR*

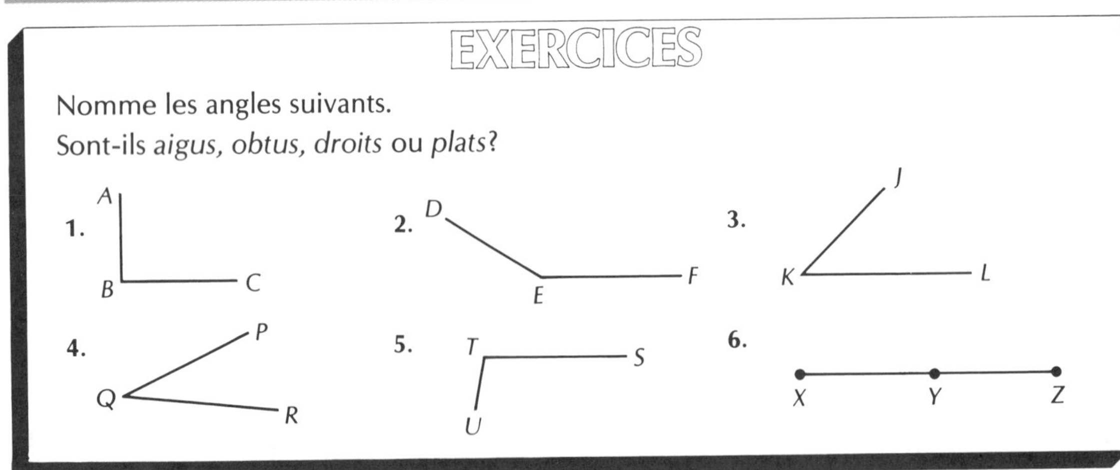

EXERCICES

Nomme les angles suivants.
Sont-ils *aigus*, *obtus*, *droits* ou *plats*?

EXERCICES

Nomme tous les angles des figures suivantes.
Sont-ils *obtus, aigus, droits*, ou *plats*?

1.

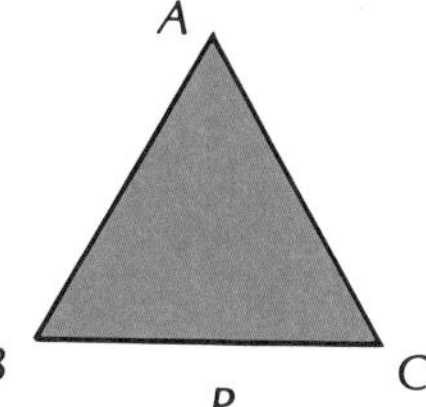

2.

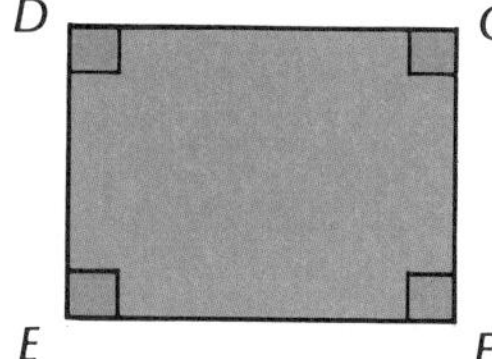

3.

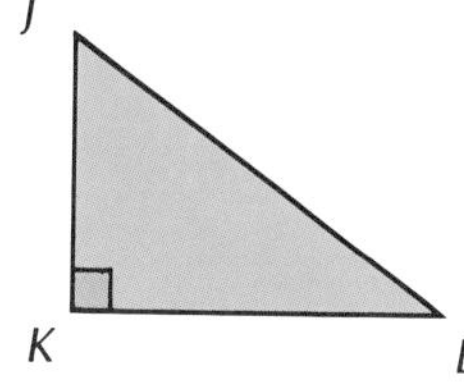

4.

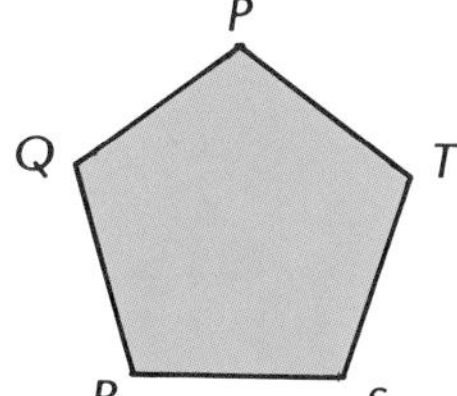

5.

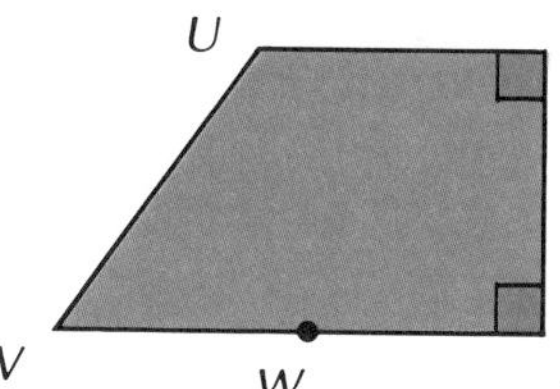

6.

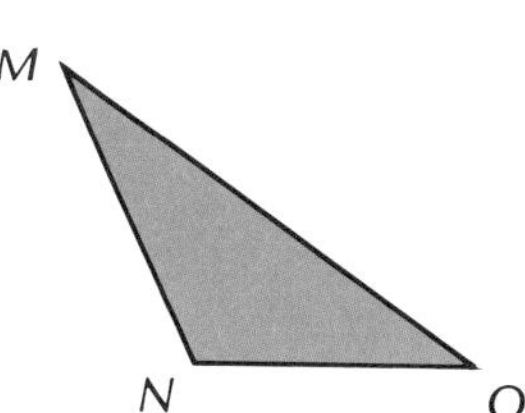

7. Dresse la liste des angles formés par l'intersection de ces deux droites. Sont-ils obtus ou aigus?

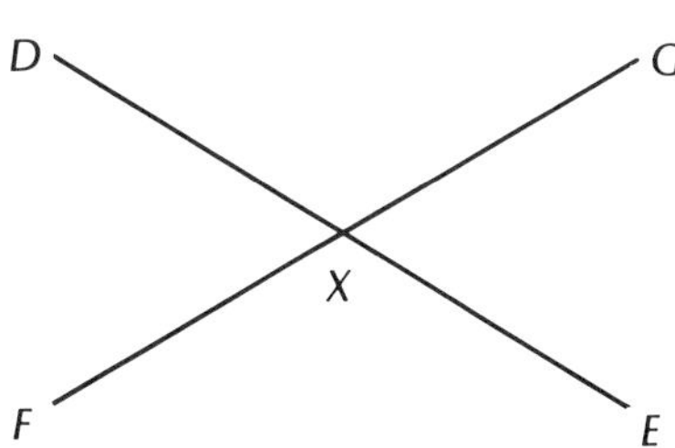

8. Reproduis la figure ci-contre. Fais-la tourner autour du point *X* de sorte que *D* coïncide avec *E* et *F* avec *G*.
Que remarques-tu?

Angles de cadran

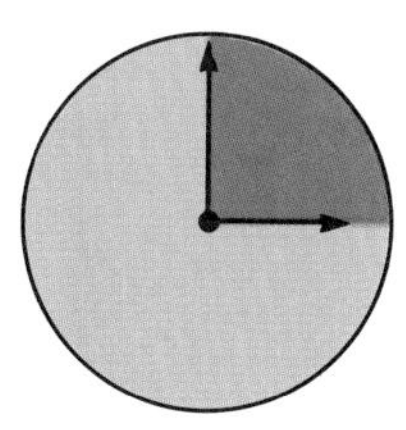

03:00
angle droit

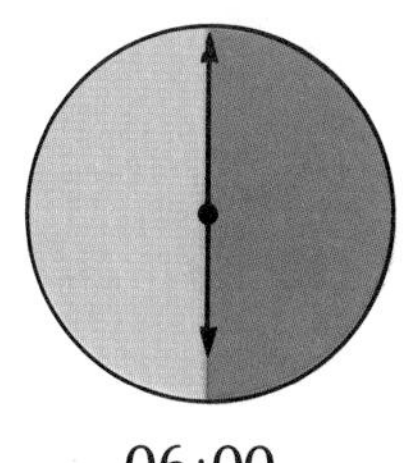

06:00
angle plat

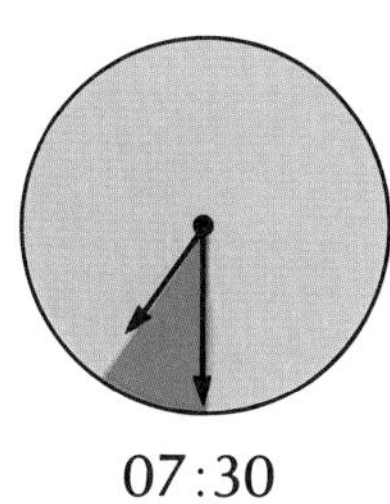

07:30
angle aigu

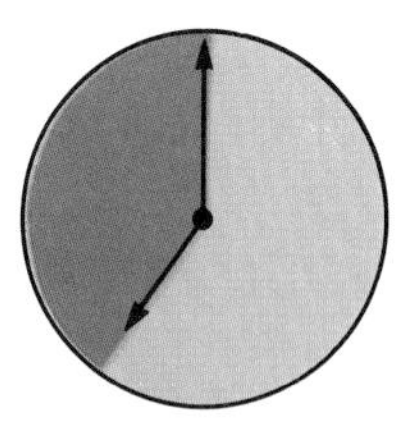

07:00
angle obtus

Nomme les angles formés par les aiguilles des cadrans suivants:

1. 09:00 **2.** 02:00 **3.** 11:30 **4.** 08:15 **5.** 10:45

6. Combien de fois les aiguilles forment-elles un angle droit en 12 heures?

La mesure des angles

L'unité de mesure des angles est le **degré**.
Cet angle mesure un degré (1°).
On mesure un angle avec un **rapporteur**.

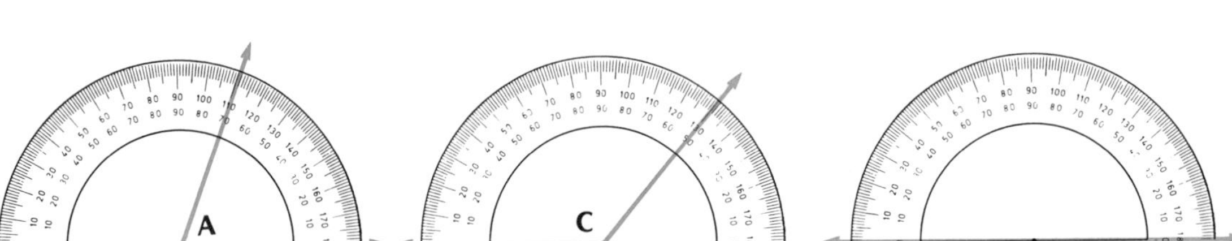

L'angle **A** mesure 70°. L'angle **C** mesure 130°. L'angle *XYZ* mesure 180°.

EXERCICES

Indique la mesure de l'angle.

1.

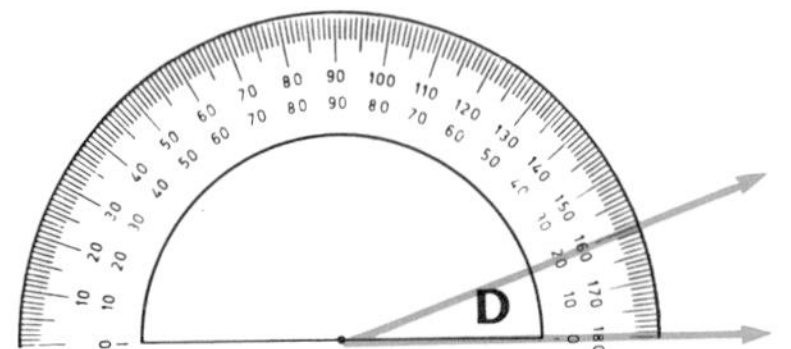

2.

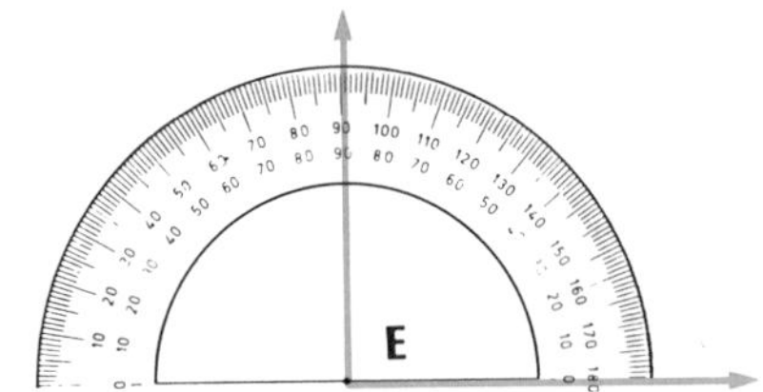

Mesure les angles à l'aide d'un rapporteur.

3. **4.**

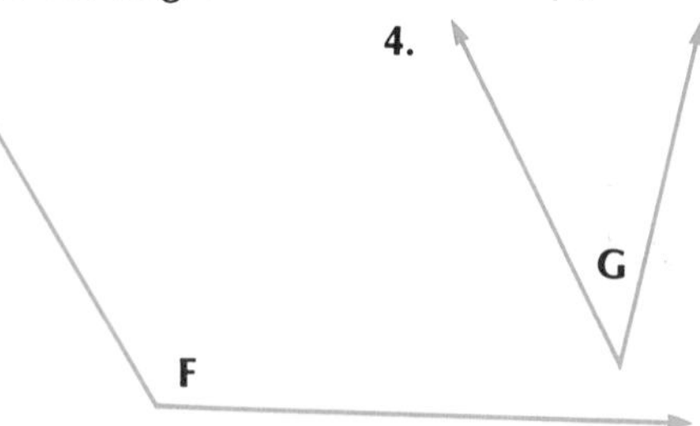

5. **6.**

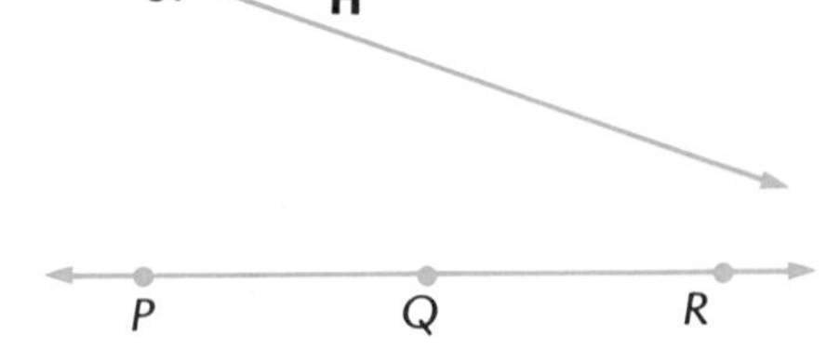

7. Quelle est la mesure d'un angle droit?
8. Que peut-on dire de la mesure d'un angle aigu?
9. Quelle est la mesure d'un angle plat?
10. Que peut-on dire de la mesure d'un angle obtus?

EXERCICES

Mesure les angles.

1. L
2. M
3. R S T U

Trace ces angles. Sers-toi d'un rapporteur.

4.	40°	**5.**	25°	**6.**	90°	**7.**	80°	**8.**	110°
9.	135°	**10.**	160°	**11.**	180°	**12.**	77°	**13.**	48°

Examine le cercle sous tous ses angles!

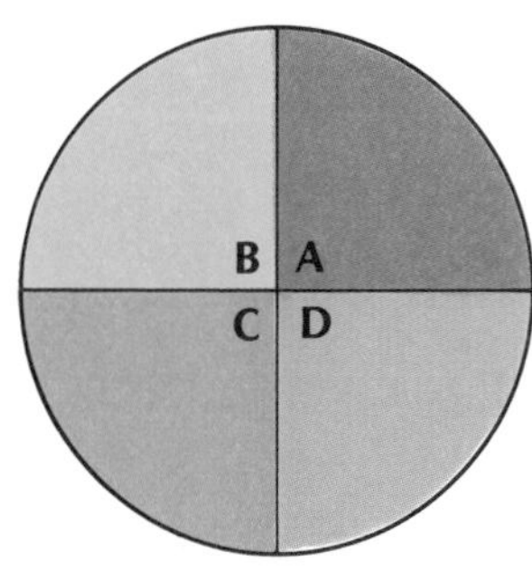

1. Mesure les angles.

L'angle **A** mesure ■.
L'angle **B** mesure ■.
L'angle **C** mesure ■.
L'angle **D** mesure ■.

La somme des 4 angles ayant pour sommet le centre du cercle est ■.

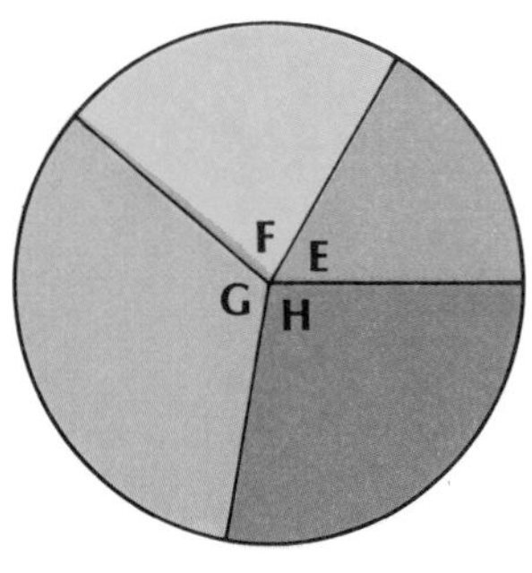

2. Mesure les angles.

L'angle **E** mesure ■.
L'angle **F** mesure ■.
L'angle **G** mesure ■.
L'angle **H** mesure ■.

La somme des angles ayant pour sommet le centre du cercle est ■.

3. Quelle est la mesure de ces angles?

a.

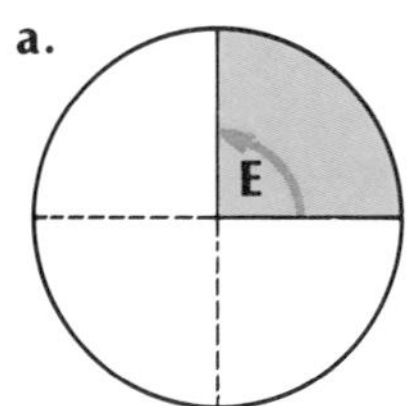

b.

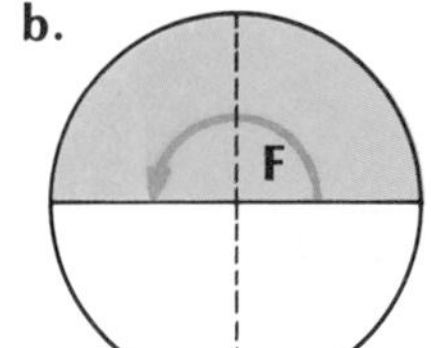

c.

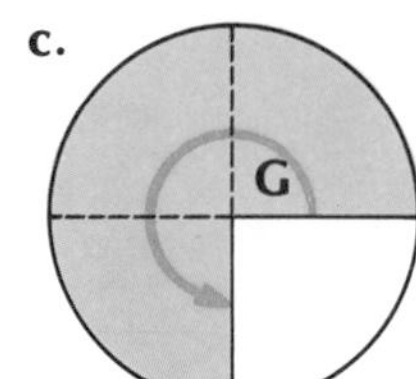

d.

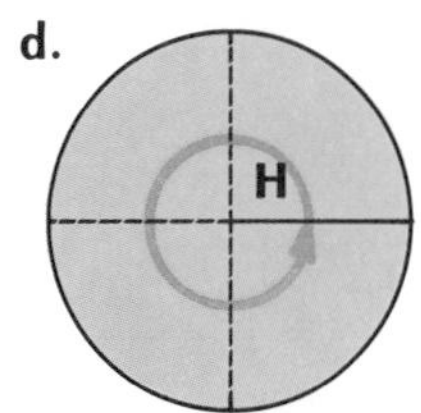

Les graphiques circulaires

Francis a demandé à 36 personnes: «Quel est votre sport préféré?» Il a ensuite porté ses résultats sur un tableau et un graphique circulaire.

Sport	Nombre d'adeptes	Fraction du total	Mesure de l'angle
Hockey	12	$\frac{1}{3}$	120°
Baseball	9	$\frac{1}{4}$	90°
Basketball	6	$\frac{1}{6}$	60°
Soccer	6	$\frac{1}{6}$	60°
Football	3	$\frac{1}{12}$	30°
TOTAL	36		360°

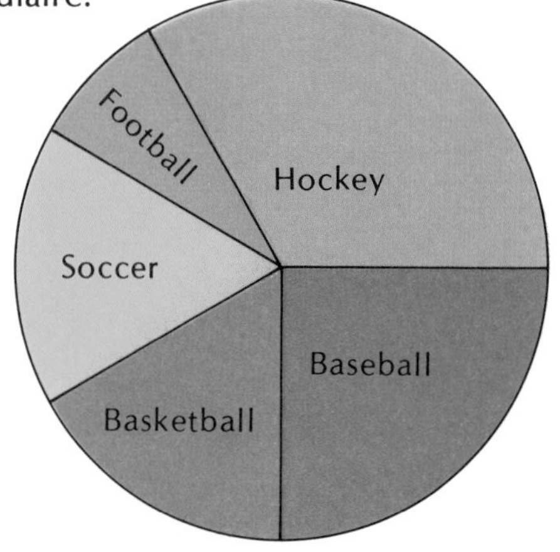

Calcule la fraction correspondant à un sport donné en divisant le nombre de ses adeptes par le nombre total de personnes questionnées.

$\frac{12}{36} = \frac{1}{3}$ $\frac{9}{36} = \frac{1}{4}$ $\frac{6}{36} = \frac{1}{6}$ $\frac{3}{36} = \frac{1}{12}$

Le total des angles est 360°. Francis trouve la mesure de chaque angle en multipliant 360 par la fraction.

EXERCICES

Reproduis et complète le tableau.

1.

Couleur préférée	Nombre de votes	Fraction du total	Mesure de l'angle
Rouge	8	$\frac{1}{3}$	120°
Bleu	6		
Orange	6		
Jaune	4		
TOTAL			

2. Quel graphique correspond au tableau?

A. 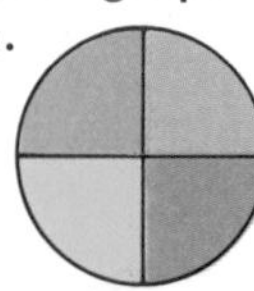

B. 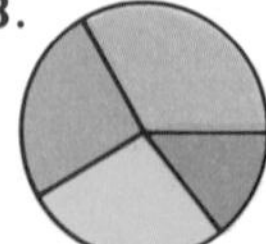

C. 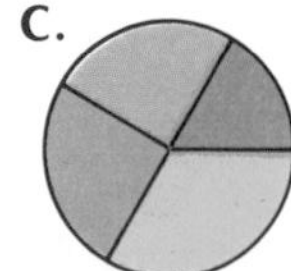

D. 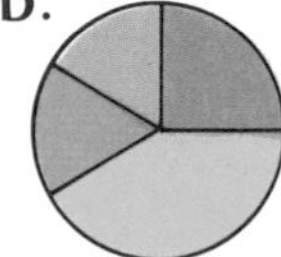

EXERCICES

Reproduis et complète le tableau.
Représente les données du tableau sur un graphique circulaire.

1.

Heure du déjeuner	Temps (minutes)	Fraction	Angle
Repas	30	$\frac{1}{2}$	180°
Lecture	20		
Conversation	10		
TOTAL			360°

2.

Journée de 24 h	Temps (heures)	Fraction	Angle
Sommeil	8	$\frac{1}{3}$	120°
Repas	3		
École	6		
Jeu	4		
Devoirs	3		
TOTAL			360°

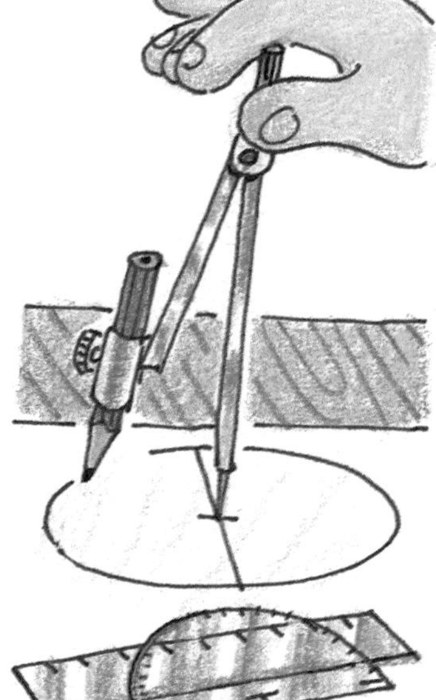

3. Le pétrole brut est composé de différentes matières.
On extrait de 48 L de pétrole brut:

Essence — 8 L
Carburant diesel — 12 L
Kérosène — 8 L
Huile à chauffage — 16 L
Autres — 4 L

Représente ces données sur un graphique circulaire.

Une bonne part

Chez Bitondo, une pizza de taille moyenne a un rayon de 20 cm. Si la pizza est coupée en 10 parts égales, quel est l'angle représenté par chacune d'elles?

$$\frac{1}{10} \times 360^\circ = 36^\circ$$

Quelle est l'aire d'une part?

$\frac{36}{360} \times \pi R^2$ ($\pi = 3{,}14$)

Reproduis et complète le tableau.

Nombre de parts	Angle	Aire d'une part
10	36°	
6		
12		
	90°	
		628 cm²

Coordonnées

Les **axes** d'un quadrillage sont des droites numériques. Tous deux sont perpendiculaires.

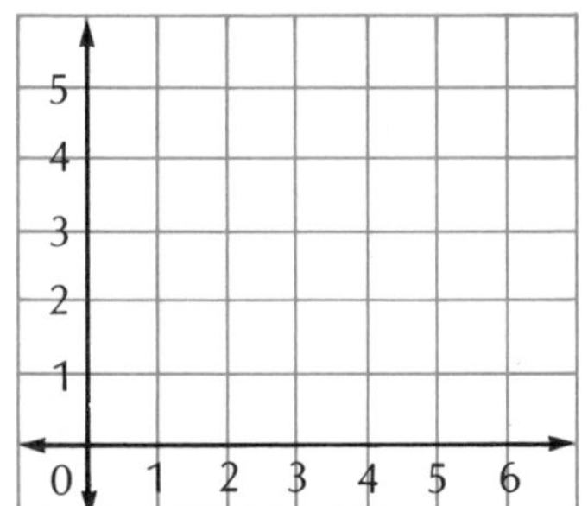

Le point où les droites numériques se coupent est appelé **origine**.

Pour trouver le point de coordonnées (5, 3):

1. Pars du point d'origine.
2. Glisse de 5 unités vers la droite,
3. puis de 3 unités vers le haut.

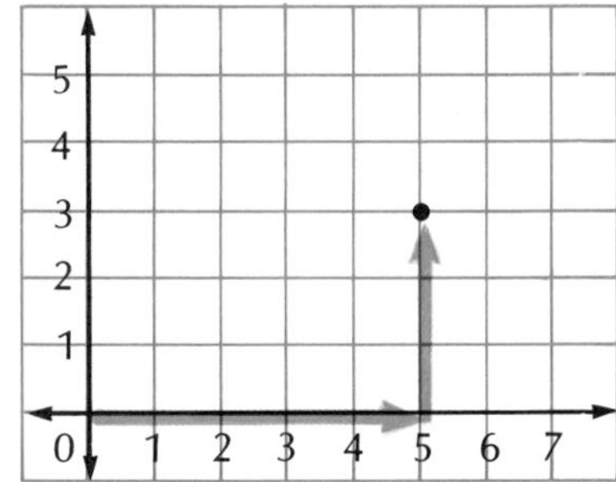

EXERCICES

Indique la lettre correspondant aux coordonnées.

1.	(3, 1)	**2.**	(1, 3)
3.	(7, 2)	**4.**	(0, 4)
5.	(5, 5)	**6.**	(6, 3)
7.	(0, 0)	**8.**	(4, 0)

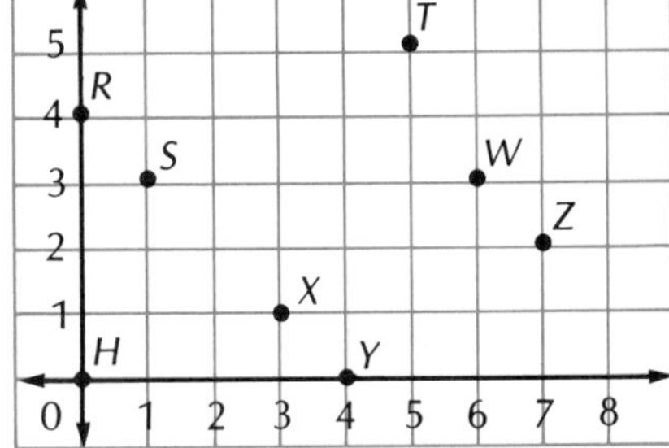

Indique les coordonnées des points suivants.

9.	*A*	**10.**	*B*
11.	*C*	**12.**	*D*
13.	*E*	**14.**	*F*

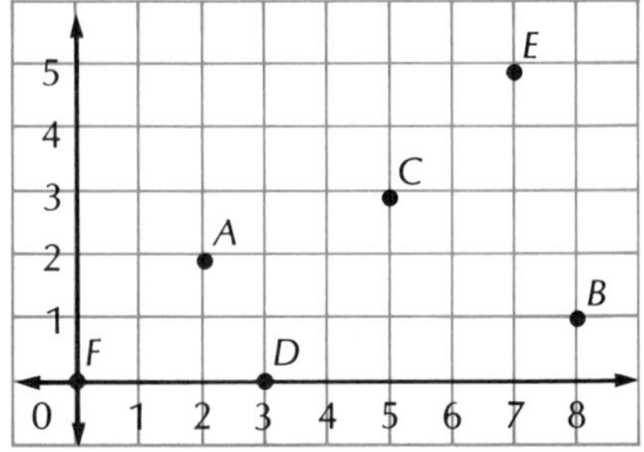

EXERCICES

1. Consulte le quadrillage pour décoder le message.

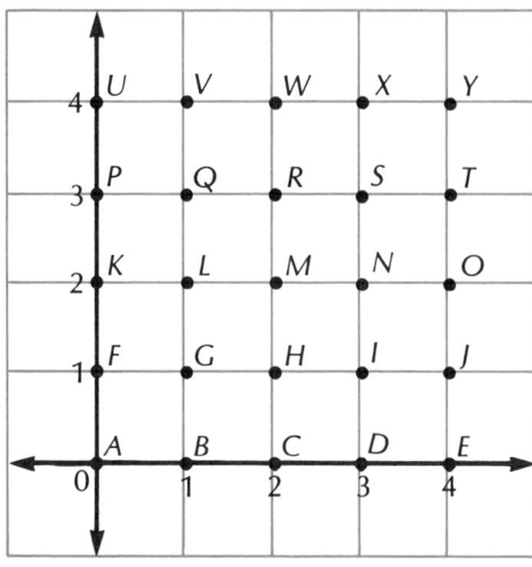

(4, 3) (0, 4) (0, 0) (3, 3)
(1, 0) (3, 1) (4, 0) (3, 2)
(0, 1) (0, 0) (3, 1) (4, 3)
(1, 2) (4, 0) (0, 3) (4, 2) (3, 1) (3, 2) (4, 3)

Utilise le même quadrillage. Écris les coordonnées qui correspondent à ces mots.

2. PREMIER 3. AXE 4. BONJOUR

5. Quelles sont les coordonnées de l'origine?

Point de repère

Les axes et une partie du quadrillage ont été déchirés.
Quelles sont les coordonnées des points représentés?

1.

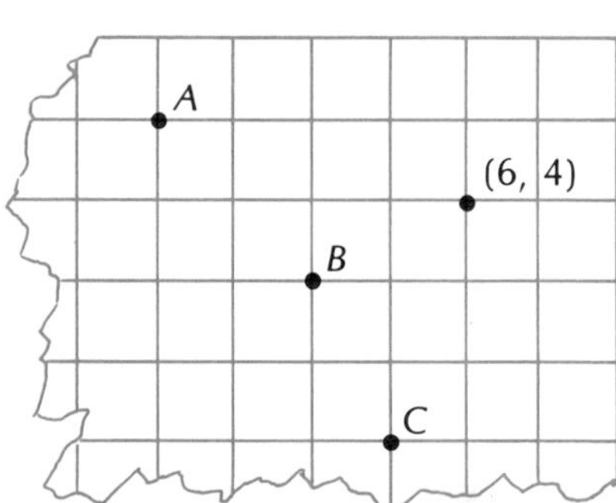

2.

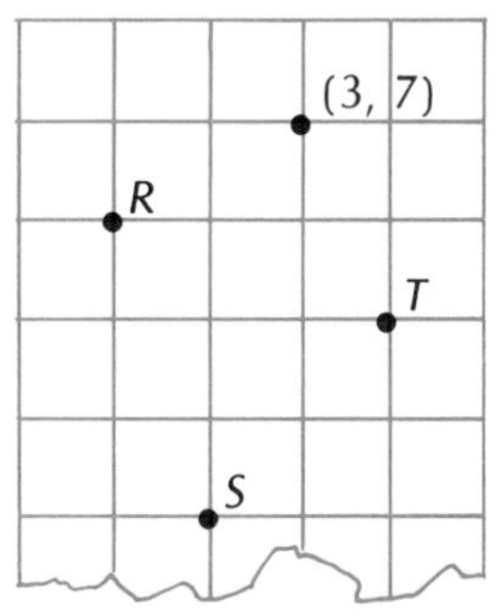

Résolution de problèmes

Sers-toi de petits nombres.

Ensemble, Jean et Léo possèdent 115 \$.
Jean a quatre fois plus d'argent que Léo.
Quelle somme chaque garçon possède-t-il?

Tu auras moins de difficulté si tu commences avec des petits nombres.
Suppose que Léo possède 1 \$. Jean possède alors 4 \$. Cela représente 5 \$ en tout.
Léo a donc $\frac{1}{5}$ de l'argent et Jean les $\frac{4}{5}$.

Léo possède $\frac{1}{5} \times 115\ \$ = 23\ \$$

Jean a le reste: $115\ \$ - 23\ \$ = 92\ \$$ ou $\frac{4}{5} \times 115\ \$ = 92\ \$$

Reprends le problème. Décompose-le en situations simples.

L'an dernier, il fallait payer 600 \$ de cotisation pour devenir membre du club de golf Les Cèdres et 10 \$ pour chaque partie de golf. Cette année, la cotisation s'élève à 650 \$ et une partie revient à 6 \$. Combien de fois dois-tu jouer au golf pour que le nouveau tarif soit avantageux?

Pars de situations simples que tu inscriras dans un tableau.

	Cotisation	+ 1 partie	+ 2 parties	+ 3 parties	+ 12 parties	+ 13 parties
L'an dernier	600	610	620	630	720	730
Cette année	650	656	662	668	722	728

Tu dois jouer au moins 13 fois pour que le nouveau tarif soit avantageux.

EXERCICES

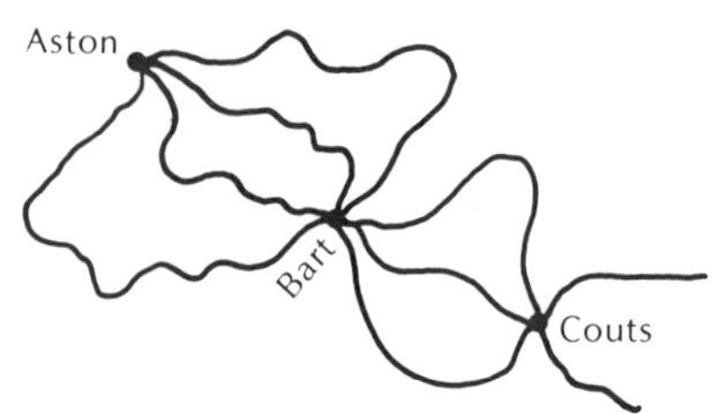

1. Ensemble, Marie et Andrée possèdent 132 \$. Marie possède la moitié de ce que possède Andrée. Quelle est la part de chacune?

2. On peut emprunter 4 chemins différents pour aller d'Aston à Bart, 3 pour aller de Bart à Couts, 2 de Couts à Dole et 5 de Dole à Cul-de-sac. Combien existe-t-il d'itinéraires différents pour se rendre d'Aston à Cul-de-sac?

EXERCICES

1. La cotisation annuelle d'un club de tennis est passée de 300 $ à 375 $. Le prix d'une partie est passé de 8 $ à 5 $. Après combien de parties les nouveaux tarifs deviennent-ils plus avantageux?

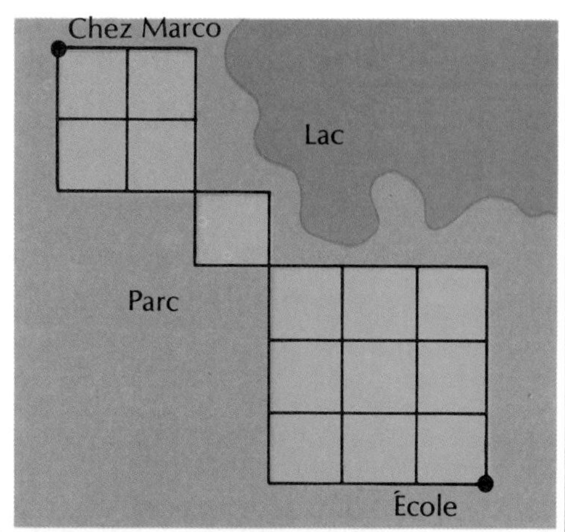

2. Trois boîtes contiennent 105 voitures miniatures. La boîte B contient le double de ce que contient la boîte A et la moitié de ce que contient la boîte C. Combien a-t-on rangé de voitures dans chaque boîte?

3. Marco veut aller à l'école en empruntant un itinéraire différent chaque jour. Combien peut-il en emprunter qui mesurent 12 pâtés de maisons?

RÉVISION

1. Combien dépense Guy le deuxième jour? le troisième jour?

2. Quels jours Abe dépense-t-il plus que Guy?

Dépenses

Dollars: 0, 1, 2, 3, 4

Jour: 1, 2, 3, 4, 5

Guy

Abe

S'agit-il d'un angle droit, aigu ou obtus?

3. *A* 4. *B* 5. *C*

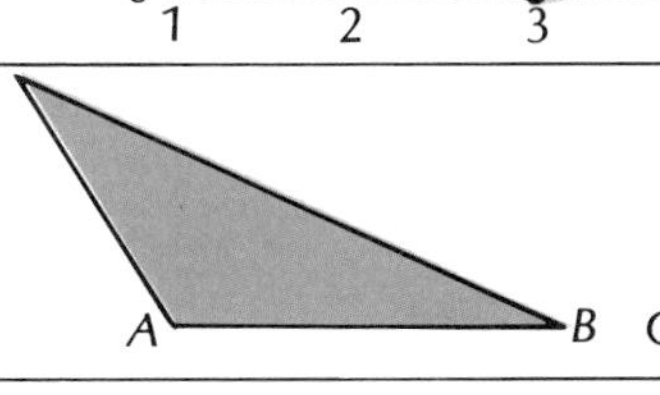

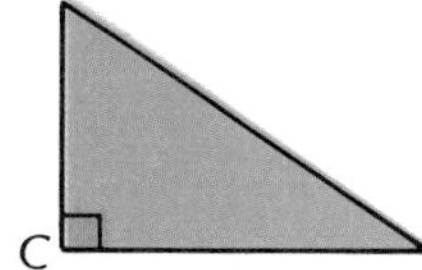

6. Trace un angle de 60°.

7. Trace un angle de 180°.

8. Alexandre téléphone pendant 10 minutes, patine pendant 30 minutes, et lit pendant 20 minutes. Représente son emploi du temps durant cette heure à l'aide d'un graphique circulaire.

Trace les deux axes d'un graphique pour y inscrire les points:

9. P (3, 4) 10. Q (0, 2) 11. M (l'origine)

TEST CHAPITRE 11

Indique l'étendue, le mode, la moyenne et la médiane pour chaque ensemble de nombres. Arrondis la moyenne à une unité près s'il le faut.

1. 19, 24, 18, 29, 22, 19, 21
2. 325, 325, 325, 300, 310
3. 56, 40, 47, 49, 52, 47

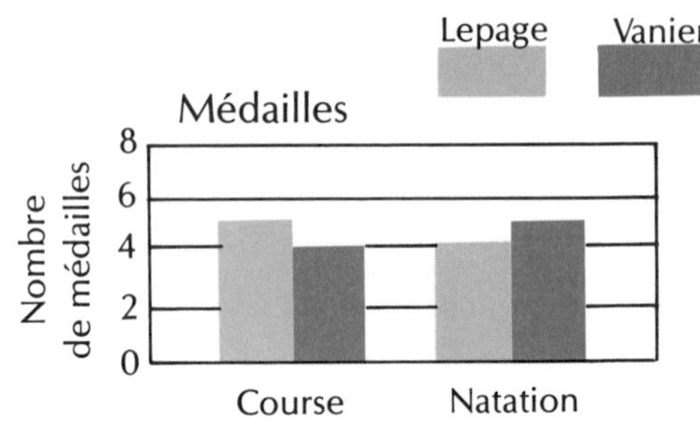

4. Quelle école a remporté le plus grand nombre de médailles à la course?
5. L'école Vanier a remporté ■ médailles en natation.

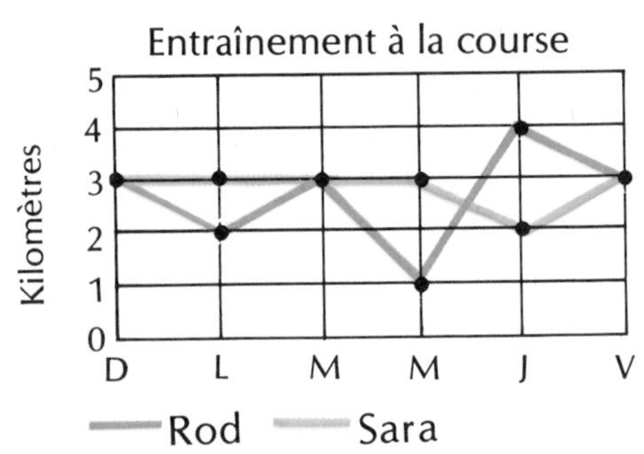

6. Combien Rod a-t-il parcouru de kilomètres mardi?
7. Quel jour Rod parcourt-il la plus grande distance?
8. Qui court le plus régulièrement?

Nomme l'angle qui est:

9. obtus
10. droit

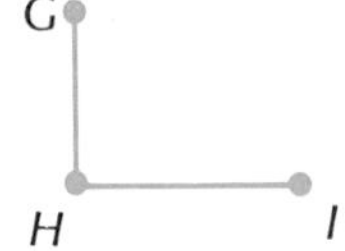

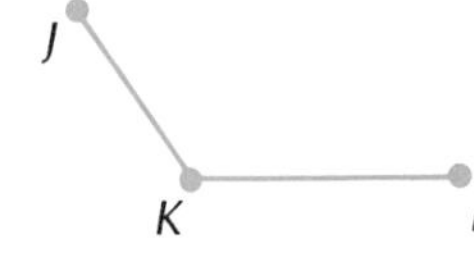

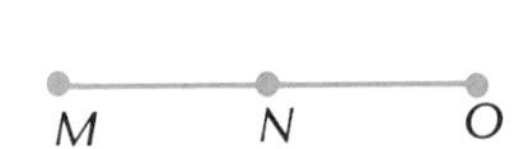

11. Quel angle mesure 15°?

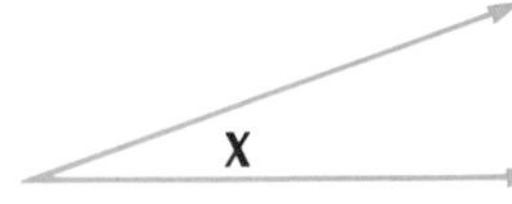

12. Madame Normand sème 12 ha de blé d'Inde, 8 ha de pommes de terre, 2 ha de pois et 2 ha de fraises. Représente les aires ensemencées par un graphique circulaire.

Indique les coordonnées des points.

13. *P* 14. *Q* 15. *R*

REPRISE — LA DIVISION

Indique le nombre inverse.

1. $\frac{1}{7}$
2. 9
3. $\frac{4}{11}$
4. $\frac{1}{5}$

Divise.

5. $\frac{4}{7} \div 3$
6. $\frac{1}{5} \div 3$
7. $\frac{2}{9} \div 2$
8. $\frac{1}{11} \div 3$
9. $6 \div \frac{1}{2}$
10. $\frac{1}{5} \div \frac{1}{3}$
11. $\frac{3}{8} \div \frac{1}{6}$
12. $10 \div \frac{1}{4}$
13. $8 \div \frac{3}{4}$
14. $\frac{1}{2} \div \frac{2}{3}$
15. $\frac{5}{6} \div \frac{3}{8}$
16. $9 \div \frac{5}{6}$
17. $6\overline{)3,6}$
18. $7\overline{)9,94}$
19. $15\overline{)0,375}$
20. $0,3\overline{)21}$
21. $0,8\overline{)1,28}$
22. $1,6\overline{)0,208}$
23. $0,04\overline{)0,032}$
24. $0,05\overline{)3,75}$
25. $0,21\overline{)16,8}$

Divise. Arrondis au centième près.

26. $12\overline{)1}$
27. $0,3\overline{)1,42}$
28. $0,11\overline{)9,7}$

Écris la fraction sous forme de nombre décimal.
Divise jusqu'à ce que le reste soit zéro.

29. $\frac{5}{8}$
30. $\frac{4}{10}$
31. $\frac{15}{20}$
32. $\frac{18}{16}$

Problème.

33. Je pense à nombre. Si je le divise par 3 et que j'ajoute 3 au résultat de l'opération j'obtiens 8. Quel est ce nombre?

CHAPITRE 12
LA GÉOMÉTRIE

Les solides

Nomme la **face** coloriée de chaque solide.

1. 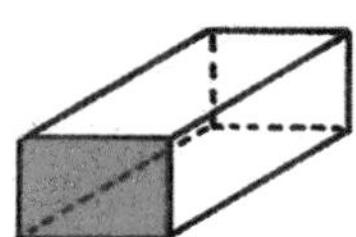

2. 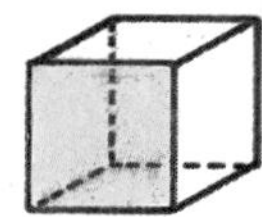

3. 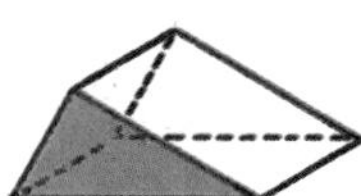

4. 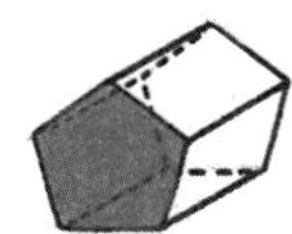

5. 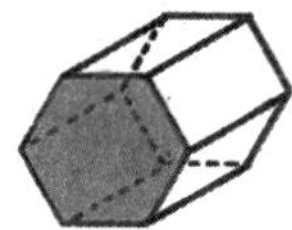

6. 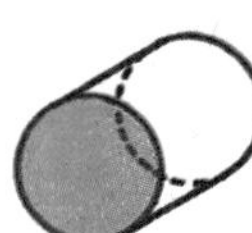

7. 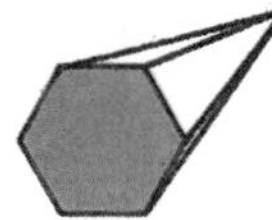

8. 

9. 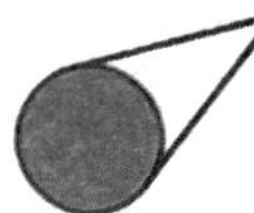

10. 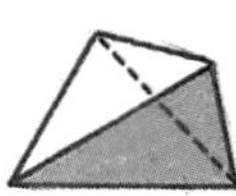

11. 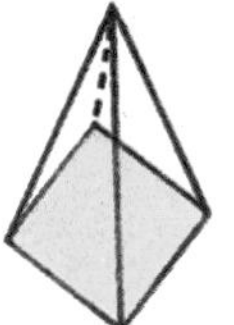

12. 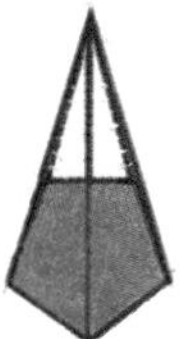

13. Fais correspondre les noms aux illustrations.
    - **a.** un cylindre
    - **b.** un cône
    - **c.** un cube
    - **d.** un prisme triangulaire
    - **e.** un prisme rectangulaire
    - **f.** un prisme pentagonal
    - **g.** un prisme hexagonal
    - **h.** une pyramide à base triangulaire (tétraèdre)
    - **i.** une pyramide à base carrée
    - **j.** une pyramide à base pentagonale
    - **k.** une pyramide à base hexagonale
    - **l.** une pyramide à base octogonale

14. Incris les noms des solides sur un tableau et complète-le en indiquant le nombre de faces, d'arêtes et de sommets de chaque solide.

15. **a.** Combien une sphère a-t-elle de faces?
    b. Combien a-t-elle d'arêtes?
    c. Combien a-t-elle de sommets?

sphère

Les glissements

Alice ouvre la porte coulissante.

Le mouvement de la porte est un **glissement**.

Sur le premier quadrillage, les coordonnées de *A* sont (2, 5). Si l'on fait glisser *A* de 2 unités vers la droite et de 3 unités vers le bas, *A* coïncide avec *B (4, 2)*.

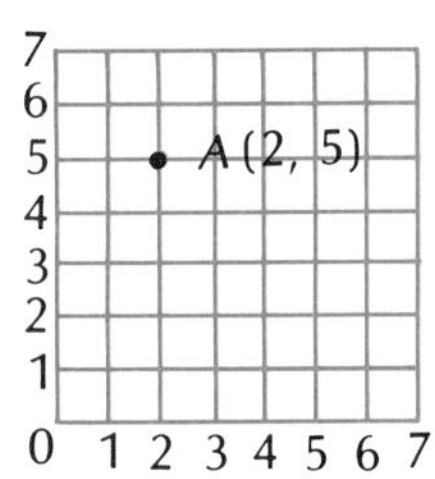

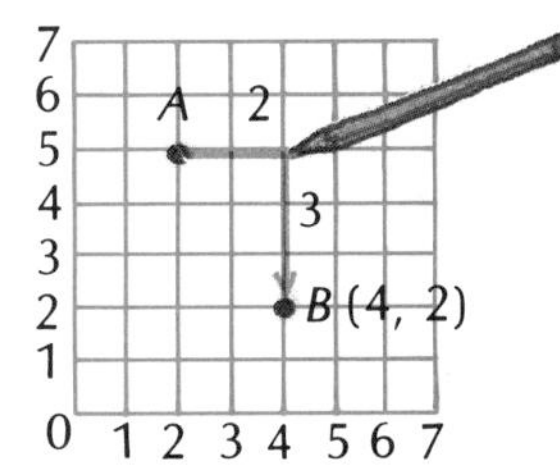

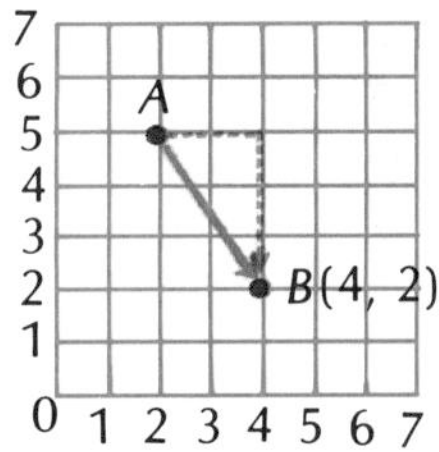

La flèche verte montre le résultat d'un glissement de 2 unités vers la droite et 3 unités vers le bas. Le point *B* (4, 2) est **l'image** du point *A* obtenue par glissement.

EXERCICES

Quelle est l'image du point *A (2, 5)* après chaque glissement?

1. →(3 cases)

2. →(3 cases) ↓ (2 cases)

3. →(4 cases) ↓ (3 cases)

4. →(4 cases) ↓ (4 cases)

5. ←(1 case)

6. ←(1 case) ↓ (1 case)

7. ←(1 case) ↑ (1 case)

8. →(3 cases) ↑ (2 cases)

Décris chaque glissement. (Par exemple, ■ vers la gauche, ■ vers le bas). Indique les coordonnées des sommets de l'image obtenue par glissement.

9.

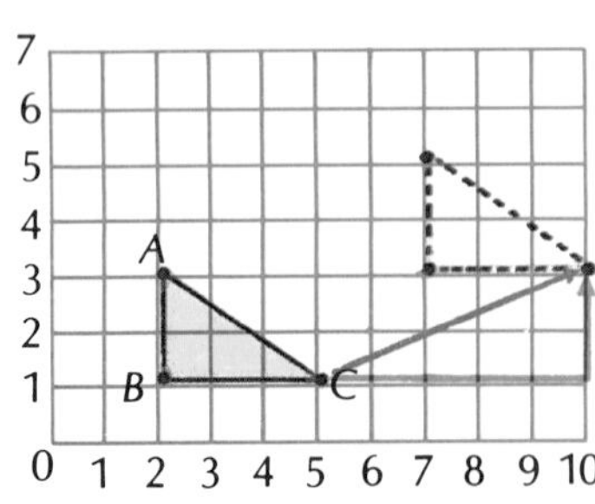

10.

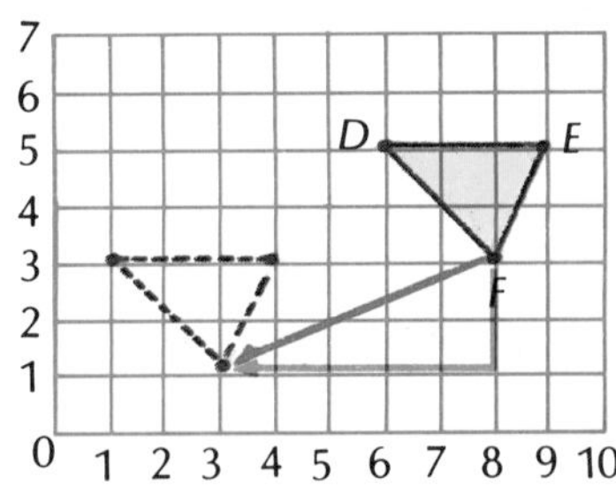

EXERCICES

Décris chaque glissement.
Indique les coordonnées des sommets de l'image obtenue par glissement.

1. 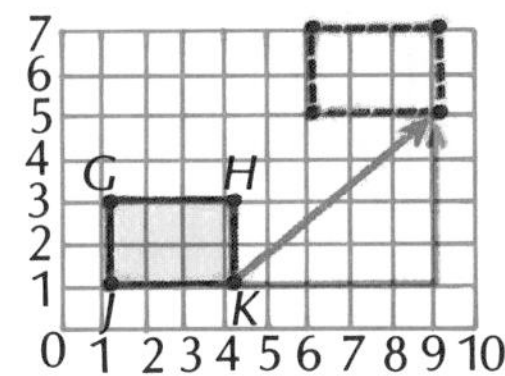

2. 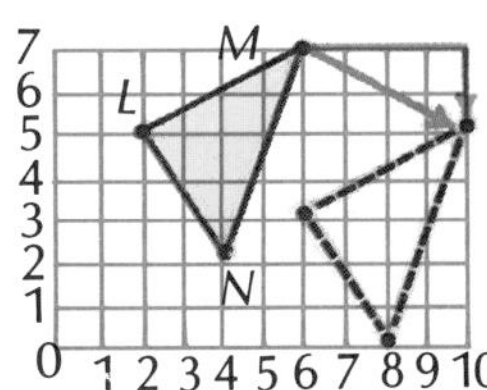

3. 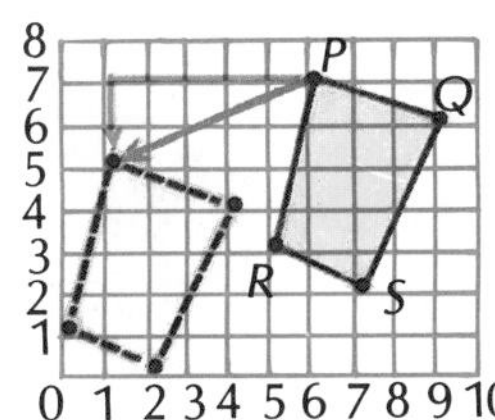

4. 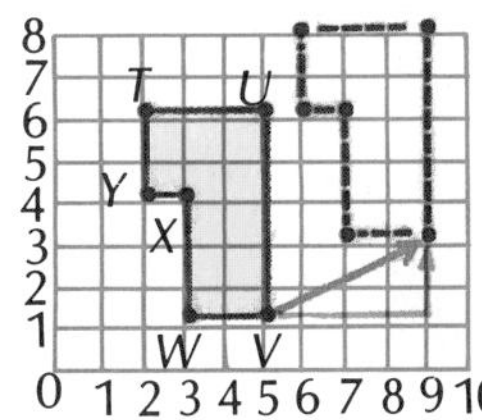

5. Décalque le triangle **a**. Cherche son image obtenue par glissement. Décris le glissement. Recommence pour les triangles **b**, **c** et **d**.

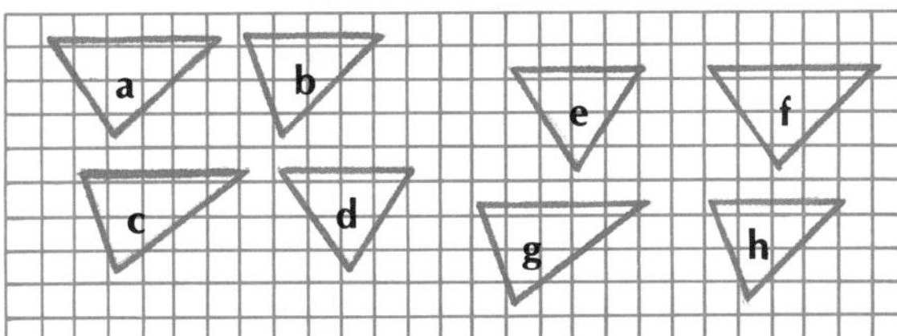

L'aire du parallélogramme

Observe bien l'exemple, puis calcule l'aire des figures du bas.

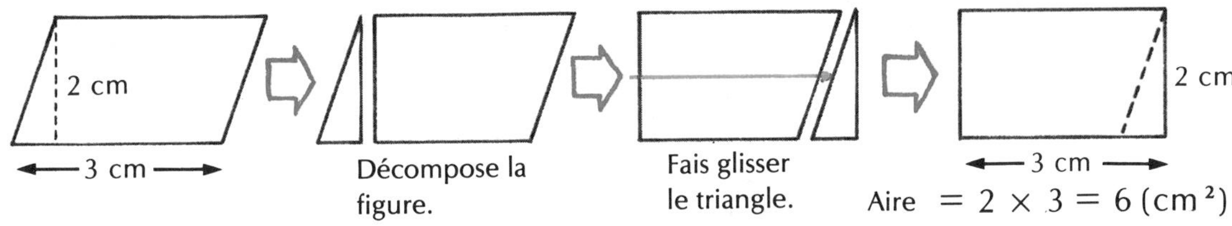

1. 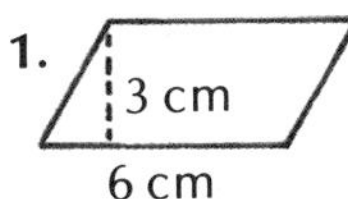

2. 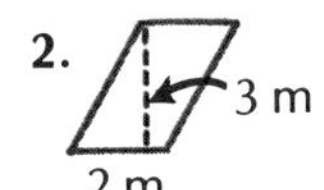

3. 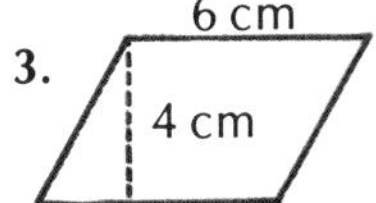

La symétrie

Décalque l'arbre ou sers-toi d'un *MIRA*. Replie le décalque (ou place le MIRA) le long du pointillé. Si une partie coïncide avec l'autre, la figure a un **axe de symétrie**. La ligne en pointillé est **l'axe de symétrie**.

axe de symétrie

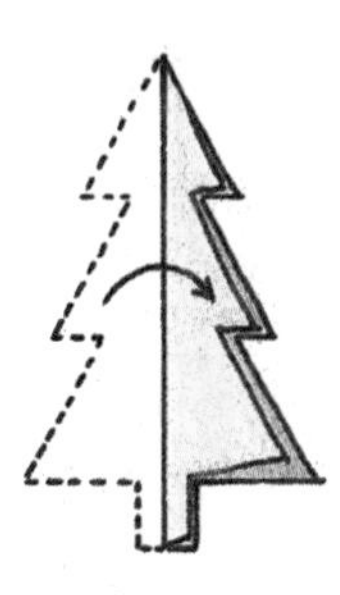

Les deux parties coïncident.

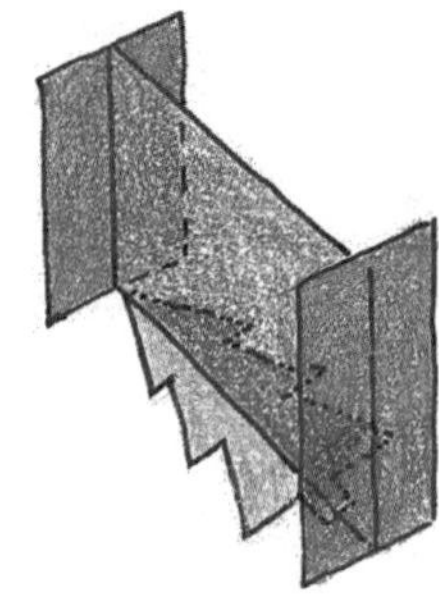

MIRA

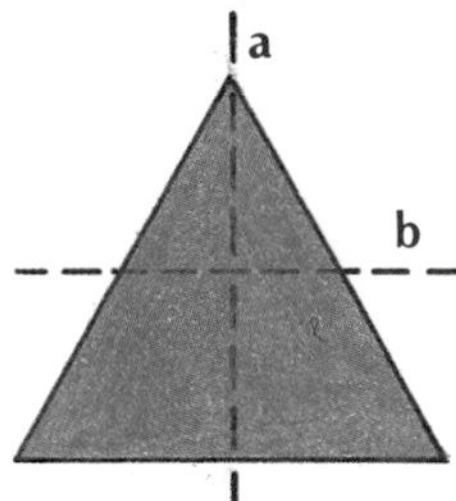

La ligne **a** est l'axe de symétrie.
La ligne **b** n'est pas un axe de symétrie.

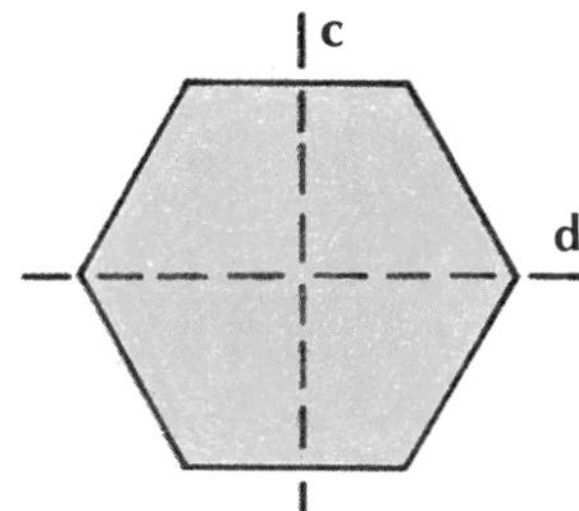

Les lignes **c** et **d** sont des axes de symétrie.
Cette figure a d'autres axes de symétrie.

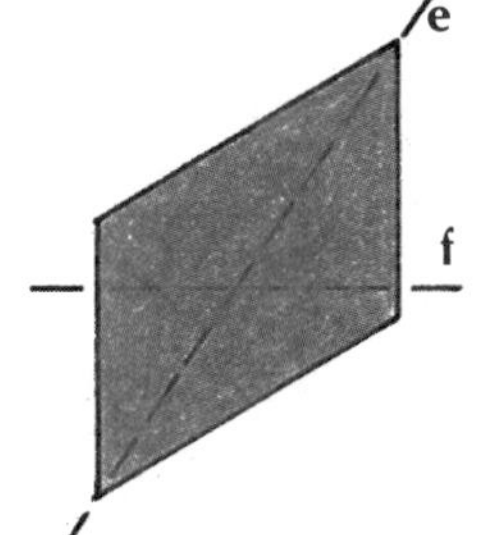

Ni la ligne **e** ni la ligne **f** ne sont des axes de symétrie.

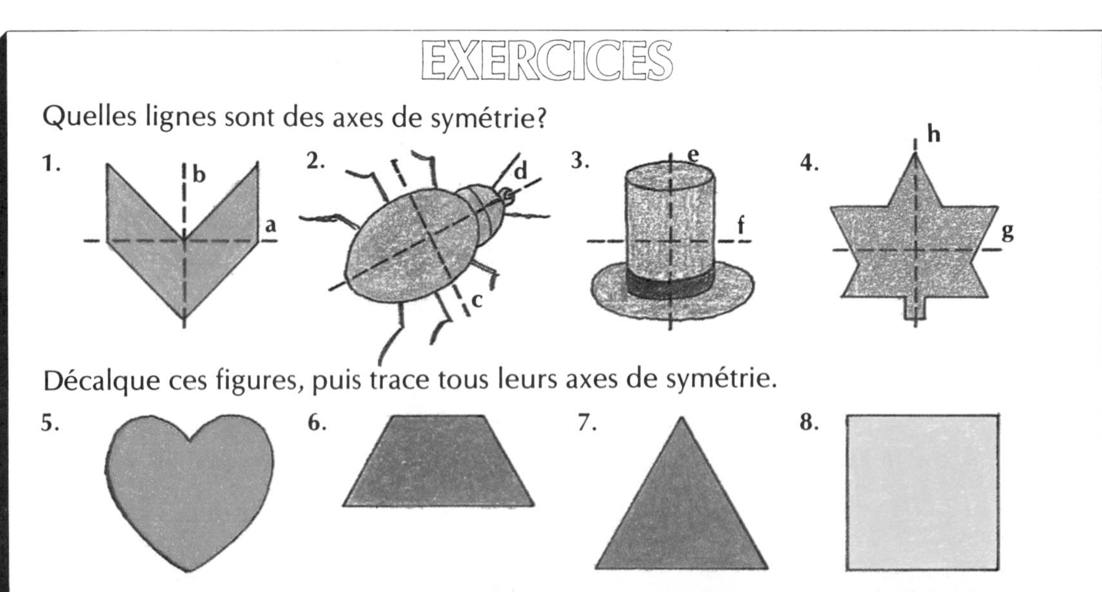

EXERCICES

Quelles lignes sont des axes de symétrie?

1. 2. 3. 4.

Décalque ces figures, puis trace tous leurs axes de symétrie.

5. 6. 7. 8.

EXERCICES

Sers-toi de décalques ou d'un *MIRA*.
Nomme les figures et compte leurs axes de symétrie.

1. 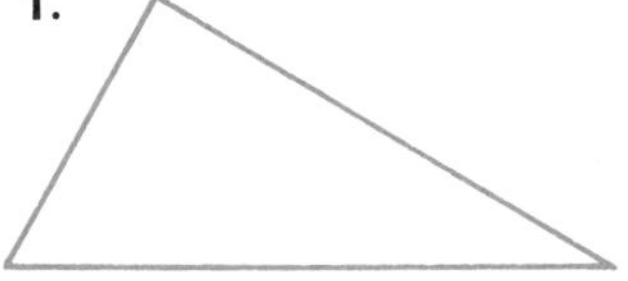

2. 

3. 

4. 

5. 

6. 

7. 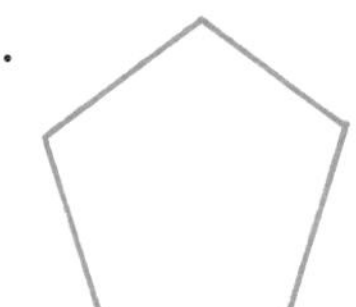

8. 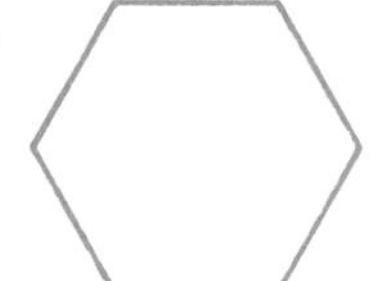

9. 

ABCDEFGHIJKLMNOPQRSTUVWXYZ

10. Dresse la liste des lettres majuscules de l'alphabet qui ont un axe de symétrie.
11. Dresse la liste des lettres majuscules de l'alphabet qui ont deux axes de symétrie.
12. Existe-t-il des lettres ayant plus de deux axes symétrie?
13. Quelles voyelles ont au moins un axe de symétrie?

Flocons de neige

Compte les axes de symétrie de chaque flocon.

1. 

2. 

3. 

Les rabattements

On peut rabattre un triangle autour d'une droite.

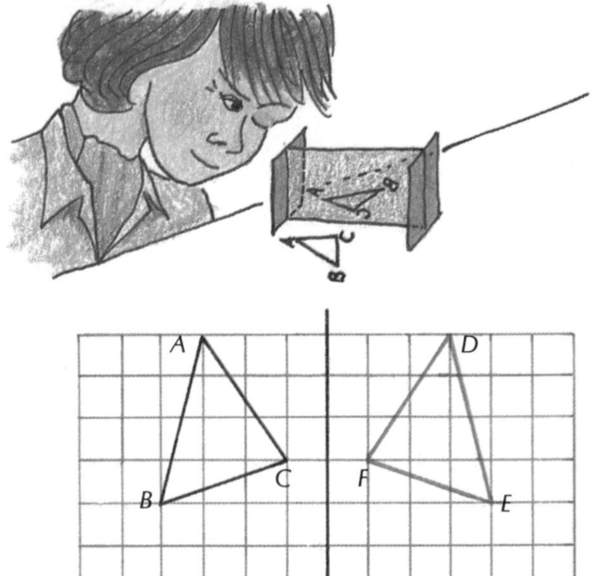

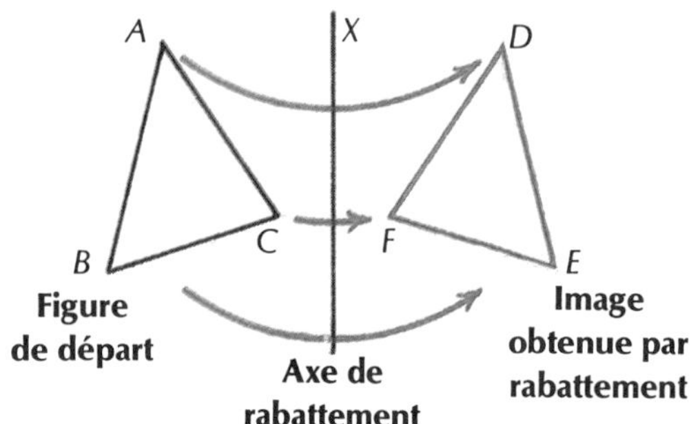

Le triangle *DEF* est **l'image** du triangle *ABC*.

D est l'image de *A*.
E est l'image de *B*.
F est l'image de *C*.

À l'aide du quadrillage, vérifie la distance qui sépare chaque point de l'axe de rabattement.

A et *D* sont à 3 unités de l'axe.
B et *E* sont à 4 unités de l'axe.
C et *F* sont à 1 unité de l'axe.

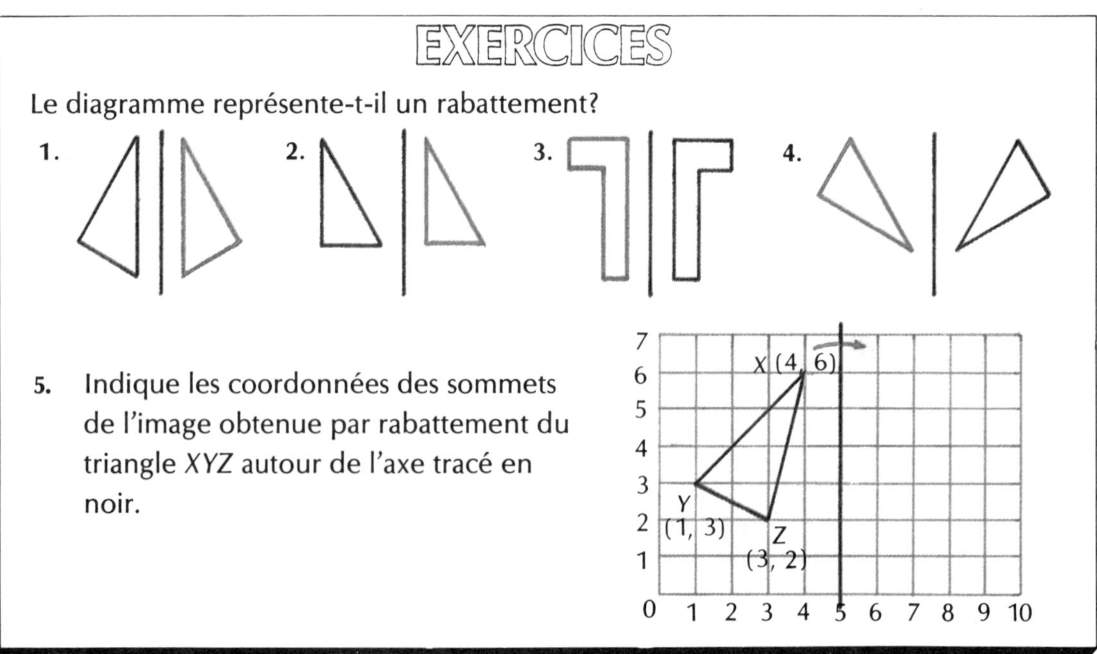

EXERCICES

Le diagramme représente-t-il un rabattement?

1. **2.** **3.** **4.**

5. Indique les coordonnées des sommets de l'image obtenue par rabattement du triangle *XYZ* autour de l'axe tracé en noir.

EXERCICES

Indique les paires de points correspondants.

1. 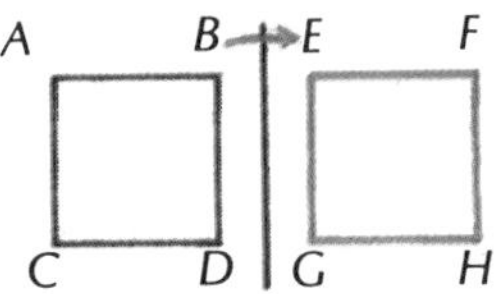

2. 

3. 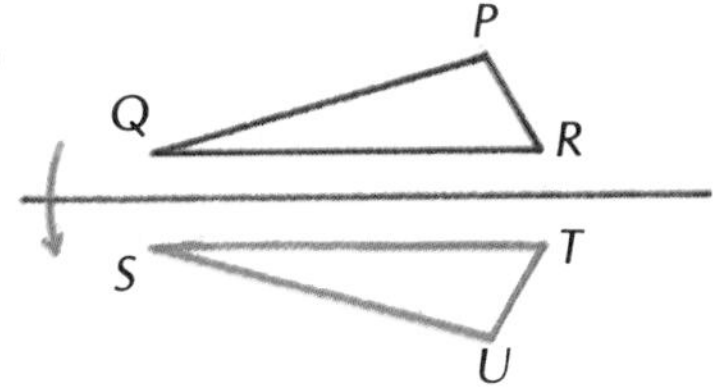

4. 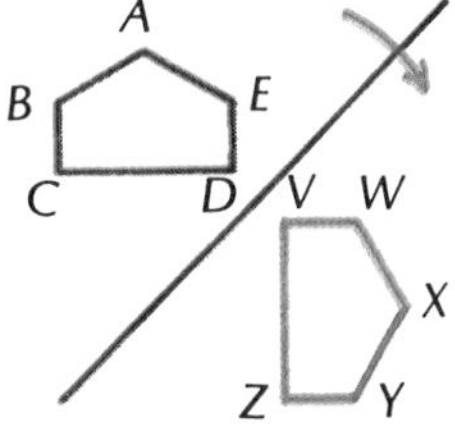

Indique les coordonnées des sommets de l'image obtenue par rabattement.

5. 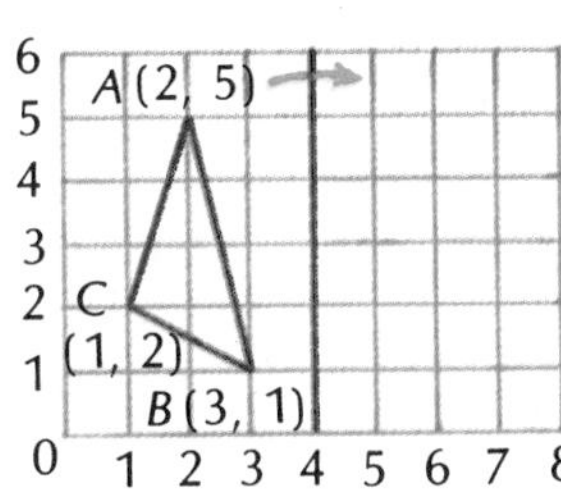

6. 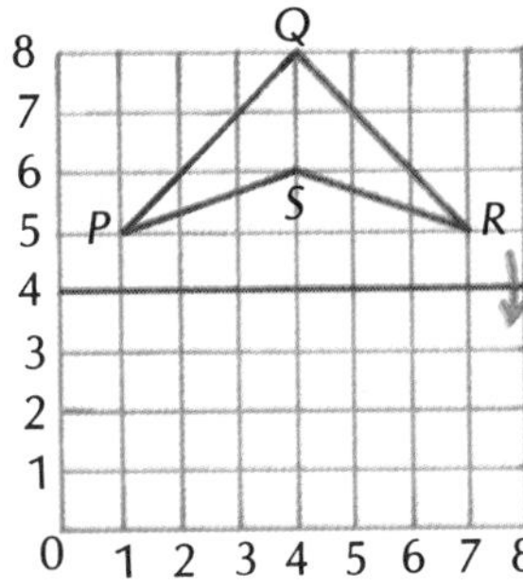

Palindromes et rabattements

Un palindrome est un mot (ou une phrase) qui se lit de gauche à droite aussi bien que de droite à gauche.

ANNA 

Certains palindromes ne changent pas quand on leur fait subir un rabattement.

OTTO|OTTO AVA|AVA 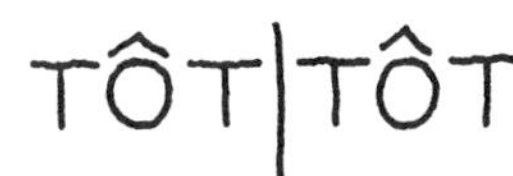

Invente d'autres palindromes.
Essaie d'inventer des palindromes qui ne changent pas après un rabattement.

Les rotations

Une figure peut effectuer une **rotation** autour d'un point, appelé **centre de rotation.**

Une rotation peut s'effectuer dans **le sens des aiguilles d'une montre** ou dans **le sens inverse des aiguilles d'une montre.**

Q est le **centre de rotation.**

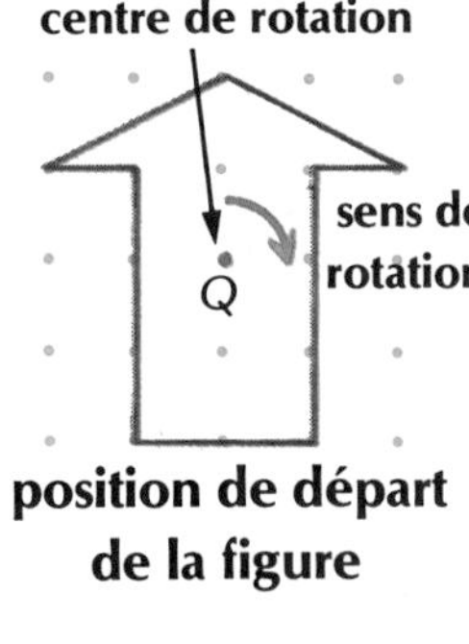

position de départ de la figure

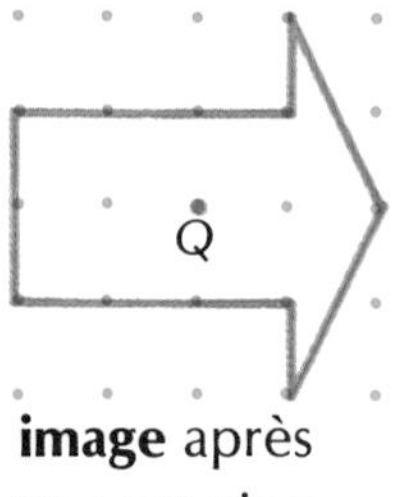

image après une rotation de $\frac{1}{4}$ de tour

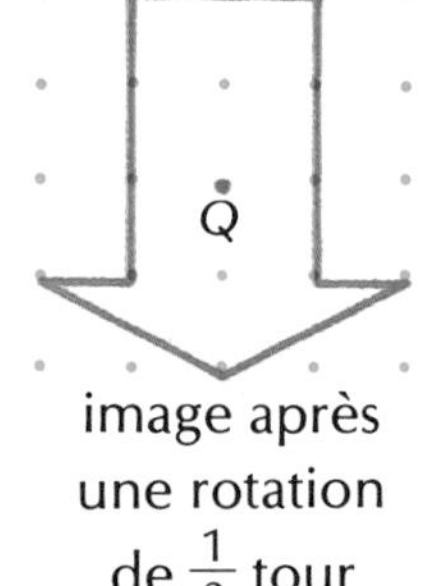

image après une rotation de $\frac{1}{2}$ tour

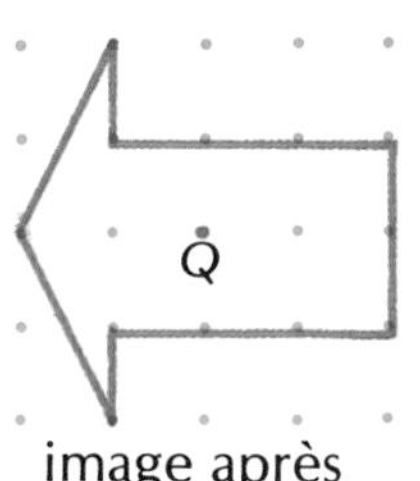

image après une rotation de $\frac{3}{4}$ de tour

Après un tour complet, l'image se superpose à la figure de départ.

EXERCICES

Indique s'il s'agit d'une rotation de $\frac{1}{4}$ de tour, $\frac{1}{2}$ tour, ou $\frac{3}{4}$ de tour.

1. 

2. 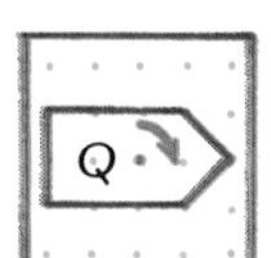

3. 

Indique les coordonnées de l'image de A.

4. $\frac{1}{4}$ de tour

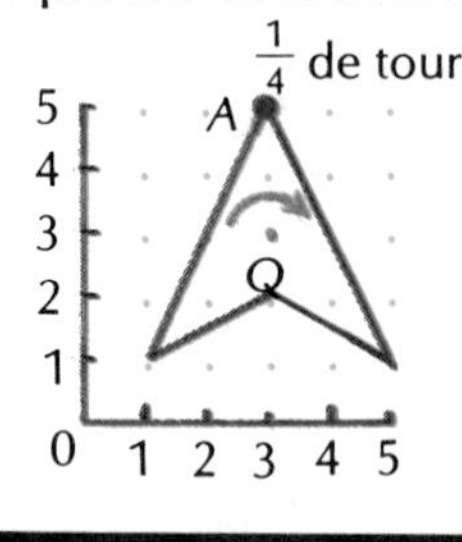

5. $\frac{1}{2}$ tour

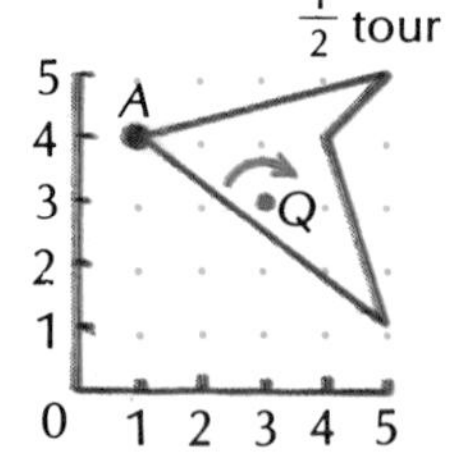

EXERCICES

Indique s'il s'agit d'une rotation de $\frac{1}{4}$ de tour, $\frac{1}{2}$ tour ou $\frac{3}{4}$ de tour.

1. 

2. 

3. 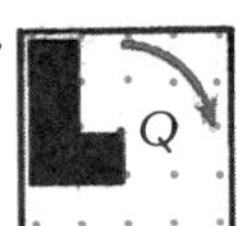

4. 

5. 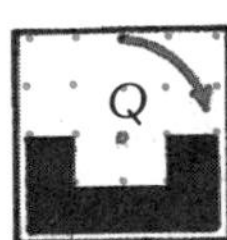

6. 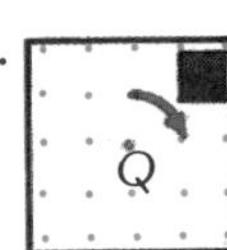

Indique les coordonnées des points après une rotation de $\frac{1}{2}$ tour.

7. 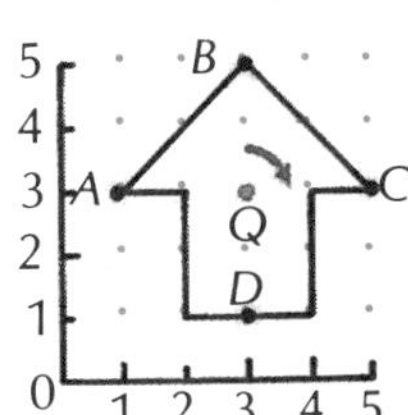

8. 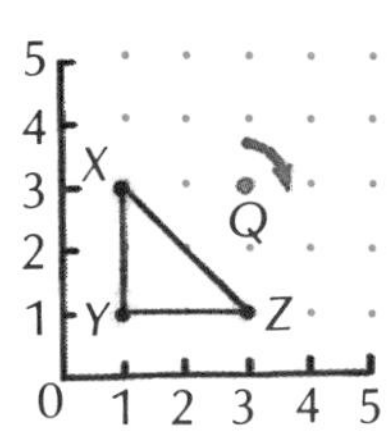

9. 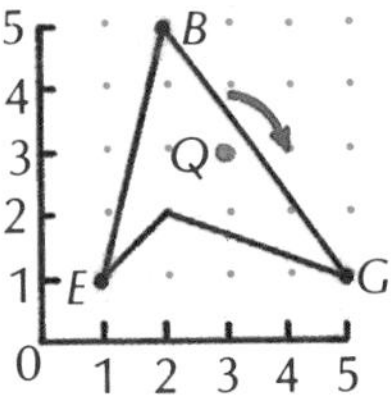

10. Quelle est la mesure de l'angle correspondant à une rotation de $\frac{1}{4}$ de tour? $\frac{1}{2}$ tour? $\frac{3}{4}$ de tour?

RÉVISION

1. Indique les coordonnées de l'image de *A* après un glissement de 1 unité vers la droite et 4 unités vers le haut.

2. Montre l'axe de symétrie du triangle *ABC*.

3. Indique les coordonnées de l'image de *A* après un rabattement autour d'un axe représenté par la ligne verte.

4. Indique les coordonnées de l'image de *B* après une rotation de $\frac{1}{4}$ de tour dans le sens des aiguilles d'une montre. C est le centre de rotation.

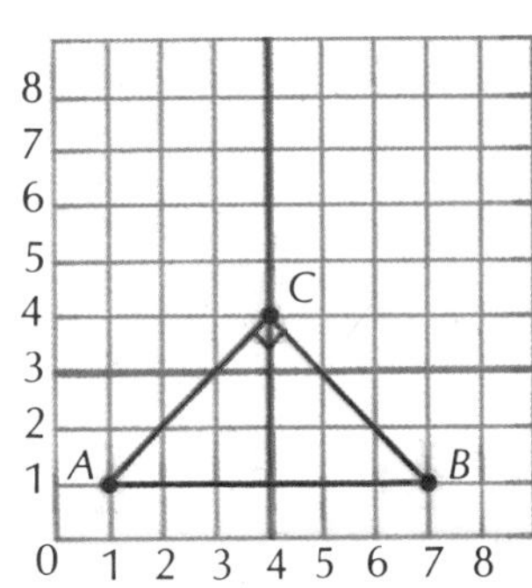

Glissements, rabattements et rotations

La figure rouge est l'image de la figure noire.

GLISSEMENT

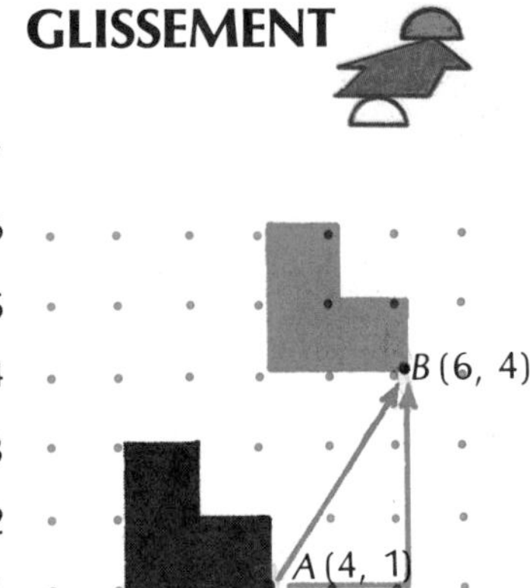

Glissement de 2 unités vers la droite et de 3 unités vers le haut

A (4, 1) ⟶ B (6, 4)

RABATTEMENT

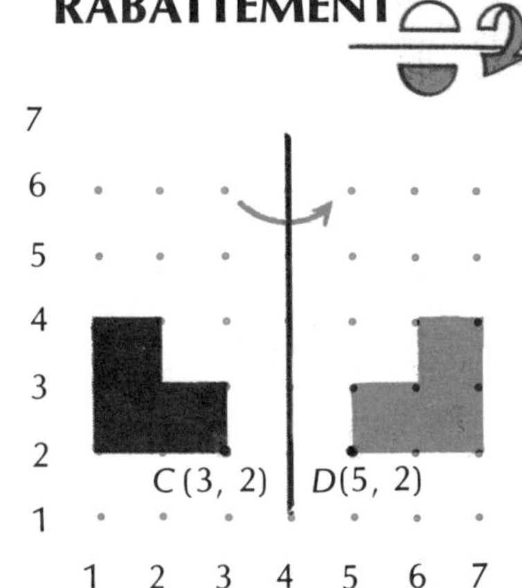

Rabattement autour de l'axe représenté par la ligne noire

C (3, 2) ⟶ D (5, 2)

ROTATION

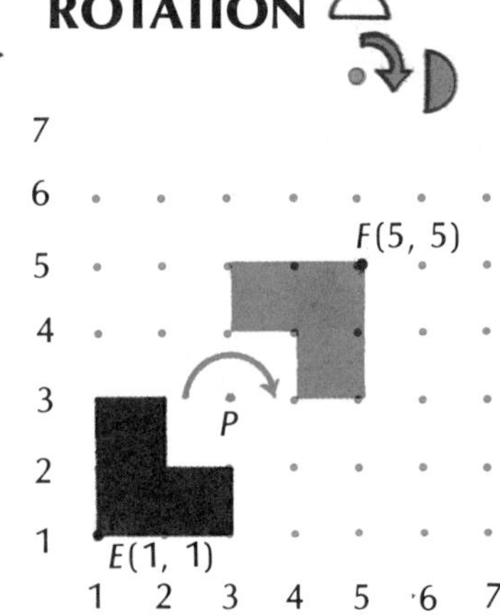

Rotation de $\frac{1}{2}$ tour autour du point P

E (1, 1) ⟶ F (5, 5)

EXERCICES

Est-ce un rabattement, un glissement ou une rotation?

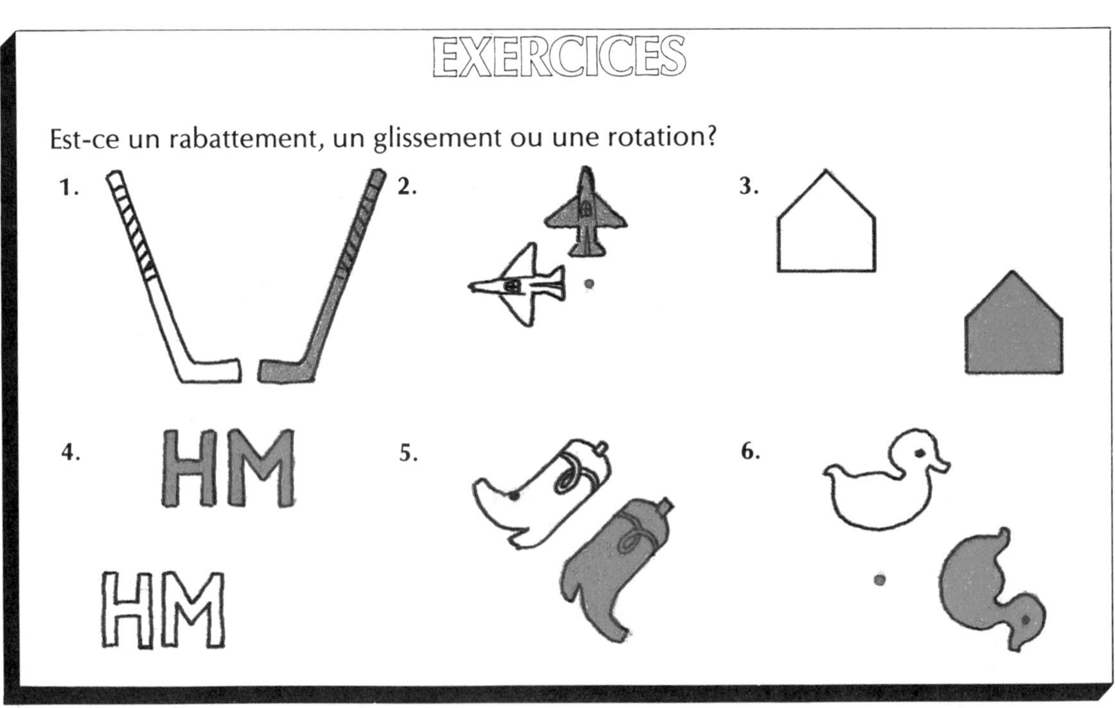

EXERCICES

L'image est-elle le résultat d'un glissement, d'une rotation ou d'un rabattement?

1. 

2. 

3.  

Trouve l'image du triangle *A* après les déplacements suivants:

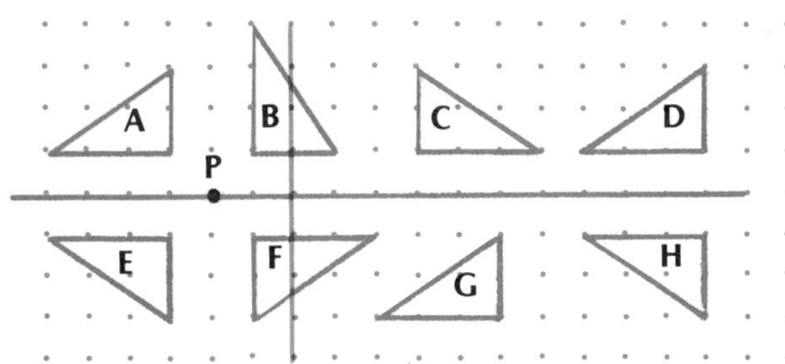

4. un rabattement autour de la ligne rouge
5. un glissement vers la droite
6. une rotation de $\frac{1}{2}$ tour autour du point *P*
7. un glissement de 8 unités vers la droite, et de 4 unités vers le bas
8. un rabattement autour de la ligne verte
9. une rotation autour du point *P*, dans le sens des aiguilles d'une montre

Combinaisons

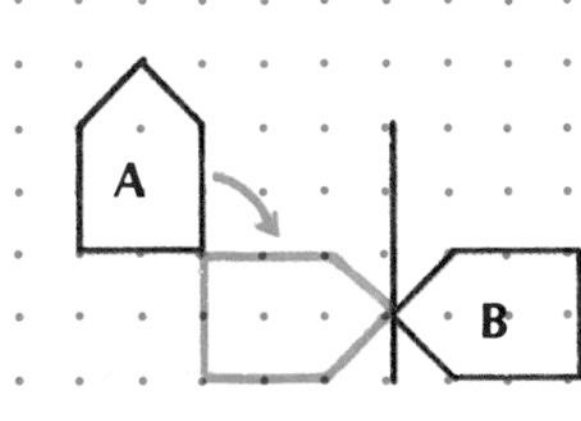

La figure **B** est l'image de la figure **A** après une rotation **et** un rabattement.

Quels déplacements permettent d'obtenir la figure **B** à partir de la figure **A**?

1. 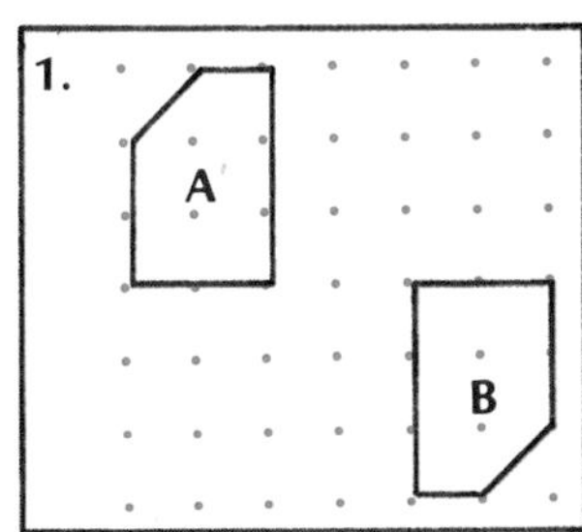

2. 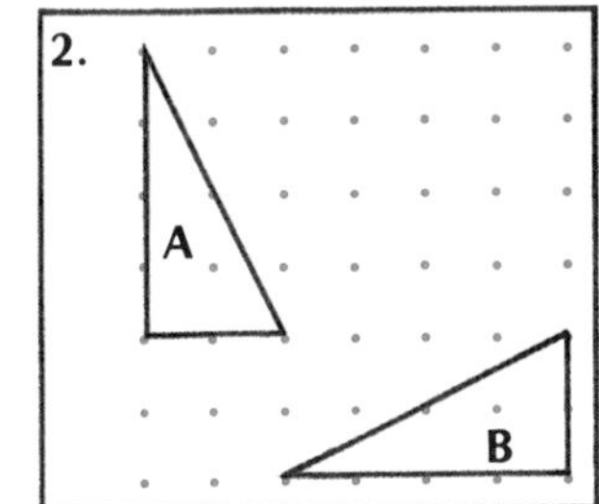

3. 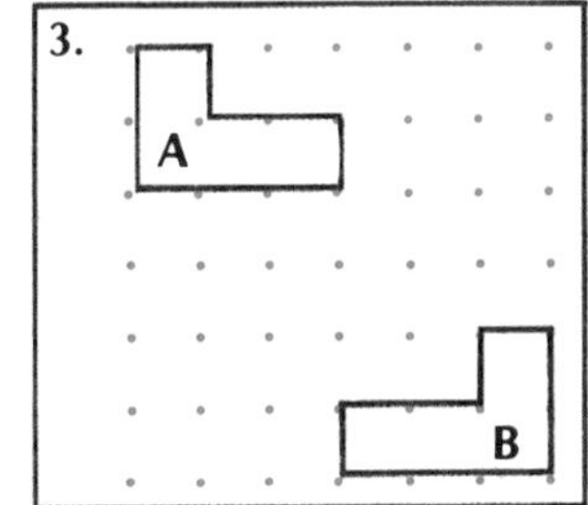

La congruence

Deux figures qui coïncident exactement lorsqu'on les superpose sont **congruentes**.

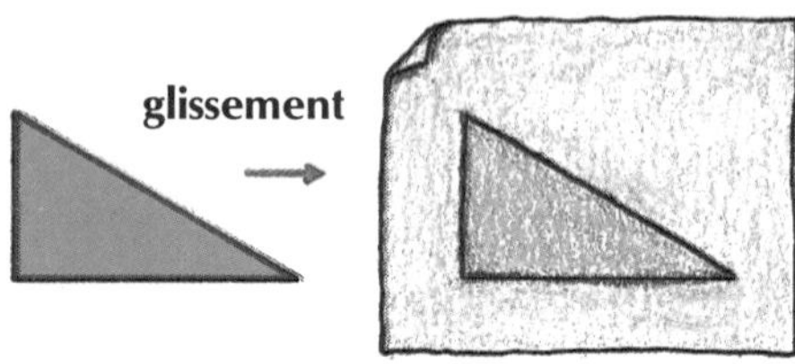

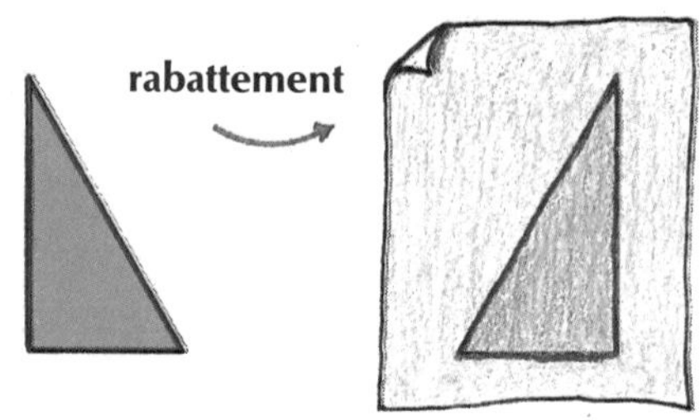

Décalque le premier triangle et fais glisser son image sur le deuxième. Si les triangles coïncident, on dit qu'ils sont congruents.

Décalque le premier triangle et rabats son image sur le deuxième triangle. Si les triangles coïncident, on dit qu'ils sont congruents.

Décalque le premier triangle et déplace son image, en effectuant une rotation, jusqu'à ce qu'elle recouvre le deuxième triangle. Si les triangles coïncident on dit qu'ils sont congruents.

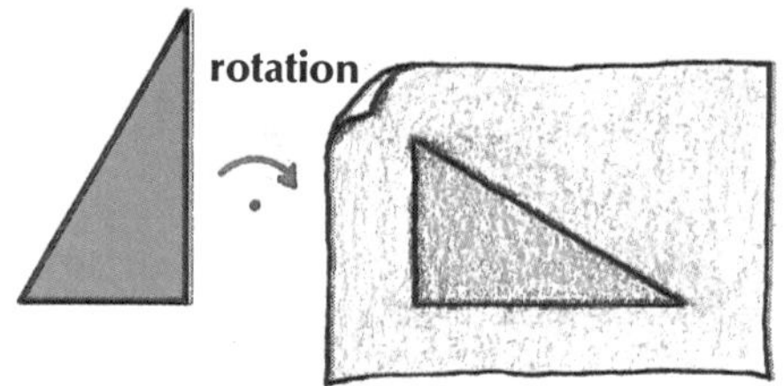

Tu peux vérifier la congruence de deux figures à l'aide d'un décalque avec lequel tu effectues un glissement, une rotation ou un rabattement.

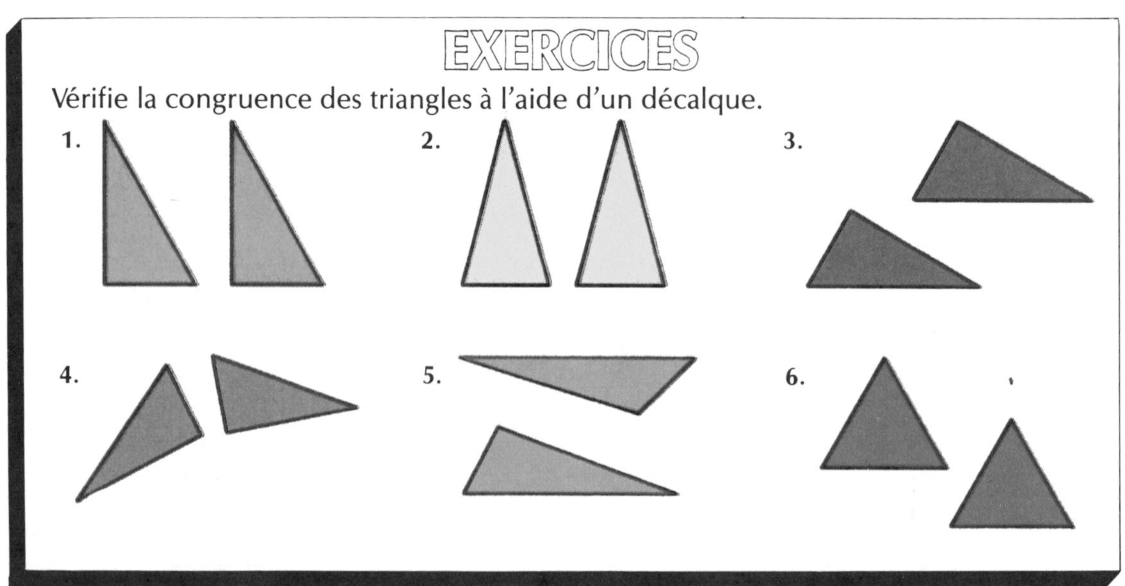

1. Vérifie la congruence des triangles à l'aide d'un décalque.

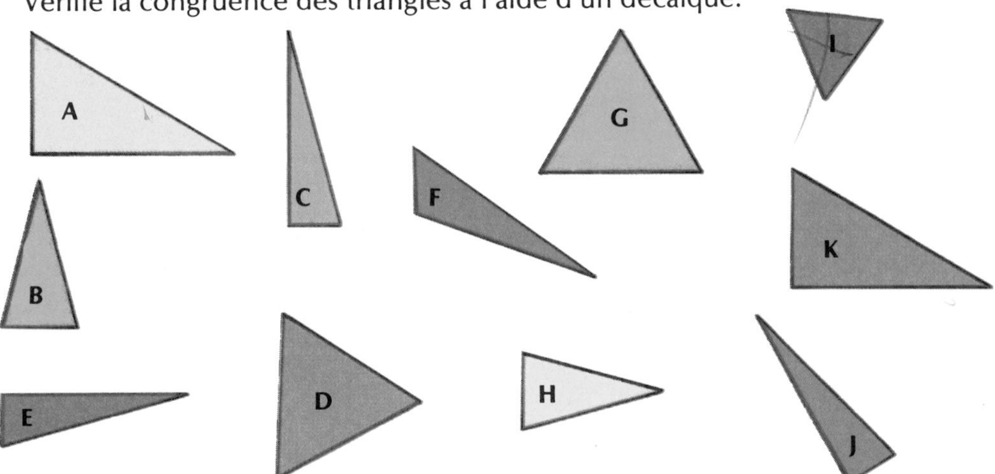

2. Identifie a, b et c (glissement, rabattement ou rotation) à l'aide d'un décalque.

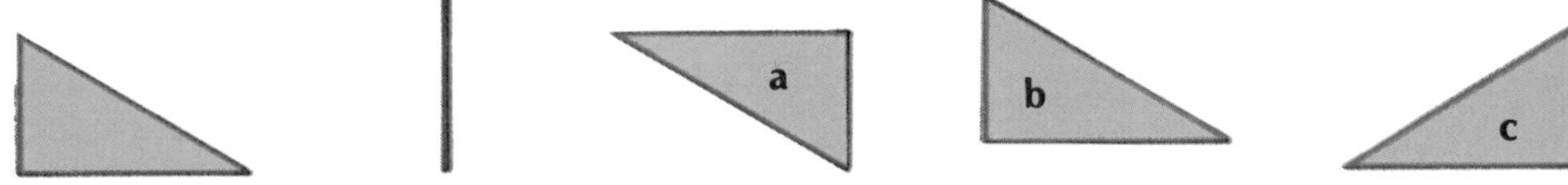

3. Trace un triangle rectangle sur du papier quadrillé, puis son image obtenue par glissement.
4. Trace un triangle rectangle, puis son image obtenue par rabattement.
5. Trace un triangle rectangle, puis son image obtenue par rotation.

Casse-tête

Décalque la figure sans lever ton crayon et sans repasser sur le même trait.

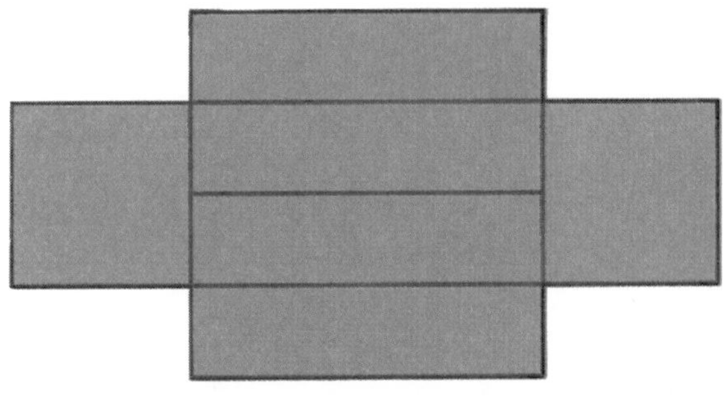

La congruence

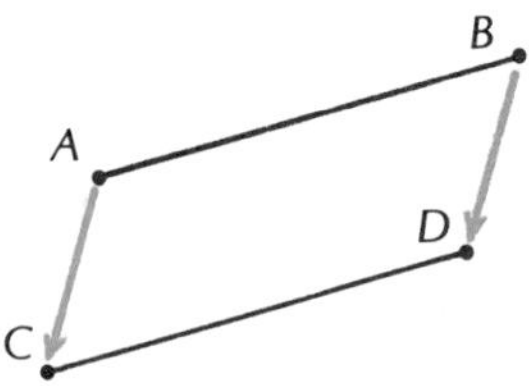

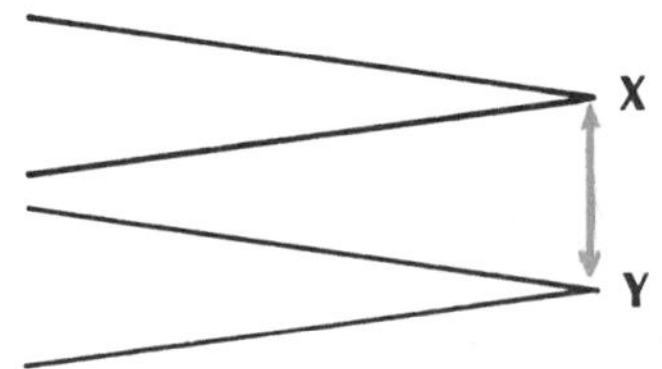

segments congruents
Le point *A* correspond au point *C*.
Le point *B* correspond au point *D*.

angles congruents
L'angle **X** correspond à l'angle **Y**.

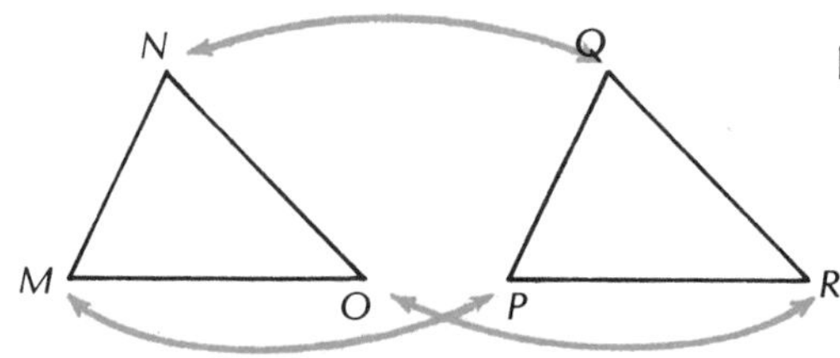

triangles congruents

Les sommets et les angles correspondent: *M* à *P*
N à *Q*
O à *R*

Les côtés correspondent: *MN* à *PQ*
NO à *QR*
MO à *PR*

Les éléments de figures congruentes sont dits **correspondants**.

EXERCICES

Nomme les sommets, les angles et les côtés correspondants.

1.

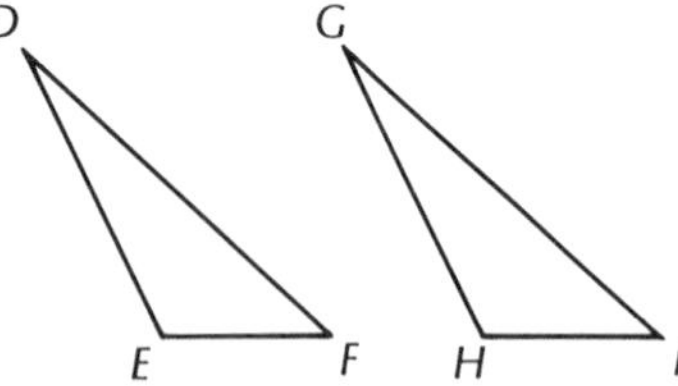

2.

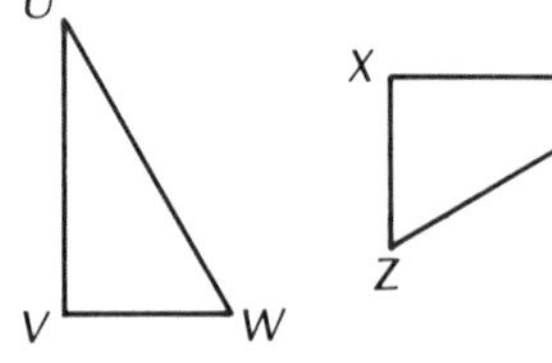

3.

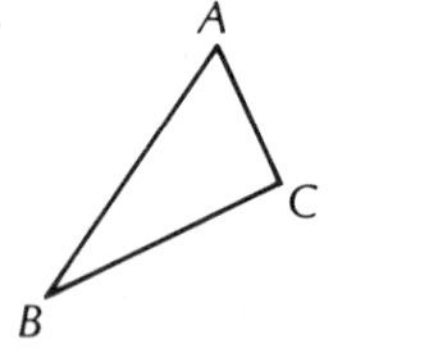

4.

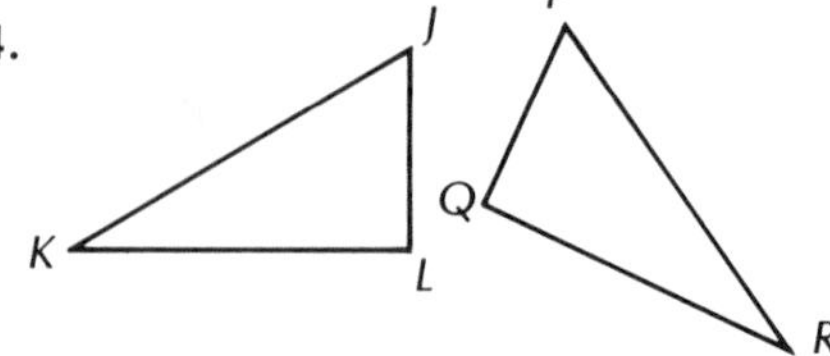

EXERCICES

Complète.

1. 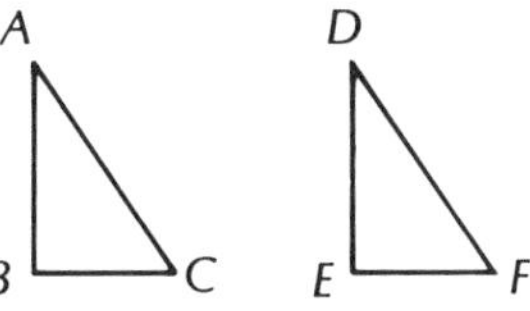

Les segments *AB* et ■ sont congruents.
Les angles **C** et ■ sont congruents.
Les triangles *ABC* et ■ sont congruents.

2. 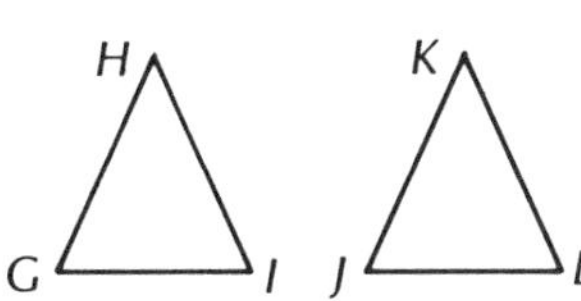

Les segments *GI* et ■ sont congruents.
Les angles **K** et ■ sont congruents.
Les triangles *JKL* et ■ sont congruents.

3. 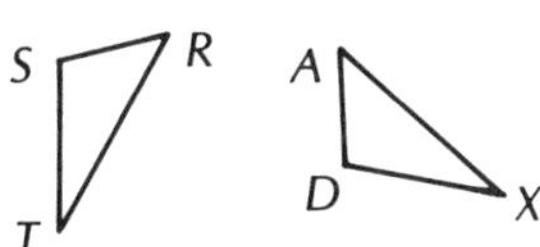

Les segments *RT* et ■ sont congruents.
Les angles **R** et ■ sont congruents.
Les triangles *RST* et ■ sont congruents.

4. Devine et vérifie. Dans les triangles *ABC* et *DEF*, les côtés *AB* et *DE* sont congruents, les angles *A* et *D* sont congruents et les angles *B* et *E* sont congruents. Est-ce que les triangles sont congruents?

RÉVISION

La figure rouge a-t-elle été obtenue par glissement, rabattement ou rotation?

1. 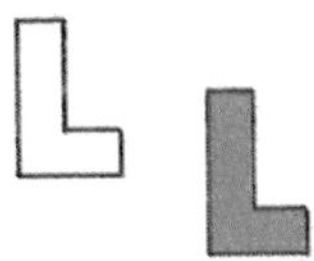

2. 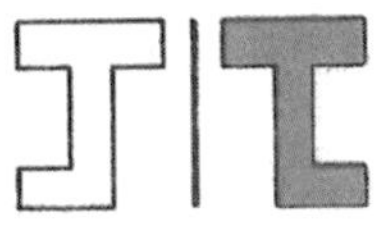

3. 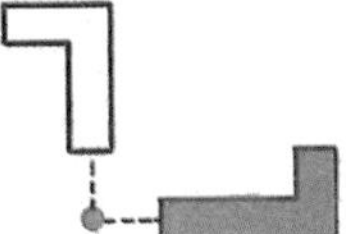

4. Quel triangle est congruent au premier?

a 

b

c 

5. Identifie deux côtés correspondants.

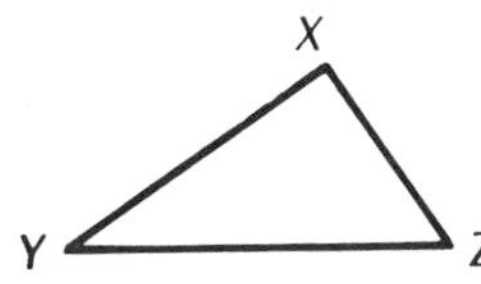

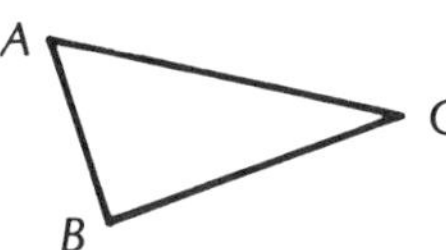

Les droites et les angles

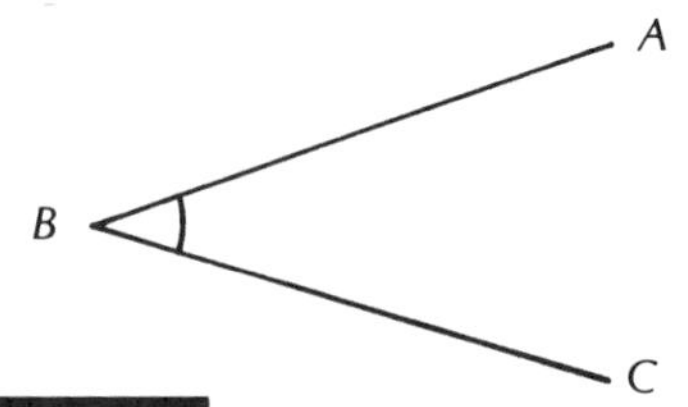

Les segments de droite *AB* et *BC* se coupent et forment l'angle *ABC*.

Deux droites qui se coupent à angle droit sont **perpendiculaires**. Elles forment des angles de 90°.

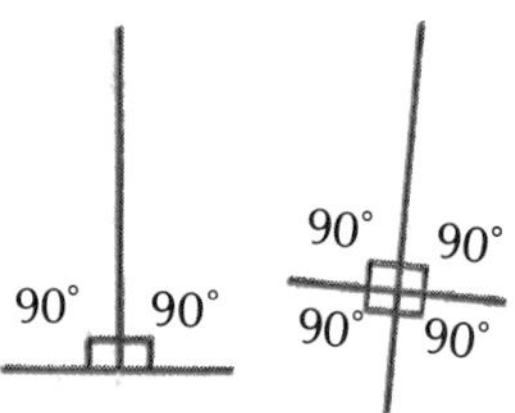

La base de la porte et un côté vertical de la porte sont **perpendiculaires**.

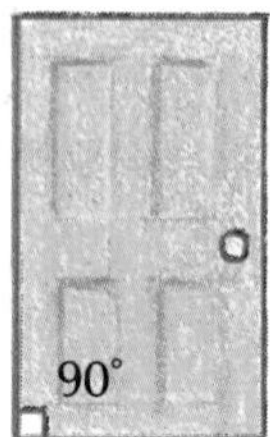

Deux droites qui ne se coupent jamais sont **parallèles**.

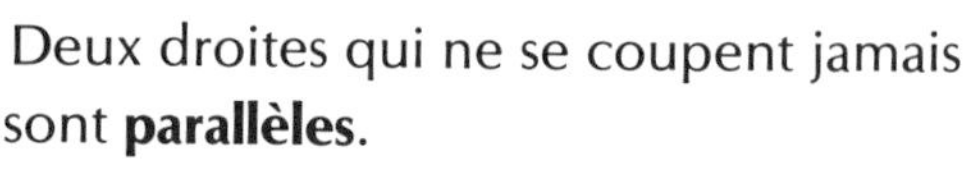

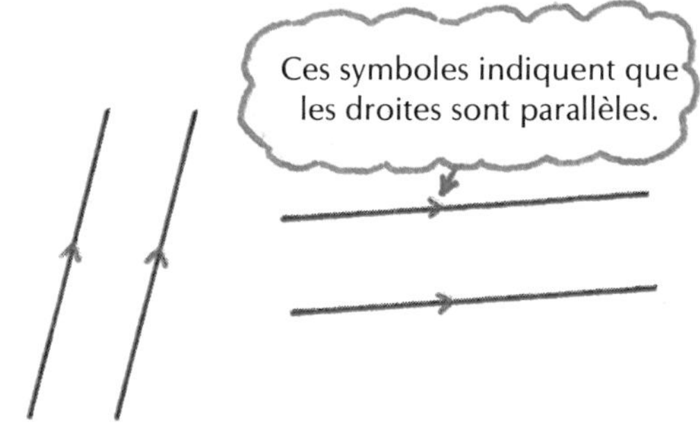

Les côtés opposés d'une porte sont **parallèles**.

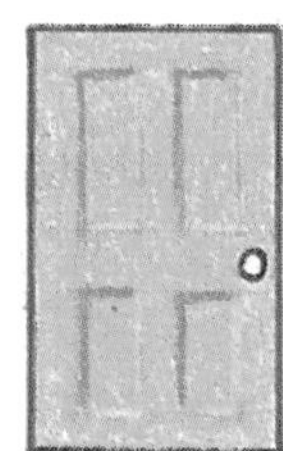

EXERCICES

Décris chaque figure. Exemple: «*AB* est parallèle à *CD*.»

1.

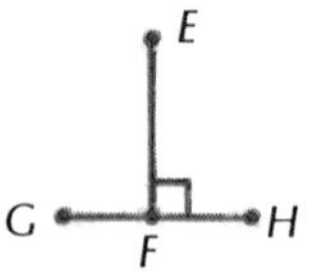

2.

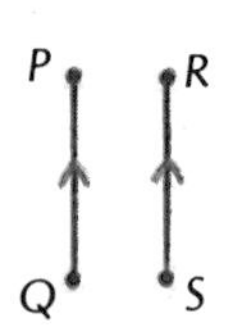

3.

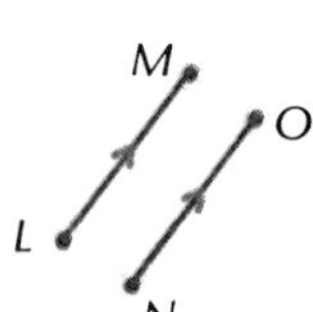

4.

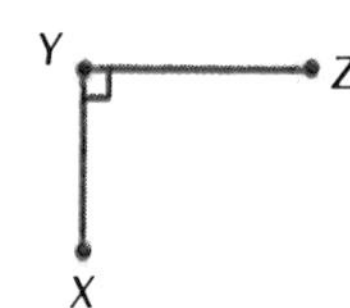

5.

6.

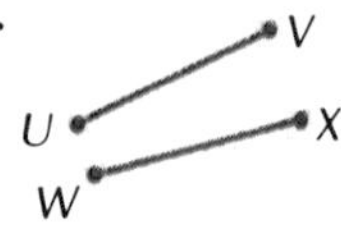

7.

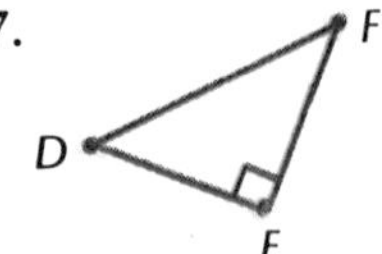

8.

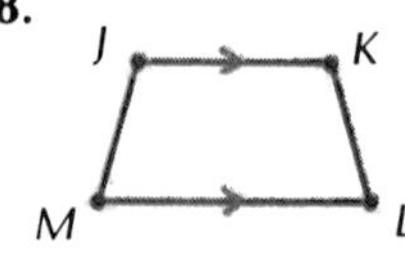

EXERCICES

Identifie les segments perpendiculaires et les segments parallèles.

1. 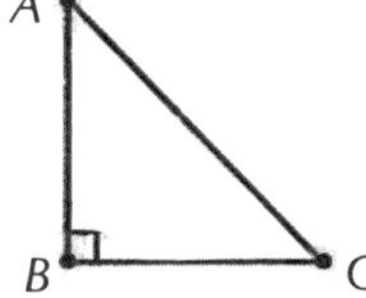

2. 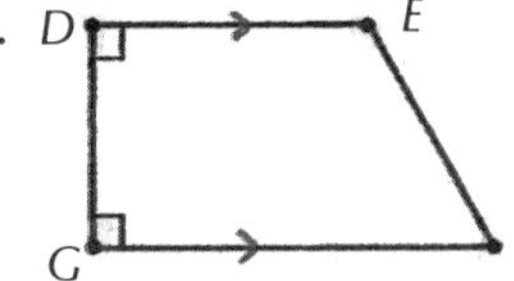

3. 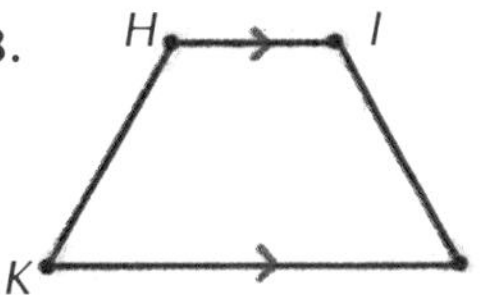

4. 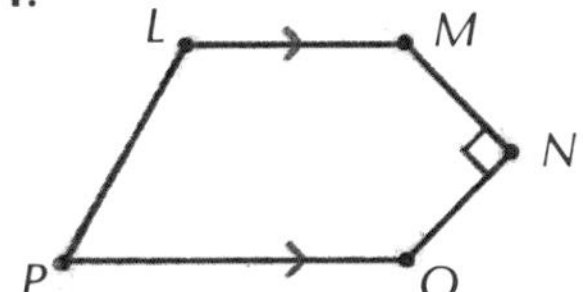

5. 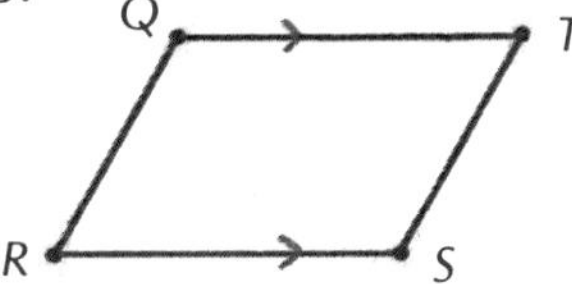

6. 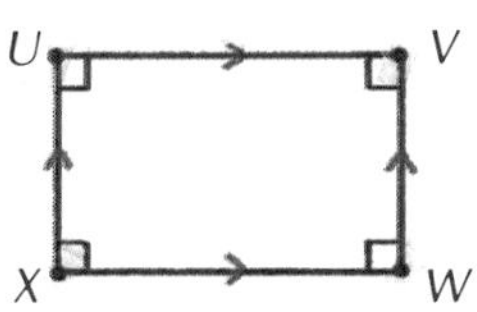

Complète. (Procure-toi une boîte et nomme ses sommets.)

7. **a.** Les segments *CD* et *DF* sont ■.
b. Les segments *CD* et *EF* sont ■.
c. Les segments *CE* et *DF* sont ■.
d. Les segments *AB* et *CD* sont ■.
e. Les segments *AB* et *BC* sont ■.
f. Les segments *AG* et *GF* sont ■.
g. Les segments *AG* et *CE* sont ■.

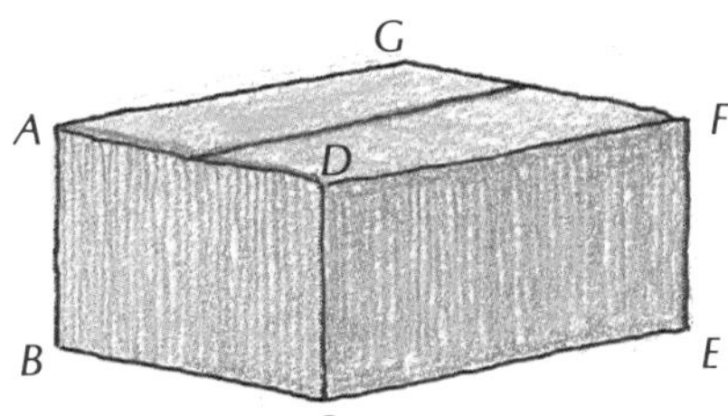

Avec *MIRA*

Trace une droite **a**.
Avec un *MIRA*, construis une droite perpendiculaire à **a**,
une droite parallèle à **a**,
un rectangle et un carré.

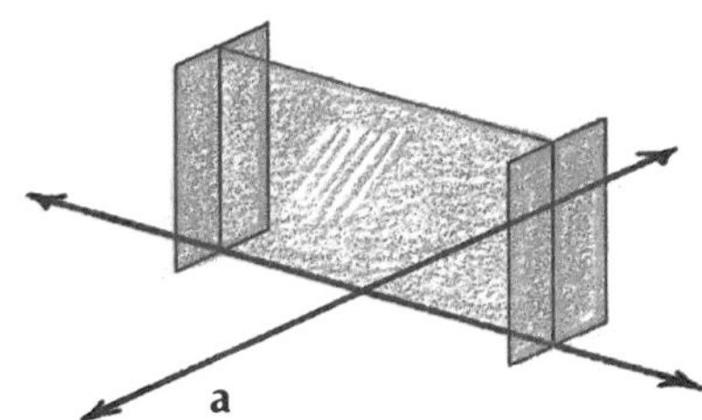

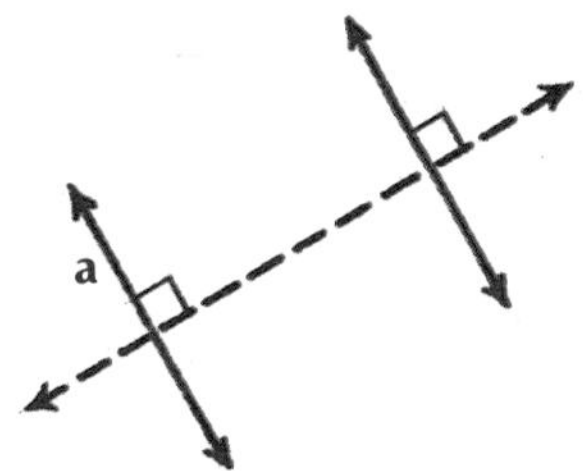

Les triangles

Il existe des triangles particuliers.

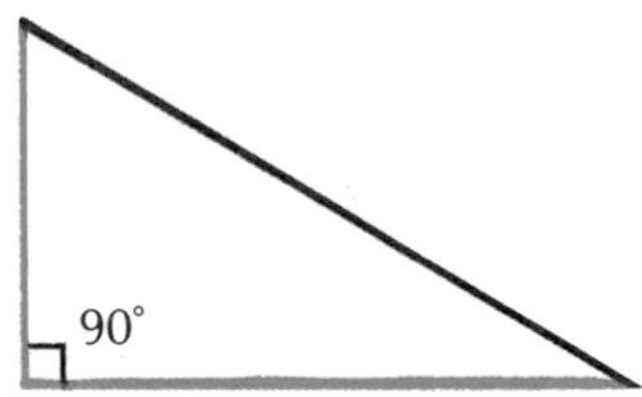

Un **triangle rectangle** a un angle droit.

Un **triangle isocèle** a 2 côtés congruents et deux angles congruents.

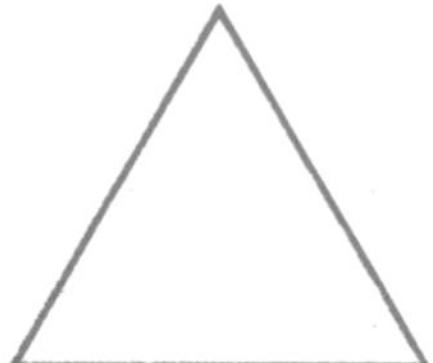

Un **triangle équilatéral** a 3 côtés congruents et 3 angles congruents.

La somme des angles d'un triangle est toujours 180°.

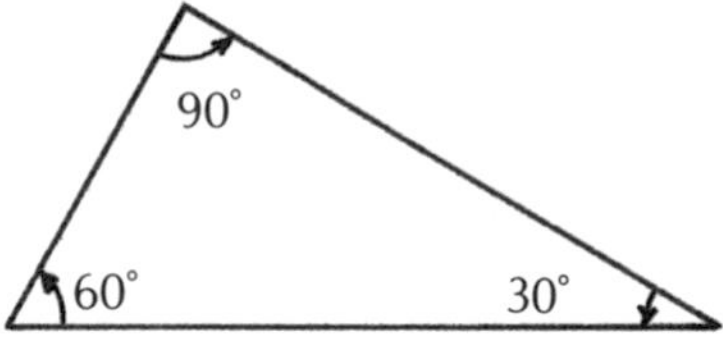

$60° + 90° + 30° = 180°$

EXERCICES

Est-ce un triangle isocèle, équilatéral ou rectangle?
Utilise un décalque.

1. 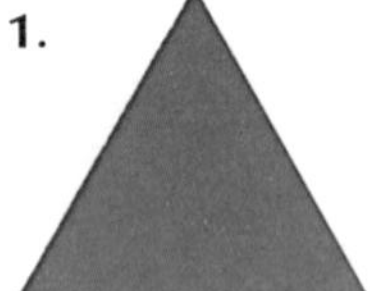

2. 

3. 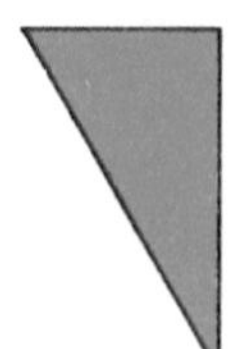

4. 

5. 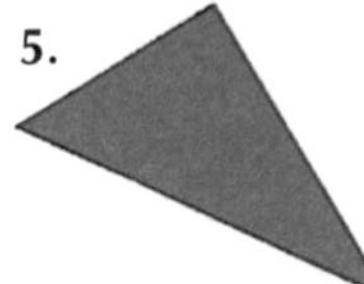

6. 

7. 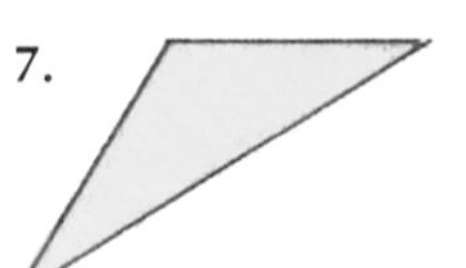

8. 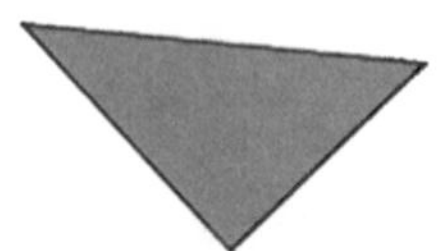

EXERCICES

De quel triangle s'agit-il? Pourquoi?

1. Côtés: 4 cm, 8 cm, et 8 cm
2. Côtés: 8,2 cm; 3,5 cm et 8,2 cm
3. Côtés: 5,5 cm; 5,5 cm et 5,5 cm
4. Côtés: 5 m chacun
5. Angles: 45°, 45° et 90°
6. Angles: 35°, 90° et 55°

Combien mesure le troisième angle?

7.

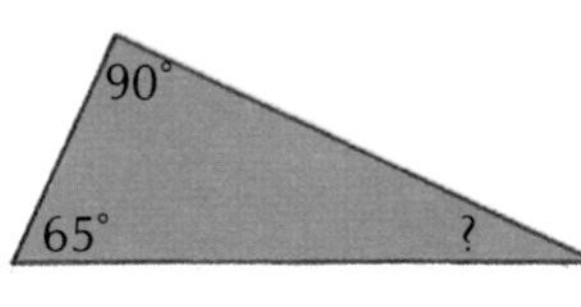

8.

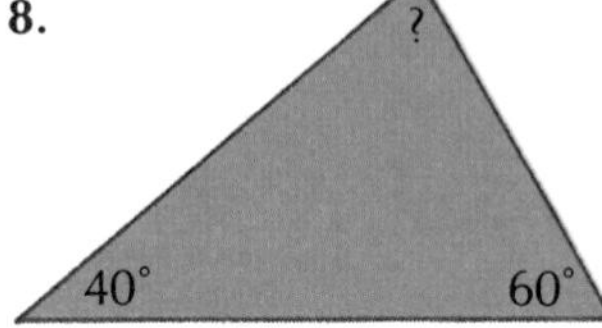

9.

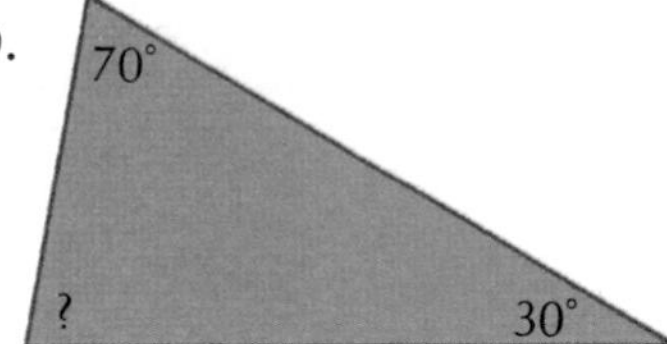

10. 20°, 30°
11. 35°, 35°
12. 70°, 80°
13. 29°, 41°
14. 100°, 40°
15. 37°, 58°
16. Combien mesurent les angles d'un triangle équilatéral?
17. Combien mesurent les angles d'un triangle rectangle isocèle?

Triangles et symétrie

1. Décalque ces triangles isocèles.

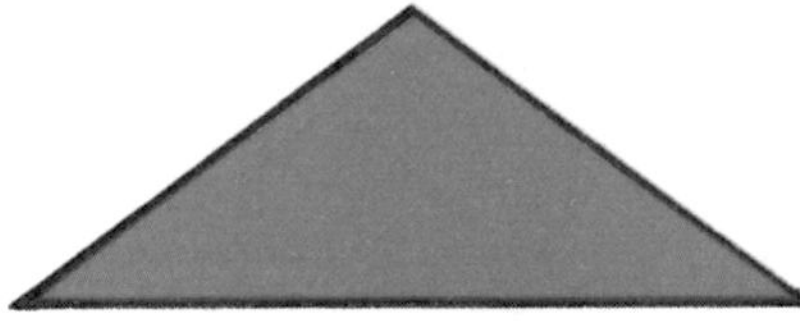
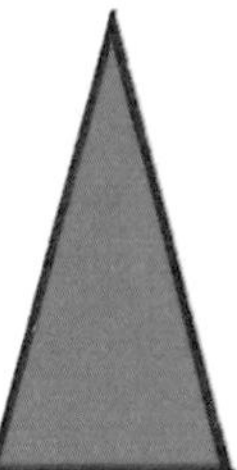

   a. Trace un axe de symétrie pour chacun.
   b. Que peux-tu dire des axes de symétrie des triangles isocèles?

2. Décalque ces triangles équilatéraux.

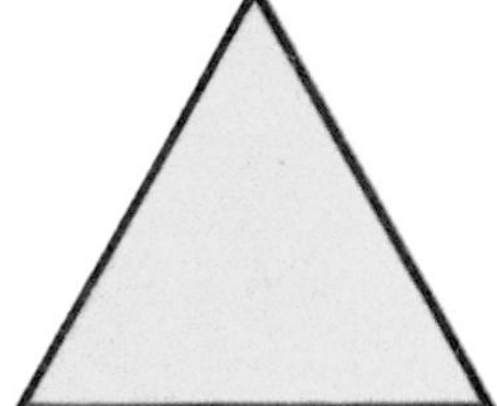

   a. Trace leurs axes de symétrie.
   b. Que peux-tu dire des axes de symétrie des triangles équilatéraux?

Les quadrilatères

Il existe des quadrilatères particuliers.

Un **parallélogramme** est un quadrilatère dont les côtés opposés sont parallèles. Les côtés opposés d'un parallélogramme sont congruents.

Un **rectangle** est un parallélogramme qui a un angle droit.

Un **losange** est un parallélogramme qui a quatre côtés congruents.

Un **carré** est un rectangle qui a quatre côtés congruents. Un carré est un **losange**.

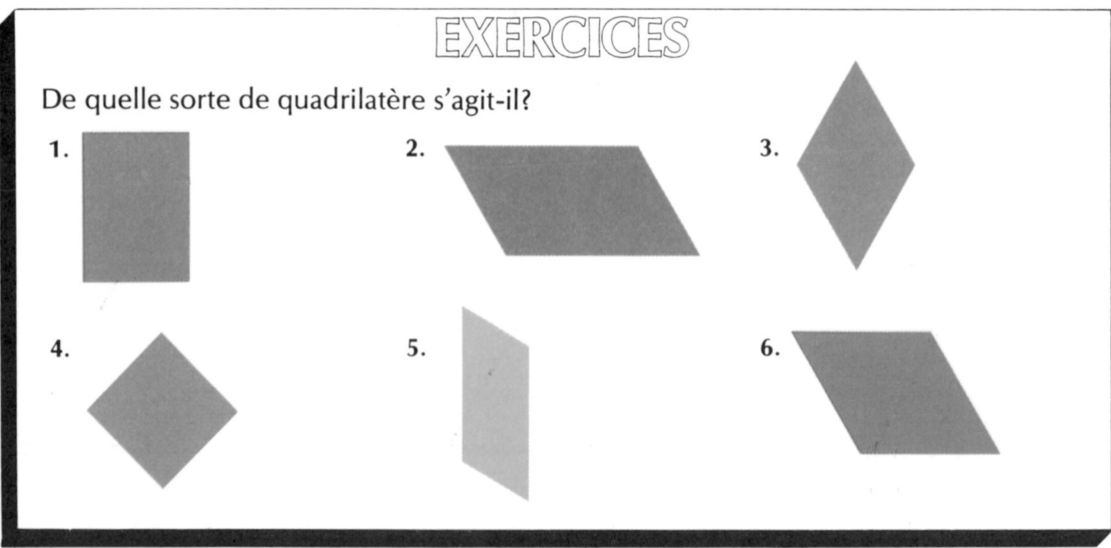

EXERCICES

1. Trace un parallélogramme qui n'est ni un rectangle ni un losange.
2. Trace un rectangle qui n'est pas un carré.
3. Trace un losange qui n'est pas un carré.
4. Trace un carré *ABCD*.
5. Compte les axes de symétrie de chaque figure.

Vrai ou faux?

6. Un carré est un parallélogramme.
7. Un losange est un rectangle.
8. Un rectangle est un parallélogramme.
9. Un carré est un rectangle.

10. Ces quadrilatères sont des **trapèzes.**
    a. Décris un trapèze.
    b. Un trapèze est un parallélogramme. Vrai ou faux?
    c. Un parallélogramme est un trapèze. Vrai ou faux?

RÉVISION

Identifie les segments perpendiculaires et parallèles.

1. 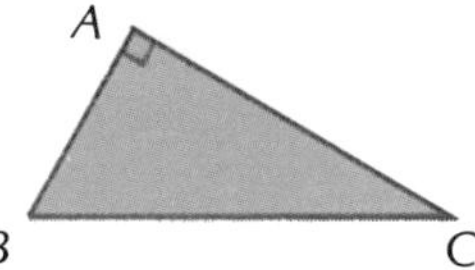

2. 

3. 

De quelle sorte de triangle s'agit-il?

4. 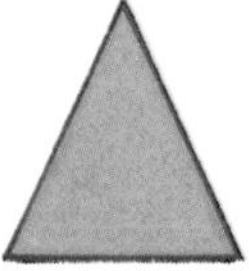

5. 

6. 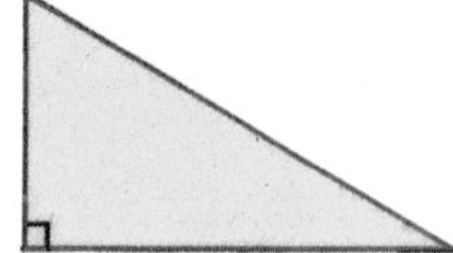

De quelle sorte de quadrilatère s'agit-il?

7. 

8. 

9. 

TEST CHAPITRE 12

Compte les axes de symétrie de ces figures.

1. 

2. 

3. 

4. 

Est-ce un glissement, un rabattement ou une rotation?

5.

7. 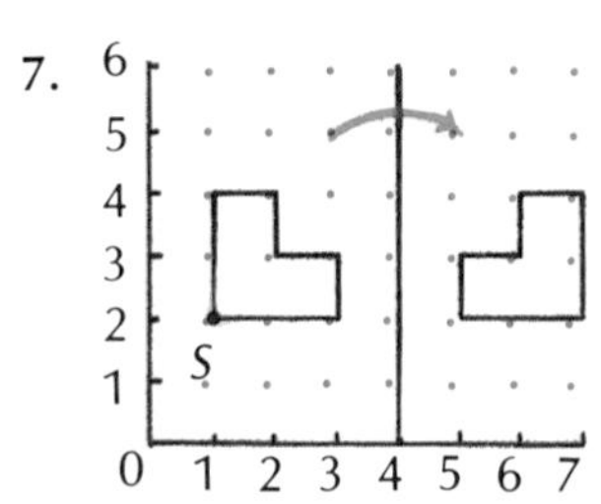

9. 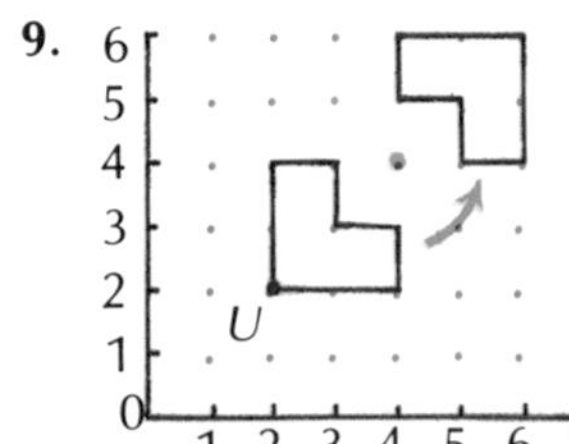

6. *R*: (■, ■)
Image de *R*:
(■, ■)

8. *S*: (■, ■)
Image de *S*:
(■, ■)

10. *U*: (■, ■)
Image de *U*:
(■, ■)

Ces figures sont-elles congruentes? Utilise un décalque.

11. 

12. 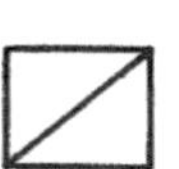 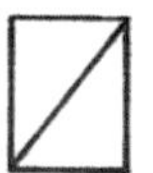

13. 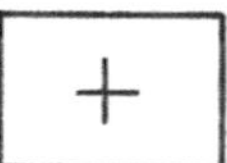 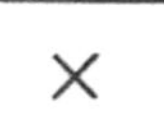

Les figures ci-contre sont congruentes.

14. Les angles *D* et ■ sont congruents.

15. Les côtés *BC* et ■ sont congruents.

16. Les côtés *AE* et *ED* sont ■.

17. Les côtés *AE* et *BC* sont ■.

A B C D E

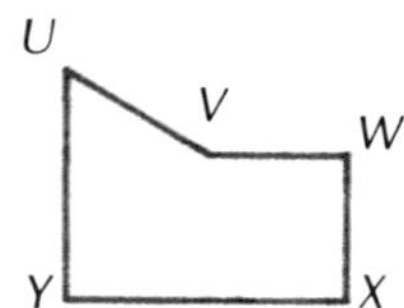

S'agit-il d'un triangle isocèle, rectangle ou équilatéral?

18. 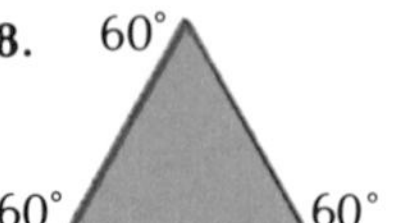

19. 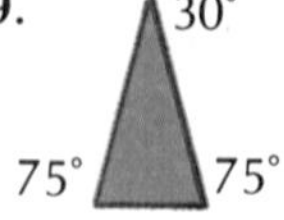

20. 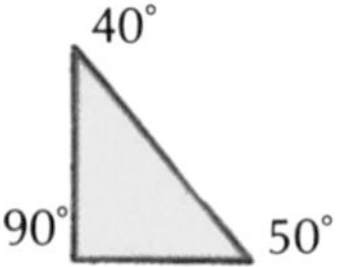

21. Un quadrilatère ayant ses côtés parallèles deux à deux est un ■.

22. Un losange ayant des angles de 90° est un ■.

23. Un parallélogramme ayant des angles de 90° est un ■.

REPRISE — LE CALCUL

Calcule.

1. $\begin{array}{r} 423 \\ +964 \\ \hline \end{array}$

2. $\begin{array}{r} 27 \\ 9 \\ +365 \\ \hline \end{array}$

3. $\begin{array}{r} 6,8 \\ 47,6 \\ +97,3 \\ \hline \end{array}$

4. $\begin{array}{r} 8,76 \\ 9,4 \\ +67,85 \\ \hline \end{array}$

5. $\begin{array}{r} 9002 \\ -2765 \\ \hline \end{array}$

6. $\begin{array}{r} 2408 \\ -\ \ 693 \\ \hline \end{array}$

7. $\begin{array}{r} 50,0 \\ -37,16 \\ \hline \end{array}$

8. $\begin{array}{r} 36,2 \\ -\ \ 3,45 \\ \hline \end{array}$

9. $\begin{array}{r} 17 \\ \times 56 \\ \hline \end{array}$

10. $\begin{array}{r} 63 \\ \times 25 \\ \hline \end{array}$

11. $\begin{array}{r} 947 \\ \times 659 \\ \hline \end{array}$

12. $\begin{array}{r} 2473 \\ \times 7000 \\ \hline \end{array}$

13. $\begin{array}{r} 972 \\ \times\ \ 0,3 \\ \hline \end{array}$

14. $\begin{array}{r} 34,6 \\ \times\ \ 1,2 \\ \hline \end{array}$

15. $\begin{array}{r} 6,8 \\ \times 4,7 \\ \hline \end{array}$

16. $\begin{array}{r} 473,1 \\ \times\ \ 0,01 \\ \hline \end{array}$

17. $9\overline{)522}$

18. $8\overline{)3264}$

19. $26\overline{)417}$

20. $75\overline{)3000}$

21. $4\overline{)15,3}$

22. $0,2\overline{)24,6}$

23. $0,3\overline{)95,4}$

24. $0,1\overline{)0,7}$

25.

N	83,4 + N
96	
0,8	
2,19	
7	
0,27	

26.

N	N ÷ 86
258	
86	
1462	
455,8	
860	

27.

N	0,4 × (N − 1,5)
1,5	
3	
2	
11,5	
37,5	

Problème.

28. Les Hamels veulent couvrir une distance de 415 km le premier jour de leurs vacances. Durant les deux premières heures, ils parcourent 166 km. Combien de temps devront-ils rouler s'ils gardent une vitesse constante?

CHAPITRE 13
GRAPHIQUES ET APPLICATIONS

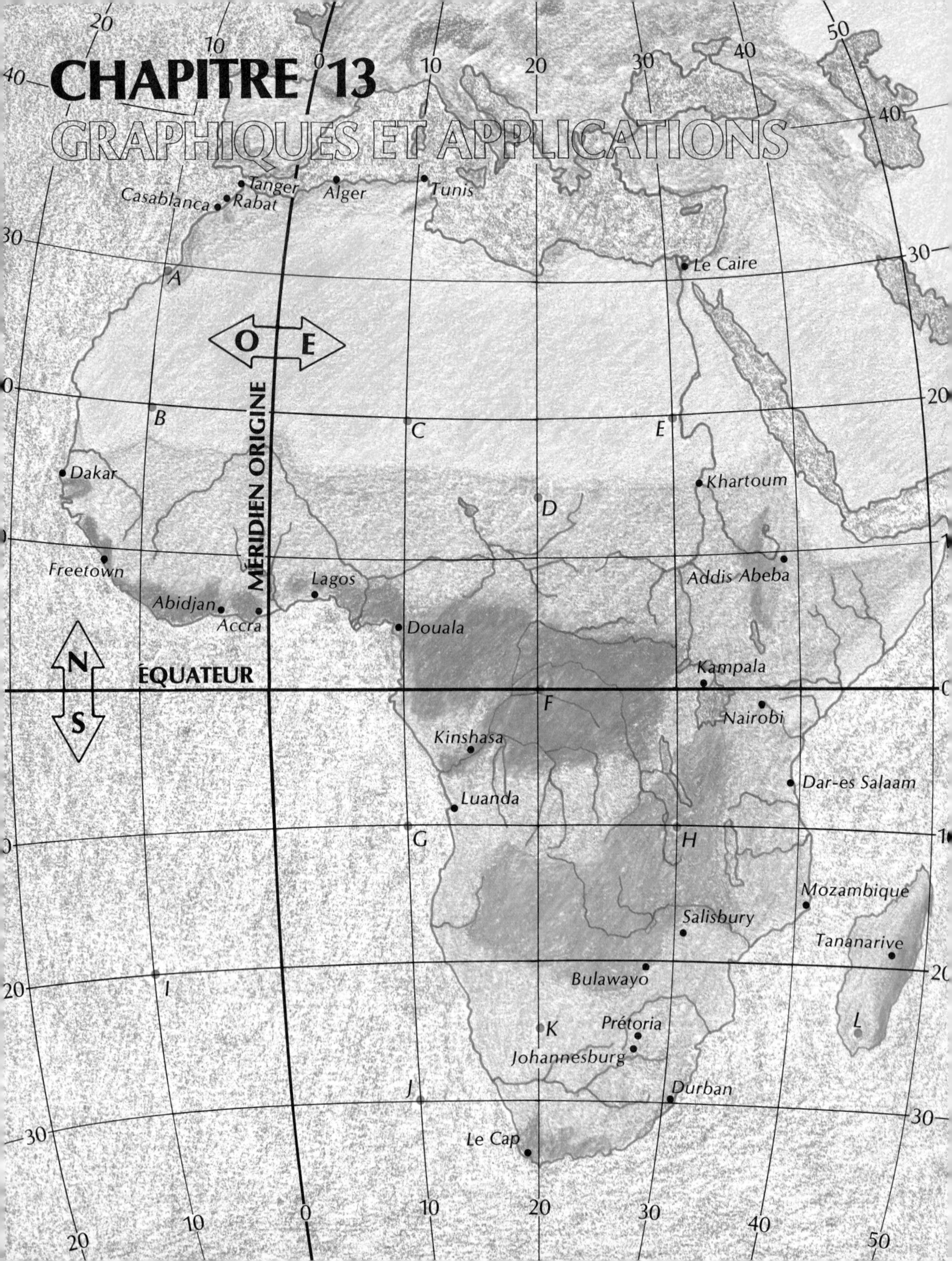

Un safari en Afrique

Quelles lettres correspondent aux coordonnées suivantes?

1. 20°N 10°E
2. 20°N 10°W
3. 0° 20°E
4. 10°S 10°E
5. 10°S 30°E
6. 20°S 10°W
7. 30°S 10°E
8. 15°N 20°E
9. 25°S 20°E
10. 25°S 45°E

Indique les coordonnées approximatives de ces villes.

11. Le Caire
12. Accra
13. Kampala
14. Tunis
15. Durban
16. Mozambique
17. Douala
18. Bulawayo
19. Kinshasa
20. Khartoum
21. Dakar
22. Abidjan
23. Nairobi
24. Tanger

Les coordonnées

Règle: × 2	
0	0
1	2
2	4
3	6
4	8
5	10

Coordonnées

(0, 0)
(1, 2)
(2, 4)
(3, 6)
(4, 8)
(5, 10)

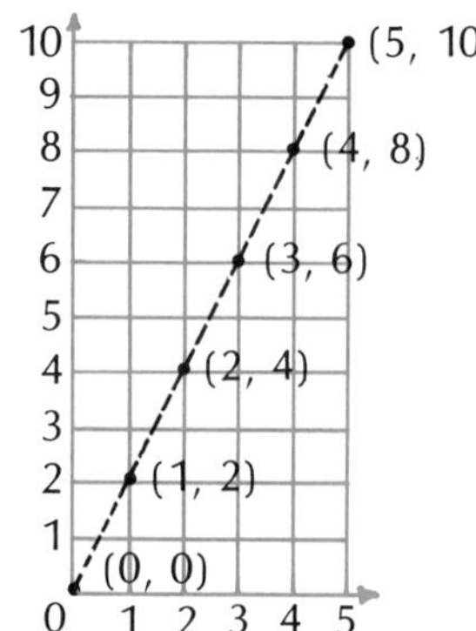

EXERCICES

Recopie et complète. Trouve la règle.

1. (1, 0) (2, 1) (3, 2) (4, 3) (5, ■) (6, ■) (7, ■)

2. (0, 0) (1, 1) (2, 2) (3, 3) (4, 4) (5, ■) (6, ■) (7, ■)

3. (0, 3) (1, 4) (2, 5) (3, 6) (4, ■) (■, ■) (■, ■)

4. (0, 0) (2, 1) (4, 2) (6, 3) (8, 4) (10, ■) (■, ■) (■, ■)

5. (0, 5) (1, 6) (2, 7) (3, 8) (4, 9) (■, ■) (■, ■) (■, ■)

Identifie (dans les exercices ci-dessus) la suite de coordonnées correspondant au graphique.

6.

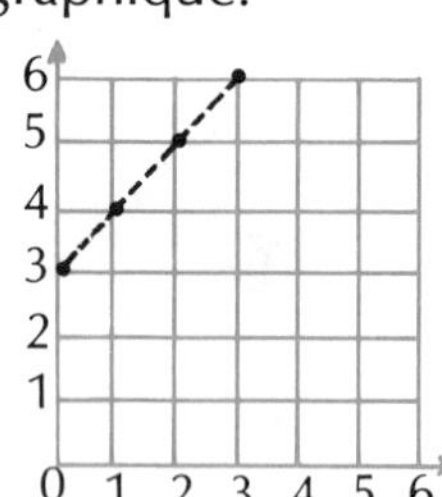

7.

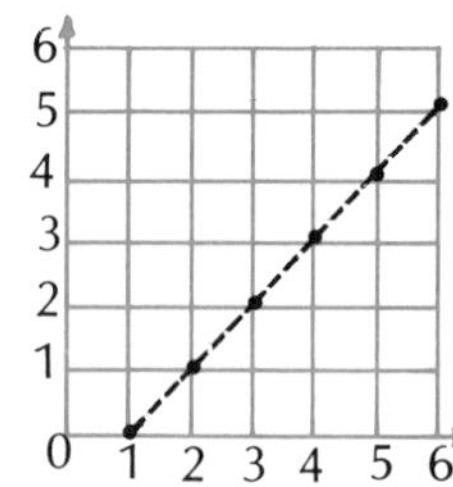

8.

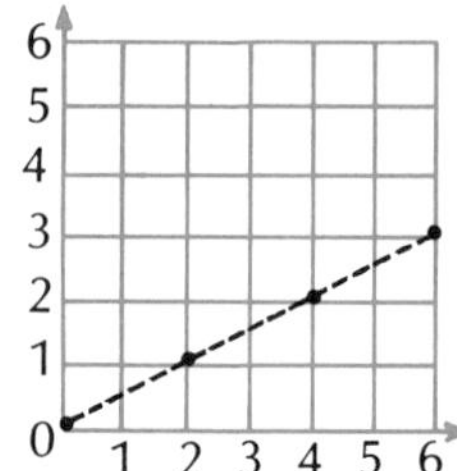

Trouve la règle qui caractérise ces coordonnées.

9.

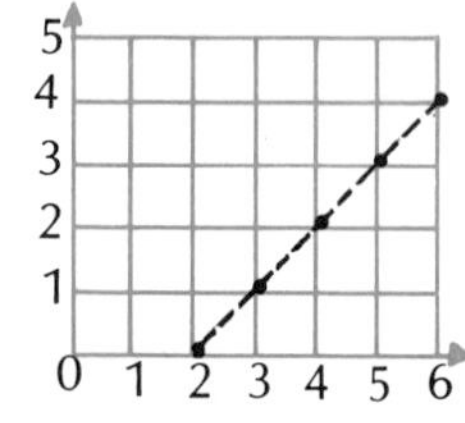

10.

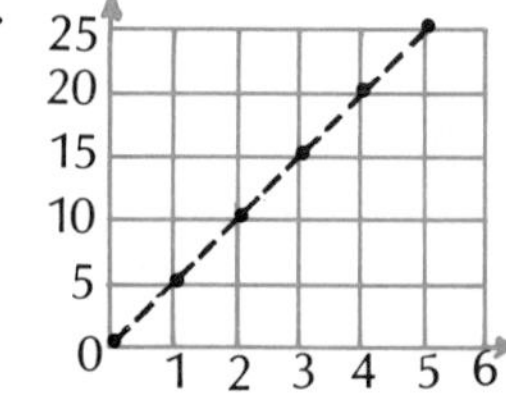

EXERCICES

Recopie et complète. Trouve la règle.

1. (1, 2) (2, 3) (3, 4) ••• (8, ■)
2. (1, 3) (2, 6) (3, 9) ••• (8, ■)
3. (3, 1) (6, 2) (9, 3) ••• (24, ■)
4. (4, 0) (5, 1) (6, 2) ••• (11, ■)

Consulte le graphique ci-contre.

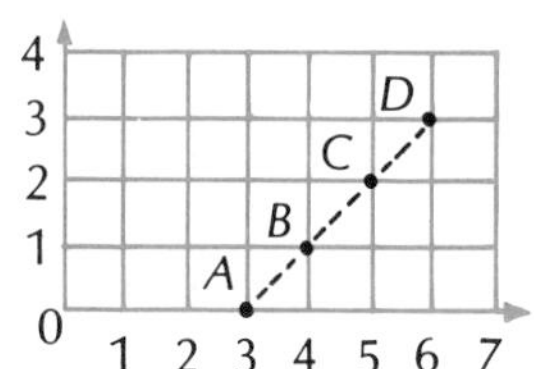

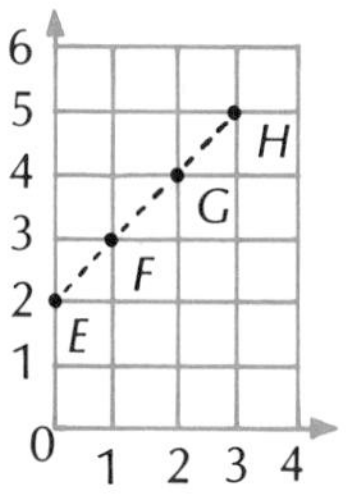

5. Indique les coordonnées de A, B, C, et D.
6. Trouve la règle.
7. Indique les coordonnées de E, F, G et H.
8. Trouve la règle.
9. Trace le graphique correspondant à l'exercice 1.
10. Trace le graphique correspondant à l'exercice 2.

Un dédale pour calculatrice

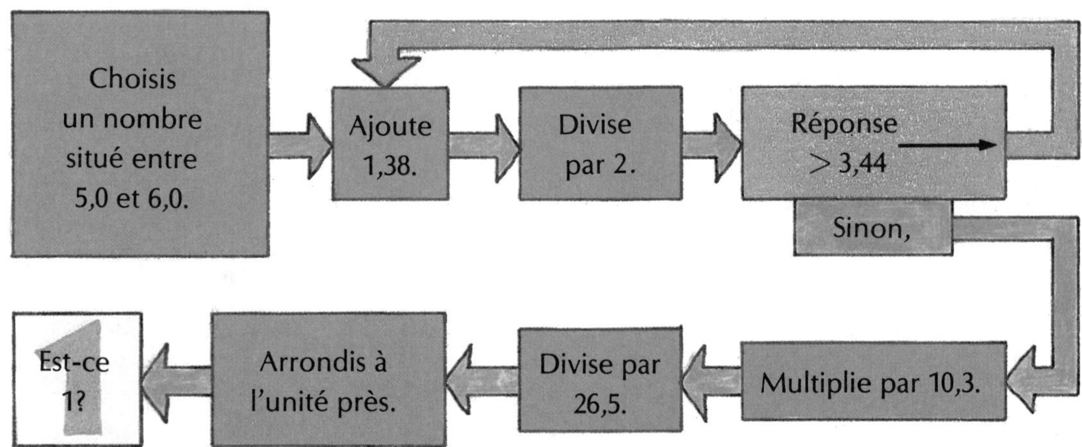

La température

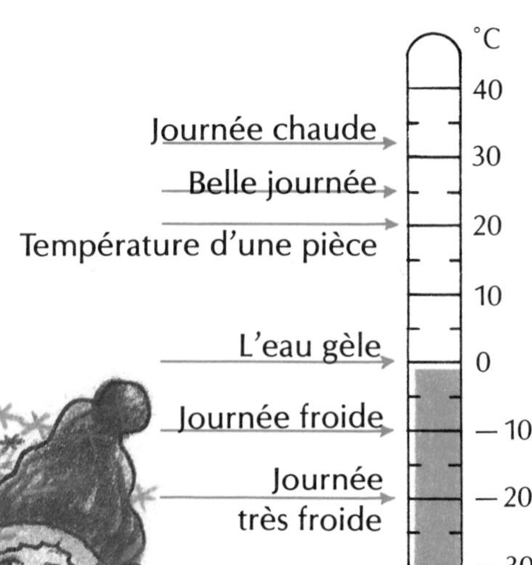

Compare la direction prise par les températures *supérieures à 0* à celle prise par les températures *inférieures à 0*. L'une est directement **opposée** à l'autre.

Plus il fait froid, plus la température est basse.

10°C veut dire 10° **au-dessus** de zéro.
– 10°C veut dire 10° **au-dessous** de zéro.

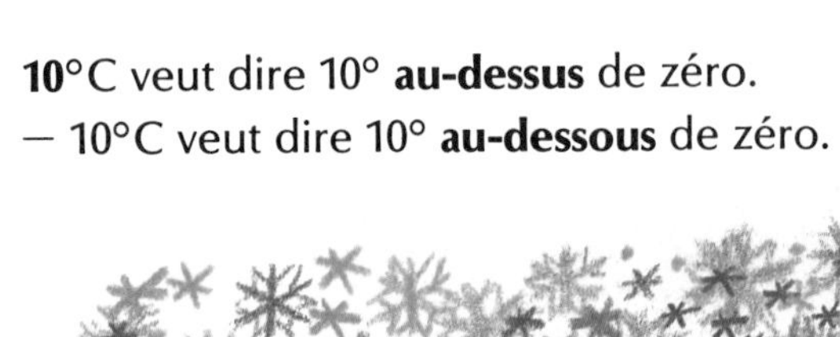

EXERCICES

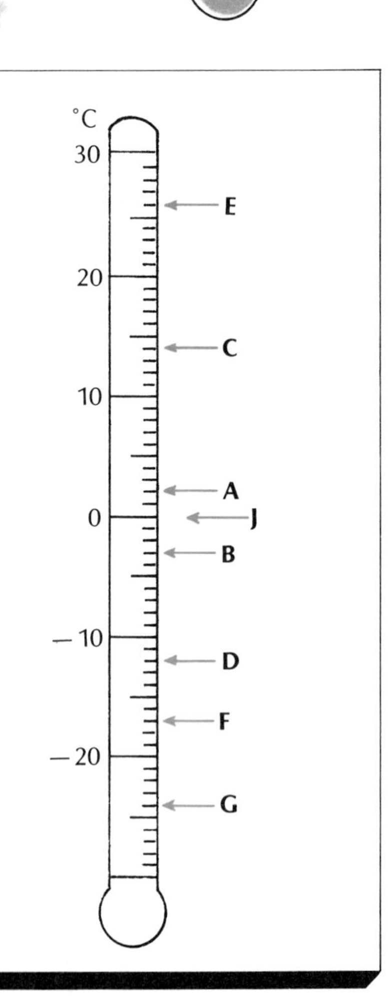

Consulte le thermomètre ci-contre. Quelle température correspond à chaque lettre?

1. **A** **2.** **B** **3.** **C** **4.** **D**

5. **E** **6.** **F** **7.** **G** **8.** **J**

Quelle est la température la plus élevée?

9. 10°C ou – 10°C **10.** – 5°C ou – 15°C

11. 8°C ou 32°C **12.** – 20°C ou 4°C

13. 12°C ou – 14°C **14.** – 18°C ou – 11°C

15. 0°C ou – 5°C **16.** 3°C ou 0°C

Recopie et complète en te servant de «plus élevé que» ou «moins élevé que ».

17. 2°C ● 18°C **18.** 3°C ● – 6°C

19. – 12°C ● – 15°C **20.** – 8°C ● 4°C

21. 32°C ● 9°C **22.** – 16°C ● – 11°C

23. 19°C ● – 27°C **24.** 4°C ● 8°C

EXERCICES

Remplace ● par «plus élevé que» ou «moins élevé que».

1. 12°C ● −12°C
2. 11°C ● 15°C
3. 5°C ● −25°C
4. −8°C ● 8°C
5. −7°C ● −4°C
6. −13°C ● −16°C

Le graphique donne la moyenne des températures mensuelles à Eureka, dans l'Arctique canadien.

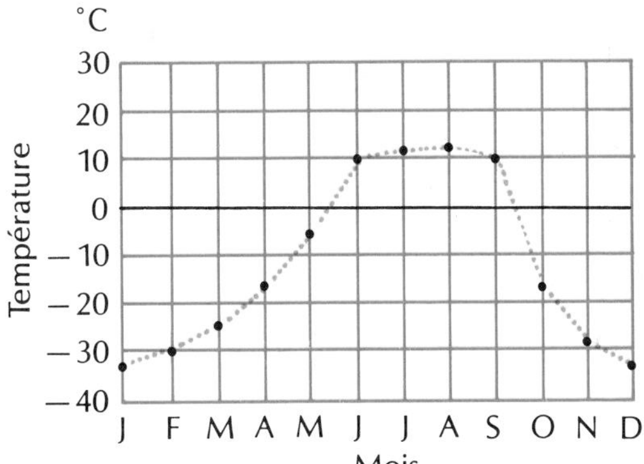

Indique:

7. le mois le plus chaud
8. les mois les plus froids
9. la température moyenne de juin
10. la température moyenne de mai
11. la différence de température entre mai et juin
12. la différence de température entre février et août
13. Compare novembre et février. Quel mois est le plus froid?

Graphique à ligne double

Températures relevées à midi, pendant la 1ère semaine du mois

	Mars	Avril
Dimanche	−5°C	6°C
Lundi	−3°C	4°C
Mardi	−4°C	0°C
Mercredi	−1°C	−2°C
Jeudi	3°C	−1°C
Vendredi	5°C	0°C
Samedi	4°C	0°C

Porte ces températures sur un graphique.

Nombres positifs et nombres négatifs

La graduation d'un thermomètre est semblable à celle d'une droite numérique.

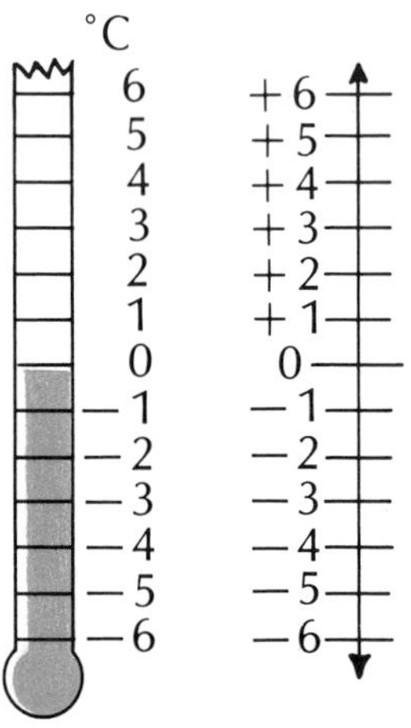

Sur une droite numérique, les nombres supérieurs à zéro sont **positifs**.

Par exemple: + **4**

Les nombres inférieurs à zéro sont **négatifs**.

Par exemple: − **4**.

+ 4 et − 4 sont **opposés**.
Ils se trouvent à égale distance de zéro, mais à l'opposé l'un de l'autre.

Voici une droite numérique horizontale.

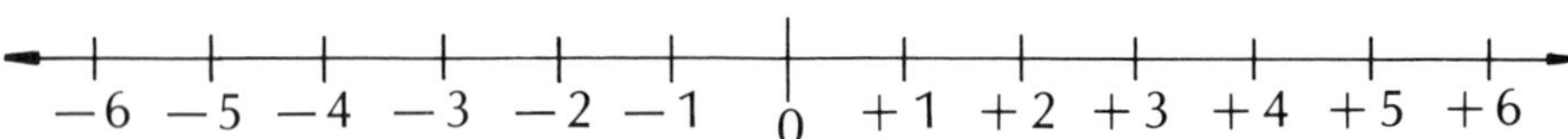

Les nombres situés à gauche de 0 sont **négatifs**.

Les nombres situés à droite de 0 sont **positifs**.

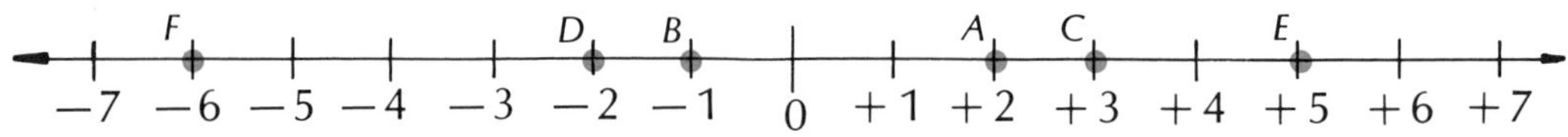

Indique le nombre correspondant aux lettres.

1. *A* **2.** *B* **3.** *C* **4.** *D* **5.** *E* **6.** *F*

Complète.

7.
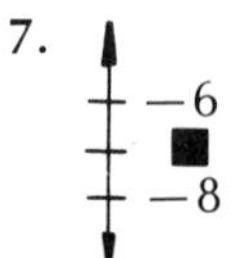

8.
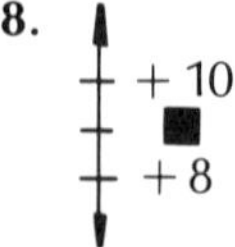

9.
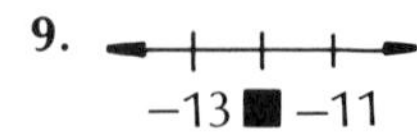

10.
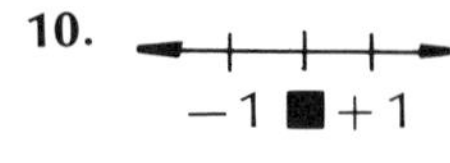

Écris le nombre qui se trouve à l'opposé de ceux-ci.

11. +5 **12.** −6 **13.** +10 **14.** −75 **15.** −43

EXERCICES

Complète.

1. 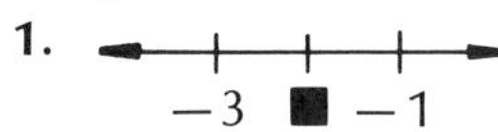
−3 ■ −1

2. +1 ■ +3

3. −2 ■ 0

4. ■ +7 ■

5. −10 ■ ■ −7

6. ■ −4 ■

Les nombres suivants sont placés sur une droite numérique horizontale. Remplace ■ par *droite* ou *gauche*.

7. + 3 est à ■ de − 3

8. − 7 est à ■ de − 6

9. − 5 est à ■ de − 10

10. + 12 est à ■ de + 8

Problèmes.

11. + 5 indique 5 km vers l'est. Quel nombre indique 4 km vers l'ouest?
12. − 200 indique 200 m en dessous du niveau de la mer. Que signifie + 325?
13. + 25 signifie que l'on reçoit 25 $. Comment indique-t-on que l'on dépense 10 $.
14. − 15 représente une perte de 15 points. Que signifie + 8?
15. − 8 indique 8 s avant le décollage. Quel nombre indique 3 s après le décollage?
16. + 4 indique l'adhésion de nouveaux membres. Que signifie −3?
17. − 10 indique une rotation de 10° ↷ . Indique une rotation de 30° ↺ .

Raisonnement

Tu peux résoudre les problèmes en te servant d'une droite numérique.

1. Christine et Lise sont debout l'une à côté de l'autre. Christine avance de 3 m. Lise recule de 4 m. Quelle distance les sépare?

2. Jules César est né en l'an 100 avant Jésus-Christ. Attila est né aux environs de l'an 406 après Jésus-Christ. Combien d'années séparent leurs dates de naissance?

3. Amsterdam est située à l'ouest de Berlin, à une distance de 600 km environ. Varsovie est située à l'est de Berlin, à une distance de 550 km environ. À combien de km les villes se trouvent-elles l'une de l'autre?

Les nombres entiers relatifs

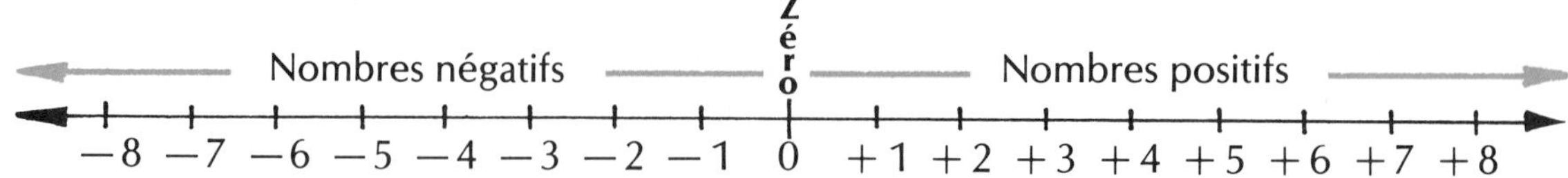

Les nombres portés sur la droite numérique sont des **nombres entiers relatifs**. L'ensemble formé par tous les nombres négatifs, zéro, et tous les nombres positifs est l'ensemble des **nombres entiers relatifs**.

Sur toute droite numérique horizontale:

Le nombre de gauche est inférieur à celui de droite.

$+3 < +8$

$-3 < +1$

$-6 < -5$

Le nombre de droite est supérieur à celui de gauche.

$+6 > +4$

$+2 > -3$

$-4 > -7$

EXERCICES

Donne les trois nombres situés:

1. à droite de zéro

2. à gauche de zéro

3. à droite de $+8$

4. à gauche de -7

Donne l'opposé de chaque nombre.

5. $+2$ **6.** -2 **7.** $+37$ **8.** -16 **9.** 0

Recopie et complète par *droite* ou *gauche*.

10. $+8$ est à ■ de $+6$

11. -7 est à ■ de -6

12. $+1$ est à ■ de $+2$

13. -3 est à ■ de -8

14. -4 est à ■ de $+1$

15. $+5$ est à ■ de 0

Recopie et complète par $>$ ou $<$.

16. $+8$ ● $+6$

17. -7 ● -6

18. $+1$ ● $+2$

19. -3 ● -8

20. -4 ● $+1$

21. $+5$ ● 0

22. -3 ● $+5$

23. -25 ● -30

24. -50 ● -44

EXERCICES

Remplace ● par > ou <.

1.	+3 ● +5	**2.**	+2 ● −2	**3.**	−5 ● +10
4.	−1 ● −8	**5.**	+5 ● +3	**6.**	+4 ● −1
7.	−2 ● +4	**8.**	−18 ● −27	**9.**	−12 ● +1

Coupe de la Terre et du plateau continental

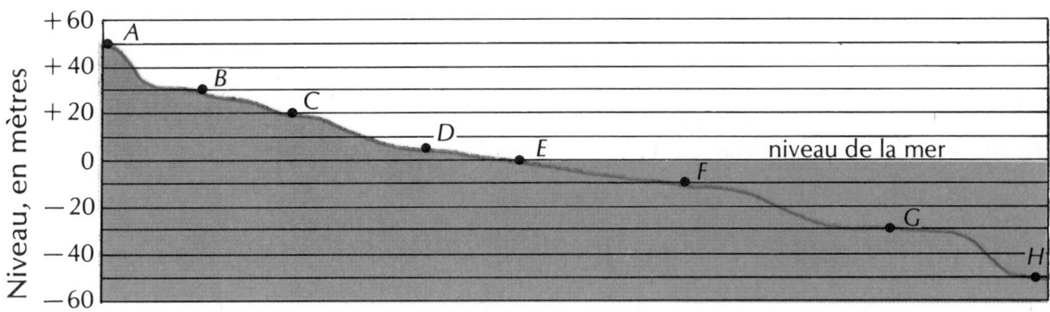

10. Exprime le niveau de *A, B, D, E.*

11. Exprime le niveau de *F, G, H.*

12. Combien de mètres séparent *C* et *B*? *G* et *H*? *C* et *F*?

Problèmes.

13. D'après nos connaissances actuelles, le point le plus profond de la mer Méditerranée est situé à − 4632 m et celui de la mer des Caraïbes est situé à — 6946 m. Quelle mer est la plus profonde? De combien?

14. Vaut-il mieux avoir en banque − 10 $ ou − 5$?

Le fond et la forme

Indique la profondeur maximum de ces lacs sur un graphique à barres.

Lac Victoria	82 m	Lac Winnipeg	62 m
Lac Aral	68 m	Lac Nicaragua	70 m
Lac Tchad	7 m	Lac Urmia	15 m

Coordonnées positives et négatives

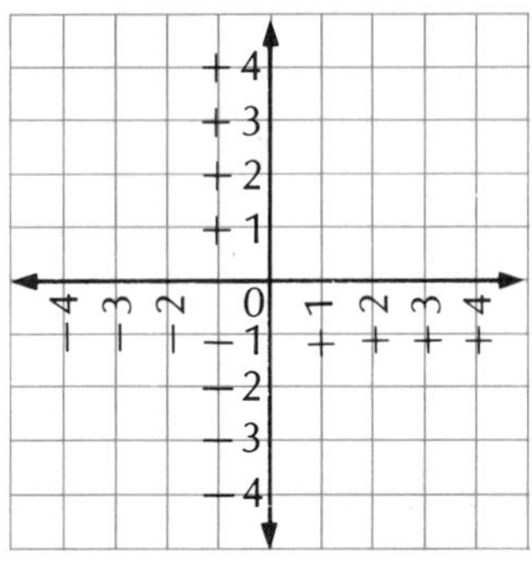

Les droites numériques horizontales et verticales partagent la grille en quatre parties.

Pour situer A (+3, −2), on part de l'origine et on se déplace de 3 espaces vers la droite, puis de 2 espaces vers le bas.

Pour situer B (−2, +4), on part de l'origine et on se déplace de 2 espaces vers la gauche, puis de 4 espaces vers le haut.

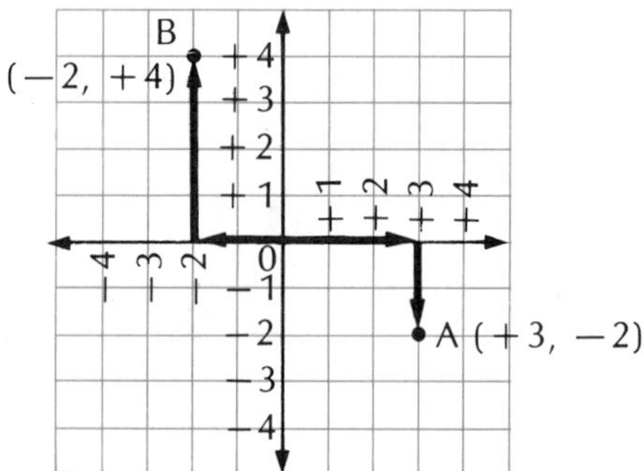

EXERCICES

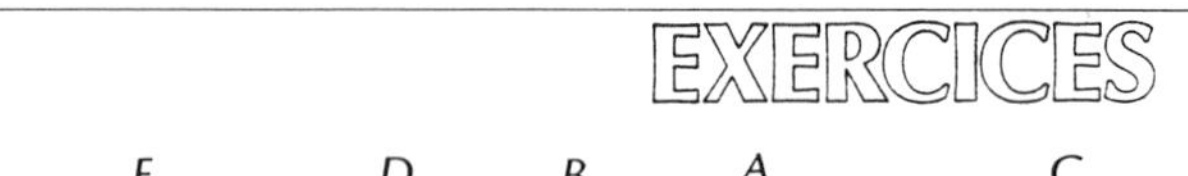

Indique le nombre correspondant au point.

1. *A* **2.** *B* **3.** *C* **4.** *D* **5.** *E*

6. *F* **7.** *G* **8.** *H* **9.** *I* **10.** *J*

Indique le point correspondant aux coordonnées.

11. (+1, +2) **12.** (−3, +1)

13. (+2, −1) **14.** (−3, −2)

15. (−1, +2) **16.** (+4, 0)

Indique les coordonnées des points.

17. *V* **18.** *W*

19. *X* **20.** *Y*

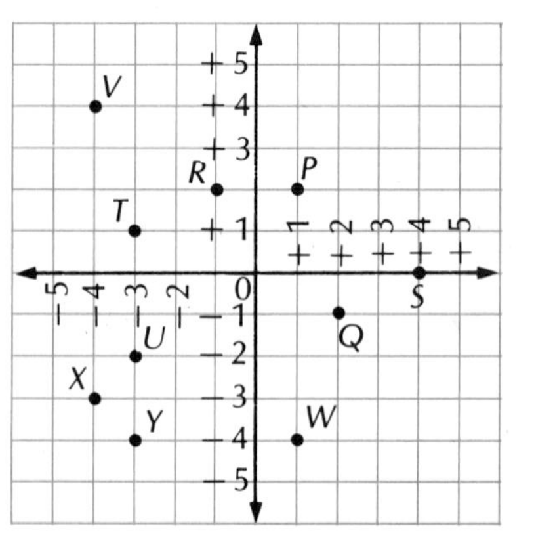

EXERCICES

Indique le point correspondant aux coordonnées.

1. (+4, +5)
2. (−5, +5)
3. (+3, −5)
4. (−2, +2)
5. (−4, −4)
6. (−2, −2)

Indique les coordonnées des points.

7. *F*
8. *G*
9. *I*
10. *J*
11. *K*
12. *L*

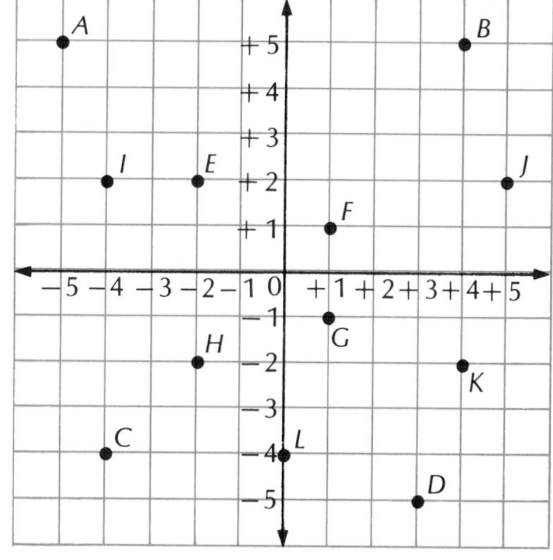

13. Trace deux droites numériques, l'une verticale et l'autre horizontale, sur du papier quadrillé.
    Inscris ces points: *L* (+4, −4), *M* (−2, +5), *N* (−3, −4).

Fais le point

Dessine tes initiales ou celles d'un(e) camarade sur un quadrillage où sont tracées deux droites numériques perpendiculaires. Invente un code correspondant à ces initiales. Dessine △ chaque fois qu'il faut lever le crayon et repartir d'un autre point.

Exemple:

(−5, +3) (−5, −3) △ (−1, +3)
(−1, −3) △ (−5, 0) (−1, 0) △
(+1, +3) (+1, −3) △ (+1, +3)
(+5, −3) △ (+5, +3) (+5, −3) △

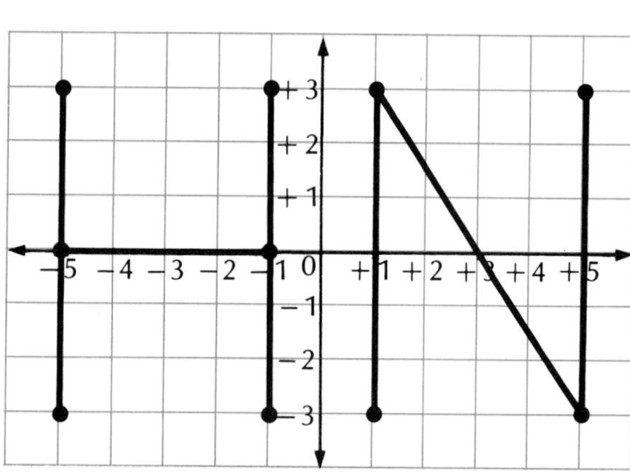

Les régularités

Le gérant d'un magasin veut construire une pyramide à base carrée avec des boîtes de jus de pomme. Les côtés de la base doivent être constitués de 8 boîtes. Combien lui faut-il de boîtes?

Solution
Commence par le sommet pour découvrir la régularité.

 au sommet: 1 boîte

 ensuite: 2 boîtes par côté, ou 4 boîtes (2×2)

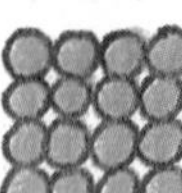 ensuite: 3 boîtes par côté, ou 9 boîtes (3×3)

ensuite: 4 boîtes par côté, ou 16 boîtes (4×4)

•
•
•

8 étages

Il lui faut: $\underbrace{1 + 4 + 9 + 16 + 25 + 36 + 49 + 64}_{\text{8 étages}}$ (ou 204) boîtes.

EXERCICES

Recopie et complète.

1. 1, 3, 5, 7, 9, •••
2. 4, 8, 12, 16, •••
3. 1, 2, 4, 8, 16, •••
4. 1, 2, 4, 7, 11, •••
5. 1, 2, 4, 12, 48, •••
6. 1, 4, 3, 6, 5, 8, •••
7. •, ⁘, ⁙, ⁙, •••
8. 1, $\frac{1}{2}$, $\frac{1}{3}$, $\frac{1}{4}$, •••
9. •, ∴, ∴, ∴, •••
10. , , , , , •••

EXERCICES

Trouve la régularité. Elle t'aidera à résoudre le problème.

1. Un marchand commande des dépliants. Les tarifs de l'imprimeur sont les suivants: 15 $ pour 100 dépliants, 20 $ pour 200, 25 $ pour 300, etc. Combien coûtent 600 dépliants?

2. Complète.
$-10°C$, $-9°C$, $-7°C$, $-4°C$, ■°C

3. Pierre conclut un accord avec ses parents. S'il termine ses devoirs à temps, il recevra 1 ¢ le premier jour, 2 ¢ le deuxième, 4 ¢ le troisième, 7 ¢ le quatrième, 11 ¢ le jour suivant, etc. Quelle somme recevra-t-il s'il termine ses devoirs à temps pendant 10 jours consécutifs?

RÉVISION

Recopie et complète. Exprime la règle.

1. (2, 1) (4, 2) (6, 3) (8, 4) (■, ■) (■, ■)

2. (1, 2) (2, 3) (3, 4) (4, ■) (■, ■) (■, ■)

Quelle est la température la plus basse?

3. $+2°C$ ou $-10°C$ **4.** $-6°C$ ou $-12°C$ **5.** $-20°C$ ou $+5°C$

Complète.

6. ◄─┼─┼─┼─┼─► -3 ■ -1 ■

7. ◄─┼─┼─┼─► ■ 0 ■

Recopie et complète par $>$ ou $<$.

8. $+3$ ● $+7$ **9.** -2 ● -8 **10.** -5 ● $+4$

À quels points correspondent ces coordonnées?

11. $(+1, +1)$ **12.** $(+2, -2)$

Trouve les coordonnées des points:

13. *G* **14.** *F*

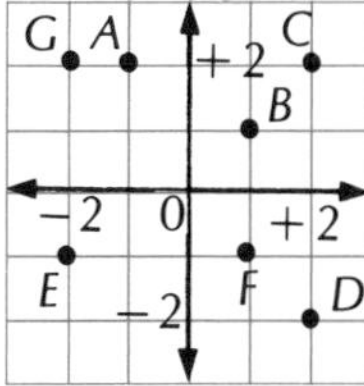

Les dallages

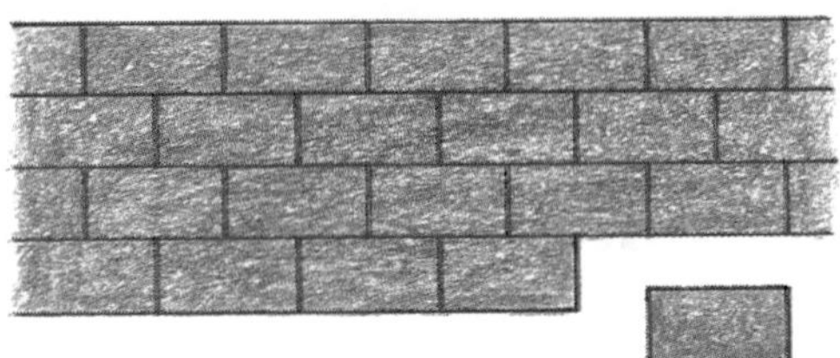

Des figures congruentes qui recouvrent une surface sans laisser d'espaces entre elles et sans se chevaucher forment un **dallage**.

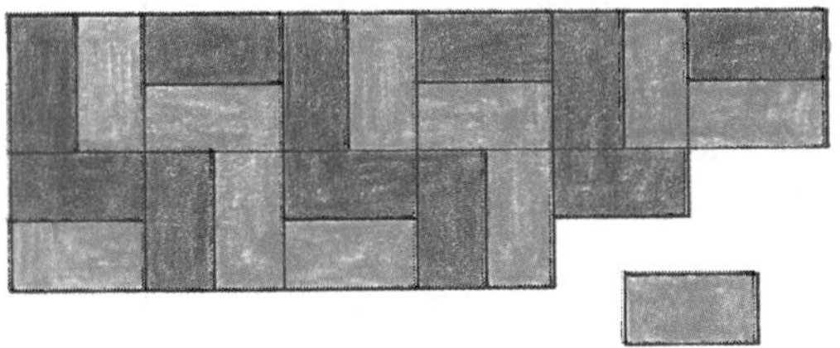

EXERCICES

Est-ce un dallage?

1. 

2. 

3. 

4. 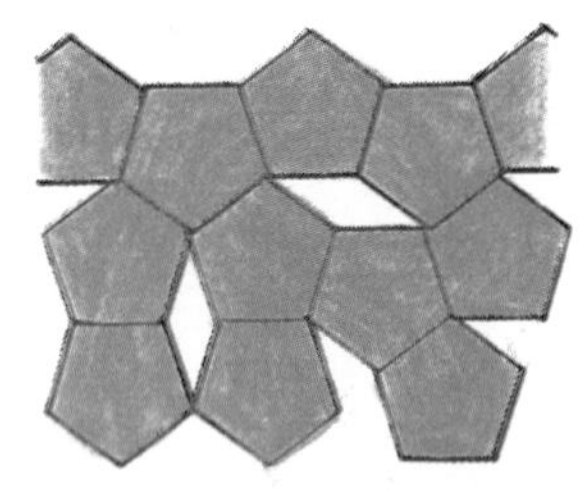

5. 

6. 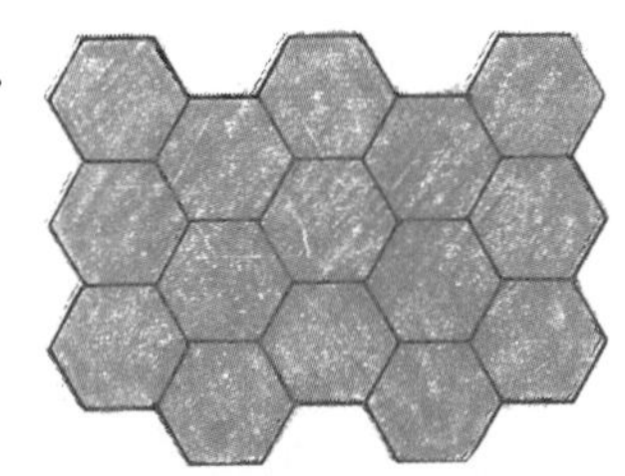

7. 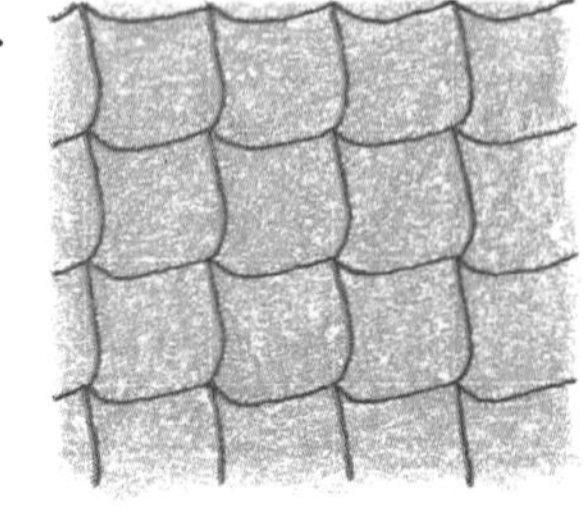

8. 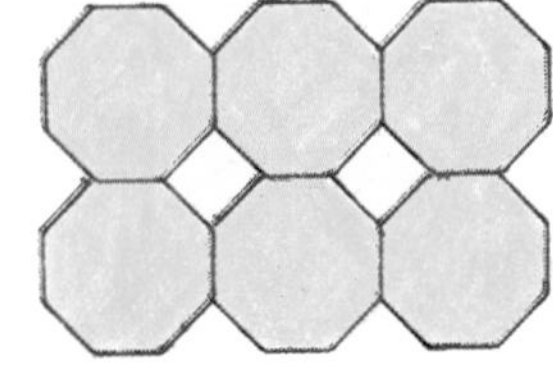

9. 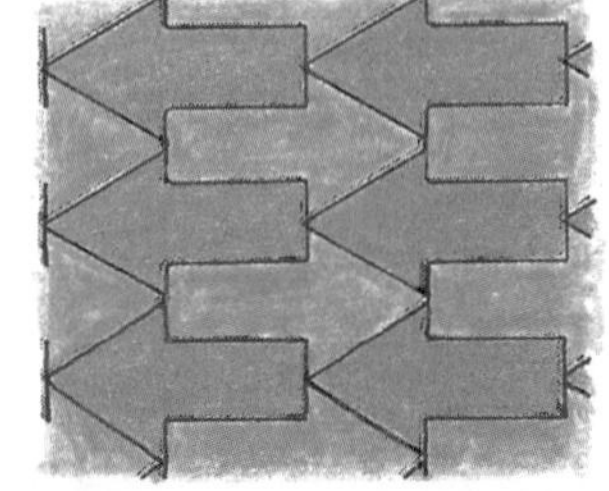

EXERCICES

Décalque chaque figure et reproduis-la autant de fois qu'il le faut pour recouvrir ta feuille.

1. 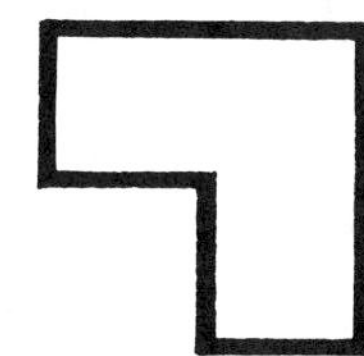

2. 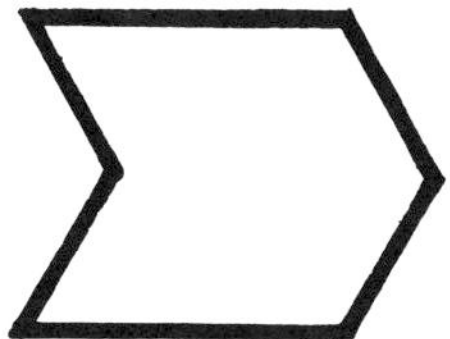

3. 

4. 

5. 

6. 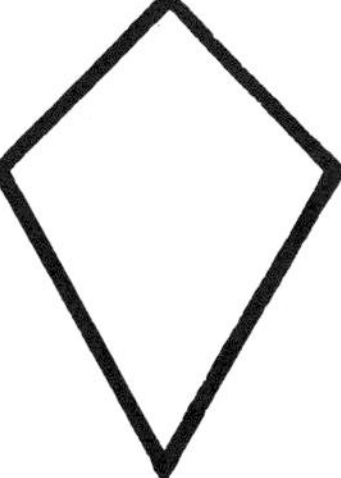

De combien d'éléments sera composé le dessin suivant?

7. 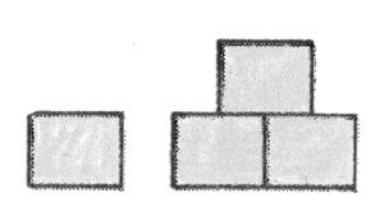  

8.   

Bouffonneries

Décalque le clown et reproduis-le autant de fois qu'il le faut pour recouvrir ta feuille.

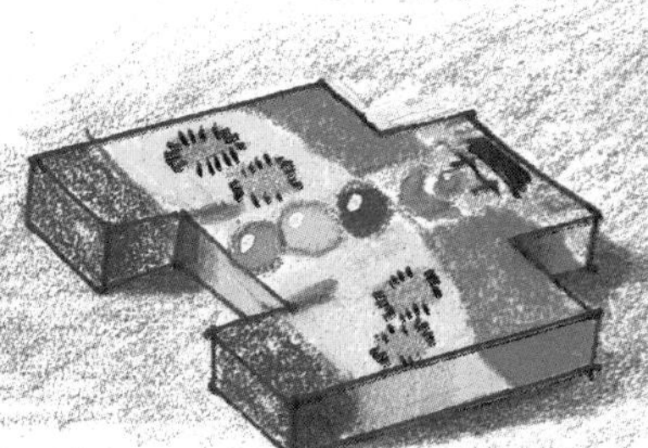

Les figures semblables

Deux **figures semblables** ont la même forme. Cependant, elles peuvent avoir des dimensions différentes.

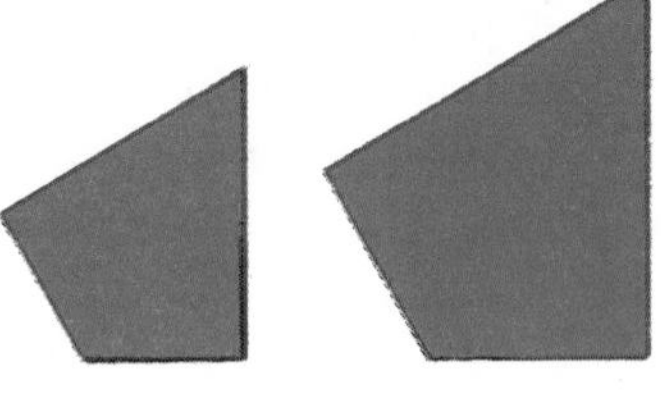

Les angles **A** et **D** ont la même mesure.
Les angles **B** et **E** ont la même mesure.
Les angles **C** et **F** ont la même mesure.

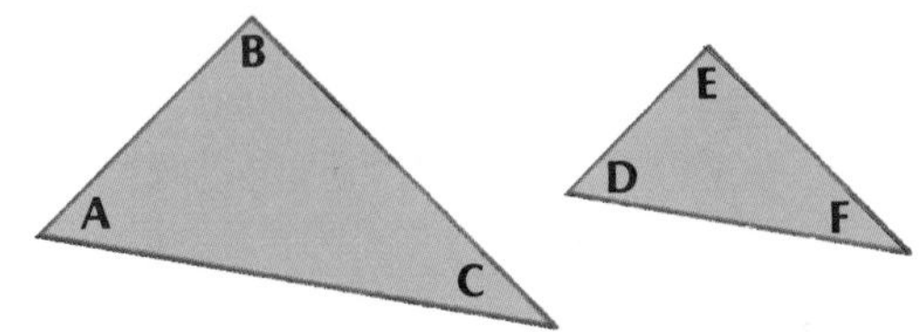

Les **angles correspondants** de figures semblables sont congruents.

EXERCICES

Indique les paires d'angles correspondants.

1.

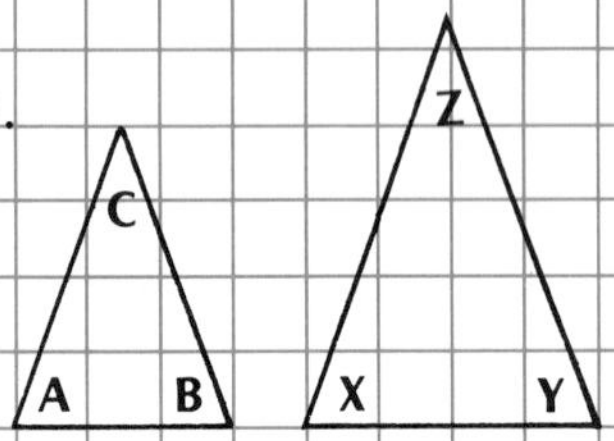

2.

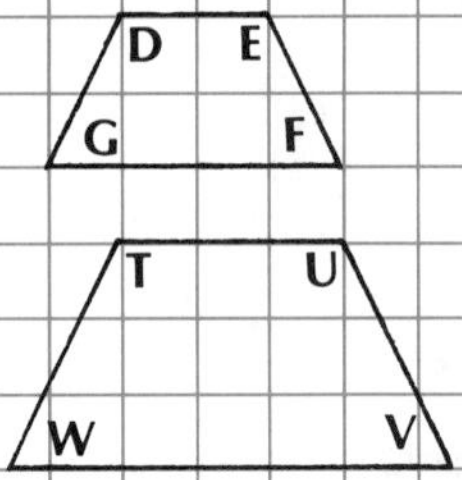

3.

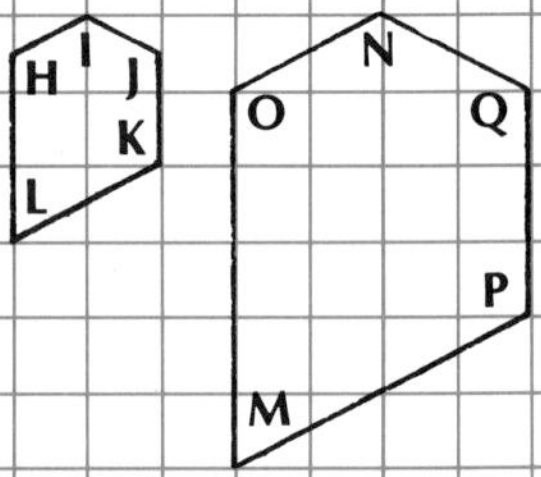

4.

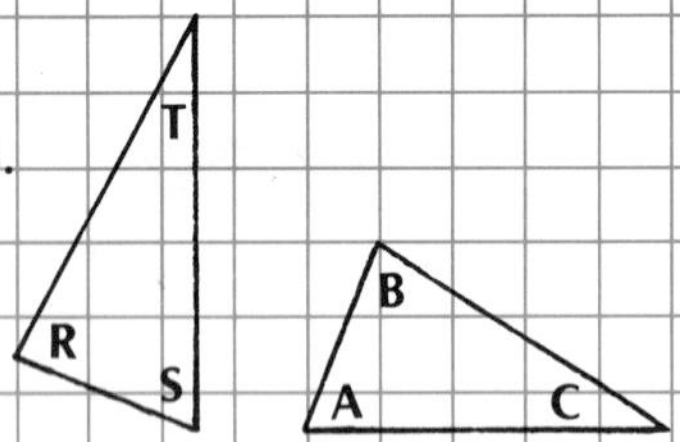

5.

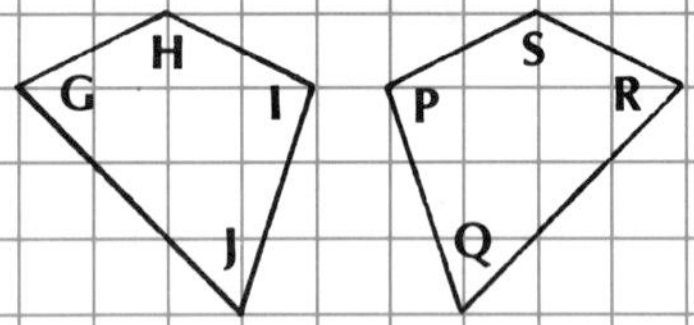

Identifie les angles congruents.

6.

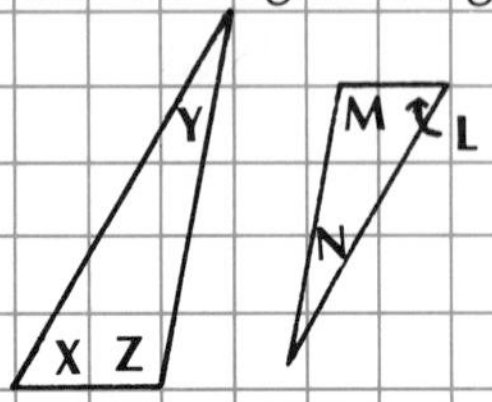

7.

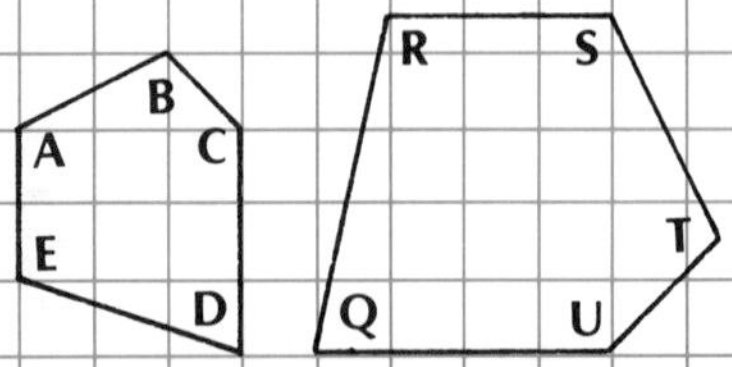

EXERCICES

Indique les angles correspondants de ces figures semblables.

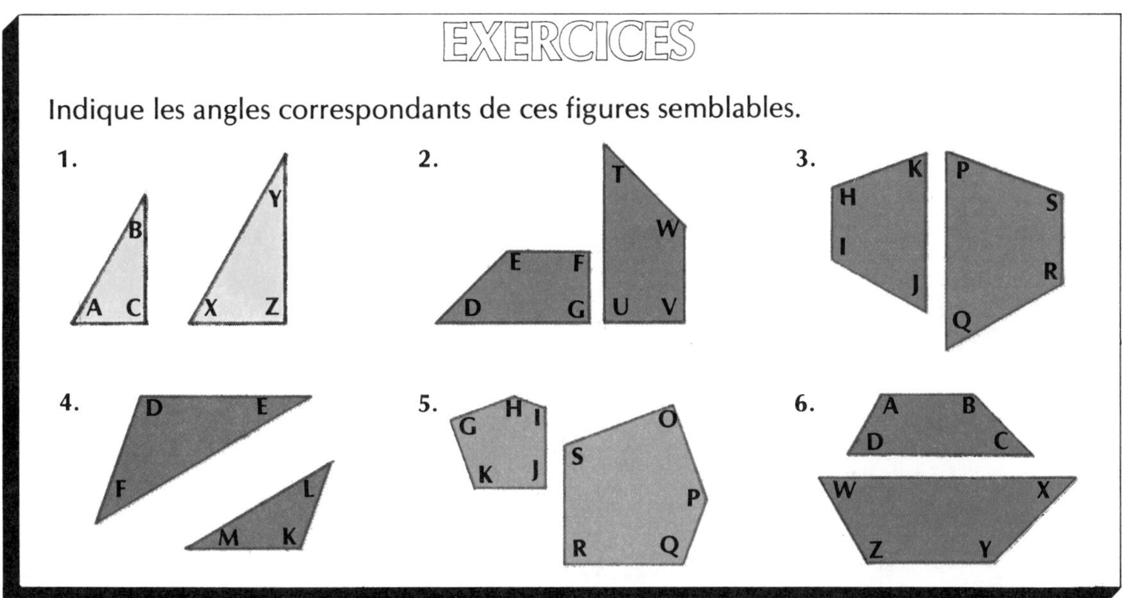

Au bout du monde

Reproduis la carte sur du papier quadrillé en cm^2. De quel pays s'agit-il?

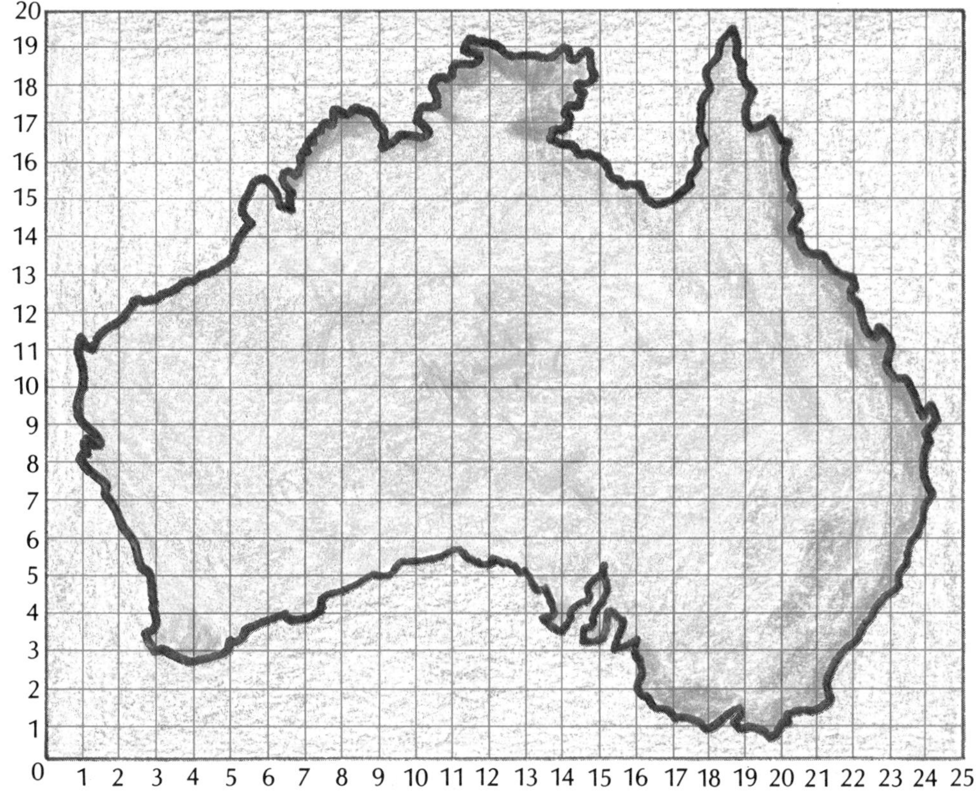

L'échelle

Le plan du premier étage d'une maison est représenté à **l'échelle 1:100**. Le rapport est de 1 à 100. (1 cm sur la carte représente 100 cm ou 1 m dans la réalité.)

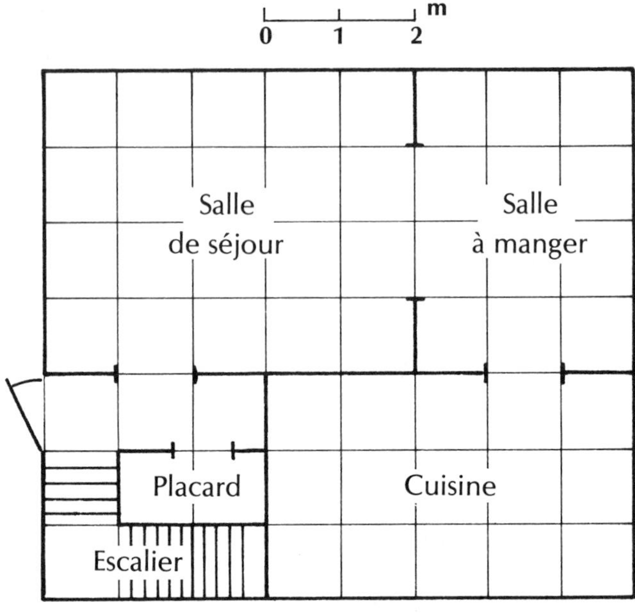

Échelle:
1 cm = 6 cm

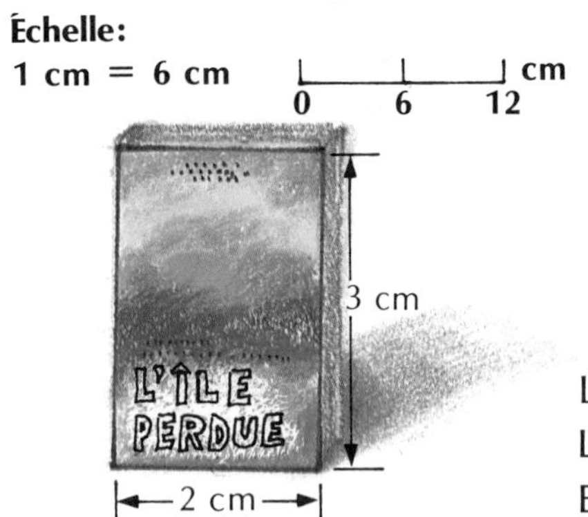

L'échelle choisie pour représenter le livre est 1:6.
L'illustration mesure 3 cm de hauteur.
En réalité la hauteur du livre est de 6×3 cm = 18 cm.

EXERCICES

1. Sur le plan, la salle à manger mesure 3 cm de large. Quelle est sa largeur réelle?
2. La salle de séjour mesure 5 cm de long. Quelle est sa longueur réelle?
3. Quelles sont les dimensions de la cuisine sur le plan?
4. Quelles sont les dimensions réelles de la cuisine?
5. Quelle est la longueur réelle de la maison? Quelle est sa largeur?
6. Quelle est la largeur du livre sur l'illustration?
7. Quelle est la largeur réelle du livre?
8. Les dimensions réelles du livre sont ■ fois plus grandes que celles de l'illustration.
9. Si l'échelle est 1:7, quelles seront les mesures réelles du livre?

EXERCICES

Quelle est la longueur réelle:

Échelle: 1:3

1. De la gomme?
2. De la boîte de mouchoirs?

Échelle: 1:5

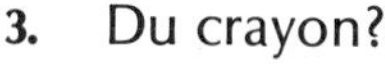

3. Du crayon?
4. Quelle est la hauteur réelle de la tasse?

5. **Échelle: 1:2** Quelle est la longueur réelle d'un objet si son dessin mesure 1 cm? 2 cm? 3 cm? 4 cm?
6. **Échelle: 1:4** Quelle est la longueur réelle d'un objet si son dessin mesure 1 mm? 1 cm? 2 cm? 5 cm?
7. Reproduis et complète.

Échelle	Dessin	Objet réel
1:10	6 cm	
1:5		25 cm
	2 cm	4 cm

Réduction

La cour d'Hélène mesure 30 m de long et 20 m de large. Elle veut en faire un plan qui tienne dans ce rectangle. Quelle échelle devrait-elle choisir? Quelles seront alors les dimensions de son plan?

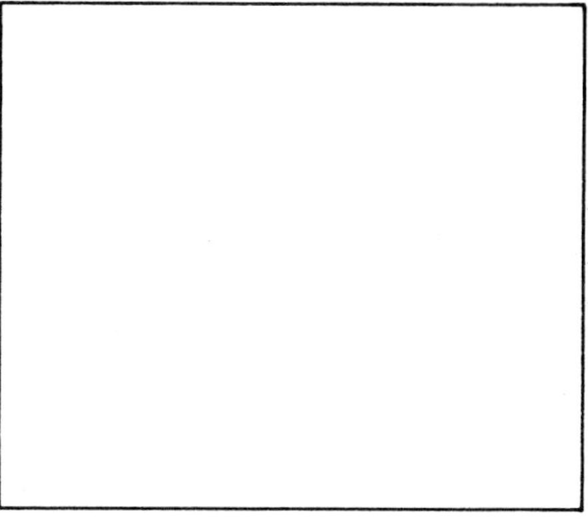

Problèmes résolus par étapes

Rita fait développer les photos qu'elle a prises au cours d'un voyage scolaire. Chaque photo lui revient à 67 ¢. Elle en fait développer 35 qu'elle vend 75 ¢ pièce.
Quel bénéfice réalise-t-elle?

Solution A

1ère étape Coût de 35 photos à 67 ¢ pièce:
$35 \times 0{,}67\ \$ = 23{,}45\ \$$

2e étape Prix de vente de 35 photos à 75 ¢ pièce:
$35 \times 0{,}75\ \$ = 26{,}25\ \$$

3e étape Bénéfice:
$26{,}25\ \$ - 23{,}45\ \$ = 2{,}80\ \$$

Solution B

1ère étape Bénéfice réalisé sur une photo:
$0{,}75\ \$ - 0{,}67\ \$ = 0{,}08\ \$$

2e étape Bénéfice réalisé sur 35 photos:
$35 \times 0{,}08\ \$ = 2{,}80\ \$$

EXERCICES

Procède par étapes.

1. Jacob achète 2 blocs de papier à 89 ¢ pièce et un cahier à 2,95 $. Combien dépense-t-il?
   1ère étape Prix du papier: $2 \times 0,\ 89\ \$ = ■$
   2e étape Dépense totale: $2{,}95\ \$ + ■ = ■$

2. Une section de l'auditorium comprend 11 rangées de 12 sièges. Quelle somme rapporte la vente de toutes les places si elles coûtent 5 $ chacune?
   1ère étape Nombre total de sièges: $11 \times 12 = ■$
   2e étape Recette: $■ \times 5\ \$ = ■$

3. La façade d'un immeuble mesure 30 m de long sur 6 m de large. Un pot de peinture coûte 21,95 $ et permet de recouvrir une aire de 60 m^2. À combien cela reviendra-t-il de peindre la façade?
   1ère étape Aire du mur: ■
   2e étape Nombre de pots de peinture nécessaires: ■
   3e étape Coût de la peinture: ■

EXERCICES

1. George et Jenny ont établi un budget de vacances d'un montant total de 1500 $. Ils projettent de dépenser 378 $ pour l'hébergement, 225 $ pour la nourriture, et 769 $ pour le transport. Que leur restera-t-il pour d'autres activités?
2. Une somme de 10 000 $ déposée à la banque rapporte 4,11 $ par jour durant les 9 premiers jours de juin. Le taux d'intérêt ayant augmenté, le même montant rapporte 4,25 $ par jour pendant les 21 autres jours du mois. Calcule le total des intérêts.
3. Chang dipose de 3 h de temps libre. Il lit pendant une heure, dort pendant 20 min, parle avec un ami pendant 20 min et joue au tennis pendant 40 min. Combien de temps lui reste-t-il?
4. Antoine tond le gazon pendant 3 h. Il gagne alors 2 $/h. Il nettoie ensuite un sous-sol en 2,5 h pour 2,50 $/h. Combien gagne-t-il en tout?
5. Christine garde des enfants pour 1,50 $/h. Elle travaille généralement 6 heures par semaine. En combien de semaines pourra-t-elle gagner 50 $?

RÉVISION

1. Quelle figure peut servir à daller une surface?

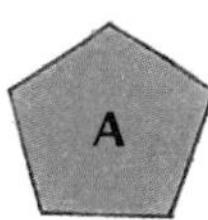

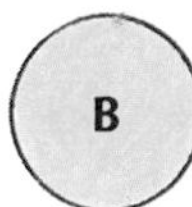

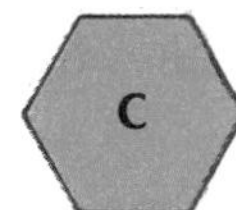

Identifie les angles correspondants des polygones semblables.

2.

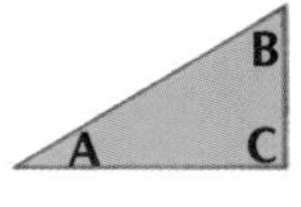

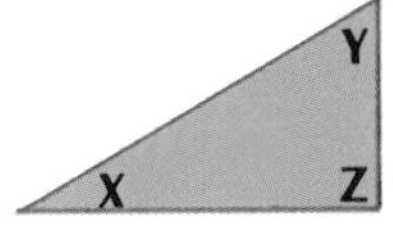

3.

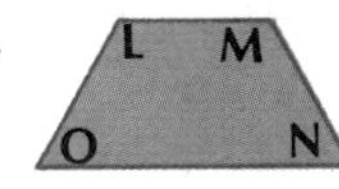

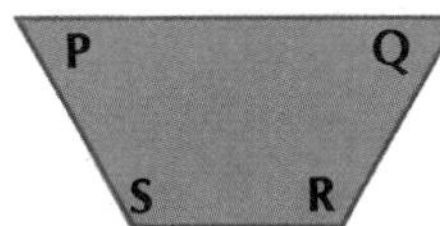

Problèmes.

4. Un dessin mesure 3 cm de long. Quelle est la longueur de l'objet représenté si l'échelle est 1:4?
5. Un dessin mesure 5 cm de large. Quelle est la largeur réelle de l'objet représenté si l'échelle est 1:3?

TEST CHAPITRE 13

Recopie et complète. Trouve la règle.

1. (0, 3) (1, 4) (2, 5) (3, 6) (■, ■) (■, ■)

2. (3, 1) (6, 2) (9, 3) (12, 4) (■, ■) (■, ■)

Indique la température la plus basse.

3. $+8°C$ ou $+18°C$ **4.** $+2°C$ ou $-1°C$ **5.** $-10°C$ ou $-5°C$

Complète.

6. ■ +5 ■

7. −3 ■ −1 ■

Remplace ● par > ou <.

8. +6 ● +10 **9.** +2 ● −7 **10.** −10 ● −5

Identifie le point.

11. (+3, −3) **12.** (−1, +2)

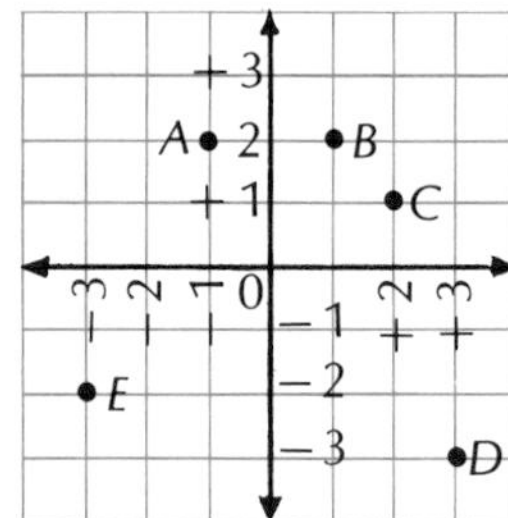

Indique les coordonnées de:

13. C **14.** *E*

15. Quelles figures peuvent daller une surface?

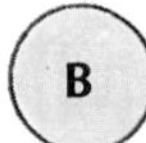

Indique les angles congruents de ces figures semblables.

16.

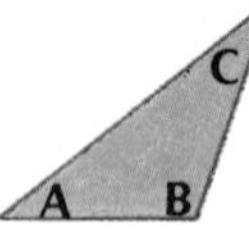

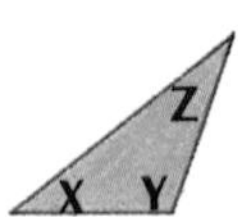

17.

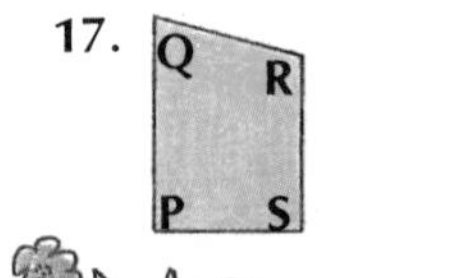

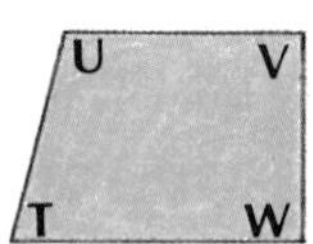

Problèmes.

18. Quelle est la hauteur réelle du vase?

19. Quelle est la longueur réelle de la chaussure?

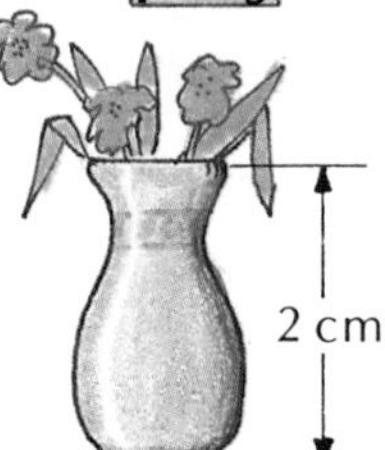

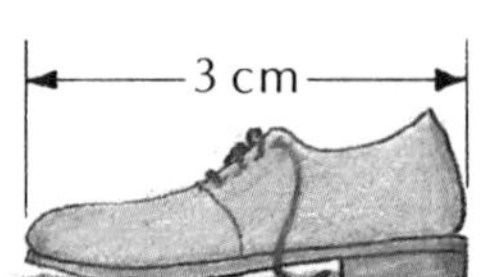

Échelle: 1:7

REPRISE LA GÉOMÉTRIE

Identifie la figure congruente à A.

1.

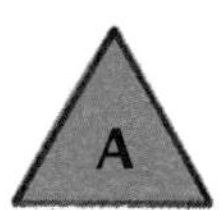

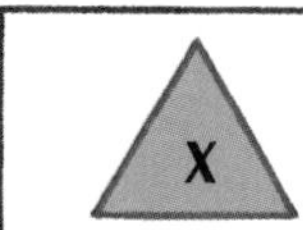

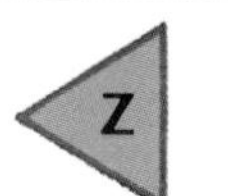

2.

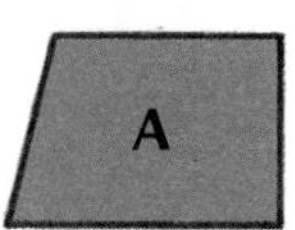

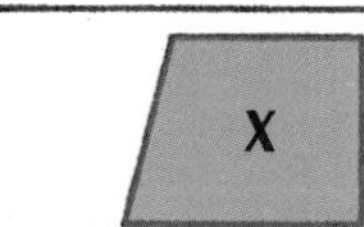

3.

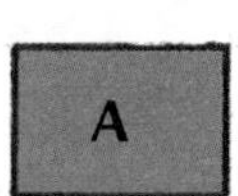

4.

Indique les coordonnées de l'image du point P.

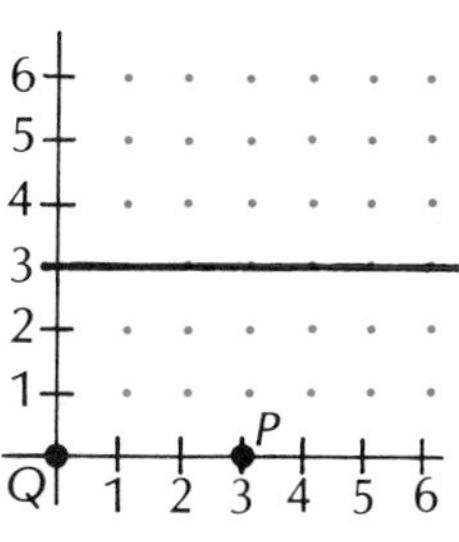

5. Après un glissement de 3 vers la droite et 5 vers le haut.
6. Après un rabattement autour de l'axe.
7. Après une rotation d'un quart de tour dans le sens contraire des aiguilles d'une montre. (Le centre de rotation est Q.)

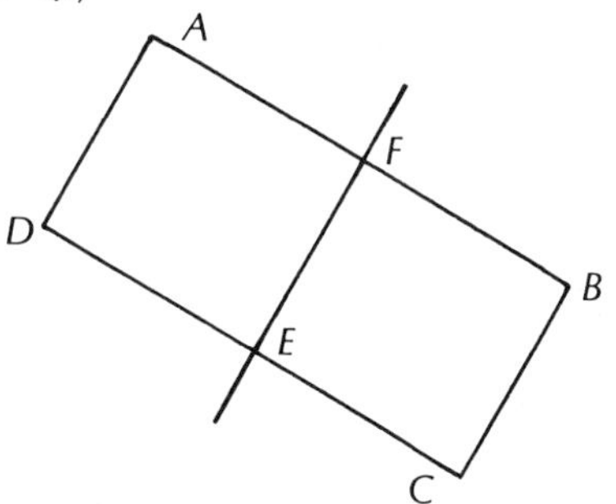

Examine cette figure.

8. Identifie tous les segments parallèles.
9. Identifie tous les segments perpendiculaires.

CHAPITRE 14

L'ADDITION ET LA SOUSTRACTION DE FRACTIONS

Fractions équivalentes

Relie les fractions équivalentes des trois colonnes.

Elles épèlent chaque fois un nom.

A	$\frac{1}{3}$	**U**	$\frac{4}{10}$	**E**	$\frac{10}{12}$
B	$\frac{5}{10}$	**A**	$\frac{2}{3}$	**B**	$\frac{10}{20}$
È	$\frac{5}{6}$	**N**	$\frac{3}{9}$	**Y**	$\frac{6}{15}$
J	$\frac{7}{7}$	**I**	$\frac{1}{5}$	**E**	$\frac{11}{11}$
K	$\frac{3}{15}$	**O**	$\frac{2}{2}$	**G**	$\frac{3}{18}$
L	$\frac{2}{8}$	**E**	$\frac{2}{12}$	**M**	$\frac{2}{10}$
M	$\frac{1}{6}$	**U**	$\frac{3}{12}$	**N**	$\frac{2}{6}$
P	$\frac{4}{6}$	**V**	$\frac{15}{18}$	**T**	$\frac{6}{9}$
R	$\frac{6}{8}$	**A**	$\frac{9}{12}$	**C**	$\frac{1}{4}$
G	$\frac{2}{5}$	**O**	$\frac{1}{2}$	**Y**	$\frac{3}{4}$

DEVINE
LE NOM DES
VOLONTAIRES
QUI VONT
FAIRE
LA VAISSELLE.

L'addition de fractions

Dans la cafétéria, Mme Kates a partagé une lasagne en 24 portions. Elle s'apprête à servir 8 portions à un premier groupe d'étudiants et 10 portions à un second. Quelle fraction de la lasagne va-t-elle servir?

$$\frac{8}{24} + \frac{10}{24} = \frac{18}{24}$$

Mais $\frac{18}{24}$ peut être simplifiée. $\frac{18}{24} = \frac{18 \div 6}{24 \div 6} = \frac{3}{4}$

Elle servira les $\frac{3}{4}$ de la lasagne.

EXERCICES

1. 1 quart + 2 quarts = ■ quarts
2. 3 cinquièmes + 1 cinquième = ■ cinquièmes
3. 2 huitièmes + 5 huitièmes = ■ huitièmes

Additionne et simplifie si possible.

4. $\frac{1}{3} + \frac{1}{3}$ **5.** $\frac{1}{5} + \frac{3}{5}$ **6.** $\frac{3}{8} + \frac{4}{8}$ **7.** $\frac{2}{6} + \frac{3}{6}$

8. $\frac{1}{4} + \frac{1}{4}$ **9.** $\frac{3}{8} + \frac{1}{8}$ **10.** $\frac{1}{6} + \frac{1}{6}$ **11.** $\frac{3}{10} + \frac{1}{10}$

12. $\frac{4}{5} + \frac{1}{5}$ **13.** $\frac{5}{8} + \frac{4}{8}$ **14.** $\frac{5}{6} + \frac{4}{6}$ **15.** $\frac{3}{4} + \frac{3}{4}$

16. $\frac{2}{18} + \frac{4}{18}$ **17.** $\frac{5}{12} + \frac{7}{12}$ **18.** $\frac{11}{15} + \frac{9}{15}$ **19.** $\frac{11}{20} + \frac{4}{20}$

20. $\frac{5}{24} + \frac{7}{24}$ **21.** $\frac{20}{25} + \frac{10}{25}$ **22.** $\frac{1}{50} + \frac{4}{50}$ **23.** $\frac{8}{100} + \frac{2}{100}$

EXERCICES

Additionne et simplifie si possible.

1. $\frac{3}{8} + \frac{4}{8}$ **2.** $\frac{2}{9} + \frac{5}{9}$ **3.** $\frac{2}{6} + \frac{4}{6}$ **4.** $\frac{6}{10} + \frac{2}{10}$

5. $\frac{7}{12} + \frac{2}{12}$ **6.** $\frac{6}{10} + \frac{2}{10}$ **7.** $\frac{7}{10} + \frac{3}{10}$ **8.** $\frac{8}{10} + \frac{4}{10}$

9. $\frac{9}{10} + \frac{6}{10}$ **10.** $\frac{8}{10} + \frac{9}{10}$ **11.** $\frac{3}{12} + \frac{3}{12}$ **12.** $\frac{8}{25} + \frac{7}{25}$

13. $\begin{array}{r} \frac{2}{6} \\ + \frac{3}{6} \\ \hline \end{array}$ **14.** $\begin{array}{r} \frac{3}{5} \\ + \frac{3}{5} \\ \hline \end{array}$ **15.** $\begin{array}{r} \frac{4}{8} \\ + \frac{6}{8} \\ \hline \end{array}$ **16.** $\begin{array}{r} \frac{13}{20} \\ + \frac{12}{20} \\ \hline \end{array}$

17. Vingt étudiants de la salle 106 déjeunent à l'école. Huit d'entre eux mangent des pommes rouges et six mangent des pommes jaunes. Quelle fraction des étudiants mange des pommes?

18. M. Lavictoire a fait cuire une douzaine d'oeufs durs. Anne en mange 2 et Luc en mange 1.

a. Quelle fraction des oeufs Anne et Luc mangent-ils?

b. Quelle fraction des oeufs reste-t-il?

Régularités

Complète les suites de fractions.

1. $\frac{1}{10}, \frac{2}{10}, \frac{3}{10}, \frac{4}{10}, \ldots$
2. $\frac{1}{12}, \frac{3}{12}, \frac{5}{12}, \frac{7}{12}, \ldots$
3. $\frac{1}{2}, \frac{1}{3}, \frac{1}{4}, \frac{1}{5}, \ldots$
4. $\frac{1}{2}, 1, 1\frac{1}{2}, 2, \ldots$
5. $\frac{1}{2}, \frac{2}{3}, \frac{3}{4}, \frac{4}{5}, \ldots$
6. $\frac{1}{2}, \frac{1}{4}, \frac{1}{8}, \frac{1}{16}, \ldots$

La réduction au même dénominateur

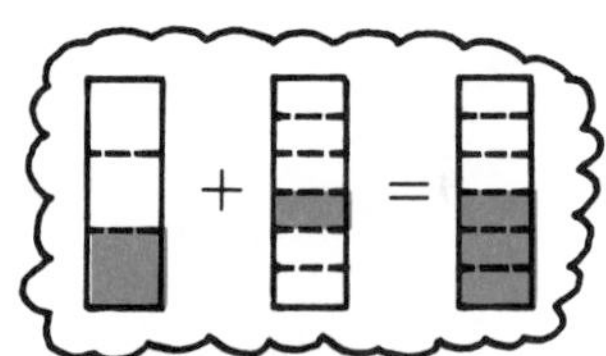

Tu peux additionner $\frac{1}{3}$ et $\frac{1}{6}$ même si les dénominateurs sont différents.

Réduis les fractions au même dénominateur. | Additionne. | Simplifie.

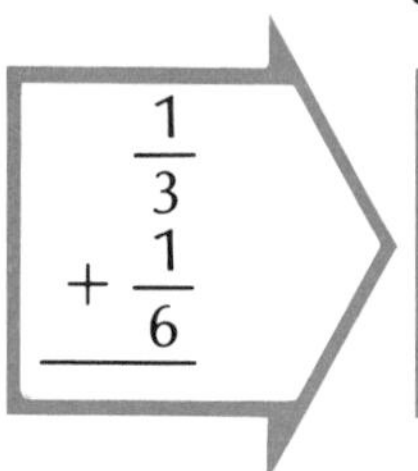

$$\frac{1}{3} + \frac{1}{6}$$

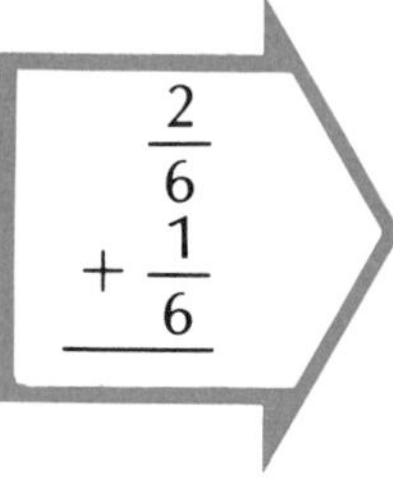

$$\frac{2}{6} + \frac{1}{6}$$

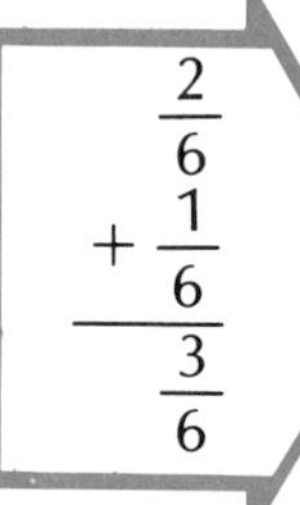

$$\frac{2}{6} + \frac{1}{6} = \frac{3}{6}$$

$$\frac{3}{6} = \frac{1}{2}$$

Donc: $\frac{1}{3} + \frac{1}{6} = \frac{1}{2}$

6 est le **dénominateur commun** de $\frac{1}{3}$ et $\frac{1}{6}$.

EXERCICES

Recopie et complète.

1.

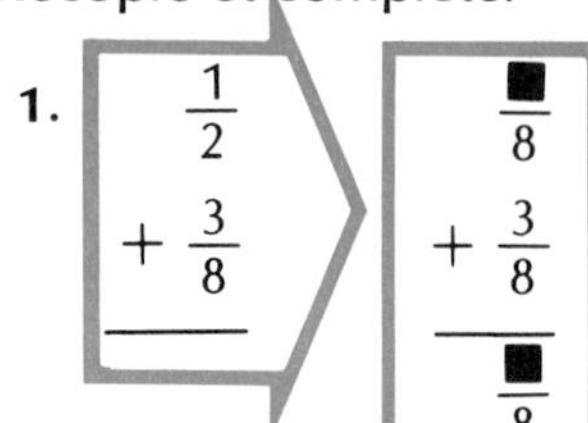

$$\frac{1}{2} + \frac{3}{8} \quad \rightarrow \quad \frac{■}{8} + \frac{3}{8} = \frac{■}{8}$$

2.

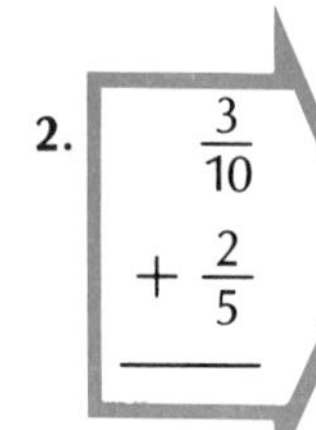

$$\frac{3}{10} + \frac{2}{5}$$

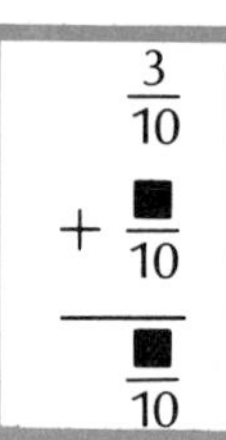

$$\frac{3}{10} + \frac{■}{10} = \frac{■}{10}$$

3.

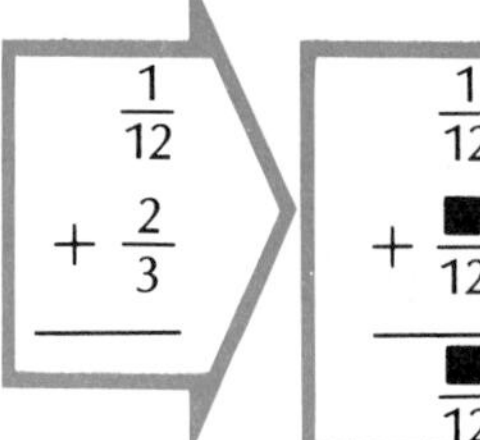

$$\frac{1}{12} + \frac{2}{3} \quad \rightarrow \quad \frac{1}{12} + \frac{■}{12} = \frac{■}{12}$$

Additionne et simplifie si possible.

4. $\frac{1}{8} + \frac{1}{4}$ **5.** $\frac{2}{3} + \frac{1}{6}$ **6.** $\frac{3}{5} + \frac{1}{10}$ **7.** $\frac{1}{4} + \frac{3}{8}$ **8.** $\frac{2}{9} + \frac{1}{3}$

9. $\frac{1}{2} + \frac{2}{8}$ **10.** $\frac{1}{12} + \frac{1}{4}$ **11.** $\frac{1}{2} + \frac{3}{10}$ **12.** $\frac{2}{5} + \frac{7}{10}$

13. $\frac{1}{6} + \frac{5}{12}$ **14.** $\frac{7}{8} + \frac{3}{4}$ **15.** $\frac{9}{10} + \frac{2}{5}$ **16.** $\frac{3}{4} + \frac{1}{2}$

17. $\frac{3}{8} + \frac{2}{16}$ **18.** $\frac{1}{3} + \frac{4}{6}$ **19.** $\frac{2}{7} + \frac{6}{14}$ **20.** $\frac{6}{10} + \frac{1}{5}$

EXERCICES

Additionne et simplifie si possible.

1. $\frac{3}{5} + \frac{3}{10}$

2. $\frac{7}{8} + \frac{3}{4}$

3. $\frac{1}{3} + \frac{4}{9}$

4. $\frac{5}{6} + \frac{2}{3}$

5. $\frac{5}{12} + \frac{2}{3}$

6. $\frac{3}{4} + \frac{1}{12}$

7. $\frac{2}{3} + \frac{5}{9}$

8. $\frac{1}{9} + \frac{2}{3}$

9. $\frac{7}{8} + \frac{1}{2}$

10. $\frac{4}{5} + \frac{1}{10}$

11. $\frac{3}{10} + \frac{1}{2}$

12. $\frac{1}{12} + \frac{3}{4}$

13. $\frac{7}{10} + \frac{4}{5}$

14. $\frac{3}{12} + \frac{1}{3}$

15. $\frac{7}{12} + \frac{2}{3}$

16. $\frac{7}{20} + \frac{1}{10}$

17. $\frac{3}{25} + \frac{2}{5}$

18. Les Actons estiment qu'ils ont mangé $\frac{1}{4}$ d'une boîte de céréales la 1ère semaine et $\frac{1}{2}$ de la boîte la semaine suivante. Quelle fraction de la boîte ont-ils mangée en tout?

19. Lise dispose de 1,50 $ pour déjeuner. Elle s'achète un sandwich à 50 ¢ et un verre de lait à 25 ¢.
Quelle fraction de son argent a-t-elle dépensée pour le sandwich? pour le lait? pour son déjeuner?

Produits du jardinage

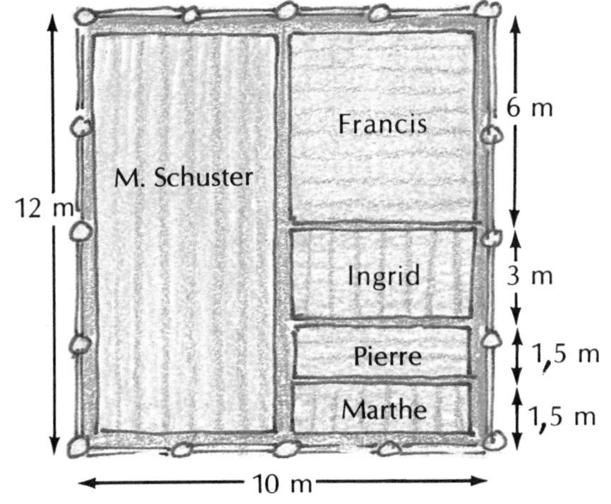

a. M. Schuster cultive la moitié ($\frac{1}{2}$) du jardin. De quelle fraction Francis, Ingrid, Pierre et Marthe sont-ils chacun responsables?

b. Quelle fraction du jardin Francis et Ingrid cultivent-ils ensemble?

c. Quelle fraction du jardin Francis, Ingrid et Pierre cultivent-ils ensemble?

d. Quelle fraction du jardin M. Schuster, Pierre, et Marthe cultivent-ils ensemble?

La réduction au même dénominateur

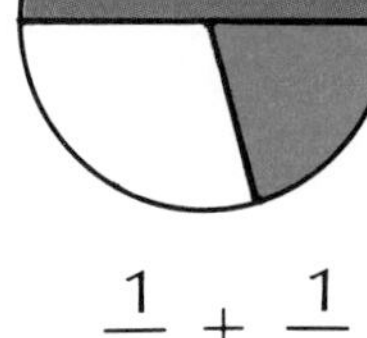

$\frac{1}{2} + \frac{1}{5}$

Il est souvent nécessaire de modifier deux fractions avant de les additionner. Calcule le **plus petit dénominateur commun**.

multiples de 2: 2, 4, 6, 8, (10)

multiples de 5: 5, (10)

10 est le plus petit dénominateur commun.

Réduis les fractions au même dénominateur. Additionne.

$$\frac{1}{2} + \frac{1}{5} \;\rightarrow\; \frac{5}{10} + \frac{2}{10} \;\rightarrow\; \frac{5}{10} + \frac{2}{10} = \frac{7}{10}$$

Simplifie la réponse si possible.

EXERCICES

Calcule le plus petit commun multiple des deux nombres.

1. 4; 8 **2.** 3; 9 **3.** 2; 6 **4.** 4; 12

5. 6; 9 **6.** 4; 6 **7.** 6; 8 **8.** 4; 5

9. 2; 10 **10.** 5; 6 **11.** 3; 5 **12.** 10; 12

Recopie et complète.

13. 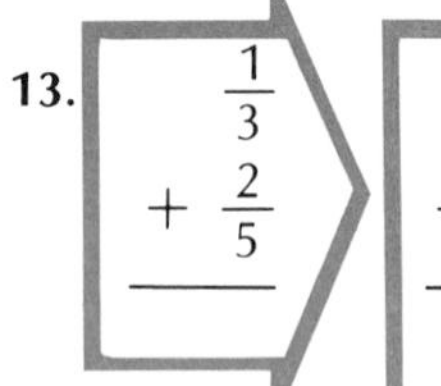 $\frac{1}{3} + \frac{2}{5}$ 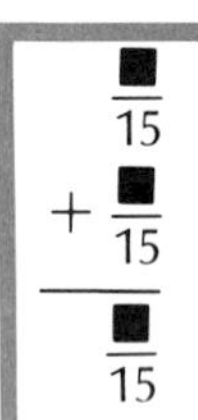 $\frac{■}{15} + \frac{■}{15} = \frac{■}{15}$

14. 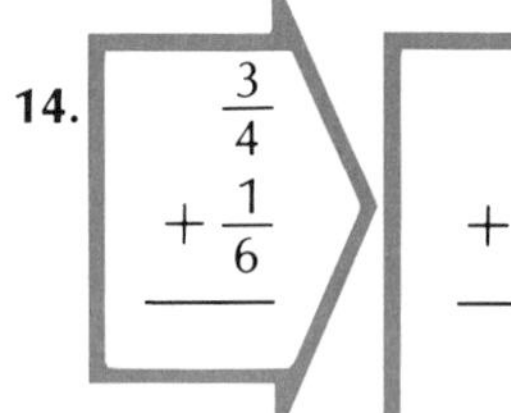 $\frac{3}{4} + \frac{1}{6}$ → $\frac{■}{12} + \frac{■}{12} = \frac{■}{12}$

15. 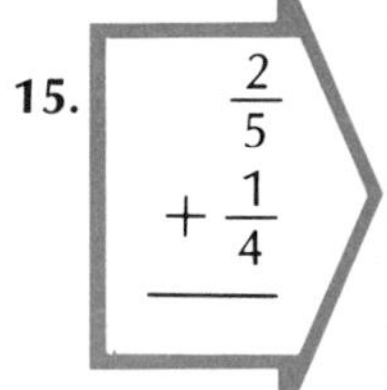 $\frac{2}{5} + \frac{1}{4}$ 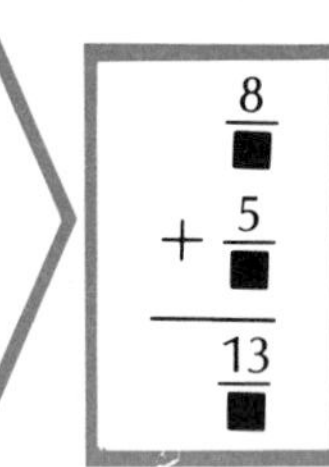 $\frac{8}{■} + \frac{5}{■} = \frac{13}{■}$

Additionne et simplifie si possible.

16. $\frac{1}{2} + \frac{3}{7}$ **17.** $\frac{3}{8} + \frac{1}{6}$ **18.** $\frac{1}{6} + \frac{1}{2}$ **19.** $\frac{1}{3} + \frac{3}{8}$ **20.** $\frac{3}{10} + \frac{2}{5}$

21. $\frac{2}{3} + \frac{1}{4}$ **22.** $\frac{1}{6} + \frac{4}{5}$ **23.** $\frac{3}{4} + \frac{3}{10}$ **24.** $\frac{1}{2} + \frac{7}{10}$

EXERCICES

Additionne et simplifie si possible.

1. $\begin{array}{r} \frac{3}{8} \\ + \frac{1}{6} \\ \hline \end{array}$

2. $\begin{array}{r} \frac{1}{5} \\ + \frac{2}{3} \\ \hline \end{array}$

3. $\begin{array}{r} \frac{3}{7} \\ + \frac{1}{2} \\ \hline \end{array}$

4. $\begin{array}{r} \frac{1}{6} \\ + \frac{2}{5} \\ \hline \end{array}$

5. $\frac{5}{6} + \frac{1}{8}$

6. $\frac{3}{8} + \frac{2}{3}$

7. $\frac{7}{10} + \frac{1}{6}$

8. $\frac{3}{8} + \frac{5}{6}$

9. $\frac{4}{9} + \frac{1}{4}$

10. $\frac{3}{8} + \frac{1}{12}$

11. $\frac{7}{8} + \frac{2}{3}$

12. $\frac{5}{9} + \frac{1}{6}$

13. Hélène et ses amies ont commandé deux grandes pizzas qu'elles n'ont pu finir. Il est resté $\frac{1}{4}$ de l'une et $\frac{1}{6}$ de l'autre. Quelle fraction de l'ensemble restait-il?

14. Stéphane partage un sac de cerises. Il en garde la moitié ($\frac{1}{2}$) pour lui et donne $\frac{1}{3}$ du sac à sa soeur et $\frac{1}{6}$ à son frère. Est-ce possible? En restera-t-il?

En marche arrière

Recopie et complète.

a. 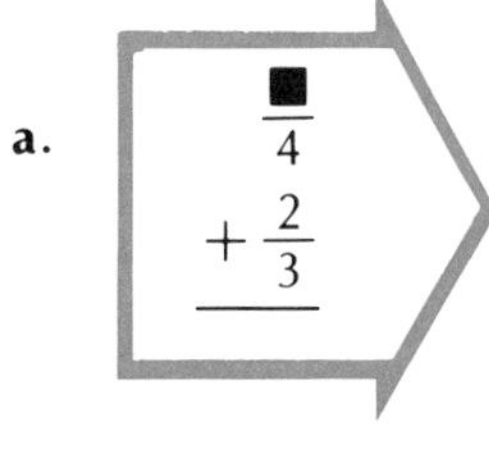

$\begin{array}{r} \frac{\blacksquare}{4} \\ + \frac{2}{3} \\ \hline \end{array} \Rightarrow \begin{array}{r} \frac{\blacksquare}{12} \\ + \frac{8}{12} \\ \hline \frac{11}{12} \end{array}$

b. 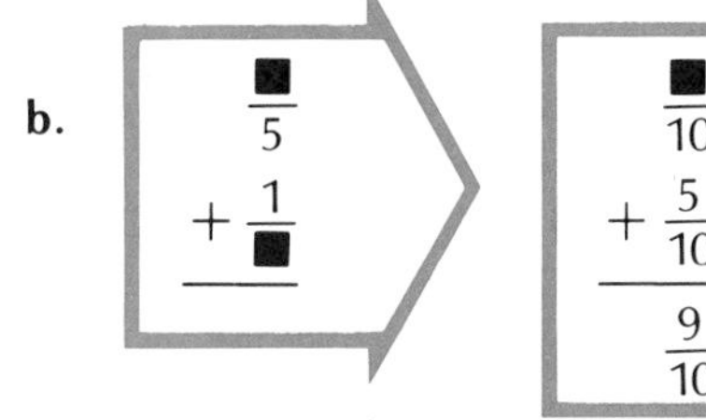

$\begin{array}{r} \frac{\blacksquare}{5} \\ + \frac{1}{\blacksquare} \\ \hline \end{array} \Rightarrow \begin{array}{r} \frac{\blacksquare}{10} \\ + \frac{5}{10} \\ \hline \frac{9}{10} \end{array}$

c. 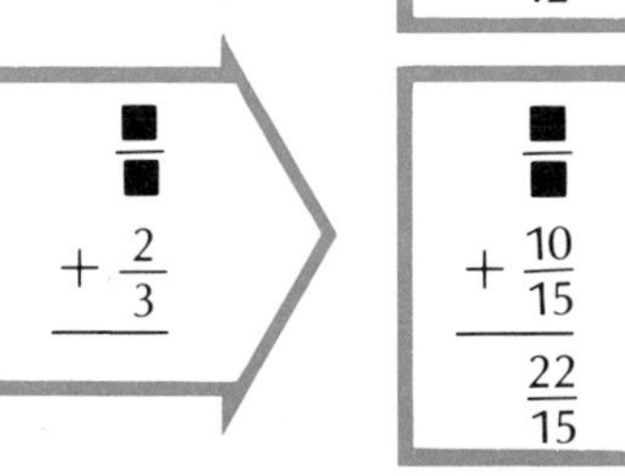

$\begin{array}{r} \frac{\blacksquare}{\blacksquare} \\ + \frac{2}{3} \\ \hline \end{array} \Rightarrow \begin{array}{r} \frac{\blacksquare}{\blacksquare} \\ + \frac{10}{15} \\ \hline \frac{22}{15} \end{array}$

d. 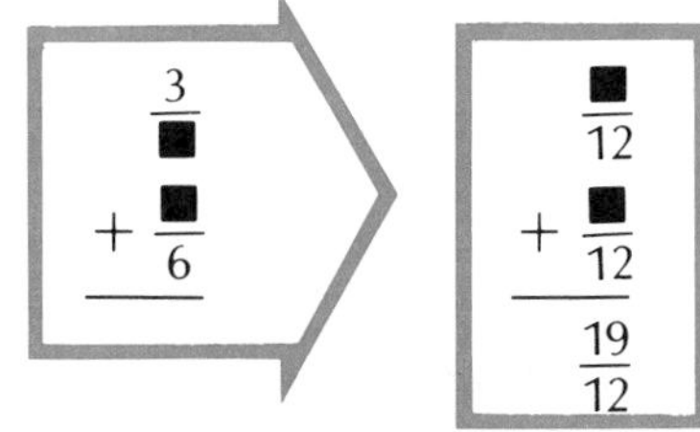

$\begin{array}{r} \frac{3}{\blacksquare} \\ + \frac{\blacksquare}{6} \\ \hline \end{array} \Rightarrow \begin{array}{r} \frac{\blacksquare}{12} \\ + \frac{\blacksquare}{12} \\ \hline \frac{19}{12} \end{array}$

L'addition de nombres mixtes

Dans la cafétéria, les élèves de 7e année occupent 3 tables $\frac{1}{2}$ et ceux de 6e année 3 tables $\frac{1}{4}$. Combien faut-il de tables en tout?

Réduis les fractions au même dénominateur.

Additionne.

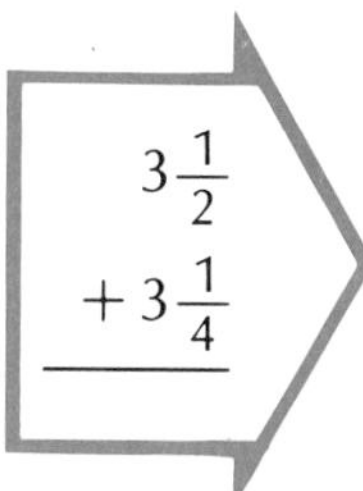

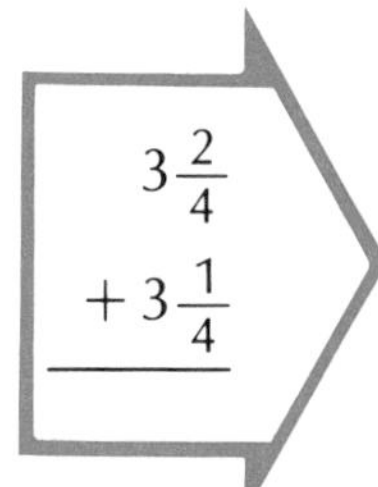

$$\begin{array}{r} 3\frac{2}{4} \\ +3\frac{1}{4} \\ \hline 6\frac{3}{4} \end{array}$$

Il est parfois nécessaire de regrouper pour simplifier la réponse.

$\frac{5}{4} = 1\frac{1}{4}$

Réduis les fractions au même dénominateur. — Additionne. — Regroupe.

$$\begin{array}{r} 3\frac{1}{2} \\ +2\frac{3}{4} \\ \hline \end{array} \quad \begin{array}{r} 3\frac{2}{4} \\ +2\frac{3}{4} \\ \hline \end{array} \quad \begin{array}{r} 3\frac{2}{4} \\ +2\frac{3}{4} \\ \hline 5\frac{5}{4} \end{array}$$

$$5\frac{5}{4} = 5 + 1\frac{1}{4} = 6\frac{1}{4}$$

EXERCICES

Additionne et simplifie si possible.

1. $2\frac{1}{3} + 4\frac{1}{3}$
2. $4\frac{3}{8} + 1\frac{1}{8}$
3. $10\frac{3}{7} + 8\frac{1}{7}$
4. $2\frac{2}{5} + \frac{2}{5}$
5. $1\frac{2}{9} + 13\frac{5}{9}$
6. $1\frac{1}{2} + 2\frac{1}{3}$
7. $6\frac{2}{5} + 2\frac{1}{4}$
8. $3\frac{1}{4} + 4\frac{1}{2}$
9. $6\frac{1}{6} + 5\frac{3}{8}$
10. $12\frac{3}{10} + \frac{1}{2}$
11. $4\frac{3}{4} + 3\frac{2}{3}$
12. $5\frac{5}{6} + 1\frac{1}{2}$
13. $2\frac{7}{10} + 8\frac{2}{5}$
14. $11\frac{1}{2} + 2\frac{5}{8}$

EXERCICES

Additionne et simplifie.

1. $\begin{array}{r} 4\frac{2}{5} \\ +\,2\frac{1}{2} \\ \hline \end{array}$
2. $\begin{array}{r} 3\frac{2}{7} \\ +\,5\frac{3}{7} \\ \hline \end{array}$
3. $\begin{array}{r} 1\frac{1}{4} \\ +\,9\frac{5}{6} \\ \hline \end{array}$
4. $\begin{array}{r} 6\frac{2}{5} \\ +\,8\frac{7}{10} \\ \hline \end{array}$
5. $\begin{array}{r} 7\frac{2}{9} \\ +\,3\frac{1}{4} \\ \hline \end{array}$

6. $3\frac{1}{2} + \frac{1}{6}$
7. $7\frac{2}{3} + 14\frac{5}{6}$
8. $5\frac{3}{4} + 2\frac{1}{8}$
9. $12\frac{1}{4} + 6\frac{8}{9}$
10. $1\frac{1}{2} + 6\frac{2}{5}$
11. $3\frac{2}{3} + 4\frac{2}{9}$
12. $12\frac{1}{12} + 8\frac{1}{4}$
13. $5\frac{1}{3} + 7\frac{4}{5}$

14. Grand-mère a préparé 4 douzaines $\frac{3}{4}$ de biscuits et tante Marie en a préparé 3 douzaines $\frac{2}{3}$.

    a. Combien de douzaines ont-elles préparées en tout?

    b. Combien de biscuits cela représente-t-il?

RÉVISION

Additionne et simplifie.

1. $\frac{5}{6} + \frac{1}{6}$
2. $\frac{2}{3} + \frac{2}{3}$
3. $\frac{3}{10} + \frac{1}{10}$
4. $\frac{1}{9} + \frac{1}{3}$
5. $\frac{5}{12} + \frac{1}{2}$
6. $\frac{3}{10} + \frac{2}{5}$
7. $\frac{2}{3} + \frac{1}{8}$
8. $\frac{3}{8} + \frac{5}{6}$
9. $\frac{2}{3} + \frac{1}{10}$
10. $3\frac{1}{3} + 2\frac{1}{4}$
11. $15\frac{3}{5} + 11\frac{3}{5}$
12. $21\frac{7}{10} + 8\frac{3}{4}$

La soustraction de fractions

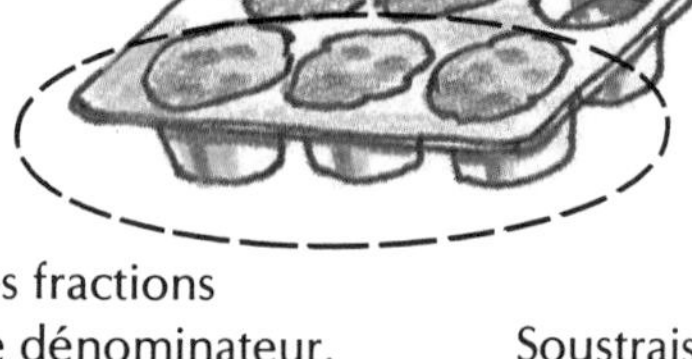

Réduis les fractions au même dénominateur. → Soustrais. → Simplifie.

$$\begin{array}{r} \frac{5}{6} \\ -\ \frac{1}{2} \\ \hline \end{array} \quad \Rightarrow \quad \begin{array}{r} \frac{5}{6} \\ -\ \frac{3}{6} \\ \hline \end{array} \quad \Rightarrow \quad \begin{array}{r} \frac{5}{6} \\ -\ \frac{3}{6} \\ \hline \frac{2}{6} \end{array} \quad \Rightarrow \quad \frac{2}{6} = \frac{1}{3}$$

Donc: $\frac{5}{6} - \frac{1}{2} = \frac{1}{3}$

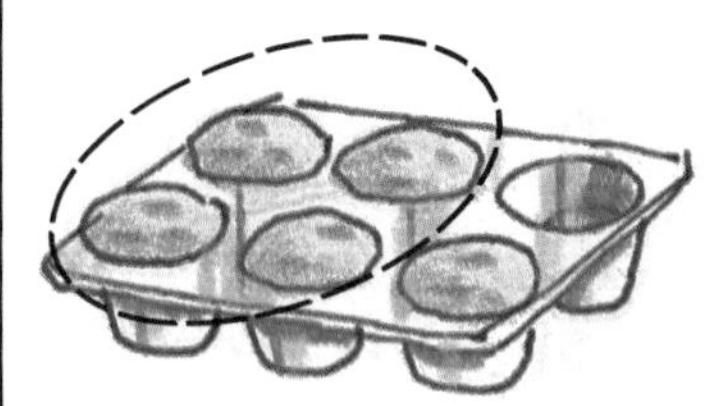

$$\frac{5}{6} - \frac{4}{6} = \frac{1}{6}$$

EXERCICES

Soustrais.

1. 7 huitièmes − 6 huitièmes = ■ huitièmes
2. 11 douzièmes − 4 douzièmes = ■ douzièmes
3. 9 dixièmes − 6 dixièmes = ■ dixièmes

Soustrais et simplifie.

4. $\frac{2}{3} - \frac{1}{3}$ **5.** $\frac{3}{4} - \frac{1}{4}$ **6.** $\frac{4}{6} - \frac{1}{6}$ **7.** $\frac{5}{8} - \frac{2}{8}$

8. $\frac{9}{10} - \frac{1}{10}$ **9.** $\frac{5}{7} - \frac{2}{7}$ **10.** $\frac{7}{12} - \frac{1}{12}$ **11.** $\frac{8}{9} - \frac{3}{9}$

12. $\begin{array}{r} \frac{8}{10} \\ -\ \frac{1}{2} \\ \hline \end{array} \quad \Rightarrow \quad \begin{array}{r} \frac{8}{10} \\ -\ \frac{■}{10} \\ \hline \frac{■}{10} \end{array}$

13. 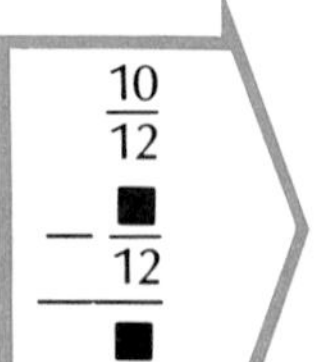 $\begin{array}{r} \frac{10}{12} \\ -\ \frac{1}{6} \\ \hline \end{array} \quad \Rightarrow \quad \begin{array}{r} \frac{10}{12} \\ -\ \frac{■}{12} \\ \hline \frac{■}{12} \end{array} \quad \Rightarrow \quad \frac{■}{12} = \frac{■}{■}$

14. $\begin{array}{r} \frac{1}{5} \\ -\ \frac{1}{10} \\ \hline \end{array}$ **15.** $\begin{array}{r} \frac{7}{12} \\ -\ \frac{1}{3} \\ \hline \end{array}$ **16.** $\begin{array}{r} \frac{2}{3} \\ -\ \frac{2}{9} \\ \hline \end{array}$ **17.** $\begin{array}{r} \frac{3}{4} \\ -\ \frac{3}{8} \\ \hline \end{array}$ **18.** $\begin{array}{r} \frac{16}{20} \\ -\ \frac{3}{10} \\ \hline \end{array}$

EXERCICES

Soustrais et simplifie.

1. $\frac{2}{4} - \frac{1}{4}$
2. $\frac{4}{5} - \frac{2}{5}$
3. $\frac{6}{7} - \frac{3}{7}$
4. $\frac{5}{9} - \frac{1}{9}$
5. $\frac{11}{12} - \frac{5}{12}$
6. $\frac{7}{10} - \frac{3}{10}$
7. $\frac{7}{8} - \frac{3}{8}$
8. $\frac{15}{100} - \frac{5}{100}$
9. $\frac{4}{5} - \frac{7}{10}$
10. $\frac{5}{7} - \frac{3}{14}$
11. $\frac{5}{6} - \frac{1}{3}$
12. $\frac{7}{10} - \frac{2}{5}$
13. $\frac{11}{12} - \frac{2}{3}$
14. $\frac{5}{8} - \frac{1}{4}$
15. $\frac{5}{6} - \frac{5}{12}$
16. $\frac{20}{25} - \frac{3}{5}$
17. $\frac{3}{4} - \frac{5}{16}$
18. $\frac{7}{20} - \frac{1}{10}$
19. $\frac{9}{10} - \frac{3}{10}$
20. $\frac{5}{8} - \frac{1}{2}$

21. Anne avait les $\frac{9}{12}$ d'un panier de fraises. Elle a utilisé $\frac{1}{12}$ de panier pour faire des tartes. Quelle fraction d'un panier est-il resté?

22. Jules a rempli les $\frac{7}{8}$ d'un seau de bleuets. Il a donné $\frac{1}{4}$ du seau à son petit frère. Quelle fraction du seau est-il resté?

Casse-tête

Quelques amis étaient attablés autour de pizzas partagées en sixièmes. Lorsqu'André est arrivé, il restait 4 portions. Il en a mangé 2, puis a coupé l'une des portions restantes en deux et en a mangé la moitié. Quelle fraction de pizza a-t-il laissée?

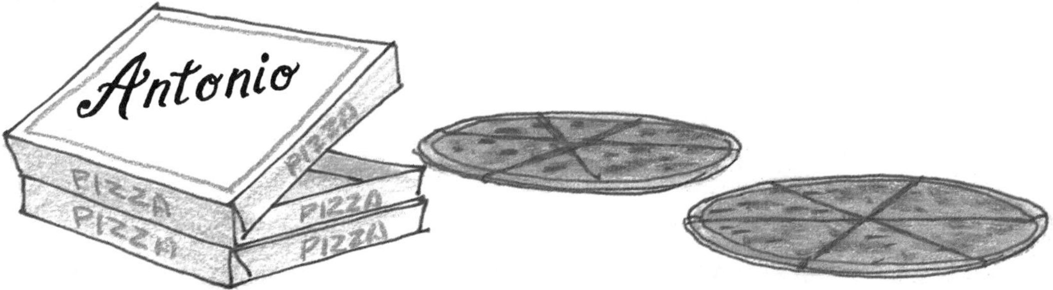

La réduction au même dénominateur

Soustrais: $\frac{3}{4} - \frac{1}{3}$. Calcule le plus petit dénominateur commun.

multiples de 4: 4, 8, (12)
multiples de 3: 3, 6, 9, (12)

12 est le plus petit dénominateur commun.

Réduis les fractions au même dénominateur.

Soustrais.

$$\frac{3}{4} - \frac{1}{3} \quad \rightarrow \quad \frac{9}{12} - \frac{4}{12} \quad \rightarrow \quad \frac{9}{12} - \frac{4}{12} = \frac{5}{12}$$

N'oublie pas de simplifier si c'est possible.

EXERCICES

Calcule le plus petit commun multiple.

1. 5; 10 **2.** 10; 30 **3.** 2; 8 **4.** 3; 12
5. 4; 6 **6.** 6; 8 **7.** 6; 9 **8.** 4; 5
9. 3; 7 **10.** 4; 7 **11.** 2; 5 **12.** 4; 9

Recopie et complète.

13. $\frac{5}{6} - \frac{2}{9}$ $\quad \frac{■}{18} - \frac{■}{18} = \frac{■}{18}$

14. $\frac{1}{3} - \frac{1}{4}$ $\quad \frac{■}{12} - \frac{■}{12} = \frac{■}{12}$

15. $\frac{5}{6} - \frac{3}{8}$ $\quad \frac{■}{24} - \frac{■}{24} = \frac{■}{■}$

Soustrais et simplifie.

16. $\frac{2}{3} - \frac{2}{7}$ **17.** $\frac{3}{4} - \frac{1}{6}$ **18.** $\frac{5}{6} - \frac{3}{8}$ **19.** $\frac{5}{9} - \frac{1}{4}$

20. $\frac{4}{5} - \frac{1}{2}$ **21.** $\frac{4}{7} - \frac{1}{4}$ **22.** $\frac{3}{5} - \frac{2}{9}$ **23.** $\frac{5}{6} - \frac{1}{4}$

EXERCICES

Soustrais et simplifie.

1. $\begin{array}{r} \frac{3}{4} \\ -\ \frac{5}{12} \\ \hline \end{array}$ **2.** $\begin{array}{r} \frac{2}{3} \\ -\ \frac{1}{10} \\ \hline \end{array}$ **3.** $\begin{array}{r} \frac{1}{5} \\ -\ \frac{1}{7} \\ \hline \end{array}$ **4.** $\begin{array}{r} \frac{5}{6} \\ -\ \frac{1}{2} \\ \hline \end{array}$

5. $\frac{4}{5} - \frac{3}{8}$ **6.** $\frac{4}{6} - \frac{1}{5}$ **7.** $\frac{2}{5} - \frac{1}{4}$ **8.** $\frac{7}{8} - \frac{5}{6}$

9. $\frac{4}{9} - \frac{1}{4}$ **10.** $\frac{3}{8} - \frac{1}{12}$ **11.** $\frac{7}{8} - \frac{2}{3}$ **12.** $\frac{5}{9} - \frac{1}{6}$

13. Les Kanjis avaient un sac de pois rempli aux $\frac{3}{4}$ dans leur congélateur. Quand ils ont eu fini de préparer le repas du soir, il ne restait plus qu'un tiers du sac. Quelle fraction du sac ont-ils utilisée?

14. Les Benoît estiment qu'ils ont utilisé les $\frac{2}{3}$ de leur réserve de bois pour l'hiver. L'hiver est à moitié fini.

a. Quelle fraction de leur réserve reste-t-il?

b. Auront-ils besoin d'acheter du bois avant la fin de l'hiver?

En marche arrière

Complète.

a. $\begin{array}{r} \frac{2}{3} \\ -\ \frac{\blacksquare}{\blacksquare} \\ \hline \frac{1}{24} \end{array}$ **b.** $\begin{array}{r} \frac{\blacksquare}{\blacksquare} \\ -\ \frac{1}{6} \\ \hline \frac{7}{30} \end{array}$

c. $\begin{array}{r} \frac{5}{6} \\ -\ \frac{\blacksquare}{\blacksquare} \\ \hline \frac{5}{12} \end{array}$ **d.** 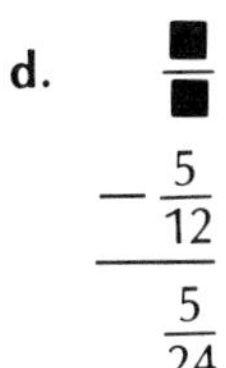
$\begin{array}{r} \frac{\blacksquare}{\blacksquare} \\ -\ \frac{5}{12} \\ \hline \frac{5}{24} \end{array}$

La soustraction de nombres mixtes

Soustrais.

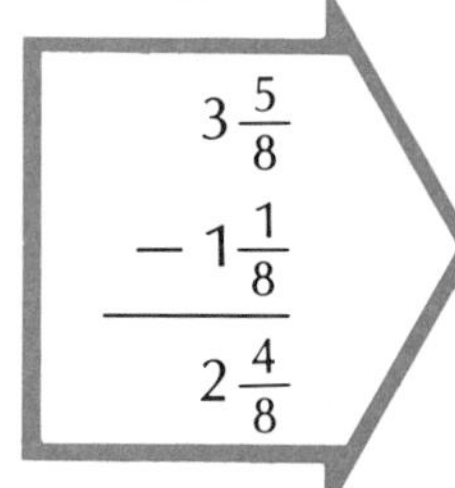

$2\frac{4}{8} = 2\frac{1}{2}$

$3\frac{5}{8} - 1\frac{1}{8} = 2\frac{1}{2}$

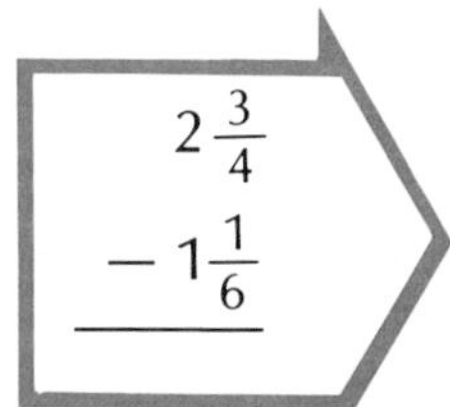

Réduis les fractions au même dénominateur.

$2\frac{9}{12}$
$-1\frac{2}{12}$

Soustrais.

$2\frac{9}{12}$
$-1\frac{2}{12}$
$1\frac{7}{12}$

Donc: $2\frac{3}{4} - 1\frac{1}{6} = 1\frac{7}{12}$

Soustrais les fractions avant de soustraire les nombres entiers.

EXERCICES

Soustrais et simplifie.

1. $2\frac{5}{8} - 1\frac{4}{8}$
2. $6\frac{3}{4} - 4\frac{1}{4}$
3. $5\frac{5}{9} - 3\frac{4}{9}$
4. $7\frac{5}{6} - 2\frac{1}{6}$
5. $3\frac{4}{7} - 1\frac{2}{7}$
6. $8\frac{7}{10} - 5\frac{3}{10}$
7. $9\frac{7}{12} - 8\frac{1}{12}$
8. $4\frac{1}{2} - 2\frac{1}{2}$
9. $6\frac{8}{10} - 1\frac{1}{2}$
10. $3\frac{1}{4} - 1\frac{1}{8}$
11. $7\frac{5}{12} - 4\frac{1}{3}$
12. $8\frac{2}{3} - 5\frac{2}{9}$
13. $9\frac{2}{5} - 3\frac{4}{10}$
14. $4\frac{3}{4} - 1\frac{2}{3}$
15. $5\frac{3}{5} - 2\frac{1}{4}$
16. $8\frac{7}{8} - \frac{1}{6}$
17. $13\frac{4}{5} - 11\frac{2}{6}$

EXERCICES

Soustrais et simplifie.

1. $6\frac{7}{12} - 2\frac{1}{2}$
2. $8\frac{3}{4} - 7\frac{1}{6}$
3. $5\frac{7}{10} - 3\frac{1}{5}$
4. $4\frac{2}{3} - 1\frac{1}{8}$
5. $7\frac{5}{8} - 2\frac{1}{6}$
6. $3\frac{7}{8} - 1\frac{1}{4}$
7. $8\frac{9}{10} - 5\frac{1}{2}$
8. $3\frac{2}{3} - 1\frac{3}{10}$
9. $2\frac{4}{5} - 1\frac{4}{15}$
10. $13\frac{7}{12} - 1\frac{1}{6}$
11. $9\frac{5}{6} - \frac{2}{5}$
12. $20\frac{5}{7} - 8\frac{3}{14}$
13. $3\frac{2}{3} - \frac{3}{7}$
14. $8\frac{3}{12} - 6\frac{1}{4}$
15. $5\frac{4}{5} - \frac{1}{5}$
16. $20\frac{7}{8} - 9\frac{2}{3}$

Problèmes.

17. L'an dernier, la compagnie Soleil de Floride a vendu pour $2\frac{1}{2}$ millions de dollars de jus d'orange. Cette année les ventes ont diminué de $\frac{1}{4}$ de million de dollars. À combien s'élèvent-elles?

18. Robert a semé 3 rangées $\frac{1}{2}$ de légumes. Les oignons occupent $\frac{1}{2}$ rangée, les carrottes $\frac{3}{4}$ de rangée, les pois 1 rangée $\frac{2}{3}$, les radis $\frac{1}{4}$ de rangée et le maïs l'espace restant. Combien y a-t-il de rangées de maïs?

Fractions triangulaires

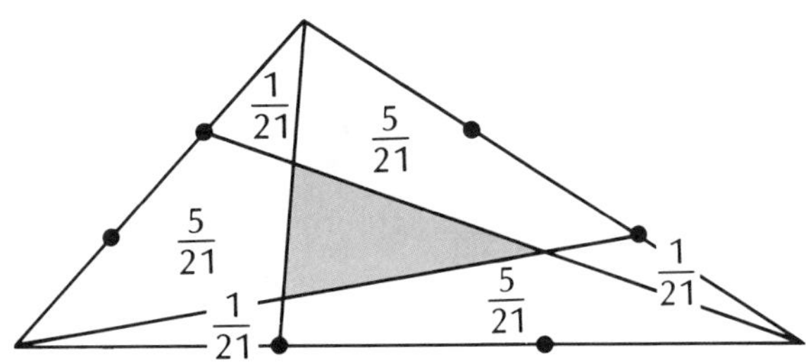

Les côtés du triangle sont partagés en tiers.
Les fractions indiquent ce que représente chaque section par rapport à l'aire totale du triangle. À quelle fraction la partie coloriée en bleu correspond-elle?

La soustraction de nombres mixtes

$1 \quad + \quad 1 \quad + \quad \frac{1}{4}$

Calcule la différence.

$2\frac{1}{4} - 1\frac{2}{3}$

$1 \quad + \quad \frac{2}{3}$

Réduis au même dénominateur.

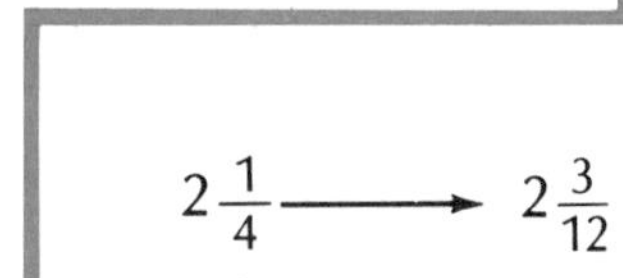

$$\begin{array}{r} 2\frac{1}{4} \\ -\,1\frac{2}{3} \\ \hline \end{array} \longrightarrow \begin{array}{r} 2\frac{3}{12} \\ -\,1\frac{8}{12} \\ \hline \end{array}$$

Regroupe.

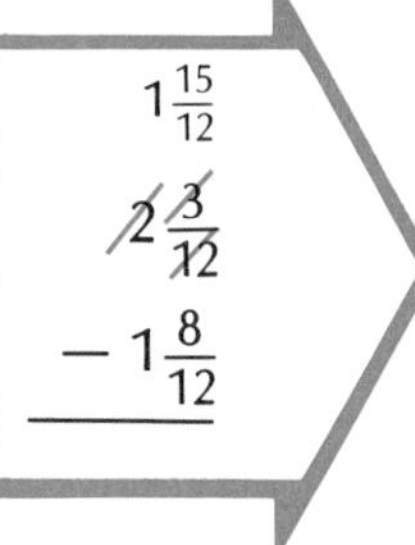

$$\begin{array}{r} 1\frac{15}{12} \\ \not{2}\frac{\not{3}}{\not{12}} \\ -\,1\frac{8}{12} \\ \hline \end{array}$$

Soustrais.

$$\begin{array}{r} 1\frac{15}{12} \\ \not{2}\frac{\not{3}}{\not{12}} \\ -\,1\frac{8}{12} \\ \hline \frac{7}{12} \end{array}$$

N'oublie pas de simplifier si c'est possible.

Donc: $2\frac{1}{4} - 1\frac{2}{3} = \frac{7}{12}$

EXERCICES

Regroupe.

1. $2\frac{1}{3} = 1\frac{■}{3}$ **2.** $8\frac{2}{5} = 7\frac{■}{5}$ **3.** $5\frac{4}{7} = 4\frac{■}{7}$ **4.** $3\frac{3}{8} = 2\frac{■}{8}$

5. $4\frac{3}{10} = 3\frac{■}{10}$ **6.** $7\frac{1}{6} = 6\frac{■}{6}$ **7.** $9\frac{3}{5} = 8\frac{■}{5}$ **8.** $6\frac{4}{9} = 5\frac{■}{9}$

Soustrais et simplifie.

9. $\begin{array}{r} 6\frac{1}{6} \\ -\,4\frac{5}{6} \\ \hline \end{array}$ **10.** $\begin{array}{r} 8\frac{3}{10} \\ -\,2\frac{7}{10} \\ \hline \end{array}$ **11.** $\begin{array}{r} 9\frac{1}{12} \\ -\,7\frac{5}{12} \\ \hline \end{array}$ **12.** $\begin{array}{r} 5\frac{1}{4} \\ -\,2\frac{3}{4} \\ \hline \end{array}$ **13.** $\begin{array}{r} 4\frac{3}{8} \\ -\,1\frac{7}{8} \\ \hline \end{array}$

14. $\begin{array}{r} 5\frac{1}{3} \\ -\,3\frac{5}{6} \\ \hline \end{array}$ **15.** $\begin{array}{r} 4\frac{1}{2} \\ -\,1\frac{3}{4} \\ \hline \end{array}$ **16.** $\begin{array}{r} 6\frac{3}{8} \\ -\,2\frac{3}{4} \\ \hline \end{array}$ **17.** $\begin{array}{r} 5\frac{2}{9} \\ -\,2\frac{2}{3} \\ \hline \end{array}$ **18.** $\begin{array}{r} 3\frac{1}{4} \\ -\,1\frac{5}{12} \\ \hline \end{array}$

19. $7\frac{2}{5} - 1\frac{2}{3}$ **20.** $6\frac{1}{4} - 2\frac{2}{5}$ **21.** $5\frac{1}{3} - 4\frac{7}{8}$ **22.** $14\frac{3}{10} - 11\frac{2}{3}$

EXERCICES

Regroupe.

1. $4\frac{2}{3} = 3\frac{■}{3}$ 2. $7\frac{3}{4} = 6\frac{■}{4}$ 3. $5\frac{2}{5} = 4\frac{■}{5}$ 4. $3\frac{4}{5} = 2\frac{■}{5}$

5. $5\frac{2}{4} = ■\frac{6}{4}$ 6. $7\frac{2}{3} = ■\frac{5}{3}$ 7. $6\frac{■}{5} = 5\frac{7}{5}$ 8. $8\frac{■}{6} = 7\frac{11}{6}$

Soustrais et simplifie.

9. $7\frac{5}{8} - 2\frac{3}{4}$ 10. $7\frac{1}{6} - 4\frac{4}{9}$ 11. $10\frac{2}{3} - 3\frac{3}{4}$ 12. $5\frac{1}{3} - 4\frac{3}{4}$ 13. $9\frac{3}{10} - 4\frac{3}{5}$

14. $7\frac{3}{5} - 4\frac{3}{4}$ 15. $9\frac{1}{2} - 6\frac{7}{8}$ 16. $9\frac{3}{16} - 1\frac{3}{8}$ 17. $5\frac{1}{16} - 4\frac{5}{8}$

18. $6\frac{1}{3} - 4\frac{4}{5}$ 19. $13\frac{7}{10} - 9\frac{5}{6}$ 20. $24\frac{1}{2} - 18\frac{5}{6}$ 21. $10\frac{2}{7} - 8\frac{1}{3}$

Problème.

22. Jan a préparé du maïs soufflé pour une fête. Quand elle a commencé, elle avait 1 boîte $\frac{1}{2}$ de maïs. Quand elle a fini, il restait à peu près les $\frac{2}{3}$ d'une boîte. Quelle quantité de maïs a-t-elle utilisée?

Question de logique

1. *A, B,* et *C* représentent trois nombres différents compris entre 1 et 9. Lesquels?

$$\frac{1}{A} + \frac{1}{B} + \frac{1}{C} = 1$$

2. *P* et *Q* représentent deux nombres différents compris entre 1 et 9. Lesquels?

$$\frac{P}{Q} - \frac{Q}{P} = \frac{P+Q}{P \times Q}$$

La probabilité

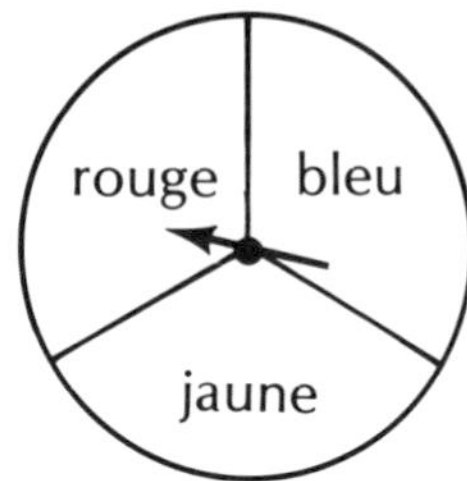

Il y a une chance sur 3 pour que la flèche s'arrête sur le rouge.
La **probabilité** est $\frac{1}{3}$.

Il y a 2 chances sur 4 pour que la flèche s'arrête sur le vert.
La **probabilité** est $\frac{2}{4}$ (ou $\frac{1}{2}$).

$$\text{Probabilité} = \frac{\text{Chances d'obtenir un certain résultat}}{\text{Nombre total de possibilités}}$$

EXERCICES

Détermine la probabilité.

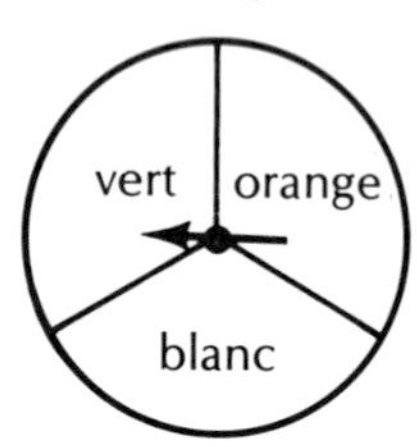

1. Chances d'obtenir le vert: $\frac{■}{3}$.

2. Chances d'obtenir l'orange: $\frac{■}{3}$.

3. Chances d'obtenir le blanc: $\frac{■}{3}$.

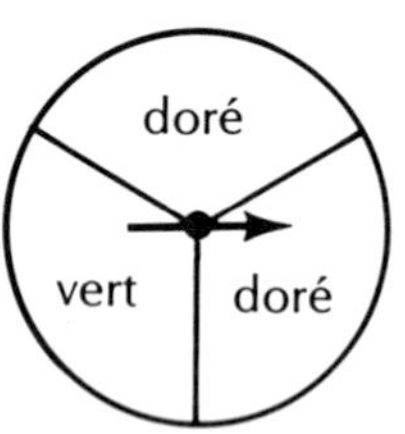

4. Chances d'obtenir le doré: $\frac{■}{3}$.

5. Chances d'obtenir le vert: $\frac{■}{3}$.

6. Chances d'obtenir le rouge: $\frac{■}{3}$.

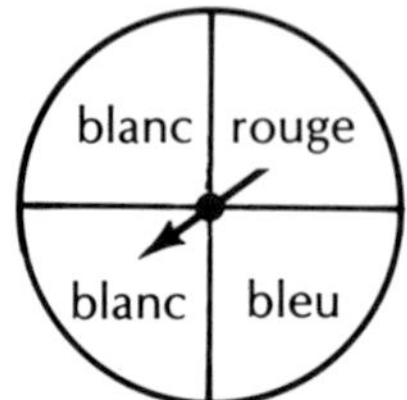

7. Chances d'obtenir le blanc: $\frac{■}{■}$.

8. Chances d'obtenir le rouge: $\frac{■}{■}$.

9. Chances d'obtenir le bleu: $\frac{■}{■}$.

EXERCICES

Détermine la probabilité.

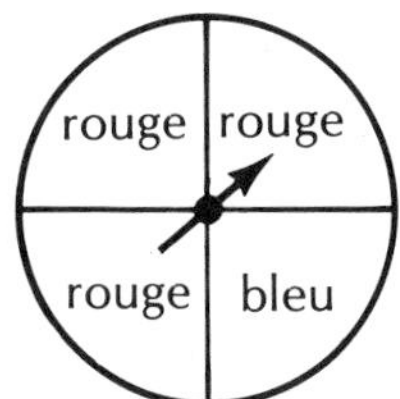

1. rouge
2. bleu

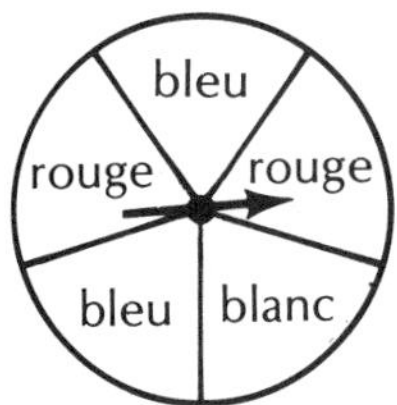

3. rouge
4. bleu
5. blanc
6. vert

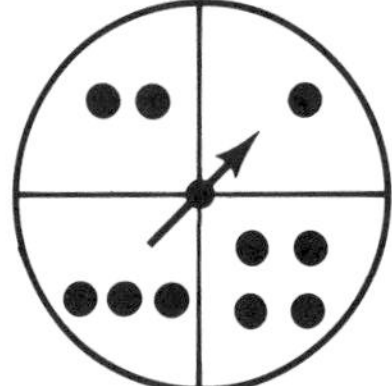

7. ●●
8. ●
9. ●● ●●
10. ●●●

Problèmes.

11. Tu joues avec une roulette à six sections: rouge, doré, vert, rouge, rouge et doré. Quelles sont tes chances de voir la flèche s'arrêter sur le doré? le rouge? le vert?

12. Tu lances une pièce de monnaie en l'air. Quelle est la probabilité pour qu'elle tombe sur face? sur pile?

13. Suppose qu'une roulette se compose de quatre sections, toutes rouges. Quelle est la probabilité d'obtenir le rouge? le noir?

Jeu de hasard

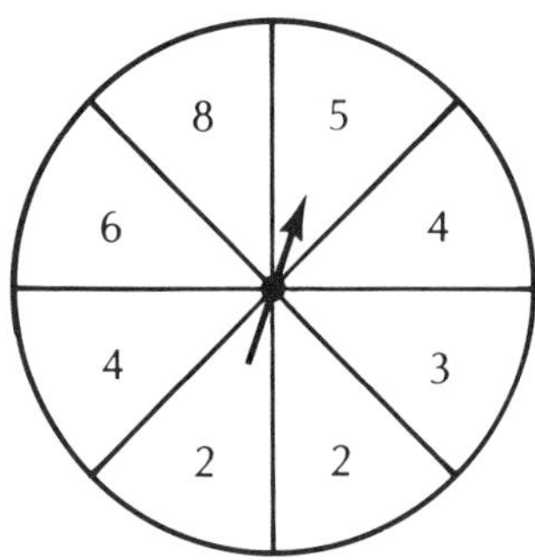

Quelles sont tes chances d'obtenir:

1. 5
2. 4
3. 3
4. 2
5. 6
6. 8
7. 10
8. un nombre inférieur à 5
9. un nombre impair
10. un nombre pair
11. 8 ou 5
12. 3 ou 4

Résolution de problèmes

Un fermier a un jardin carré pourvu d'un tuyau d'arrosage dans chacun de ses angles. Il veut doubler l'aire de son jardin, mais sans déplacer les tuyaux. Ceux-ci resteront sur les côtés du nouveau carré.
Quel sera le plan du nouveau jardin?

Fais un diagramme.

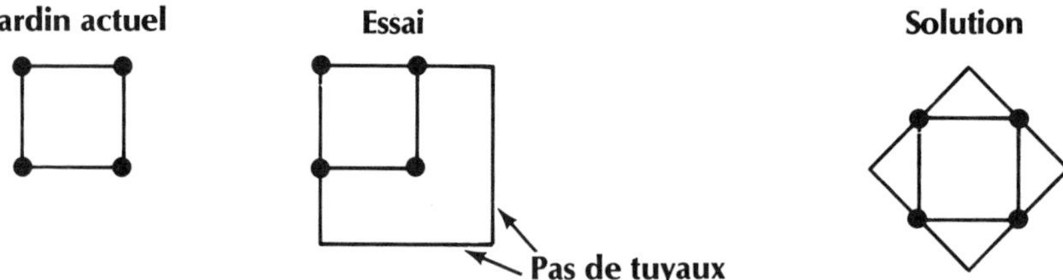

Victor lance un dé. Quelles chances a-t-il d'obtenir un 6? un nombre pair?

Utilise un modèle.

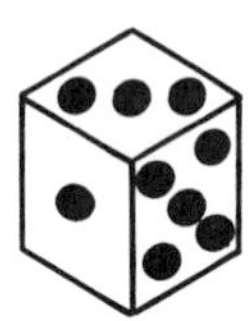

La probabilité d'obtenir un 6 est $\frac{1}{6}$.

La probabilité d'obtenir un nombre pair est $\frac{3}{6}$ ou $\frac{1}{2}$.

EXERCICES

Sers-toi d'un modèle ou d'un diagramme pour résoudre les problèmes.

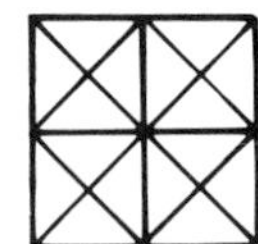

1. Combien ce diagramme contient-il de carrés?
2. Quelles chances as-tu d'obtenir deux fois face en lançant 2 pièces?
   Un bon conseil: envisage **toutes** les possibilités.
3. Combien y a-t-il de solutions différentes pour aller de A à B sans passer 2 fois sur le même trait?

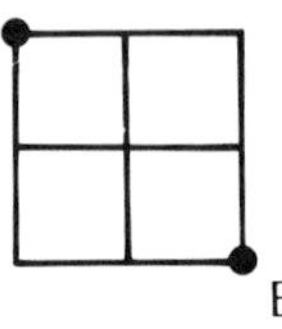

EXERCICES

Sers-toi d'un modèle ou d'un diagramme pour résoudre les problèmes.

1. En marchant, Thomas a parcouru une distance de 2 km vers le nord, puis 3 km vers l'est. Il a ensuite parcouru une distance de 1,5 km vers le sud, 2 km vers l'ouest et 0,5 km vers le sud. À quelle distance de son point de départ est-il arrivé?

2. Combien peut-on placer de motifs mesurant 2 cm sur 3 cm dans un cadre de 7 cm sur 11 cm?

3. Il y a quatre chaussettes rouges et six chaussettes bleues dans un tiroir. Tu retires une chaussette bleue. Quelles sont tes chances d'en retirer une autre?

4. Marie a besoin de ■ mètres carrés de tapis pour recouvrir le plancher de sa chambre.

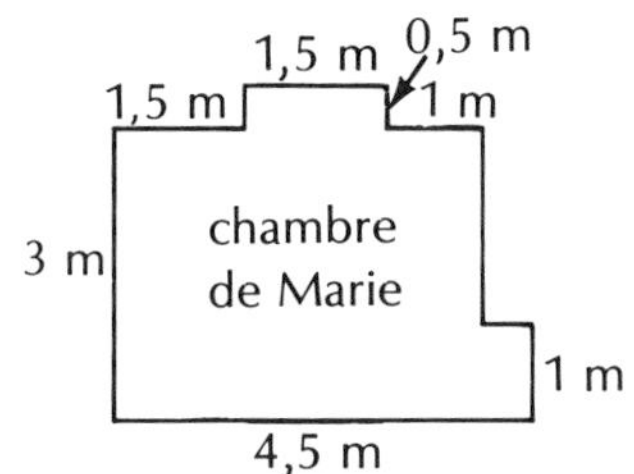

5. Jeanne, Ken et Louise sont les trois meilleurs étudiants de la classe. Combien y a-t-il de façons de les classer?

RÉVISION

Soustrais et simplifie.

1. $\frac{2}{5} - \frac{1}{10}$	**2.** $\frac{2}{3} - \frac{2}{9}$	**3.** $\frac{3}{4} - \frac{1}{8}$
4. $\frac{3}{5} - \frac{1}{2}$	**5.** $\frac{3}{7} - \frac{1}{4}$	**6.** $\frac{5}{6} - \frac{3}{8}$
7. $3\frac{3}{4} - 1\frac{2}{3}$	**8.** $7\frac{5}{12} - 2\frac{1}{3}$	**9.** $8\frac{4}{5} - 3\frac{1}{6}$
10. $5\frac{3}{8} - 2\frac{3}{4}$	**11.** $7\frac{1}{4} - 3\frac{2}{5}$	**12.** $9\frac{3}{5} - 5\frac{2}{3}$

Détermine la probabilité.

13. 1 **14.** 3 **15.** 5

TEST CHAPITRE 14

Additionne ou soustrais. Simplifie la fraction obtenue.

1. $\frac{1}{7} + \frac{3}{7}$
2. $\frac{3}{10} + \frac{9}{10}$
3. $\frac{3}{50} + \frac{7}{50}$
4. $\frac{1}{12} + \frac{1}{4}$
5. $\frac{2}{5} + \frac{3}{10}$
6. $\frac{7}{8} + \frac{3}{4}$
7. $\frac{2}{3} + \frac{1}{9}$
8. $\frac{1}{6} + \frac{4}{5}$
9. $\frac{3}{4} + \frac{7}{10}$
10. $\frac{1}{8} + \frac{5}{6}$
11. $\frac{5}{8} + \frac{1}{3}$
12. $7\frac{2}{5} + 2\frac{1}{4}$
13. $8\frac{1}{2} + 5\frac{1}{4}$
14. $3\frac{7}{12} + 2\frac{1}{5}$
15. $4\frac{1}{4} + 5\frac{8}{9}$
16. $\frac{6}{7} - \frac{2}{7}$
17. $\frac{11}{12} - \frac{1}{3}$
18. $\frac{2}{3} - \frac{2}{9}$
19. $\frac{5}{6} - \frac{1}{9}$
20. $\frac{5}{6} - \frac{3}{8}$
21. $\frac{3}{7} - \frac{1}{4}$
22. $5\frac{1}{4} - 2\frac{1}{8}$
23. $7\frac{2}{3} - 3\frac{2}{9}$
24. $6\frac{3}{4} - 1\frac{2}{3}$
25. $9\frac{7}{8} - \frac{1}{6}$
26. $4\frac{3}{10} - 1\frac{9}{10}$
27. $8\frac{1}{12} - 5\frac{5}{12}$
28. $7\frac{2}{9} - 3\frac{2}{3}$
29. $4\frac{1}{4} - 2\frac{2}{5}$
30. $2\frac{2}{3} - \frac{3}{4}$

Détermine la probabilité.

31. bleu
32. rouge
33. doré
34. vert

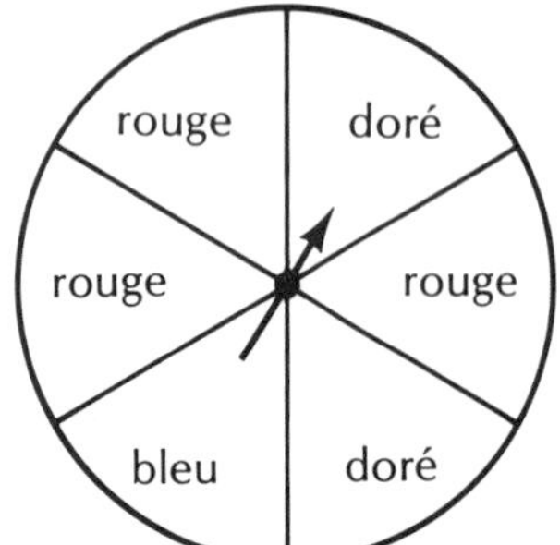

REPRISE LES GRAPHIQUES

Recopie et complète. Trouve la règle.

1. (1, 2) (2, 4) (3, 6) (4, 8) (■, ■) (■, ■)
2. (1, 6) (2, 7) (3, 8) (4, 9) (■, ■) (■, ■)

Indique la température la plus élevée.

3. 7°C ou 0°C
4. -8°C ou 3°C
5. -9°C ou -2°C

Complète.

6. ■ -3 ■

7.

Recopie et complète par $>$ ou $<$.

8. -2 ● -4
9. +11 ● +1
10. -6 ● +3

Identifie le point correspondant.

11. (-3, +3)
12. (+3, -1)

Indique les coordonnées du point.

13. *A*
14. *G*

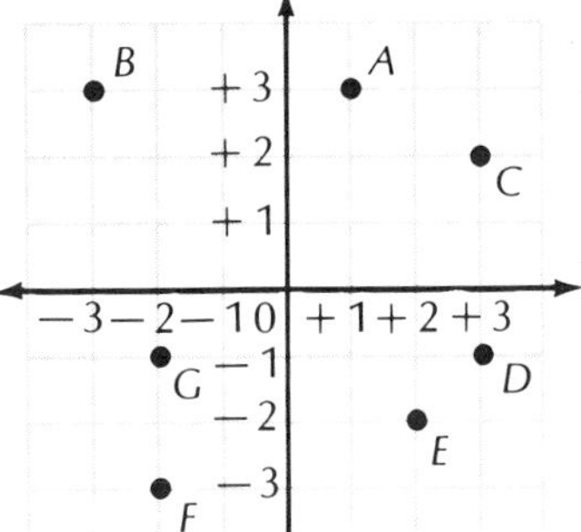

Indentifie les angles correspondants de ces triangles semblables.

15.

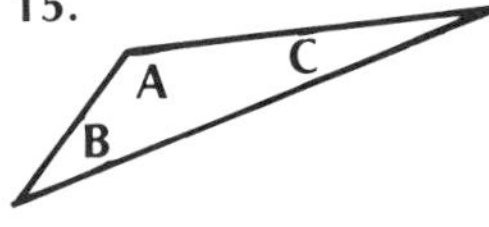

E F D

16.

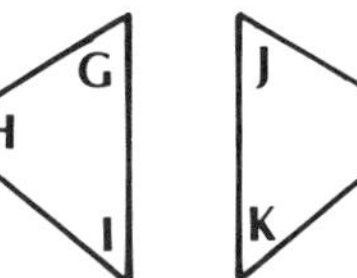

J L K

Problèmes.

17. Un dessin mesure 4 cm de long. L'échelle est 1:5. Quelle est la longueur réelle de l'objet représenté?

18. Un dessin mesure 2 cm de haut. L'échelle est 1:6. Quelle est la hauteur réelle de l'objet représenté?

Test général

CHAPITRES 1-4

Écris normalement.

1. 4000 + 700 + 5 + 0,6 + 0,09
2. 80 000 000 + 200 000 + 10 000 + 400 + 60 + 9
3. Soixante-sept et neuf cent seize dix-millièmes

Recopie et complète par >, =, ou <.

4. 43 592 610 ● 43 592 601
5. 890 247 634 119 ● 980 247 634 119
6. 60,158 ● 60,185
7. 309,1658 ● 310,9658

Arrondis.

8. 294 501 638 à mille près
9. 314,9708 au centième près

Écris sous forme développée.

10. 7 362 045
11. 0,819
12. 5021,93

Additionne ou soustrais.

13. $254 + 76$
14. $695 + 807$
15. 5,95 \$ + 8,27 \$
16. $4{,}9 + 8{,}3$
17. $18{,}73 + 7{,}28$
18. $94 - 38$
19. $500 - 213$
20. $3074 - 516$
21. $8526 - 4709$
22. 8,17 \$ − 4,59 \$
23. $4\,206 + 27\,184 + 391$
24. 13,24 \$ + 6,58 \$ + 27,09 \$
25. $0{,}12 + 0{,}8 + 0{,}375$
26. $15{,}26 + 8{,}1 + 37{,}08$
27. 40,02 \$ − 23,15 \$
28. $50{,}4 - 27{,}6$
29. $0{,}2 - 0{,}13$
30. $3{,}43 - 0{,}852$

Recopie et complète.

31. $7^2 = ■ \times ■$
$= ■$

32. $3^4 = ■ \times ■ \times ■ \times ■$
$= ■$

Multiplie.

33. 35×9

34. 605×8

35. 147×3

36. 2940×6

37. 6250×7

38. 23×48

39. 45×79

40. 591×64

41. 208×56

42. 700×80

43. 141×236

44. 387×592

45. 400×76

46. 91,54 $ × 8

47. 362,25 $ × 41

48. $5{,}3 \times 4$

49. $47 \times 3{,}2$

50. $64{,}2 \times 813$

51. $5{,}12 \times 6$

52. $277 \times 0{,}15$

Divise.

53. $8\overline{)96}$

54. $5\overline{)120}$

55. $6\overline{)297}$

56. $3\overline{)782}$

57. $9\overline{)9045}$

58. $7\overline{)6315}$

59. $20\overline{)300}$

60. $36\overline{)75}$

61. $42\overline{)2772}$

62. $68\overline{)8904}$

63. $25\overline{)29\ 800}$

64. $40\overline{)14\ 000}$

65. $16\overline{)4912}$

66. $51\overline{)846}$

67. $13\overline{)10\ 452}$

Problèmes.

68. Les actions de la mine Pépites d'or Ltée se vendent à 8,75 $ l'unité. Quel sera le prix de 200 actions?

69. Le coeur d'Édouard bat 4380 fois par heure. Combien bat-il de fois en une minute?

Test général

CHAPITRES 5-8

Calcule le périmètre.

1. 2 m, 3 m, 3 m, 3 m, 3 m

2. 5 m, 3 m, 6 m, 3 m, 5 m

Calcule l'aire.

3.

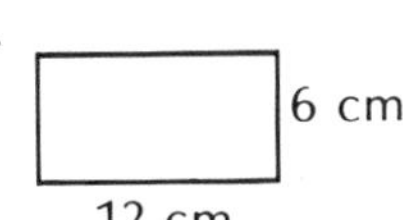

4. 13 km, 5 km, 12 km

Calcule la circonférence de cercles ayant pour diamètre:

5. 12 cm **6.** 41 mm **7.** 18 m **8.** 200 km

Calcule l'aire de cercles ayant pour rayon:

9. 5 cm **10.** 7 mm **11.** 13 m **12.** 24 cm

Calcule le volume de la boîte.

13. $L = 5$ cm, $\ell = 4$ cm, $H = 4$ cm **14.** $L = 8$ m, $\ell = 3$ m, $H = 5$ m

Recopie et complète.

15. 6000 kg = ■ t **16.** 7 L = ■ mL **17.** 8000 L = ■ kL

18. 3 L d'eau ont une masse de ■.

19. De 08:00 à 13:00, il s'écoule ■ h.

Dresse la liste des cinq premiers multiples de chaque nombre. Identifie le P.P.C.M.

20. 4 et 5 **21.** 6 et 8 **22.** 3 et 7

Dresse la liste des diviseurs de chaque nombre. Identifie le P.G.C.D.

23. 21 et 24 **24.** 12 et 18 **25.** 10 et 20

Représente l'arbre des facteurs afin d'exprimer chaque nombre sous forme d'un produit de facteurs premiers. Écris les produits en employant des exposants.

26. 24 **27.** 30 **28.** 48

Recopie et simplifie les expressions.

29. $5 \times 9 - 3$ **30.** $6 \times 8 + 10 \div 5$ **31.** $(5 + 3) \div 2$

Calcule la valeur de N. Vérifie.

32. $N + 50 = 82$ **33.** $N - 33 = 66$ **34.** $N \div 50 = 5$

Recopie et complète.

35. $\frac{■}{3} = \frac{4}{6}$ 36. $\frac{1}{3} = \frac{■}{9} = \frac{■}{15}$ 37. $\frac{6}{10} = \frac{3}{■}$

Simplifie.

38. $\frac{3}{6}$ 39. $\frac{2}{8}$ 40. $\frac{5}{15}$ 41. $\frac{4}{10}$ 42. $\frac{11}{22}$

Recopie et complète par $<$ ou $>$.

43. $\frac{1}{2}$ ● $\frac{3}{2}$ 44. $\frac{3}{4}$ ● $\frac{3}{5}$ 45. $\frac{2}{3}$ ● $\frac{4}{5}$

Écris sous forme de fraction.

46. $4\frac{1}{3}$ 47. $2\frac{5}{8}$

Écris sous forme de nombre mixte.

48. $\frac{15}{2}$ 49. $\frac{36}{10}$

Écris sous forme de nombre décimal.

50. $\frac{8}{10}$ 51. $\frac{38}{100}$ 52. $\frac{16}{25}$ 53. $\frac{1}{50}$

Multiplie. Simplifie la fraction obtenue.

54. $\frac{1}{5} \times 10$ 55. $\frac{3}{10} \times 20$ 56. $\frac{2}{3} \times 18$

57. $\frac{3}{4} \times 14$ 58. $21 \times \frac{5}{6}$ 59. $30 \times \frac{3}{8}$

60. $\frac{2}{3} \times \frac{5}{6}$ 61. $\frac{3}{4} \times \frac{1}{5}$ 62. $\frac{5}{8} \times \frac{3}{7}$

63. $8 \times 2\frac{1}{2}$ 64. $\frac{1}{3} \times 1\frac{1}{2}$ 65. $3\frac{1}{4} \times \frac{2}{5}$

Calcule le produit.

66. $\begin{array}{r} 4{,}7 \\ \times\ 15 \\ \hline \end{array}$ 67. $\begin{array}{r} 8{,}15 \\ \times\ 42 \\ \hline \end{array}$ 68. $\begin{array}{r} 0{,}7 \\ \times\ 0{,}5 \\ \hline \end{array}$ 69. $\begin{array}{r} 3{,}8 \\ \times\ 0{,}9 \\ \hline \end{array}$

70. $\begin{array}{r} 0{,}08 \\ \times\ 0{,}3 \\ \hline \end{array}$ 71. $\begin{array}{r} 0{,}27 \\ \times\ 0{,}6 \\ \hline \end{array}$ 72. $\begin{array}{r} 3{,}41 \\ \times\ 5{,}5 \\ \hline \end{array}$ 73. $\begin{array}{r} 8{,}03 \\ \times\ 6{,}7 \\ \hline \end{array}$

Test général

CHAPITRES 9-11

Problèmes.

1. 4 kg coûtent 14,52 $. Combien coûte 1 kg?
2. 1 boîte coûte 3,55 $. Combien coûtent 5 boîtes?
3. Un autobus parcourt 125 km en 2 h. Quelle distance parcourt-il en 6 h?

Indique le rapport:

○ ○ ○ △ △ △ △ △ □ □

4. carrés—cercles
5. triangles—carrés
6. cercles—triangles
7. triangles—cercles

Calcule la valeur de N.

8. $\frac{3}{5} = \frac{9}{N}$
9. $\frac{2}{3} = \frac{N}{15}$
10. $\frac{N}{8} = \frac{1}{4}$
11. $\frac{4}{N} = \frac{24}{30}$

Reproduis et complète le tableau.

	Fraction	Nombre décimal	Pourcentage
12.	$\frac{2}{5}$		
13.		0,13	
14.			65%

Calcule.

15. 23% de 400
16. 10% de 20
17. 40% de 50 $

Écris le nombre inverse de:

18. $\frac{1}{2}$
19. $\frac{5}{4}$
20. $2\frac{2}{3}$
21. 9

Divise.

22. $\frac{3}{10} \div 2$
23. $\frac{1}{2} \div 5$
24. $8 \div \frac{1}{4}$
25. $\frac{2}{3} \div \frac{1}{5}$
26. $12 \div \frac{1}{2}$
27. $\frac{2}{3} \div \frac{9}{10}$
28. $3 \div \frac{5}{6}$
29. $4\frac{1}{5} \div \frac{7}{8}$
30. $3\overline{)0,9}$
31. $5\overline{)21,5}$
32. $8\overline{)6,16}$
33. $0,4\overline{)48}$

34. $0,2\overline{)0,36}$ 35. $3,1\overline{)0,062}$ 36. $4,4\overline{)5,28}$ 37. $0,06\overline{)0,18}$

38. $0,06\overline{)0,522}$ 39. $0,07\overline{)8,4}$ 40. $0,12\overline{)6,00}$ 41. $0,8\overline{)5,68}$

Divise. Arrondis le quotient au centième près.

42. $9\overline{)8,8}$ 43. $6\overline{)4}$ 44. $0,3\overline{)4,9}$ 45. $7,1\overline{)0,48}$

Exprime chaque fraction sous forme décimale. Continue jusqu'à ce que le reste soit nul.

46. $\frac{3}{8}$ 47. $\frac{67}{50}$ 48. $\frac{2}{5}$ 49. $\frac{13}{25}$

Détermine l'étendue, le mode, la moyenne et la médiane de chaque ensemble de nombres. Arrondis la moyenne à l'unité près.

50. 25, 12, 27, 19, 27, 34, 32

51. 10, 20, 20, 30, 40, 40, 40, 50

52. Indique l'angle obtus.

53. Indique l'angle plat.

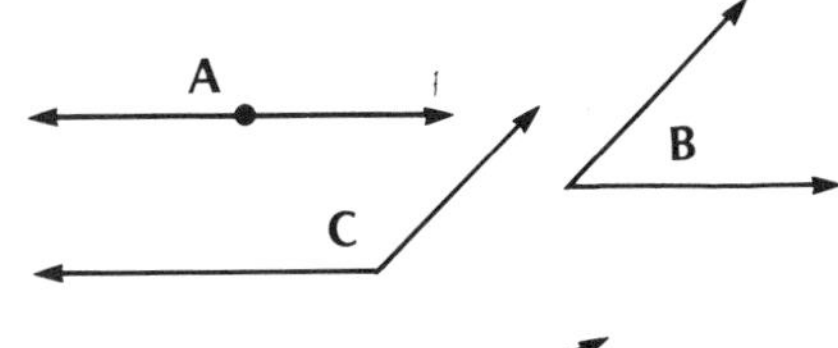

54. Lequel de ces angles mesure 10°?

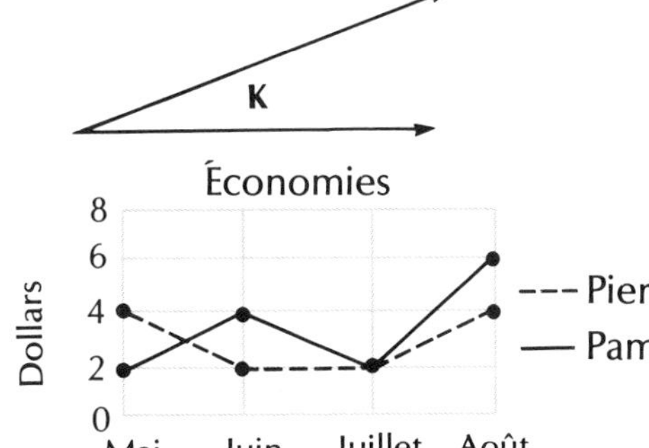

55. Combien Pam a-t-elle économisé en juin?

56. Qui a économisé le plus en août?

57. Quand les deux enfants ont-ils économisé la même somme?

Indique les coordonnées du point.

58. *R* 59. *S*

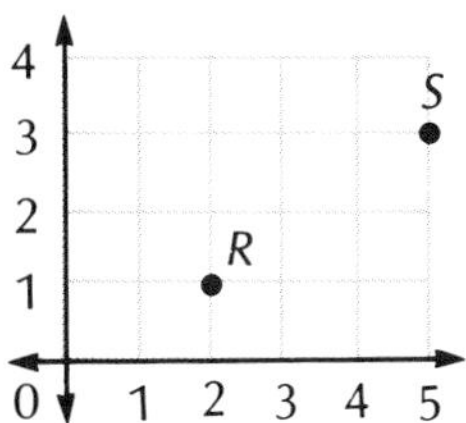

Porte ces données sur un graphique circulaire.

60. Rita est arrivée au Carnaval avec 12 $. Elle a dépensé 6 $ sur les manèges, 4 $ en boissons et 2 $ pour un chapeau.

Test général

CHAPITRES 12-14

S'agit-il d'un glissement, d'un rabattement ou d'une rotation?

1.

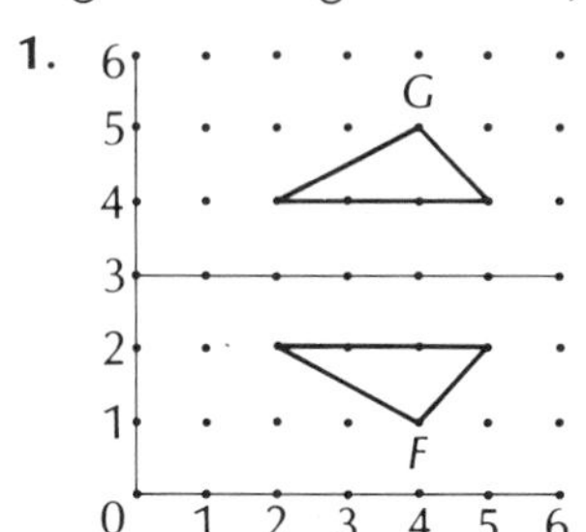

2.

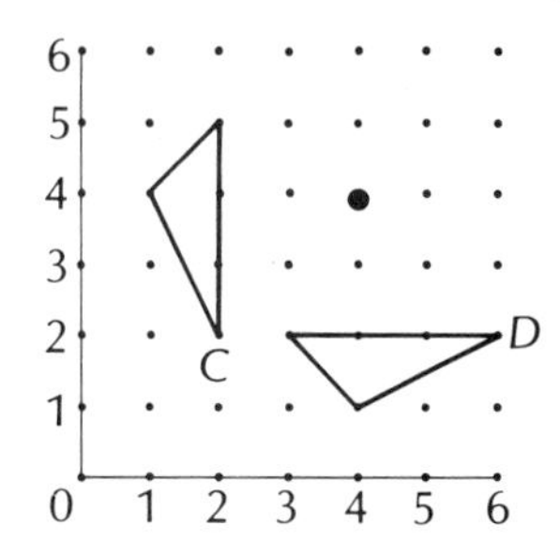

3.

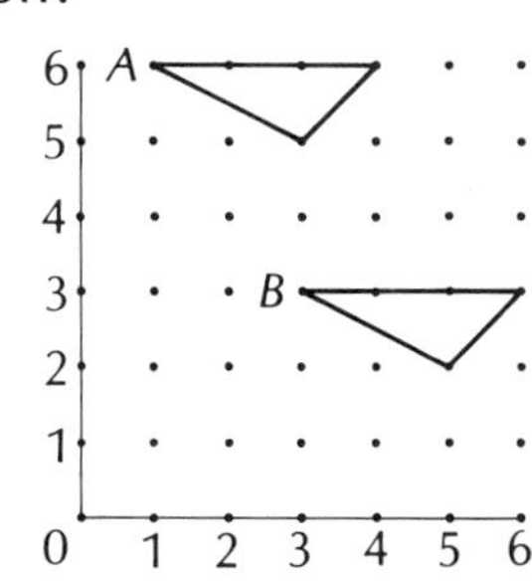

Complète.

4. *G* (■, ■)
Image de *G* (■, ■)

5. *C* (■, ■)
Image de *C* (■, ■)

6. *A* (■, ■)
Image de *A* (■, ■)

Les figures ci-contre sont congruentes.
Recopie et complète les phrases.

7. Les angles *B* et ■ sont congruents.

8. Les côtés *AB* et ■ sont congruents.

9. L'angle *C* est un angle droit. Les côtés *BC* et ■ sont perpendiculaires.

10. Les côtés *BC* et ■ sont parallèles.

11. L'angle *D* correspond à l'angle ■.

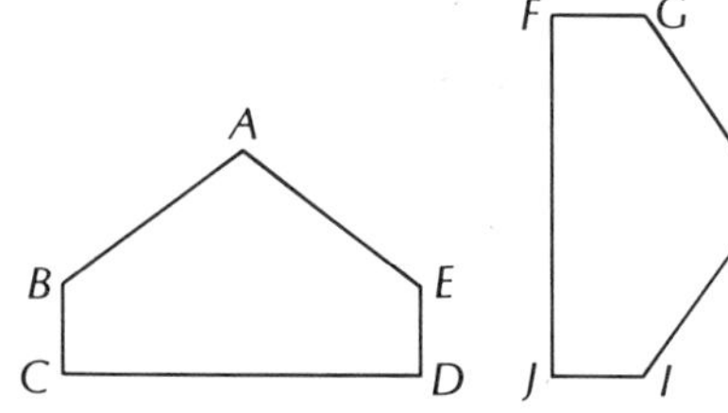

S'agit-il d'un triangle isocèle, équilatéral ou rectangle?

12.

13.

14.

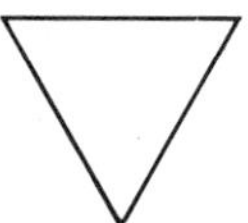

Identifie les quadrilatères.

15.

16.

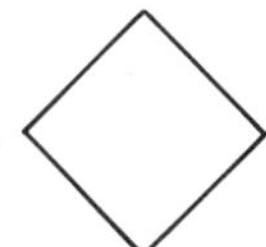

17.

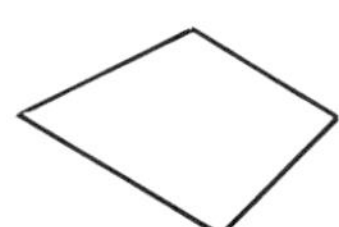

Recopie et complète. Écris la règle.

18. (1, 3) (2, 6) (3, 9) (4, ■) • • • (8, ■)

19. (5, 0) (6, 1) (7, 2) (8, ■) • • • (12, ■)

Recopie et complète par $>$ ou $<$.

20. $+7 \bullet +10$ **21.** $-9 \bullet -4$ **22.** $+3 \bullet -6$

Identifie le point.

23. $(+2, -3)$ **24.** $(-2, +3)$

Indique les coordonnées du point.

25. C **26.** *F*

S'agit-il d'un dallage?

27.

28.

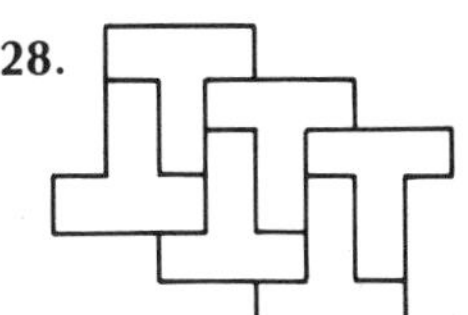

Additionne ou soustrais.

29. $\frac{3}{8} + \frac{1}{8}$ **30.** $\frac{2}{3} + \frac{1}{3}$ **31.** $\frac{1}{5} + \frac{2}{5}$ **32.** $\frac{1}{2} + \frac{1}{4}$

33. $\frac{3}{5} + \frac{3}{10}$ **34.** $\frac{1}{3} + \frac{5}{6}$ **35.** $\frac{3}{4} + \frac{1}{5}$ **36.** $\frac{1}{2} + \frac{2}{3}$

37. $\frac{3}{8} + \frac{2}{5}$ **38.** $\frac{7}{10} - \frac{3}{10}$ **39.** $\frac{57}{100} - \frac{3}{10}$ **40.** $\frac{7}{8} - \frac{3}{4}$

41. $\frac{5}{6} - \frac{2}{5}$ **42.** $\frac{9}{10} - \frac{3}{4}$ **43.** $\frac{5}{8} - \frac{1}{3}$ **44.** $\frac{3}{4} - \frac{1}{6}$

45. $3\frac{1}{8} + 5\frac{3}{8}$ **46.** $2\frac{3}{10} + 4\frac{2}{10}$ **47.** $1\frac{1}{3} + 7\frac{4}{5}$

48. $6\frac{7}{10} - 4\frac{1}{2}$ **49.** $8\frac{3}{10} - 2\frac{1}{2}$ **50.** $9\frac{1}{6} - 3\frac{7}{8}$

Problèmes.

51. Le dessin d'un bateau mesure 4 cm de long. L'échelle précise que 1 cm représente 3 m. Quelle est la longueur réelle du bateau?

52. Jacques s'était engagé à tondre une pelouse pour 5 \$. Il a payé un ami 1,85 \$ par heure pour faire le travail. Il lui a fallu 2 heures pour tondre la pelouse. Quel bénéfice Jacques a-t-il réalisé?

L'addition

Additionne.

1. 328 + 94
2. 83 + 451
3. 915 + 36
4. 65 + 847
5. 999 + 99
6. 426 + 105
7. 948 + 373
8. 500 + 800
9. 218 + 793
10. 464 + 464
11. 231 864 + 795
12. 407 136 + 291
13. 301 56 + 249
14. 58 249 + 5
15. 607 8 + 36
16. 560 + 24
17. 209 + 470
18. 403 + 65 + 210
19. 5538 + 3162
20. 8006 + 4127
21. 516 + 4922
22. 3078 + 953
23. 1494 + 3027
24. 46 697 + 20 810
25. 75 092 + 6 813
26. 34 582 + 17 649
27. 6 285 + 24 139
28. 29 87 54 + 32
29. 143 269 580 + 372
30. 294 18 75 + 103
31. 438 9 65 + 702
32. 27 9 14 3 + 81
33. 604 5 83 219 + 70
34. 37 306 8 291 52 + 4 815
35. 18 4 092 375 26 153 + 1
36. 24,95 $ + 13,72 $
37. 54,75 $ + 8,66 $
38. 6,15 $ + 93,85 $
39. 62,93 $ + 40,07 $

La soustraction

Soustrais.

1. 53 − 28
2. 71 − 14
3. 60 − 29
4. 92 − 43
5. 80 − 35
6. 824 − 76
7. 200 − 55
8. 507 − 32
9. 591 − 98
10. 500 − 16
11. 410 − 169
12. 953 − 487
13. 821 − 463
14. 805 − 316
15. 700 − 282
16. 90 − 35
17. 648 − 399
18. 500 − 246
19. 4631 − 852
20. 1800 − 372
21. 5920 − 664
22. 4096 − 587
23. 3546 − 273
24. 5110 − 2734
25. 4000 − 1365
26. 8295 − 6497
27. 3146 − 1158
28. 9020 − 2161
29. 63 102 − 5 843
30. 29 064 − 1 958
31. 77 156 − 4 829
32. 98 412 − 3 690
33. 26 541 − 19 783
34. 90 000 − 72 068
35. 30 927 − 19 473
36. 56 284 − 31 747
37. 52,19 $ − 34,50 $
38. 69,98 $ − 49,99 $
39. 80,00 $ − 17,23 $
40. 125,08 $ − 62,39 $
41. 371,26 $ − 34,88 $
42. 586,42 $ − 297,69 $
43. 231,00 $ − 154,14 $
44. 438,51 $ − 169,75 $

La multiplication

Multiplie.

1. 4×9 2. 8×5 3. 60×4 4. 30×7

5. 75×2 6. 61×6 7. 56×7 8. 95×5 9. 34×8

10. 451×8 11. 207×9 12. 392×5 13. 500×9 14. 216×8

15. 7684×3 16. 5080×4 17. 4157×6 18. 3291×7 19. 6004×9

20. 45×38 21. 72×61 22. 29×50 23. 82×69 24. 65×73

25. 208×48 26. 615×93 27. 759×26 28. 438×30 29. 691×57

30. 267×34 31. 514×65 32. 809×18 33. 400×30 34. 748×29

35. 358×262 36. 941×703 37. 536×418 38. 369×840 39. 132×565

40. 200×500 41. 139×482 42. 801×700 43. 348×395 44. 614×253

45. 62,50 $ × 3 46. 129,95 $ × 7 47. 24,89 $ × 15 48. 146,74 $ × 29

49. $4 \times 4 \times 4 \times 4$ 50. $2 \times 2 \times 2 \times 2 \times 2$ 51. $6 \times 6 \times 6$

La division

Divise.

1. $54 \div 9$ 2. $40 \div 5$ 3. $63 \div 7$ 4. $28 \div 4$

5. $6\overline{)45}$ 6. $8\overline{)58}$ 7. $3\overline{)22}$ 8. $9\overline{)66}$ 9. $7\overline{)32}$

10. $164 \div 4$ 11. $384 \div 6$ 12. $802 \div 2$ 13. $270 \div 5$

14. $8\overline{)544}$ 15. $4\overline{)200}$ 16. $3\overline{)249}$ 17. $7\overline{)651}$ 18. $5\overline{)605}$

19. $9\overline{)482}$ 20. $3\overline{)704}$ 21. $7\overline{)395}$ 22. $4\overline{)646}$ 23. $8\overline{)267}$

24. $6\overline{)1482}$ 25. $2\overline{)5934}$ 26. $5\overline{)3050}$ 27. $9\overline{)9144}$ 28. $4\overline{)3172}$

29. $8\overline{)7025}$ 30. $3\overline{)3914}$ 31. $7\overline{)8602}$ 32. $5\overline{)1693}$ 33. $9\overline{)8745}$

La division

Divise.

1. $60\overline{)720}$ 2. $20\overline{)595}$ 3. $90\overline{)2583}$ 4. $10\overline{)6410}$ 5. $40\overline{)4392}$

6. $23\overline{)483}$ 7. $41\overline{)738}$ 8. $60\overline{)900}$ 9. $18\overline{)972}$ 10. $35\overline{)875}$

11. $90\overline{)600}$ 12. $52\overline{)913}$ 13. $83\overline{)769}$ 14. $74\overline{)840}$ 15. $17\overline{)321}$

16. $33\overline{)1683}$ 17. $66\overline{)1518}$ 18. $29\overline{)1682}$ 19. $19\overline{)1862}$

20. $43\overline{)3526}$ 21. $24\overline{)1738}$ 22. $93\overline{)9608}$ 23. $52\overline{)6481}$

24. $80\overline{)4060}$ 25. $76\overline{)4913}$ 26. $41\overline{)23\ 821}$ 27. $28\overline{)56\ 868}$

28. $64\overline{)56\ 000}$ 29. $37\overline{)37\ 740}$ 30. $55\overline{)37\ 345}$ 31. $94\overline{)82\ 395}$

32. $15\overline{)36\ 841}$ 33. $71\overline{)95\ 624}$ 34. $83\overline{)64\ 722}$ 35. $30\overline{)35\ 060}$

L'addition

Additionne.

1. $\begin{array}{r} 4{,}36\ \$ \\ +\ 2{,}95\ \$ \\ \hline \end{array}$
2. $\begin{array}{r} 37{,}49\ \$ \\ +\ 5{,}81\ \$ \\ \hline \end{array}$
3. $\begin{array}{r} 8{,}50\ \$ \\ +\ 6{,}29\ \$ \\ \hline \end{array}$
4. $\begin{array}{r} 40{,}20\ \$ \\ +\ 9{,}98\ \$ \\ \hline \end{array}$
5. $\begin{array}{r} 12{,}53\ \$ \\ +\ 48{,}76\ \$ \\ \hline \end{array}$
6. $\begin{array}{r} 1{,}6 \\ +\ 5{,}3 \\ \hline \end{array}$
7. $\begin{array}{r} 5{,}9 \\ +\ 8{,}3 \\ \hline \end{array}$
8. $\begin{array}{r} 7{,}5 \\ +\ 6{,}7 \\ \hline \end{array}$
9. $\begin{array}{r} 6{,}17 \\ +\ 4{,}0 \\ \hline \end{array}$
10. $\begin{array}{r} 9{,}43 \\ +\ 2{,}58 \\ \hline \end{array}$
11. $14{,}02 + 3{,}55$
12. $60 + 0{,}51 + 3{,}18$
13. $27{,}6 + 19{,}3 + 41{,}208$
14. $\begin{array}{r} 23{,}148 \\ +\ 6{,}75 \\ \hline \end{array}$
15. $\begin{array}{r} 50{,}42 \\ 0{,}681 \\ +\ 3{,}7 \\ \hline \end{array}$
16. $\begin{array}{r} 28{,}974 \\ 13{,}506 \\ +\ 42{,}015 \\ \hline \end{array}$
17. $\begin{array}{r} 4{,}0 \\ 62{,}018 \\ +\ 45{,}79 \\ \hline \end{array}$
18. $\begin{array}{r} 3{,}4 \\ 0{,}9 \\ 1{,}2 \\ +\ 5{,}6 \\ \hline \end{array}$
19. $\begin{array}{r} 8{,}03 \\ 42{,}5 \\ 16{,}97 \\ +\ 2{,}18 \\ \hline \end{array}$
20. $\begin{array}{r} 23{,}17 \\ 4{,}09 \\ 60{,}34 \\ +\ 58{,}26 \\ \hline \end{array}$
21. $\begin{array}{r} 0{,}39 \\ 62{,}05 \\ 14{,}87 \\ +\ 3{,}54 \\ \hline \end{array}$

La soustraction

Soustrais.

1. $\begin{array}{r} 7{,}1 \\ -\ 4{,}0 \\ \hline \end{array}$
2. $\begin{array}{r} 5{,}7 \\ -\ 2{,}9 \\ \hline \end{array}$
3. $\begin{array}{r} 8{,}0 \\ -\ 3{,}4 \\ \hline \end{array}$
4. $\begin{array}{r} 8{,}2 \\ -\ 3{,}9 \\ \hline \end{array}$
5. $\begin{array}{r} 4{,}3 \\ -\ 1{,}7 \\ \hline \end{array}$
6. $\begin{array}{r} 72{,}46 \\ -\ 11{,}05 \\ \hline \end{array}$
7. $\begin{array}{r} 37{,}64 \\ -\ 18{,}95 \\ \hline \end{array}$
8. $\begin{array}{r} 43{,}1 \\ -\ 19{,}62 \\ \hline \end{array}$
9. $\begin{array}{r} 50{,}01 \\ -\ 29{,}43 \\ \hline \end{array}$
10. $\begin{array}{r} 54{,}81 \\ -\ 46{,}92 \\ \hline \end{array}$
11. $\begin{array}{r} 8{,}153 \\ -\ 4{,}296 \\ \hline \end{array}$
12. $\begin{array}{r} 5{,}463 \\ -\ 1{,}785 \\ \hline \end{array}$
13. $\begin{array}{r} 9{,}608 \\ -\ 4{,}519 \\ \hline \end{array}$
14. $\begin{array}{r} 9{,}0 \\ -\ 2{,}487 \\ \hline \end{array}$
15. $\begin{array}{r} 5{,}2 \\ -\ 1{,}843 \\ \hline \end{array}$
16. $\begin{array}{r} 0{,}358 \\ -\ 0{,}109 \\ \hline \end{array}$
17. $\begin{array}{r} 0{,}063 \\ -\ 0{,}057 \\ \hline \end{array}$
18. $\begin{array}{r} 0{,}004 \\ -\ 0{,}001 \\ \hline \end{array}$
19. $\begin{array}{r} 0{,}506 \\ -\ 0{,}029 \\ \hline \end{array}$
20. $\begin{array}{r} 0{,}01 \\ -\ 0{,}007 \\ \hline \end{array}$

La multiplication

Multiplie.

1. $47 \times 0{,}5$
2. $125 \times 0{,}2$
3. $850 \times 0{,}3$
4. $27 \times 0{,}15$
5. $35 \times 0{,}25$
6. $325 \times 0{,}33$
7. $0{,}7 \times 8$
8. $0{,}5 \times 12$
9. $0{,}38 \times 4$
10. $0{,}49 \times 29$
11. $3{,}7 \times 6$
12. $4{,}02 \times 18$
13. $0{,}2 \times 0{,}9$
14. $0{,}8 \times 0{,}7$
15. $3{,}5 \times 0{,}8$
16. $63{,}7 \times 0{,}4$
17. $19{,}5 \times 3{,}8$
18. $67{,}4 \times 32{,}5$
19. $0{,}6 \times 7{,}2$
20. $0{,}05 \times 0{,}3$
21. $0{,}16 \times 0{,}2$
22. $0{,}38 \times 4{,}9$
23. $0{,}19 \times 6{,}3$
24. $4{,}92 \times 7{,}5$
25. $73{,}42 \times 5{,}8$

La division

Divise.

1. $6\overline{)7{,}2}$
2. $4\overline{)0{,}32}$
3. $2\overline{)0{,}258}$
4. $3\overline{)0{,}906}$
5. $5\overline{)6{,}9}$
6. $4\overline{)2{,}1}$
7. $25\overline{)15{,}2}$
8. $10\overline{)56}$
9. $0{,}3\overline{)9}$
10. $0{,}2\overline{)0{,}6}$
11. $0{,}5\overline{)35}$
12. $0{,}7\overline{)0{,}021}$
13. $3{,}1\overline{)89{,}9}$
14. $2{,}7\overline{)1{,}08}$
15. $3{,}6\overline{)0{,}18}$
16. $7{,}5\overline{)0{,}6}$
17. $0{,}05\overline{)0{,}265}$
18. $0{,}12\overline{)15{,}6}$
19. $1{,}25\overline{)2{,}5}$
20. $1{,}86\overline{)55{,}8}$

Divise. Arrondis le quotient au centième près.

21. $7\overline{)1}$
22. $0{,}3\overline{)14}$
23. $1{,}5\overline{)0{,}35}$
24. $0{,}36\overline{)6{,}1}$

Problèmes

1. Récemment, le Canada a exporté les quantités suivantes de céréales (exprimées en millions de tonnes): ports de la côte ouest—9,564; Churchill—0,289; Thunder Bay—10,465; ports de la côte est—0,73. Calcule, en millions de tonnes, la masse totale de céréales exportées.

2. a = 1, b = 2, c = 3, d = 4, etc. Calcule la somme des nombres correspondant aux lettres du mot **Examen**.

3. Une compagnie aérienne annonce un tarif spécial de 357,50 $ pour un aller et retour sur la ligne Edmonton—Montréal. Le prix habituel est de 577,50 $. Quelle sera l'économie réalisée par un couple d'adultes bénéficiant du tarif spécial?

4. Pour un dépôt de 5000,00 $ une compagnie de fiducie offre un taux d'intérêt annuel de $19\frac{3}{4}$%. Quelle somme d'argent cela représente-t-il?

5. Les Whitecaps, de Vancouver (une équipe de la Ligue Nord-Américaine de Soccer) ont marqué 168 points en 30 parties. Calcule la moyenne des points pour une partie.

6. Entre 1979 et 1980, le Canada a exporté 0,523 million de tonnes de céréales par le port Churchill. Entre 1980 et 1981, les exportations par ce même port ont été de 0,289 million de tonnes. Calcule la différence entre ces deux masses.

7. Jeudi, l'indice de la bourse de Toronto atteignait 2334, 33 points à la fermeture; vendredi, il atteignait 2310,61 points. Calcule la baisse subie en un jour.

8. Un avion part de Calgary à 13:05 et arrive à Toronto à 18:30. Calcule la durée du voyage. Le décalage horaire entre les deux villes est de 2 heures.

9. Une caisse de 24 boîtes de jus coûte 10,08 $. Deux boîtes se vendent 0,89 $. Combien économise-t-on en achetant une caisse?

10. Pendant cinq jours, un groupe d'élèves a collecté des pièces de un cent au bénéfice d'une organisation charitable. Le premier jour, ils ont collecté 3 pièces; chaque jour suivant ils ont collecté le triple de ce qu'ils avaient obtenu la veille.
    a. Combien de pièces y avait-il le cinquième jour?
    b. Quel a été le montant total de la collecte?

11. Le Nil mesure 6632 km de long. Le Saint-Laurent mesure 3440 km de long. Calcule la différence de longueur entre les deux fleuves.

12. L'ascenseur d'un immeuble parisien a été installé en 1883. Depuis combien de temps fonctionne-t-il?

13. Un pneu de voiture coûte 53,45 $. Combien M. Langley devra-il payer pour remplacer les 4 pneus de sa voiture?

14. Un enfant dont la masse est 32 kg sur la Terre aurait une masse d'environ 896 kg sur le Soleil. Par combien sa masse serait-elle multipliée?

15. L'Île-du-Prince-Édouard a une aire de 5657 km^2. L'aire de Terre-Neuve est environ 71,5 fois plus grande. Quelle est l'aire approximative de Terre-Neuve?

16. Une paire de patins à glace coûte normalement 31,95 $. Le magasin offre un rabais de 20% sur ce prix.
    a. Quelle somme d'argent cela représente-t-il?
    b. Quel est le nouveau prix de vente des patins?

17. Un journal coûte 0,25 $ par jour du lundi au jeudi et 0,50 $ le vendredi et le samedi. Combien dépenses-tu en achetant le journal pendant quatre semaines?

18. En disputant les cinq premières parties de balle molle de la saison, l'équipe de l'école a compté respectivement 9, 5, 12, 3 et 6 circuits. L'équipe a gagné quatre parties et en a perdu une. Quel a été la moyenne des circuits pour une partie?

19. Les 28 élèves de la classe de 6e année de l'école King Richard se sont procuré 1148 capsules de bouteilles pour réaliser un projet artistique. Combien chaque élève a-t-il ramassé de capsules en moyenne?

INDEX